LA CULTURA DEL ABISMO

LECTURAS DEL HOLOCAUSTO

Javier Fernández Aparicio
Javier Quevedo Arcos

© LIBROS CERTEZA, y texto Javier Fernández Aparicio y Javier Quevedo Arcos

Edita: **LIBROS CERTEZA**

    Parque, 41 50007 **ZARAGOZA** (España**)**

    Tel. **(**34**) 976 272 907**

    E-mail: **certeza@certeza.com**

    www.certeza.com

ISBN: 976-84-7213-180-4

Depósito legal: Z 109-2019

Imprime: MASQUELIBROS S.L.

Nuestra comodidad reposa
sobre mullidas montañas de cadáveres

(Alberto García-Teresa, *Casa sin ventanas*)

Auschwitz sigue aquí, entre nosotros

La cultura del abismo aparece a principios del siglo XX, continúa sin detenerse hacia la Gran Guerra, alcanza su paroxismo durante el nazismo y el Tercer Reich. ¿Existe también después? Lecturas del Holocausto, un proyecto en torno a los libros de la Shoá, pretende englobar las múltiples visiones de la catástrofe: supervivientes y víctimas que ya no pueden hablar, verdugos y colaboradores, historiadores, testigos, literatura, ensayos… ¿Por qué volver una y otra vez a Auschwitz? ¿Qué hace que, después de tantos años transcurridos, cuando apenas quedan sobrevivientes, no podamos olvidar? Recordemos: hace más de setenta años, dirigentes del país más civilizado de Europa decidieron exterminar de manera metódica a millones de individuos, de manera no muy diferente a como se planea una fumigación. En su mayor parte, aquellos verdugos no se consideraban unos monstruos sádicos; se emocionaban escuchando a Beethoven o contemplando a Rembrandt, eran grandes amantes de la naturaleza y los animales; no era raro encontrar entre ellos ejemplares padres de familia.

Tampoco se trató de un grupo aislado. La más reciente bibliografía nos muestra la vasta red de complicidades de que se sirvió el nazismo para llevar a cabo sus planes genocidas: miles de ciudadanos «corrientes» —en Alemania y fuera de ella— colaboraron de manera voluntaria a esa tarea de exterminio con un entusiasmo que no alcanza a explicar sólo la obediencia debida ni el miedo a las represalias. Un número aún mayor le dio cobertura con su apatía cómplice.

Un espeso manto de silencio cayó sobre las víctimas y los verdugos al término de la guerra. La consigna era olvidar y reconstruir. Las víctimas fueron olvidadas y silenciadas. La inmensa mayoría de los verdugos se reintegraron sin dificultades a la vida diaria. La pesadilla recurrente de Primo Levi —en sueños hablaba y contaba, pero nadie le pretaba oídos— se convertía en realidad.

Pero los cadáveres son testarudos. Como sudecía en los campos de exterminio, los restos afloraban una y otra vez a la superficie por hondo que se enterrasen. Con el primer respiro, Occidente empezó a recordar. La mala conciencia no le dejaba disfrutar con tranquilidad del nuevo confort alcanzado. El juicio a Eichmann en Jerusalén marcó un punto de inflexión en la nueva actitud hacia el Holocausto. Las víctimas se lanzaron a hablar y ya no hubo quien las callara. Algunos países —sólo algunos y con muchos reparos— sintieron vergüenza de su pasado y persiguieron a sus verdugos, cómodamente instalados muchos de ellos en puestos de responsabilidad.

Los intelectuales más lúcidos reconocieron al fin que no existía asunto más capital que dilucidar los motivos que nos llevaron a Auschwitz. Y entonces se descubrió algo aterrador: los campos de exterminio no fueron obra tan sólo de unos pocos locos, sino que los hicimos entre todos, a través de siglos de barbarie civilizada y de cultura intolerante. Se construyeron con ideas (el antisemitismo, la xenofobia, el culto a la eficacia despiadada y al beneficio a cualquier precio, la admiración por el que triunfa y el desprecio por el débil y desprotegido) que siguen vigentes en nuestras sociedades y se admiten con una tranquilidad pasmosa (lo demuestran las encuestas)

entre vastas capas de la población. El mal —el mal banal, cotidiano, el que se encoge de hombros, se ampara en poderes superiores y se exculpa como Eichmann en Jerusalén: «No es culpa mía, no tuve más remedio»— sigue aquí entre nosotros. Recordar Auschwitz es aún mirarse al espejo.

Desde el 2007, dos bibliotecarios municipales de Madrid (uno historiador, otro filósofo) iniciaron una pequeña sección de libros dedicados al Holocausto en la biblioteca de su barrio (la Gerardo Diego, de Vallecas Villa). La sección —modesta, nutrida en buena parte con donaciones— fue creciendo con el tiempo y engendró guías de lectura, trabajos monográficos, una web (www.lecturasdelholocausto.com), un club de lectura y otras actividades paralelas (mesas redondas, conferencias, etc.). Este libro recoge una selección de este trabajo ya de una década. El grueso de los estudios se centra en la literatura de ficción. El interés por la buena literatura del Holocausto (la mala abunda también) responde a una convicción: que, ahora que están desapareciendo los últimos testigos directos del genocidio, sólo la literatura de calidad puede mantener vivo su recuerdo más allá del ámbito especializado de los libros de historia. Como escribió Kertész en su *Diario de la galera*, «El campo de concentración sólo es imaginable como literatura, no como realidad».

A menudo nos preguntan: ¿por qué os ha dado por ahí, por qué os habéis interesado por el Holocausto?, como si se tratase de alguna afición estrafalaria (coleccionar chapas de botella, jugar a la petanca, decorar huevos de pascua) y no el tema capital de la historia de

nuestra época. La réplica surge automática: ¿cómo alguien medianamente culto puede no intersarse por este asunto, cómo puede volver la espalda a la catástrofe (pues eso significa 'Shoá') que más cuestiones de toda clase (morales, filosóficas, políticas, históricas) nos plantea?

Lo que Occidente es hoy día se construyó precisamente como rechazo al genocidio nazi, como un intento de evitar que una monstruosidad semejante volviera a repetirse. Vivimos sobre una zona cero. Nuestro mundo se ha edificado, por así decir, sobre una cicatriz, una enorme herida que no está cerrada del todo. ¿Quién no siente curiosidad cuando se cruza con alguien con una llamativa cicatriz en el cuerpo? ¿Y si ese cuerpo fuera el nuestro? ¿Y si, junto con otras cosas, esa cicatriz formase parte de nuestra herencia?

Otro motivo de curiosidad tiene que ver con los límites del ser humano. A diferencia del resto de las especies, lo que el hombre sea lo determina él mismo, no sabemos de antemano hasta dónde puede llegar un individuo, una comunidad, una civilización. Sólo al mirar atrás podemos hacernos cargo de los logros. No somos más que lo que hacemos, por eso nos resulta tan imprescindible estudiar el pasado. ¿Hasta dónde puede llegar un ser humano? Precisamente porque no podemos saber la respuesta con anticipación, porque se trata de una pregunta de respuesta abierta, esa cuestión fascina a cualquiera. No hay más que ver la popularidad de esos libros que recopilan todo tipo de récords absurdos. Ahora bien, el genocidio nazi marca un límite, un récord de perversidad; nunca antes la humanidad había llegado tan lejos en la abyección y el crimen.

¿Cómo cualquiera que se diga humano puede dejar de sentir una curiosidad extrema por este límite oscuro, que es el nuestro, el que un día podría cruzar cualquiera de nosotros?

Lo extraño no es ocuparse en el Madrid de ahora de algo que sucedió hace más de setenta años. Lo extraño es no querer ver que aún sigue sucediendo, que los valores que llevaron al crimen nazi —la eficacia sin moral, el triunfo a cualquier precio, el desprecio del fracasado, del miserable, del diferente, la estupidez antisemita, la fascinación por una racionalidad totalitaria cuyo único objetivo es maximizar su propio funcionamiento y que convierte a cada cual en pequeño nazi de sí mismo— siguen estando plenamente de actualidad justo aquí, entre nosotros, a derecha e izquierda, entre los dirigentes y en la calle, entre los adultos y los jóvenes. Lo verdaderamente extraño es que en nuestros programas escolares no ocupe una posición prioritaria la pregunta: ¿por qué no quiero, por qué no debo ser como ellos, los que asesinaron a millones con buena conciencia? O bien: ¿por qué es tan fácil convertirse en cómplice o en asesino?

Lo más que extraño, preocupante, es ignorar que no pasa un día sin que estas cuestiones, que se plantearon por primera vez en Auschwitz, sigan demandando respuesta.

Javier Fernández y Javier Quevedo
Septiembre de 2018

Nota de los autores

Los trabajos presentados a continuación son una selección de otros tantos que, evitando fatigar demasiado al lector, no hemos incluido. Guías que organizamos en dos bloques. El primero de los autores leídos en el Club de Lectura del Holocausto, que impartimos en Bibliotecas Públicas Municipales de Madrid y Centro Sefarad-Israel desde 2013 y del que este año, por lo tanto, cumplimos su quinta edición. Autores saboreados por decenas de participantes y que han dado lugar a jugosas reflexiones sobre la memoria de lo sucedido, también al respecto de la inquietante actualidad de la Historia, con mayúsculas. Así, presentamos una selección de diferentes guías de lectura de autores y obras elegidas en alguna de estas temporadas. Al principio de cada una habrá una nota aclaratoria sobre el ejemplar concreto y las ediciones donde se leyó. Vaya por delante que elegimos estos trabajos del Club en primer lugar siguiendo las mejores valoraciones de sus participantes. Se puede consultar toda la información en http://www.lecturasdelholocausto.com/club-de-lectura.

Un segundo bloque lo constituyen guías desde el recuerdo sobre el Holocausto y nazismo, elaboradas casi siempre con motivo de conmemoraciones, en su mayoría acompañando a centros de interés bibliográficos en bibliotecas públicas madrileñas y otras actividades en torno al recuerdo del Holocausto. Otras bibliografías, por su extensión, no se han podido incluir en el presente volumen. Son guías que, sin perder un carácter divulgativo, no están exentas de rigor, de datos útiles tanto al especialista e interesado, como al lector que se

acerca por primera vez a estos temas. Los trabajos elegidos son los más significativos de nuestro proyecto Lecturas del Holocausto y han sido actualizados. También en el inicio de cada uno habrá una nota aclaratoria de las circunstancias que motivaron su redacción.

No queda sino agradecer al editor por confiar en una obra de estas características, en una época difícil para la lectura comprometida, sosegada y reflexiva; también a todos aquellos, particulares e instituciones, que apoyan nuestro proyecto en torno a la memoria del Holocausto desde el inicio, cuando empezamos allá por 2007. Gracias por supuesto a los lectores finales de estos trabajos y guías: participantes del Club, usuarios de bibliotecas públicas, interesados en el Holocausto en general o simples amantes de los buenos libros.

I
AUTORES DEL CLUB DE LECTURA

MODIANO, *DORA BRUDER* Y EL PARÍS DE LA OCUPACIÓN

> Tengo miedo a descubrir que siempre he escrito lo mismo.
>
> (Entrevista a Modiano, *El Cultural*, 5-12-2014)

BIOGRAFÍA DE PATRICK MODIANO[1]

Patrick Modiano nació en Boulogne-Billancourt un 30 de julio de 1945, casi un año después de que París fuera liberada por los Aliados, en agosto de 1944. Su padre, Albert Modiano, era un judío de origen italiano, hijo de un emigrado de Salónica. Pese a ello, Patrick nunca se considerará judío, sino el resultado de varias culturas que transciende la propia Francia: «Soy producto de una mezcla extraña. Nunca me he sentido estrictamente judío. Mi padre se halló metido en esta categoría bruscamente, por la guerra»[2].

De la vida del padre, lo poco que conocemos proviene de la obra de Patrick, pues es una constante en su literatura recurrir al recuerdo para modelar algunos de sus personajes o reflexionar en torno a la relación paterno-filial, en lo que *Dora Bruder*, su obra menos ficcional, no será una excepción. Durante la Ocupación, Albert Modiano pasó de ser un modesto empresario con ansias de prosperar, a manejarse en el mercado negro y los bajos fondos del hampa parisina para salir

---

[1] En la primera edición del Club de Lectura (2013-2014) el libro elegido para abrirlo fue *Dora Bruder* (Seix Barral, 2009). Ante la buena acogida de los participantes, la obra también se incluyó en la segunda y cuarta ediciones, mientras que *Trilogía de la Ocupación* (Anagrama, 2012) fue leída en la tercera.

[2] Entrevista de Elianne Rosk, *El Periódico*, 24-09-2010.

adelante. Fue precisamente por esta época (noviembre de 1944) cuando conoce a la que sería su esposa, la actriz belga Louisa Colpijn (o Colpeyn). Fruto de la relación con ella llegarían dos hijos: Patrick y Rudy (este último, nacido en 1947, moriría prematuramente a los diez años).

Las continuas ausencias de los padres (él, por su desinterés por la familia y ella debido a sus giras teatrales), hicieron que la infancia de Patrick Modiano fuera difícil, solitaria y un tanto marginal. Todo ello se trasladará igualmente a su literatura con personajes adultos frívolos, deshumanizados, fríos.

Durante sus estudios de bachillerato Patrick conoce al escritor Raymond Queneau, amigo de la madre y su profesor de geometría, que le contagia su amor por la escritura. Desde entonces Modiano, guiado por el ejemplo de Queneau, se consagra a ser escritor renunciando a los estudios superiores. Además es un lector empedernido de novela negra norteamericana, de la que adaptará el estilo entre misterioso y enigmático.

En 1968 publica *El lugar de la estrella (La place de l'étoile)*, que remite a la Plaza de la Estrella —actual Plaza Charles de Gaulle—, con evocaciones a las ominosas estrellas amarillas que distinguían a la población judía del resto. El libro fue premiado con el Roger Nimier y el Fénéon. Pero durante años Modiano será un autor muy poco conocido fuera de Francia; *Place de l'Étoile* no se publicará hasta el 2004 en alemán, en 1989 al castellano y en inglés, sólo tras la concesión del Nobel.

En septiembre de 1970 el escritor se casa con Dominique Zerhfuss. El matrimonio tendrá dos hijas, Zina y Marie, cineasta y cantautora respectivamente. En 1978 se le concede el prestigioso Premio Goncourt por *Calle de las tiendas oscuras*, dedicado a su padre, recientemente fallecido, y donde Modiano volvía a evocar, como en las novelas anteriores, la época de la ocupación nazi en Francia.

De carácter reservado, algunos dirían que huraño, pero de imponente presencia física —mide casi dos metros—, las apariciones del escritor en los medios de comunicación son muy contadas. Tampoco le interesa relacionarse con otros escritores ni que le asocien con la figura del intelectual comprometido. El autor francés no pretende reivindicar nada, sino evocar el pasado. Modiano consagra su literatura al recuerdo de la Ocupación, que considera la época más amarga de la historia contemporánea de Francia. Otra cosa es que la evocación de ese pasado dé mucho que pensar: «Es muy triste, es como si [los escritores] levantáramos una muralla, somos un poco autistas. Debe de haber gente, no necesariamente en Francia, que trabaje en una línea parecida a la mía, pero no los conozco y si les conociera no sabría qué decirles.»[3]

En 1974 colabora con Louis Malle en el guión de la película *Lacombe Lucien*, primera que aborda el tema del colaboracionismo con los nazis en Francia y que provoca una encendida polémica al señalar la culpabilidad de los franceses en el destino de los judíos durante la Ocupación.

---

[3] Entrevista a Modiano, Xavi Ayén, *La Vanguardia, 15-02-2009.*

Un pedigrí, de 2004, su obra literaria más reconocida por la crítica, retoma sus temas clásicos: el descubrimiento del padre ausente, el homenaje a la madre, escenas de claro componente autobiográfico y personajes reales de la familia de Modiano.

En muchos de sus títulos aparece un personaje llamado Jean. Así ocurre incluso en una de sus últimas obras, *La hierba de las noches* (2012). Modiano utiliza a este personaje como *alter ego*, una voz propia que en forma de cicerone nos lleva a la acción, al recuerdo y a la descripción del resto de personajes y de la trama a través de la memoria. Así define el escritor a su obsesivo protagonista tipo:

No recuerda nada de su vida anterior. Intenta encontrar briznas de su pasado. Lo raro es que mis novelas son siempre eso, y no me doy cuenta más que cuando las he acabado: «Mira —me digo—, has vuelto a hacer la misma cosa, qué curioso». Pero no me doy cuenta de esos leitmotivs que vuelven una y otra vez[4].

Al igual que tantas obras del autor, *Un pedigrí* parece sacada de la propia vida de Modiano, como una especie de autobiografía novelada:

Todo es real. Es una autobiografía un poco especial. Quería hablar de cosas que me hicieron daño y que me resultaban extrañas. En otras autobiografías se habla de cosas íntimas con las que uno está de acuerdo, con las que te reconoces. Yo, por el contrario, quería liberarme de cosas que me hicieron

---

4   *Ibid.*

daño. Quería desembarazarme de todo eso que yo no elegí, que no me concernía del todo y que me hizo daño...[5]

En cualquier caso, no se entendería la literatura actual en lengua francesa sin Patrick Modiano, un nombre que surge junto a los de otros grandes como Pierre Michon, Le Clézio, Daniel Pennac, Michel Houellebecq, Roland Barthes o Pascal Quignard, cuando se menciona cualquier selección. El escritor representa una literatura comprometida, que no militante, con la memoria y los hábitos de autores de otros tiempos: le gusta seguir escribiendo a la mesa de cualquier café concurrido (para colmo, lo sigue haciendo a pluma) y pasear por una ciudad que le trae recuerdos pero que ya no existe:

Cuando empiezo un libro, lo raro es que no sé bien adónde voy. Estoy igual que el lector, no sé nada y la cosa se va definiendo poco a poco, a medida que uno avanza. Es como conducir un coche sin ninguna visibilidad, no sabe uno si está al borde del barranco o en una autopista. Eso es lo que da un toque incierto.

En diciembre de 2014 se le concede el Premio Nobel de Literatura en honor —según la Academia Sueca— a «su arte de la memoria con el que ha evocado los destinos humanos más difíciles de retratar y desvelado el mundo de la Ocupación». En el discurso de recepción, Modiano defendió la idea de que en la escritura de un autor no tiene por qué aflorar su intimidad ni translucirse en su persona una oralidad apabullante. Sin embargo, no le gusta hablar mucho de su

---

[5]   Entrevista de Antonio Jiménez Barca, *El País,* 16-05-2009.

literatura, pues es algo que le desasosiega y hasta cree que puede llegar a afectarle en un plano personal:

Me doy cuenta de que hay cosas que vuelven de manera obsesiva. Es algo que me angustia un poco. Seguro que un psicoanalista encontraría material que poder interpretar… Por lo que a mí respecta no quiero profundizar demasiado. Sería como despertar a un sonámbulo, y no me apetece mucho[6].

Tras el Nobel, se tradujo al español casi toda su producción literaria por parte de Anagrama (*La hierba de las noches*, 2014; *Tan buenos chicos*, 2015; *Domingos de agosto*, 2015; *Para que no te pierdas en el barrio*, 2015; *Nuestros comienzos en la vida*, 2018, teatro). En 2017 el autor retornó a la escritura con una nueva obra: *Souvenirs dormants* (*Recuerdos durmientes*, Anagrama, 2018), donde Modiano vuelve a las confusas relaciones entre realidad y recuerdo[7].

DORA BRUDER

Dora Bruder es una obra que va germinando en el pensamiento de Modiano desde que en 1988, buscando material para la que sería su novela *Viaje de novios*, se encontró un anuncio en el periódico *Paris-*

---

[6] Entrevista a Maryline Heck, *El Periódico*, 24-09-2010

[7] Toda la obra de Modiano en Anagrama en https://www.anagrama-ed.es/autor/modiano-patrick-1209 (última consulta 05/09/2018).

Soir del 31 de diciembre de 1941; en él unos padres piden información sobre su hija de 15 años, Dora Bruder, fugada de un internado de monjas. El mismo nombre que una chica deportada a Auschwitz en septiembre de 1942, según el listado que aparece en la obra de Serge Klarsfeld, *Le mémorial des enfants juifs déportés de France* (1995).

Pregunta.— ¿Cómo llegó a interesarse por Dora Bruder?

Patrick Modiano.— Consultando viejos periódicos en diciembre de 1988, di con el anuncio de búsqueda de Dora Bruder en el *Paris-Soir* del 31 de diciembre de 1941. El anuncio me impresionó vivamente. Me imaginé a esos padres que habían perdido el rastro de su hija en el último día del año y me hice una idea de dónde vivían; conocía bien el barrio: el cine de Ornano, 43, junto al 41 del boulevard Ornano y la estación de metro Simplon. Tuve una corazonada. Consulté la lista de la deportación de los judíos de Francia que Serge Klarsfeld publicó en 1978. El nombre de Dora Bruder aparecía en el listado del convoy número 34, del 18 de septiembre de 1942, que partió de Drancy con dirección a Auschwitz. No hay fecha ni lugar de nacimiento junto al nombre, como es habitual en los otros nombres incluidos en la lista. El siguiente nombre era el de «Bruder, Ernest, 21/05/99. Viena. Apátrida». Encontré el nombre de Bruder, Cecilia, en la lista del convoy del 11 de febrero de 1943. Lo que me conmocionó fueron las dos desapariciones sucesivas de Dora Bruder: la del anuncio del periódico y la última, nueve meses más tarde; y esos padres y esa hija que van cayendo en la nada cada uno a su turno[8].

---

[8]   Rencontre avec Patrick Modiano, à l'occasion de la parution de *Dora Bruder* (1986). En: http://www.gallimard.fr/catalog/entretiens/01034347.htm (última consulta: 05/09/2018).

Patrick Modiano estaba literalmente atormentado por el vacío que se abría en la existencia de una joven de la que sólo se conocía un anuncio, insertado en un periódico por sus padres, y la fecha de nacimiento del listado que el historiador Klarsfeld publica en su *Mémorial*. Después de años de búsqueda, investigación y escritura, encontró el sentido de seguir adelante con *Dora Bruder* en un doble desafío: por un lado, la incertidumbre en torno a un hecho, característica de toda su obra; por otro, el recuerdo de su propia infancia: «Encontrar algo muy preciso, pero un solo elemento, ya que todo está rodeado de una aureola de incertidumbre. También reflejaba una opinión que tengo con respecto a mi infancia. Hay infancias que son lógicas, comprensibles. La mía estaba fraccionada, compuesta por piezas dispersas que me costaba unir»[9].

Modiano aprovecharía parte del material recogido para *Viaje de novios* (*Voyage de noces*, una novela publicada en 1990, que es la antesala de *Dora Bruder*), para esta última, salvo que aquí todos los elementos son reales, nada novelísticos. El propio escritor lo explicaba en la entrevista anterior: «Escribí esta novela [se refiere a *Viaje de novios*] tratando de llenar el vacío que sentía cuando pensaba en Dora Bruder, de la que no sabía nada. Pero la novela terminó y yo estaba en el mismo punto. Y sólo podría terminar en un libro que no es una novela».

Viaje de novios se centra en los recuerdos de un hombre ya maduro que viaja a Milán. En el hotel donde se aloja, una mujer francesa se ha suicidado y el viajero descubre que se trata de una anigua conocida,

---

9   Entrevista Maryline Heck, op. cit.

perdida en los recuerdos del pasado. Cuando vuelve a París decide buscar las huellas de aquella mujer, Ingrid, y de su marido Rigaud, que huyeron a la Riviera francesa durante la guerra. La reconstrucción de la vida de una persona desaparecida por parte del autor-narrador es similar a la de *Dora Bruder*, sin que a Modiano le importe si es ficción o realidad. Léase el fragmento de *Viaje de novios* en que el protagonista encuentra un recorte de periódico:

Encontré el viejo recorte de periódico que databa del invierno en que Ingrid conoció a Rigaud... Era un suelto pequeñísimo, entre otros anuncios, demandas y ofertas de empleo, la rúbrica de transacciones inmobiliarias y comerciales. «Desaparecida una joven, Ingrid Teyrsen, dieciséis años, 1,60 m., rostro ovalado, ojos grises, trenca marrón, jersey azul claro, falda y sombrero grises, zapatos de sport negros. Dirigirse a M. Teyrsen, 39 bis boulevard Ornano, París»[10].

El efecto en ambos libros es el mismo para Modiano. El autor no hace distinción entre lo real y lo novelístico, algo que, para emplear sus mismas palabras, obedece a una necesidad: la de dejar aflorar el recuerdo de un pasado, unas veces duro, otras feliz, y siempre con la infamia de la Ocupación rodeando los destinos de los personajes, ya sean inventados o reales.

Pregunta.— Dora Bruder fue un caso real, pero eso a usted le da igual.
Modiano.— Sí, no hago esa distinción, Dora Bruder ha existido, todo es real, pero lo extraño es que, tras haber escrito su libro, no tuve la impresión de

---

[10]   Patrick Modiano, *Viaje de novios*, Barcelona, Anagrama, 2015, pp. 142-143.

que me desviaba de mi línea. No hay ninguna diferencia, finalmente, entre este libro y mis novelas[11].

ESTILO Y VOZ NARRATIVA DE *DORA BRUDER*

Amante de la literatura de Georges Perec, de la que extrae el recurso de aludir siempre a algunos motivos continuados, incluso a ciertas cifras o palabras que se van repitiendo a lo largo de sus obras, Modiano reconoce que el libro *Las cosas* (1965) de Perec fue un auténtico descubrimiento para él.

Como en la mayoría de sus libros, Modiano recurre a la voz narrativa de la primera persona, lo que confiere un fuerte acento autobiográfico y personal a lo relatado, que alterna —con el laconismo y la sobriedad característicos del autor— el presente de la actualidad del narrador con el pretérito perfecto de lo evocado. El narrador viaja constantemente entre uno y otro, desde el ahora de 1997 y el recuerdo de su juventud en 1965, hasta lo poco que queda del recuerdo de Dora Bruder en 1941-1942. Los tres viajes se hallan unidos tanto por el narrador —protagonista en ocasiones de la narración—, como por los lugares que se describen y finalmente por los recuerdos comunes (unos padres perseguidos durante la Ocupación) a Modiano y Dora Bruder, lo que legitima al primero a intentar reconstruir, en un ejercicio de empatía, las vivencias de la joven desaparecida.

---

[11] Entrevista de Xavi Ayén, op. cit.

El estilo es pausado, casi sintético, una instantánea movida donde el narrador fuera el fotógrafo y Dora Bruder quien cruza fugazmente delante de la cámara, antes de volver a perderse fuera del encuadre. Pese a los presentimientos, que llevan a Modiano a intuir cómo pudieron ocurrir las cosas, los únicos datos fiables son en realidad una partida de nacimiento, un nombre en un registro policial, la mala memoria de algunos testigos y otro nombre en la lista de un tren de deportados a Auschwitz. A ello se reducen las escasas fuentes documentales disponibles y en eso queda toda una vida humana truncada a los quince o dieciséis años. De ahí que el narrador se muestre en todo momento cauto, pero honrado con el lector: no hay más, pese a todo el esfuerzo de reconstrucción.

Para apoyar la narración el escritor utiliza las citas de otras obras que nos ayudan a situarnos en el París que le tocó vivir a Dora y en la locura instalada entre los hombres: escritores prometedores que fueron asesinados, cartas enviadas al prefecto de la policía para asuntos judíos implorando con patetismo la libertad de las víctimas, unas últimas misivas de un judío deportado que ya intuye su destino o una imagen del escritor y su padre, sentados juntos en un coche celular.

Las obras de Modiano son, a su entender, impactos en la memoria y moral del lector, llamadas de atención sobre tal o cual personaje, real o ficticio, que podría haber deambulado por las calles de ahora mismo, pero cuyas huellas se han perdido irremediablemente en el tiempo:

He puesto el mismo nombre a personajes de diversas novelas, sin darme cuenta. A veces deslizo los de algunas personas con la esperanza infantil de que se manifiesten, gente de las que me gustaría saber qué ha sido. Como una forma de lanzar una llamada[12].

EL PARÍS DE MODIANO, EL PARÍS DE LA OCUPACIÓN

Modiano recrea en su obra un París que fue el de su primera niñez, el de la reciente ocupación nazi. Lo sigue reconociendo y vive en él a pesar de que los años han hecho mella en la fisonomía de la ciudad. Se trata de un París de grandes pero oscuros bulevares, de tétricas callejuelas, repletas, sin embargo, de garitos bulliciosos. Una ciudad donde la presencia de los judíos se hacía notar a cada paso, ya fuesen judíos franceses o emigrados desde Alemania o la Europa oriental.

Con una población de más de 200.000 judíos, muchos de ellos provenientes del resto de Europa huidos de la expansión nazi, el París de 1939 era una de las ciudades europeas consideradas más seguras para esos miles de prófugos. Pocos podían imaginar que estaban a punto de caer en las garras del nazismo.

En mayo de 1940 Alemania invade Francia y en junio se firma el armisticio que sella la fulminante derrota francesa. Ese mismo mes, Hitler visitaba París como símbolo de su triunfo. Ya por entonces

---

12 Entrevista de Maryline Heck, op. cit.

cerca de 30.000 judíos habían abandonado apresuradamente la capital rumbo al sur. Ante las primeras medidas antijudías, se crean numerosas organizaciones de resistencia o asistencia como *Solidarité* o el Comité Amelot de asistencia social.

Coordinados por el «experto en asuntos judíos» afincado en París, el capitán de las SS Theodor Dannecker, tanto la Francia ocupada como la supuesta Francia libre bajo el gobierno de Vichy del mariscal Pétain, comienzan a dictar medidas de persecución antisemita. En enero de 1941 sólo se permite una organización judía, el Comité Coordinador de Asociaciones Judías de Beneficiencia, controlada prácticamente en su cúspide por miembros de la Gestapo. En Vichy, su homóloga bajo la vigilancia del régimen será la Unión General de Israelitas de Francia (UGIF).

En mayo de 1941 se lleva a cabo el primer arresto masivo de judíos en París: 3.700 hombres enviados a campos de trabajo franceses. Nace el tristemente famoso campo de concentración de Drancy, en un suburbio al noreste de la ciudad.

En octubre de 1941 arden las sinagogas parisinas y se prohíbe a los judíos tener aparatos de radio y teléfonos. Las acciones de la Resistencia francesa contra los invasores hacen que la represión contra la población judía se dispare en forma de redadas y multas desorbitadas a la comunidad hebrea (en diciembre de 1941 ascienden a mil millones de francos).

A finales de 1941 se prohíbe a los judíos abandonar París o cambiar de domicilio; tampoco se les permite salir de sus hogares durante la

noche. Es la época en que Dora Bruder se fuga del internado y es buscada por sus padres.

En marzo de 1942 comienzan las primeras deportaciones desde los campos de internamiento franceses al Este. En ese mismo mes detienen por primera vez a Ernst Bruder, padre de Dora. En junio, todos los judíos mayores de seis años están obligados a portar la estrella amarilla, marcada con la palabra *Juif,* en sus ropas.

En julio, Adolf Eichmann, encargado de los asuntos judíos de Europa del Estado nazi, visita París y el día 16 tiene lugar una gran redada de 12.000 judíos extranjeros, a los que se concentra en el Velódromo de Invierno. Hombres, mujeres, niños y ancianos permanecen hacinados durante días, sin apenas agua ni comida, antes de ser trasladados a Drancy y, posteriormente, rumbo a Auschwitz.

A comienzos de 1943 ya solo quedan 60.000 judíos identificados en París. Otros 30.000 han sido deportados a Auschwitz y 15.000 más se han ocultado o han huido al sur, donde el gobierno de Vichy también los persigue. Los transportes al Este deben continuar y se incluye a internados en orfanatos infantiles y asilos de ancianos; también es vaciado el hospital judío. Al inicio de 1944, los hijos de matrimonios mixtos son igualmente llevados a Auschwitz. Quedan menos de 15.000 judíos en París. Las deportaciones se mantendrán hasta días antes de caer la capital en manos de los Aliados, el 25 de agosto de 1944.

En *Dora Bruder* el París de 1941 es el frecuentado por Modiano, el mismo en que vivió desde niño, pero ya no existe salvo en su mente y su pluma. «El París donde viví y que recorro sin parar en mis libros ya no existe. Escribo para volver a recuperarlo», declara el propio autor[13]. La vivencia en la lectura de Modiano es palpable porque conoce los lugares, las casas y los locales que fueron el escenario de la corta vida de Dora Bruder. Se trata de una ciudad real:

Pregunta.— Reencontramos a París como personaje.

Modiano.— También es un París onírico que, aunque basado en lo real, con calles precisas, está totalmente interiorizado, a partir de mis recuerdos de adolescente. Un París que ya no existe. Ojo, no es nostálgico, sino soñado, totalmente interior[14].

ANTISEMITISMO: LA INFAMIA EN FRANCIA

Francia, cuna del Estado democrático y de los derechos del ciudadano, es también uno de los países donde nace el antisemitismo moderno, distinto al antijudaísmo clásico anterior.

Los judíos habían ido asimilándose durante los siglos XVIII y XIX, gracias sobre todo al impulso integrador de Napoleón. A pesar de casos como el sonado juicio a Alfred Dreyfus, oficial judío falsamente acusado de traición en 1890, el proceso de asimilación, gracias sobre

---

[13] Béatrice Commengé, *Le Paris de Modiano*, Paris, Éditions Alexandrines, 2015, p. 11 (traducción propia).

[14] Entrevista Xavi Ayén, op. cit.

todo a los matrimonios mixtos, no había dejado de crecer a lo largo del XIX. Tampoco el antisemitismo dejó de hacerlo en paralelo y precisamente el caso Dreyfus sirvió para demostrar hasta qué punto se habían desarrollado los prejuicios antijudíos en la sociedad francesa.

El antijudaísmo tradicional, que hundía sus raíces en el catolicismo y también en el protestantismo, se verá reemplazado por una versión más moderna, surgida a finales del siglo XIX. Se publican populares libelos en Francia, Rusia y Alemania, el más famoso de los cuales será *Los protocolos de los sabios de Sion* (1901), que diseminan los remozados prejuicios de siempre. Gracias a modernas teorías como el darwinismo social o la eugenesia, se reactualizan los viejos y contradictorios tópicos: los judíos resultan reconocibles a primera vista como raza, pero al mismo tiempo poseen como nadie la habilidad de camuflarse; son capitalistas despiadados y ganan dinero a costa de los trabajadores, pero también su contrario: son socialistas que alientan la llegada del bolchevismo a toda Europa; representan la modernidad frente al pasado, tanto como la pervivencia de las costumbres más bárbaras y atávicas; se les relaciona con los últimos avances —los automóviles, el cine, el arte abstracto…—, no menos que con el caftán del ropavejero; se les identifica con las teorías más revolucionarias (Freud y Marx, por ejemplo, dignos herederos del ateo Spinoza), pero también con el gran Sanedrín de rabinos, que, según *Los protocolos…*, prepara la conspiración para apoderarse del mundo. Al ser un pueblo errante y cosmopolita, se le supone inmune al amor a la patria y, como demuestra el caso Dreyfus, proclive a

traicionarla. Si por un lado abunda entre ellos la actividad intelectual, por otro son incapaces de actividad productiva alguna (evolución del cliché de la holgazanería judía). Se les representa sosteniendo un libro o un instrumento musical, pero nunca una herramienta de trabajo. La música se considera un área especialmente infectada por su influencia; en consecuencia, una de las primeras medidas de los judeófobos será sanearla de su contagio: los nazis «depurarán» la música clásica de grandes compositores de origen judío, mientras que prohibirán el jazz por considerarlo música «degenerada».

Será precisamente un francés, el conde Joseph Arthur de Gobineau (1816-1882), uno de los fundadores del moderno racismo y el creador del concepto de raza como determinante en la antropología. Gobineau situó la lucha racial como el verdadero motor de la historia, cuyo resultado inevitable era la prevalencia de unas razas sobre otras, consideradas inferiores. Sus ideas calaron más en Alemania, pero también tuvieron eco en Francia.

En 1889 y bajo el patrocinio del periodista Édouard Drumont, se funda en París la Liga Antisemita de Francia, una agrupación dirigida no sólo contra los judíos sino también contra los masones. Su delegado general era Jacques de Biez y Jules Guérin, nacido en Madrid mientras su padre construía la primera fábrica de gas de la capital, fue uno de los miembros más activos.

La Francia judía de Drumont conoció un notable éxito y, a su estela, apareció un sinfín de panfletos en forma de periódicos y revistas antisemitas: *La Libre parole* (dirigido por Édouard Drumont),

L'Antijuif (de Jules Guérin), *La Cocarde* (Maurice Barrès), *L'Intransigeant* (Henri Rochefort) y el diario católico *La Croix*.

Junto a su actividad propagandística, la liga organizaba manifestaciones antisemitas, distribuía propaganda en periodos electorales y provocaba algunas algaradas. Estuvo también muy implicada en la lucha contra Dreyfus.

Tras la Gran Guerra, un gran número de judíos del Este europeo emigró a Francia, hasta llegar a constituir el 50% del total de 350.000 que había al comienzo de la invasión nazi. En su mayor parte carecían de nacionalidad francesa. Dos tercios del total, cerca de 200.000 personas, vivían en París. En el período de entreguerras nacen asociaciones culturales y sociales judías, también los llamados *Consistoires*, que organizaban algunas comunidades. Asimismo, se editan periódicos y revistas en yiddish.

A finales de los años treinta se empieza a restringir el enorme flujo de refugiados que llegan de la Europa oriental y central huyendo de la persecución nazi. Con el aumento de judíos refugiados, que contemplan su patria de acogida como el fin de la incertidumbre, el antisemitismo se dispara en Francia, alentado por partidos como *Action Française*. Así describía Joseph Roth el desconocimiento de los judíos que llegaban desde el Este:

En su tierra natal, el judío oriental lo ignora todo acerca de la injusticia social de Occidente; acerca de los prejuicios que imperan sobre los modos de ser, los actos, las costumbres y la concepción del mundo del europeo occidental medio; acerca de la estrechez del horizonte occidental, rodeado de instalaciones energéticas y erizado de chimeneas fabriles; acerca del odio,

tan grande ya que se lo cuida y mantiene como un medio de preservar la existencia (pero de matar la vida)[15].

Fueron, sin embargo, judíos franceses los primeros en establecer un centro de documentación sobre el Holocausto y en 1950 se erige en París uno de los primeros monumentos recordatorios de la infamia. Con todo, no ha sido sino hasta el siglo XXI cuando la sociedad francesa comenzó a salir de la ignorancia, cuando no rechazo, de la propia responsabilidad en el Holocausto. Hasta entonces, por ejemplo, muchos descendientes de judíos deportados tuvieron que litigar en los tribunales para recuperar propiedades e incluso niños robados.

En la actualidad, el antisemitismo no sólo no deja de aumentar en el país galo, sino que los ataques contra judíos y propiedades judías se han incrementado exponencialmente, llegando al caso extremo de los asesinatos de cuatro niños y un profesor de un colegio judío en Toulouse (2012), la matanza en un supermercado kosher de París, que costó la vida a cuatro personas (2015), el salvaje asesinato de una superviviente del Holocausto (2018) o las frecuentes palizas y menosprecios a personas de aspecto judío. Según algunos medios, en el año 2014 un 70% de los cerca de medio millón de judíos franceses consideraron la posibilidad de emigrar a Israel u otros países por miedo a las agresiones antisemitas.

MODIANO Y EL PASADO

---

[15] Joseph Roth, *Judíos errantes*, Barcelona, Acantilado, 2008, p. 25.

Uno de los primeros escritores franceses en ocuparse de la narrativa del pasado durante la Ocupación fue Patrick Modiano. A finales de los años 60 y durante los 70, la historia oficial en Francia afirmaba que, durante el nazismo y la ocupación alemana, muchos franceses habían resistido al opresor y sus políticas. Ya en su momento sorprendió la facilidad con que Francia claudicó ante el Ejército nazi y se sabe que había un caldo de cultivo muy importante de simpatías hacia el nazismo. Chaves Nogales, en su elocuente *La agonía de Francia*[16], reunió un conjunto de artículos donde no dejaba de mostrar su incomodidad y sorpresa por la fácil derrota francesa a manos de los nazis.

Modiano abordará sin hacer ruido el tema del colaboracionismo francés con las medidas nazis durante la Ocupación; para él la resistencia no será más que un mito, una imagen oficial vendida por la historiografía posterior a la guerra, que no quiso depurar todas las responsabilidades pendientes. En ese sentido, el autor francés es un precursor a la hora de valorar el pasado: «Es terrible ver cómo todo se pierde: incluso si usted pregunta a alguien sobre su propia vida, él mismo habrá olvidado muchas cosas o deformará otras inconscientemente, hay una incertidumbre total»[17].

El pasado es también París...

---

[16] Manuel Chaves Nogales, *La agonía de Francia*, Barcelona, Libros del Asteroide, 2010.

[17] Entrevista de Xavi Ayén, op. cit.

Pregunta. — ¿Por qué las direcciones y los números de los portales son tan precisos?

Modiano. — El París de mis novelas, más que un París de hace décadas, es un París interior, casi onírico, que nace de las cosas que me impresionaron cuando yo era un adolescente. Y para que ese lado onírico se desarrolle, es preciso que las direcciones sean exactas. Puede que el edificio que se describe sea banal, no importante, pero sí que su ubicación en la novela sea perfecta. Es como un cuadro de Magritte: los objetos, aunque de carácter onírico, están dibujados de forma muy nítida[18].

Y su infancia, siempre su infancia…

Pregunta. — Se ha dicho que en su infancia está la clave de toda su obra.

Modiano. — Puede ser. Pero no es por una especie de nostalgia de la infancia. Es más por las cosas que yo he observado y que me impresionaron durante aquel tiempo. Hay una clase de atención especial, que hace que las cosas te impresionen fuertemente cuando eres un niño. Además, ese periodo para mí es triste.

Así, la memoria persigue a Modiano en casi todos sus libros, es una obsesión que se hace constante porque nadie responde de lo que ha sucedido, pero también porque son pocos los que se ocupan en mantener viva esa llama del recuerdo. Se tiende a borrar lo que no se quiere.

---

[18] Entrevista de Antonio Jiménez Barca, op. cit. Véase también al respecto del París evocado por Patrick Modiano a Fernando Castillo Cáceres, *París-Modiano*, Fórcola, 2015.

Pregunta. — La memoria puede ser engañosa...

Modiano. — ...Y turbadora. Hay recuerdos que ocultan a otros. A veces te das cuenta de que has sido testigo de un fragmento de la vida de alguien que quisiera suprimir esa parte de su existencia. A medida que pasa el tiempo ves que hay muchos caminos en la vida que no has cogido, ¿es espantoso, no?[19]

Si en *Un pedigrí* Modiano escribe sobre una mujer que bien podría ser su madre, o consigna apuntes biográficos sobre ella, quizás sea en los tres libros donde aborda el tema de la Ocupación (*El lugar de la estrella, La ronda nocturna* y *Los bulevares periféricos*, también titulada *Los paseos de circunvalación*[20]), donde el escritor desarrolla más extensamente sus recuerdos y obsesiones, en especial a través de la figura del controvertido padre y de ciertos personajes que son su remedo, como el del judío obligado a buscarse la vida en los bajos fondos del París ocupado, con la espada de la deportación pendiente de su cabeza. Se trata de obras claves como pocas para entender la escritura de Modiano.

A la manera de un mito personal, una y otra vez evocado, en *Dora Bruder* Modiano vuelve a relatar el incidente real que tuvo lugar cuando su padre, siendo Patrick ya adolescente, le denunció por acudir a su casa y pedirle dinero tanto para él como para su madre, prácticamente sin recursos. Al escándalo le sigue el furgón policial y

---

[19] Entevista de Elianne Ros, op. cit.

[20] Editadas como obra única por la editorial, no por el autor: Patrick Modiano, *Trilogía de la ocupación*, Barcelona, Anagrama, 2012.

la comisaría. Modiano lo compara con el furgón policial en el que veinte años antes pudo ser transportada Dora Bruder camino de Tourelles, Drancy y la deportación. La escena de repudio queda grabada en la mente del escritor y volveremos a encontrarla en *Los bulevares periféricos* transformada en el intento del padre de empujar al hijo a las vías del metro. ¿Fue así como sintió Modiano la actitud de su padre?

Subimos al coche celular estacionado en la avenida Jorge V. El público sentado en la terraza del Fouquet´s está disfrutando de aquella hermosa puesta de sol estival. Estamos sentados el uno al lado del otro. Mi padre permanece con la cabeza gacha. Los dos guardias, sentados frente a nosotros, guardan silencio[21].

MODIANO Y KLARSFELD

Dora Bruder debe su existencia a la curiosidad de Modiano, pero también al impacto que supuso para él la lectura del *Mémorial* del historiador Serge Klarsfeld[22]. En una entrevista reciente declaró:

El *Mémorial* con todos esos nombres, esas listas de víctimas francesas del nazismo, daba a la Shoá una dimensión inédita. Fue una forma de tomar

---

[21]   Patrick Modiano, *Los bulevares periféricos*, Madrid, Alfaguara, 1985, p. 90.

[22]   Serge Klarsfeld, *Le Mémorial de la déportation des juifs de France*, París, 1978.

conciencia. Esas listas tenían algo de definitivo. Y lo que supuso una conmoción fue que el *Mémorial* coincidía precisamente con algunos de los temas que llevaba dentro de mí desde hace tiempo, unos motivos recurrentes en mis libros, como la desaparición, el tema del anonimato... Porque en ese *Mémorial* solo hay nombres y fechas de nacimiento. Eso coincidía con asuntos que siempre me han atormentado: una precisión muy puntual, rodeada por un inmenso vacío. El *Mémorial* coincidía con uno de los motivos esenciales por los que escribo: encontrar algo muy preciso, pero un solo elemento, ya que todo el resto está rodeado de una aureola de incertidumbre.[23]

No se trataba de un simple interés historicista; en Dora Bruder Modiano vio un *alter ego*, con numerosas similitudes con su propia infancia desarraigada. En un artículo de 1994 para el diario *Libération*, titulado «Con Klarsfeld, contra el olvido», Modiano exponía algunos de los motivos que le llevarían a publicar *Dora Bruder* tres años más tarde:

Sentí admiración por Serge Klarsfeld y su mujer Beate, que luchaban desde hace más de diez años contra el olvido. Me consideré en deuda con este hombre por habernos causado, a mí y a muchos otros, una de las mayores conmociones de mi vida. [...]Tras la aparición del memorial de Serge Klarsfeld, me sentí como si fuera otro. Averigüé entonces de qué clase era el malestar que experimentaba.

Y, de pronto, dudé de la literatura. Puesto que su principal motor es con frecuencia la memoria, me parecía que el único libro necesario que había que escribir era este memorial, tal como Serge Klarsfeld lo había hecho.

---

[23] Entrevista de Maryline Heck, *El Cultural*, 5-12-2014

Por entonces se inicia una afectuosa correspondencia entre ambos, que duraría hasta la publicación de *Dora...* Modiano reitera una y otra vez su deuda de gratitud con la impresionante labor de recuperación de Klarsfeld; en tanto éste le proporciona todo lo que logra averiguar de la Bruder: fotos y algunos datos, como las fichas policiales de la familia Bruder. Modiano llega a escribirle: «Para mí, este libro donde usted ha reunido todos esos destinos rotos, y donde ha prestado testimonio de toda esa inocencia saqueada, es el más importante de mi vida».

Y, de repente, la decepción: el libro se publica y Klarsfeld comprueba dolido que su nombre no se menciona en ningún lado, ni siquiera en una mera nota de agradecimiento. En carta a Modiano, Klarsfeld, aun reconociendo la valía de la obra, no puede evitar manifestarle su desconcierto:

Permítame decirle que la investigación, tal como usted la relata, tiene más de novela que de realidad, dado que usted me borra de ella y, sin embargo, Dios sabe cuánto he trabajado para descubrir y reunir informaciones sobre Dora y luego comunicárselas. No sé si esta desaparición [...] es significativa de una excesiva presencia mía en esta investigación o si se trata de un procedimiento literario para permitir al autor aparecer como el único demiurgo. [...] Quizás se ha encariñado usted de Dora y de su sombra, y como la hemos buscado juntos, usted quería guardarla para usted solo, al tiempo que se la hacía amar al público en general.[24]

---

[24] En: http://lereseaumodiano.blogspot.com.es/2012/01/modiano-klarsfeld-une-correspondance.html (última consulta 05/09/2018).

A la vista de la tensa relación epistolar con Klarsfeld, entendemos mejor el esfuerzo de Modiano, pues tampoco hay que olvidar que, a pesar de que *Dora Bruder* pueda parecer un libro breve, de fácil escritura, exigió una larga y dolorosa gestación de casi una década de averiguaciones e incertidumbres; desde el lejano descubrimiento del anuncio de *Paris-Soir* en diciembre de 1988, hasta su publicación en marzo de 1997. Sin contar con que para Modiano —algo que puede parecer sorprendente en un Premio Nobel— escribir nunca ha sido placentero:

Es un trabajo doloroso, monótono sobre todo. Puesto que es muy largo, es muy difícil mantener el impulso original. La escritura es algo penoso para mí. Me resultaba terrible cuando era joven, era muy lento... Escribo todos los días; como el hecho de escribir no me resulta en absoluto agradable, trato de pasar el trance lo más deprisa posible, pero todos los días, porque si no perdería el hilo y correría el riesgo de abandonar. Tampoco escribo mucho tiempo seguido. Me asombra oír a autores que son capaces de escribir seis horas seguidas; yo soy incapaz, estoy pensando todo el día, pero el momento de escribir dura una hora[25].

---

[25]   Entrevista de Maryline Heck, op. cit.

SIN DESTINO,

DE IMRE KERTÉSZ Y LA

SHOÁ EN HUNGRÍA

KAFKA EN AUSCHWITZ[26]

Publicada en 1975 y considerada hoy por muchos una obra maestra del pasado siglo, *Sin destino* —la historia de un adolescente judío enviado a Auschwitz— aún suscita una reacción de rechazo ante el tono singularmente apático (en el sentido más literal de impasibilidad del ánimo) con que el protagonista encara las más terribles experiencias. Pero no se trata de indiferencia ante la catástrofe.

Narrada por un joven, para quien los códigos morales caducos de sus mayores son inservibles en Auschwitz, lo que algunos han malentendido como mirada cínica es, al contrario, la actitud candorosa, cargada de inocencia, de alguien que debe orientarse en el peor infierno posible, privado de cualquier punto de referencia. Para György Köves, el adolescente protagonista de la novela, no existen buenos ni malos, sino gente que ordena y gente que obedece, y no se plantea cuestionar la autoridad más que si estuviera en un internado. El motivo es que György es ya, de pleno derecho, un habitante del universo totalitario; no un régimen de terror impuesto por unos monstruos, sino un orden racional, aunque incomprensible, donde el asesinato planificado es sólo un negociado más del organigrama. Se trata además de un orden querido y aceptado por amplias capas de la población —tal vez la mayoría—, ¿o alguien piensa todavía que los

---

[26] En las tres primeras ediciones del Club de Lectura (2013-2016) uno de los libros mejor valorados por los participantes fue *Sin destino* (El Acantilado, 2001. Edición citada en el presente trabajo).

Hitler, Stalin o Franco hubieran podido aguantar tanto tiempo sólo con la represión?

Nos enfrentamos asimismo a un orden que deja al individuo en perpetuo estado de indefensión y desamparo, y cuya atmósfera de extrañeza, más que de terror, anticipó como nadie Kafka en sus obras. Para comprender, por tanto, al personaje de Kertész hay que imaginarlo recién escapado de algún libro de Kafka y yendo a parar directamente a Auschwitz.

No es que György sea un pasota en el infierno, sino que actúa como lo haría un individuo a la edad de la máxima vulnerabilidad, que debe descubrir por sí solo, abandonado a sus solas fuerzas y en las peores circunstancias, los motivos para hacer frente a lo que vive. Y para esa lucha sólo cuenta con su innata honradez.

Dicen que cuando un piloto cae al agua, el mayor peligro es no lograr orientarse a tiempo para descubrir dónde queda la superficie y dónde el fondo. Y para conseguirlo utilizan el truco más simple: seguir las burbujas de oxígeno que salen de su boca. De manera parecida, el protagonista de esta novela, sumergido a profundidad en un medio extraño, perdido todo sentido de la orientación, sólo tiene para volver a salir a la superficie algo tan simple y tan infalible como las burbujas del piloto, y también proveniente de su interior: las ganas de ser libre y feliz, el peor crimen para cualquier estado totalitario.

BIOGRAFÍA DE IMRE KERTÉSZ

Kertész nació en Budapest, en 1929, en una modesta familia judía (su padre era comerciante de maderas; su madre, una empleada). Siendo aún niño, sus padres se divorciaron y Kertész fue a vivir con el padre y su nueva esposa, limitándose a ver a su madre —que volvió también a contraer matrimonio— según un régimen de visitas. A los quince años, en 1944, es deportado a Auschwitz por el régimen colaboracionista húngaro, acontecimiento central de su biografía y también de su obra, y sobre el que volverá una y otra vez en sus escritos. Kertész contempla la Shoá no sólo como un drama personal, sino como catástrofe colectiva de toda una cultura, la Occidental:

Nunca sentí la tentación de considerar el ámbito temático denominado Holocausto como un conflicto inextricable entre alemanes y judíos; nunca creí que fuese el último capítulo de la historia de sufrimientos del pueblo judío que sucedía lógicamente a las pruebas anteriores; nunca vi en ello un descarrilamiento puntual de la historia, un pogromo a gran escala más violento que los anteriores o una condición previa a la fundación del Estado de Israel. Lo que descubrí en el Holocausto fue la condición humana, la estación final de una gran aventura a la que el hombre europeo llegó después de dos mil años de cultura ética y moral.[27]

---

[27] Imre Kertész, «¡Eureka! Discurso pronunciado en la Real Academia Sueca», en: *La lengua exiliada*, Madrid, Taurus, 2006, pp. 155-156

Tras sobrevivir a Auschwitz y Buchenwald, Kertész regresa a Budapest en 1945 y descubre que toda su familia, salvo la madre, ha desaparecido. El joven de dieciséis años reemprende su vida en solitario. En 1948, comienza a trabajar de periodista hasta que las autoridades comunistas imponen su línea en el periódico y terminan despidiéndolo en 1951. Sobrevive de manera precaria en diversos empleos ocasionales (trabaja en una fábrica y más adelante, en el servicio de prensa del ministerio de industria), y en 1953, tras perder su último trabajo, decide dedicarse a la escritura y la traducción. El descubrimiento de *El extranjero* de Camus, a los veinticinco años, será la revelación que le lance a la literatura. El absurdo, que él había vivido en carne propia en los campos nazis, cobrará así entidad literaria y filosófica, y marcará el rumbo de su obra.

Desde finales de los 50 y durante los 60, se gana la vida escribiendo comedias musicales y traduciendo del alemán (Nietzsche, Hofmannsthal, Schnitzler, Freud, Roth, Wittgenstein, Canetti…). A comienzos de los 60 comienza a escribir su obra más conocida, *Sin destino*, basada en su peripecia en los campos y cuya redacción le llevará quince años. *Sin destino* no sería publicada sino en 1975 y con escasa repercusión en su país. Hasta su reedición en 1985 no comenzaría a llamar la atención, más en el extranjero que en Hungría.

Durante todo el régimen comunista, Kertész vive marginado e ignorado literariamente, en condiciones muy modestas (es ya célebre su apartamento de 29 metros cuadrados, donde residió durante décadas). Mientras, continúa escribiendo una obra compuesta por novelas, (*Fiasco*, 1988; *Kaddish por el hijo no nacido*, 1990; *Liquidación*,

2003), narrativa breve (*Un relato policiaco. El buscador de huellas*, 1977; *La bandera inglesa*, 1991; *Expediente*, 1993), y ensayos y literatura autobiográfica (*Diario de la galera*, 1992; *Yo, otro: crónica del cambio*, 1997; *Un instante de silencio en el paredón*, 1998; *La lengua exiliada*, 2001; *Dossier K*, 2006; *Cartas a Eva Haldimann*, 2012; *La última posada*, 2014).

En los noventa, su obra se difunde en Alemania y comienzan a llegar los premios y reconocimientos, que culminan con el Nobel de Literatura en el 2002, el primero concedido a un escritor húngaro.

El escritor, ante la hostilidad que despierta su literatura en ciertos sectores de Hungría y el creciente antisemitismo que detecta en su país (donde «campan por sus fueros los antisemitas y la ultraderecha», como declara en una entrevista), decide mudarse a Berlín, la capital de sus antiguos perseguidores, un lugar en el que, paradójicamente, se siente más apreciado y leído.

A menudo hace notar que, de los escritores que pasaron por un campo de exterminio (Celan, Améry, Borowski, Primo Levi), él es de los pocos que no se ha suicidado. Pertenece, como él mismo señala, a la última generación de supervivientes del Holocausto, los que no tenían ni 15 años en Auschwitz:

Me salvó del suicidio [...] la sociedad que, tras la vivencia del campo de concentración, demostró en la forma del llamado estalinismo que no se podía ni hablar de libertad [...]; me salvó la sociedad que me garantizaba la continuación de una vida esclavizada y que de este modo excluía también la posibilidad de cometer cualquier error.[28]

---

[28] Kertész, *Diario de la galera*, Barcelona, El Acantilado, 2004, p. 270.

Kertész se consideraba un judío no judío «como Jean Améry», ajeno a cualquier vínculo religioso con el judaísmo y que nunca piensa sobre «cuestiones judías», pero cuyo judaísmo está determinado por Auschwitz y por su desarraigo cultural. Sólo el antisemita tiene claro qué o quién es un judío, gustaba decir. Si alguna adscripción admitía, era a esa literatura judía de Europa del Este, «que empieza por Kafka, que pasa por Celan», que llega también hasta él y que nunca ha formado parte de las literaturas nacionales[29].

Después de más de una década en Berlín, el escritor regresó en 2014 a Budapest, ya muy enfermo. Sus últimos escritos, recogidos en *La última posada* (Acantilado, 2016), son de un pesimismo subido, de tintes apocalípticos, motivado en parte por el terrorismo islamista, el resucitado antisemitismo, el ascenso de la extrema derecha en toda Europa y especialmente en Hungría, la salud deteriorada y la esterilidad creativa. «¿No nos aguarda un fascismo discreto, con abundante parafernalia biológica, supresión total de las libertades y relativo bienestar económico?», se pregunta en una anotación[30]. Y en otra, aún más negra, predice: «Es del todo evidente que el mundo ha de sucumbir. Pero se trata sólo de un imperativo moral. La realidad es que el mundo ha descendido a un nivel animal y que su hundimiento es imparable»[31].

Kertész murió en Budapest el 31 de marzo de 2016 a los 86 años.

---

[29] Entrevista en El País 8/1/2013

[30] Kertész, *La última posada*, Barcelona, Acantilado, 2016, p. 26.

[31] *Ibid.*, pp. 42-43.

SIN DESTINO: TEMAS Y ESTILO

Sin destino fue la primera novela escrita por Kertész durante un largo proceso de escritura que abarcó quince años. Comenzada a comienzos de los sesenta, no se editó en Hungría hasta 1975, con el autor ya entrado en la cuarentena. Tuvo muy escasa repercusión en su propio país, una nación que siempre ha vivido de espaldas a su responsabilidad en el Holocausto, y no sería hasta su segunda edición en 1985, a través de un lento boca a boca, y más en Alemania que en su Hungría natal, cuando empezaría a reconocerse su logro. Finalmente, a partir de los noventa, *Sin destino* es aclamada por toda Europa como una de las grandes novelas del siglo XX, lo que terminaría valiéndole a su autor la concesión del Nobel de literatura en 2002.

Aunque basada en sus experiencias en los campos nazis, Kertész siempre ha declarado que él hace ficción, no literatura de testimonio. Ello le permite alejarse y mantener ese característico tono desapegado y objetivo, que tanto se ha señalado (y a veces malinterpretado) por contraste con la brutalidad de lo que cuenta. Al contrario de otros testimonios de supervivientes (el de Primo Levi, por ejemplo), dedicados a subrayar la inhumanidad de la experiencia del campo, Kertész parte de la fatalidad de la deportación como de un hecho aceptado, que no discute, al que hay que luchar por adaptarse y del que es posible extraer incluso cierta felicidad. Esa aceptación del mal radical por parte de la víctima, la alegría de vivir en las peores

circunstancias, suscita nuestro escándalo y desasosiego tanto o más que la denuncia directa de la brutalidad.

Kertész escribe en *Sin destino* (no así en otras obras) una prosa clásica, límpida, transparente. Por su contención y ausencia de patetismo, por su serenidad clásica, parece remontarse, saltando por encima del romanticismo, hasta los grandes estilistas del XVIII: Rousseau, Sterne, etc.

A menudo se ha señalado la escritura objetiva, gélida y carente de patetismo («Con lágrimas en los ojos siempre se ve peor», declara el novelista), con la que Kertész relata las experiencias de sus personajes. No existen casi lamentos ni acusaciones. Es un estilo sencillo, propio de un chaval de 15 años, aunque el que rememore sea un adulto.

En cuanto al famoso «desapego» de su escritura, Kertész rastreaba sus antecedentes en una entrevista:

Pregunta.-- ¿De dónde proviene esa distancia sarcástica, ese aparente desapego que es la característica de todos sus libros?
IK.-- Camus me influyó mucho. Para mí, el gran ejemplo de esta «distancia» de la que usted habla, es *El extranjero*. Tenía 25 años cuando di con este librito. Me dije que era tan delgado que no debía costar muy caro. No sabía nada de su autor y estaba lejos de adivinar que su prosa me marcaría hasta ese punto al correr de los años. En húngaro, *El extranjero* se tradujo como *El indiferente*. Indiferente en el sentido de desapegado —desapegado del mundo, desapegado de sí mismo. Pero también en el sentido de liberado, es decir, de hombre libre.[32]

---

[32] Entrevista *Le Monde* 10/06/2005 (traducción propia).

Son muchas las influencias que se han detectado en Kertész (Kafka, Becket, Thomas Benrhard...), pero por encima de todas ellas, el propio autor destaca dos: «¿Quiénes me han enseñado la mayor parte de las cosas? Thomas Mann, creo (la determinación y la contención del escritor, el trabajo y la dignidad, por no hablar de la cultura) y también Camus (dedicarse sin concesiones a la única posibilidad del único material posible)»[33].

Otras de sus grandes influencias en su forma de escribir, ésta extraliteraria, es la música clásica, y en *Sin destino*, la música dodecafónica en concreto:

En la época de *Sin destino*, yo estaba obsesionado con la música atonal: Berg, Schoenberg... Del mismo modo, pretendí crear una lengua atonal. La atonalidad es la anulación del consenso. Ya no existe re mayor o mi bemol menor. La tonalidad está abolida, como los valores de la sociedad. El bajo continuo también ha sido eliminado, lo que significa que el suelo (no la nota, sino el suelo que pisa uno) ya no es algo fijo y que desaparece ese base de referencias que proporcionaban fundamento a la acción. Nociones como el honor o la bondad se convierten en ridículas. Todo está en movimiento, nada es cierto. Desde el punto de vista de la lengua, es eso lo que pienso haber conseguido en *Sin destino*[34].

Su traductor español, y uno de sus mejores comentaristas, explica este principio constructivo musical:

---

[33] Imre Kertész, *Sauvegarde*, Paris, éd. Actes Sud, 2012, p. 18.

[34] Entrevista *Le Monde* 10/06/2005.

Para retratar ese estado de ausencia de destino y a ese hombre funcional, no sirven los principios constructivos clásicos, literarios, artísticos, musicales. Kertész señala que, por tanto, el principio que rige *Sin destino* es la música dodecafónica. En un extenso pasaje de esas primeras páginas del *Diario de la galera* se refiere a esta relación. Dice: «El punto de partida no es el carácter, la metafísica o la psicología del individuo, sino ese ámbito de su vida, de su existencia que, positiva o negativamente, se relaciona con la Estructura […] La Estructura totalitaria dicta el relato […] El método dodecafónico prohíbe caracteres libres y la posibilidad de un giro libre del relato». Es decir, eligió el método de la composición dodecafónica como principio constructivo de la novela, porque precisaba desmarcarse de la novelística tradicional, ya imposible, y porque la dodecafonía también constituye un sistema que se fija desde fuera: sus notas están predeterminadas como los pasos del joven Köves, el protagonista de *Sin destino*. La música no sólo actúa, pues, de inspiradora de la obra de Imre Kertész, no sólo sirve, además, de patrón general para la construcción de las novelas, sino que una música concreta define también estructuras profundas.[35]

El protagonista narra en pasado, salvo para algunas descripciones físicas de personajes importantes del principio de la narración, que las hace en presente, como si aún estuvieran vivos con el mismo aspecto, reforzando así la proximidad de su presencia. Se trata de una voz de bajo perfil, es decir, una voz que tiene menos experiencia y sabe menos que el lector medio acerca de los acontecimientos. Es la voz que emplea Faulkner, por ejemplo, en la primera parte de *El ruido*

---

[35] Adan Kovacsics, «Kertész y la decisión por el arte», en: Archipiélago, nº 82, septiembre 2008, número monográfico dedicado a Imre Kertész, p. 40.

y la furia, en la que el narrador es un retrasado. Se trata de una voz ingenua, por tanto, que ve las cosas desde fuera, sin terminar de entenderlas. El mundo de los adultos se le aparece en cierta medida incomprensible y extraño, aunque acabe imitando sus comportamientos para pasar desapercibido.

Lo más chocante de este discurso, en contraste con los dramáticos acontecimientos que narra, es su falta de patetismo. Las emociones desatadas de los adultos le resultan ajenas y le hacen sentir incómodo a Köves (por ejemplo, en la escena de la despedida del padre en el capítulo I). El protagonista acepta todo con naturalidad, por brutal que parezca; no se lamenta ni se indigna, sino que trata de sacar el máximo provecho de cualquier circunstancia. Y de nuevo su traductor, Kovacsis, apunta sagazmente en el mismo artículo:

Es un libro escrito desde un punto (temporal, físico, psíquico, espiritual) en el que no han surgido todavía las grandes palabras. Ni una sílaba se pronuncia que no haya pasado por el tamiz de la experiencia. Se trata de ir tanteando la vivencia, de expresarla narrativamente y alejarse así del lenguaje reinante. Por eso insiste Kertész en que no es una «novela del Holocausto», sino de un «estado», el que ha captado, el de la «ausencia de destino», característico del ser humano inmerso en la maquinaria del Estado total, cuya manifestación más extrema son precisamente los campos de exterminio.

El propio autor trataba de precisar en una entrevista todo lo que le separa de la voz narrativa tradicional:

La novela está construida sobre el pasaje de las últimas páginas, cuando al volver a casa, toca el protagonista tres timbres y aparece siempre gente desconocida [...] En la novela no me valí de la técnica narrativa, no es una narración. El narrador, valga la paradoja, no está narrando; se trata de producir un efecto de extrañamiento, de alienación, y creo que eso es algo que resultó [...] No se trata de narrar lo que sucedió, sino de una presencia continua, intensa. La narración clásica seleccionaría lo que permitiera caracterizar al personaje, distinguirlo del mundo... Yo preferí no contar la historia según esa noción de narración[36].

LA «NATURALIDAD» DE KERTÉSZ

Kertész nunca carga las tintas. Su Buchenwald tiene poco que ver con el tremendista de la sádica Ilse Koch (la esposa del comandante del campo, que confeccionaba pantallas con la piel de presos tatuados) o los guardias brutales. De hecho, salvo un kapo, del que tampoco se exageran los rasgos, apenas aparecen verdugos crueles en todo el relato.

Su última estancia en Buchenwald transcurre apaciblemente en el hospital, sumido en la agradable languidez del convaleciente. Igualmente sucede en su narración del proceso de selección en Auschwitz, escena que estamos acostumbrados a imaginar como una

---

[36] Entrevista realizada por Jaime Aspiunza, agosto de 2007, en: *Archipiélago*, op. cit., p.12

dramática barahúnda de gritos, golpes y despedidas desgarradoras. En la versión de Kertész todo transcurre con eficiencia y pulcritud, incluso entre sonrisas de los SS.

Y cuando se entera de la existencia de las cámaras de gas («Allí, enfrente, estaban quemando a nuestros compañeros de viaje, los que habían llegado con nosotros en el mismo tren...»), sólo se le ocurre comentar impávido: «todo eso me pareció una broma o una burla típica de niños».

Ni siquiera en el campo de Zeitz, donde comienza la pavorosa cuesta abajo del protagonista que lo convertirá en un «musulmán» (como se llamaba a los presos que ya habían dejado de luchar y sólo esperaban la muerte), Kertész recurre al patetismo. György acepta su degradación con naturalidad, como un proceso que no se discute.

Tal parece querer confiarnos, con estas chocantes representaciones, que el verdadero horror de los campos no consistía en la brutalidad y el sadismo accesorios del que se acompañaba cualquier acto, que incluso cuando se prescindía de esa violencia extra añadida a todo el proceso, el horror permanecía intacto. No hacía falta exagerar la tortura, porque el horror residía en la mera idea del campo de concentración y de todo lo que significaba, en la naturalidad con que se aceptaba un orden que incluía como parte esencial, no cuestionable, casi como un axioma evidente, la existencia de lugares donde se exterminaba a seres humanos o se les exprimía hasta la extenuación. El verdadero espanto —parece decirnos Kertész— se hacía más manifiesto que nunca cuando todo transcurría de manera aséptica y —para emplear un término estético, que a los propios nazis

no les hubiera desagradado— elegante. El horror radicaba en que el exterminio de los seres inferiores parecía ser aceptado por todos —víctimas y verdugos— como algo natural e inevitable.

Resulta de lo más ilustrativo comparar *Sin destino* con otros relatos surgidos también de Buchenwald (de hecho, tras Auschwitz, Buchenwald es de los campos que más literatura ha suscitado: nombres como Semprún, Wiesel, Améry, Antelme pasaron por sus barracones). Semprún, por ejemplo (véase *El largo viaje*[37]), proviene de un universo cultural, el del humanismo, que siente Buchenwald como algo ajeno y monstruoso. El protagonista de Kertész procede de otro mundo por completo diferente, un mundo kafkiano, por adjetivarlo de alguna forma, donde la existencia de lugares en que se encierra y extermina con sana rutina, sin aspavientos, a seres humanos es algo aceptado y normal, aun cuando la víctima sea uno mismo. Semprún sale del mundo anterior a Auschwitz, el de los grandes principios y los valores con mayúsculas, liquidado en cierto modo en las cámaras de gas; en tanto que el héroe de Kertész se ha criado y educado dentro de los campos, los ha vivido con normalidad, como un internado cuya autoridad no se cuestiona. En *Kaddish...*, de hecho, el narrador contempla Auschwitz como una prolongación de la educación que recibió en su infancia: «Auschwitz, dije a mi mujer, me pareció más tarde una mera exacerbación de las mismas virtudes para las cuales me educaron desde la infancia. Sí, allí, en mi infancia, con

---

[37] Jorge Semprún, *El largo viaje*, Barcelona, Tusquets, 2004.

mi educación, empezó mi imperdonable quebrantamiento, mi supervivencia jamás sobrevivida»[38].

GYÖRGY KÖVES, EL HÉROE

Lo primero que destaca de la voz narrativa es su candor. György es un típico héroe dickensiano, lleno de ánimo y optimismo frente a la adversidad: «En primer lugar, todo lo nuevo hay que empezarlo con buena voluntad, incluso en un campo de concentración; ésa fue mi experiencia —de momento, bastaba con convertirse en un buen preso, lo demás vendría después [...] Lo principal era no abandonarse».

Candor, sin embargo, no significa estupidez: el joven es muy consciente de lo que está sucediendo tras las alambradas de Auschwitz (cámaras de gas, torturas, asesinatos...); pero acepta todo como le viene y se deja llevar sin protestas ni aspavientos; nada le asombra ni subleva. No acusa a sus verdugos, no se queja de ellos.

Pero, a través de las más terribles experiencias, permanece inmutable un fondo de honradez a toda prueba, que nunca le abandona: «Puedo, sin embargo, afirmar una cosa con total seguridad: he recorrido el camino aprovechando honradamente todas y cada una de las posibilidades que se me iban presentando». Y ya al final: «Yo, y no otro, había dado unos pasos, y puedo decir que dentro de mi destino dado siempre había actuado con honradez».

---

[38] Imre Kertész, *Kaddish por el hijo no nacido*, Barcelona, El Acantilado, 2001, p. 137.

Al comienzo de la narración, durante el capítulo de la despedida del padre, el protagonista contempla el mundo de los adultos desde fuera, como algo que le hace sentirse incómodo. Su virtud principal a lo largo de toda la historia, la honradez, le lleva a rechazar de manera instintiva ese mundo de sus mayores y todo lo que conlleva: la solemnidad hueca, el falso aire de autoridad, el patetismo histriónico…, una sociedad hecha de convenciones y retórica que a György le resulta fundamentalmente aburrida.

El joven, que en el primer capítulo comienza bajo la tutela del padre, regresará en el último al amparo de la madre. Se trata también de un trayecto simbólico desde el mundo de la autoridad, el trabajo y las asfixiantes convenciones sociales, representadas en la figura paterna y en todo el mundo de parientes y conocidos que se reúnen a su alrededor para despedirse, hasta el otro mundo mucho más secreto, solitario y caprichoso de los impulsos más nuestros, encarnados por la lejana e inestable madre. Entre medias, ese mundo del padre que parecía tan sólido ha sido arrasado hasta los cimientos, junto con el propio padre (desaparecido en Mauthausen, como nos enteraremos en el último capítulo) y los valores que lo sostenían. «Auschwitz», escribirá en *Kaddish por el hijo no nacido*, «se me presenta en la imagen del padre, sí, las palabras 'padre' y 'Auschwitz' producen en mí las mismas resonancias».

No se trata, sin embargo, de que al final de la novela un mundo nuevo haya venido a sustituir al antiguo: para György, esa nueva sociedad surgida de las cenizas de la anterior, una sociedad donde su experiencia de los campos no tiene cabida porque nadie la

comprende, resulta tan absurda y extraña como la que fue destruida (y muy pronto, con el comunismo, igual de hostil que los campos). De modo que, al final de la historia —y al contrario que en las novelas de formación—, el héroe sigue estando tan al margen de la sociedad como al principio. Cualquier papel que le toque jugar en ella representará siempre un compromiso absurdo para salvar las apariencias («…puesto que no existía ninguna cosa insensata que no pudiéramos vivir de manera natural…»). En realidad, su verdadero objetivo en la vida está del lado de la madre, no del padre, pues consiste en la búsqueda de la felicidad, nunca del éxito ni siquiera de la respetabilidad. Una felicidad futura, pero también pasada, incluso experimentada en los campos (y aquí, en esta vuelta al pasado y al contar lo que fue, en la rememoración, parece perfilarse ya un primer compromiso con la literatura):

Mi madre me estaría esperando y seguramente se pondría muy contenta al verme, la pobre. Me acordé de que ella quería que yo fuera arquitecto, médico o algo así. Seguramente así sería, como ella deseara, puesto que no existía ninguna cosa insensata que no pudiéramos vivir de manera natural, y en mi camino, ya lo sabía, me estaría esperando, como una inevitable trampa, la felicidad. Incluso allá, al lado de las chimeneas había habido, entre las torturas, en los intervalos de las torturas algo que se parecía a la felicidad.

En cierto modo, el protagonista se coloca en el mismo lugar de los antiguos místicos de entrega a un poder infinitamente superior, sólo

que, en este caso, el poder superior no es divino sino humano, y la historia carece de cualquier connotación religiosa.

En el umbral mismo de la vida, justo cuando un individuo comienza a tomar sus primeras decisiones y a ser responsable de su existencia, el héroe se ve arrastrado por una fuerza abrumadora que le priva de toda capacidad de encauzar su futuro, es decir, le deja sin destino. Sólo trata de mantenerse a flote en medio de la corriente que le empuja. Kertész reflexiona sobre este concepto de destino en sus notas de trabajo, mientras escribe la novela:

«Novela de una ausencia de destino», como posible título, pero en cualquier caso como subtítulo.

¿A qué llamo yo destino? En todo caso a la posibilidad de la tragedia. Sin embargo, esta posibilidad queda desbaratada por la determinación externa, el estigma que empuja nuestra vida a una situación de impotencia en el totalitarismo actual: o sea, llamo ausencia de destino al hecho de vivir como una realidad la determinación que se nos impone en lugar de la necesidad que es consecuencia de nuestra libertad, siempre relativa.

Lo fundamental es que nuestra determinación se opone en todo momento a nuestras concepciones y tendencias naturales: así nace la ausencia de destino en estado puro[39].

Al final, cuando, después del regreso de los campos, unos vecinos le piden que olvide todo y comience de nuevo, él se da cuenta de que no se puede empezar de cero, que uno, a pesar de todo, es responsable de todos los pasos que ha ido dando hasta entonces («Yo, y no otro,

---

[39]   Imre Kertész, *Diario de la galera*, Barcelona, El Acantilado, 2004, p. 18

había dado unos pasos, y puedo decir que dentro de mi destino dado siempre había actuado con honradez»). Incluso en las peores circunstancias (como son las de Auschwitz y Buchenwald), esos pasos los ha dado él y no otro, y siempre hubiera podido dejar de darlos o encaminarlos en otra dirección. Entonces le sobreviene la revelación: «Si existe la libertad entonces no puede existir el destino, por lo tanto, nosotros mismos somos nuestro propio destino». En *Kaddish por el hijo no nacido*, Kertész insiste en esta idea del destino como algo nuestro: «…cómo puede el hombre decidir contra su destino, para usar este término tan pedante por el cual entendemos aquello que menos entendemos, o sea, a nosotros mismos, es decir, el factor pérfido y desconocido que no cesa de trabajar contra nosotros y al que nosotros, ajenos y enajenados, inclinándonos ante su poder con una sensación de repugnancia, por así decirlo, simplemente denominamos nuestro destino»[40].

Y uno de los primeros en llamar la atención sobre la importancia de la novela, el escritor húngaro György Spiró, escribe sobre este concepto de destino:

Por lo tanto, la experiencia vital a la que se refiere el título de la novela no es en absoluto evidente. «*Sin destino*» significa, por un lado, una especie de convencimiento de que si el hombre ha dispuesto en alguna ocasión de destino (lo que no es en absoluto seguro, pero podemos suponerlo), hoy ya no es así: fuerzas externas lo arrastran hacia la muerte, como un pelele. Por otro lado, tampoco hay un destino en el sentido que se le daba en la antigüedad, y ni siquiera es posible, ya que vemos a los dioses —o el dios

---

[40] *Kaddish…*, op. cit., pp. 41-42

único— en nosotros mismos; no existe, por lo tanto, ningún destino fijado desde fuera, y todos los protagonistas son culpables por lo que sucede en cualquier momento, en el transcurso de un suceso, independientemente de su importancia.[41]

Incluso allí, pues, en Auschwitz, había existido la libertad. Y no sólo la libertad: «Incluso allá, al lado de las chimeneas había habido, entre las torturas, en los intervalos de las torturas, algo que se parecía a la felicidad» (final). Y en ello reside el principal fracaso de los nazis: no sólo en que alguien haya logrado sobrevivir a ese infierno, sino en que uno —un muchacho sin experiencia, la víctima más fácil en apariencia— consiguiera sentirse libre y feliz en algún momento dentro de ese infierno. Que un lugar destinado a infligir la mayor opresión e infelicidad haya servido, paradójicamente, para el descubrimiento de la libertad y de la felicidad por parte de un frágil adolescente constituye el mayor desafío de la novela.

Y ése es el principal escándalo que suscitó, y todavía suscita, *Sin destino*: que el tema central de un libro sobre Auschwitz sea, no un lamento por la inhumanidad del hombre o por la civilización que produjo las cámaras de gas, ni siquiera un canto lúgubre por los asesinados, sino, pura y llanamente, la felicidad, la felicidad a pesar de Auschwitz, «la felicidad vista como una obligación», como escribe Kertész en *Kaddish por el hijo no nacido* citando a Camus. Las últimas alusiones de la novela no hablan más que de la felicidad:

---

[41] György Spiró, «*Non habent sua fata*», en: Archipiélago, op. cit., p. 24).

… en mi camino, ya lo sabía, me estaría esperando, como una inevitable trampa, la felicidad. Incluso allá, al lado de las chimeneas había habido, entre las torturas, en los intervalos de las torturas, algo que se parecía a la felicidad. Todos me preguntaban por las calamidades, por los «horrores» cuando para mí ésa había sido la experiencia que más recordaba. Claro, de eso, de la felicidad en los campos de concentración, debería hablarles la próxima vez que me pregunten. Si me preguntan. Y si todavía recuerdo.

Que esta reivindicación de la felicidad no es la expresión de un deseo piadoso, sino el reflejo de una experiencia radical del propio autor, lo atestiguan las propias declaraciones de Kertész: «Experimenté mis momentos más radicales de felicidad en el campo de concentración […] Estar muy cerca de la muerte es también una especie de felicidad. Sólo sobrevivir se convierte en la mayor libertad de todas».[42]

Kertész ha señalado en numerosas ocasiones la insuficiencia del simple testimonio para reflejar y transmitir la enormidad que supuso Auschwitz. Puesto que el Holocausto representó una experiencia inédita y el colapso de toda una civilización, no sirven las formas aceptadas hasta entonces de transmisión. Es preciso someter el lenguaje a un proceso de elaboración artística que lo haga capaz de enfrentarse a un hecho sin precedentes, y, por tanto, casi incomunicable. No basta con contar lo que pasó, puesto que el lector corriente carece de referencias con las que comparar lo que se le narra (y fracasará, por ello, en su intento de revivir o imaginar lo narrado), sino que es preciso recrear el horror mediante una forma artística que

---

[42] En http://isurvived.org/KerteszINTERVIEW.html (última consulta 05/09/2018).

esté a la altura de la singularidad e inhumanidad de su materia. De ahí, que sea muy escasa la literatura del Holocausto que Kertész salva de su crítica, y toda ella encuentre su valor en la alta literatura más que en las experiencias narradas:

Podría contar con los dedos de las manos a los escritores que crearon una literatura verdaderamente importante a partir de la experiencia del holocausto. Un Paul Celan, un Tadeusz Borowski, un Primo Levi, un Jean Améry, una Ruth Klüger, un Claude Lanzmann o un Miklós Radnóti son fenómenos sumamente escasos. Con mucha más frecuencia ocurre que se sustrae el holocausto a los encargados de su custodia y se producen productos baratos a partir de él.[43]

El protagonista de *Sin destino* habla en primera persona, adoptando así, o disfrazándose de, por mejor decir, los modos de la literatura testimonial y autobiográfica. Es el género aceptado en la literatura del Holocausto y Kertész lo asume, pero para dotarlo con un contenido nuevo, inédito:

Una observación importante que al final no he incluido en mi discurso de Estocolmo: «Comencé a escribir y necesité aún cuatro años para llegar a una idea simple en apariencia y a la cual le fui poco a poco tomando afecto: una novela irónica disfrazada de autobiografía que se opone a la literatura concentracionaria archiconocida, es decir, a la literatura a secas»[44].

---

[43] Imre Kertész, «¿De quién es Auschwitz?», en: *Un instante de silencio en el paredón: el Holocausto como cultura*, Barcelona, El Acantilado, 2002, p. 89.

[44] *Sauvegard*, op. cit., p. 194.

Kertész, quede claro, no escribe testimonio, sino literatura:

Sin destino como novela autobiográfica. Lo más autobiográfico de mi autobiografía es que no hay nada autobiográfico en *Sin destino*. Lo autobiográfico de ella es que eliminé todo lo autobiográfico en aras de una fidelidad superior. Y que esta impersonalidad conseguida a fuerza de luchar se convierte finalmente en la irrupción y en el concepto de una personalidad muda en su particularidad[45].

Kovacsics contrapone este impulso artístico en Kertész al puramente biográfico:

La conclusión es que Imre Kertész no pretende escribir ni textos autobiográficos ni memorias. Su obra es de creación literaria, es en gran parte de ficción. La voluntad que la rige no es «quiero narrar mi vida», sino «quiero escribir una obra de arte». No es casual que el texto de Nietzsche que tradujo del alemán al húngaro fuese *El nacimiento de la tragedia*, esa «metafísica de artistas». En un texto titulado «Budapest, Viena, Budapest» llega a decir: «La literatura es ciertamente importante. Es más: es el único sentido de la vida». Son palabras que —sustituyendo quizá «literatura» por «arte» o por «música»— bien podrían encontrarse en el escrito nietzscheano, donde el arte se define, ya en el prólogo, como la «tarea suprema y la verdadera actividad metafísica de la vida», definición que, a su vez, podría aparecer igualmente en algún texto de Kertész; de hecho la cita.[46]

---

[45] *Diario de la galera*, op. cit., p. 164

[46] Adan Kovacsis, op. cit., p. 36

Como señala Kovacsics (el impecable traductor de Kertész al español) en el artículo anteriormente citado, Kertész sigue a Nietzsche, Thomas Mann y Proust en la consideración del arte como valor supremo, el instrumento que permite redimir el pasado en una forma artística, provocando la catarsis, la liberación y comprensión de la experiencia vivida. «Catarsis» (la liberación del trauma a través de la elaboración artística del recuerdo) es una noción fundamental en Kertész.

En *Dossier K.*, una de sus últimas obras, una larga autoentrevista, Kertész ofrece algunas interesantes pistas sobre la utilización que hace en *Sin destino* del material autobiográfico o ficticio. La descripción del negocio del padre, por ejemplo, se ajusta bastante a la realidad. «No obstante, en *Sin destino* levanté un poco el nivel. Allí describo una familia burguesa, pero nosotros pertenecíamos más bien a la clase media baja, a la pequeña burguesía». «El señor Sütó es un personaje novelístico, no existió en la realidad»[47].

También en *Fiasco*, novela posterior a *Sin destino*, da Kertész algunas indicaciones sobre su utilización del material de la memoria, así como del precio personal que hay que pagar por esta utilización y de cómo se despersonalizan los recuerdos al novelarlos:

Sin embargo, cuantos más vivos eran mis recuerdos, más lamentables parecían sobre el papel. Mientras recordaba no podía escribir la novela; cuando empecé a escribir, en cambio, desaparecieron los recuerdos. No es que se perdieran de golpe, sino que se convirtieron en otra cosa. Se

---

[47] Archipiélago, op. cit., Pp. 76-77.

transformaron en contenidos de diversos cajones, donde rebuscaba cuando lo creía necesario para extraer alguna moneda convertible. Los elegía: necesitaba este y no aquel. Los hechos de mi vida, la llamada «materia de mi experiencia», ya sólo molestaban, dificultaban y limitaban mi trabajo, la creación de la novela a la que, en un principio, servían de base existencial. De ellos se nutrió la novela hasta el final. Mi trabajo —esto es, escribir la novela— sólo consistía, en efecto, en el consumo consecuente de mis experiencias, en interés de una fórmula artificial —o, si se quiere, artística— que yo podía considerar adecuada a mis experiencias sobre el papel, única y exclusivamente sobre el papel. No obstante, para escribirla, había de contemplar mi novela como cualquier novela, es decir, como un objeto artístico, como una estructura consistente en signos abstractos. Sin percatarme, había tomado carrera y dado un gran salto; así, de un único salto, fui a parar de lo individual a lo objetivo y general, y entonces miré alrededor, asombrado. […] Sin embargo, no tuve en cuenta un detalle, quizá de forma del todo natural: jamás puede uno comunicarse a sí mismo. A mí el tren de mi novela no me llevó a Auschwitz: fue el tren de verdad[48].

Es muy revelador de su desconfianza hacia el mero testimonio uno de los episodios finales de *Sin destino*, cuando György, recién regresado de Buchenwald, se niega a colaborar con un periodista para escribir reportajes sobre su experiencia de los campos: «…empezaba a darme cuenta de que había cosas de las que no se podía hablar con desconocidos, con gente que no sabía nada de nada, con unos niñatos, por así decirlo».

---

[48]   Imre Kertész, *Fiasco*, Barcelona, El Acantilado, 2003, pp. 78-79.

EL UNIVERSO CONCENTRACIONARIO DE *SIN DESTINO*

El *Lager* (campo de concentración) compone todo un universo cerrado y estanco, con su propia tipología: existen campos de exterminio y de trabajo, campos buenos y campos malos, grandes y pequeños, con crematorio o sin él; incluso campos «hermosos» (como adjetiva György a Buchenwald) y campos de tercera categoría, como Zeitz, en el que, sin embargo, él está más cerca que nunca de desaparecer.

La desventaja era que tenía que enterarme de todo sobre la marcha, aprender por ejemplo que estábamos en un Konzentrationslager o, lo que es lo mismo, un «campo de concentración». Estos campos no eran todos iguales, según nos explicaron. El nuestro era un Vernichtungslager, o sea, un «campo de exterminio». Otra cosa totalmente distinta era un Arbeitslager, un «campo de trabajo»: allí la vida es fácil, las circunstancias y la alimentación son incomparablemente mejores, claro, es natural, puesto que aquellos campos están destinados a otros fines (57).

El protagonista ya no concibe otro mundo: no piensa en escapar, ni siente nostalgia, ni especula con el próximo final de la guerra y su liberación; no echa de menos nada… salvo la comida.

Es esta ausencia de protesta y de lamento durante todo el relato, esta aceptación espontánea de un destino monstruoso, lo que, finalmente, nos resulta más desasosegante. El héroe no se plantea ya

que pueda haber otra vida; el *Lager* es su único horizonte. En consecuencia, desarrolla toda una psicología del comportamiento en un campo. «Lo principal era no abandonarse», nos cuenta György; y añade: «Nunca lo hubiese creído y, sin embargo, es una verdad como un templo: en ninguna otra circunstancia importa tanto llevar una vida ordenada, ejemplar y hasta virtuosa como estando preso».

Ahora bien, toda la buena voluntad y las estrategias de supervivencia se revelan inútiles en el campo de concentración porque no hay tiempo para aplicarlas (como es sabido, la media de supervivencia en Auschwitz y otros campos era de tres meses):

En ciertas circunstancias, no basta con la buena voluntad. En una ocasión, cuando todavía estaba en casa, había leído que con el tiempo y con el esfuerzo necesarios uno puede incluso acostumbrarse a vivir preso. No dudo de que esto sea verdad cuando se está encerrado en una casa o en una prisión normal, civil, pero en un campo de concentración, según mi experiencia, es imposible. Y estoy totalmente convencido de que no es por falta de esfuerzo, ni de buena voluntad; el problema es que simplemente no te dejan tiempo para ello (158).

LA SHOÁ EN HUNGRÍA

Durante la Segunda Guerra Mundial, Hungría se convierte en aliada de la Alemania nazi, junto a la que combatirá en el frente ruso y también en Serbia. Una primera ley de reclutamiento forzoso para

los varones judíos en edad militar sería promulgada en 1939, pero no sería sino hasta la entrada efectiva de Hungría en la guerra, en 1942, cuando tomaría impulso, ampliándose progresivamente hasta llegar a incluir en 1944 a los varones de sesenta años. Los reclutados se encuadraban en batallones de trabajo, al mando de oficiales húngaros, y el trato y las condiciones brutales diezmaron rápidamente su número. Según Hilberg[49], se calcula que fueron reclutados unos 100.000, de los cuales perecieron unos 40.000. El 80% de los destinados al frente ruso nunca retornó.

Es cierto también que antes de las grandes deportaciones de 1944, hubo matanzas aisladas en 1941 y 1942 (de los judíos orientales deportados desde los Cárpatos ucranianos: matanzas de Kameniec-Podolsk, la primera gran masacre de judíos; y de los judíos yugoslavos en Novi Sad), pero en general, la húngara era la única comunidad judía que quedaba intacta en 1944, con 750.000 judíos.

Hasta 1944, el gobierno húngaro se había negado a tomar las medidas contundentes que les exigían los alemanes (exclusión completa de la vida económica, marcado con la estrella y deportación al Este), debido, en parte, a la importancia que aún seguían teniendo los judíos húngaros en la vida económica. Pero ese año y viendo próxima la derrota del Eje, el gobierno colaboracionista trata de romper su alianza con Alemania, a lo que ésta responde invadiendo Hungría en marzo de 1944, lo que supondrá la señal de partida para que comience la persecución y exterminio sistemáticos. «Hungría»,

---

[49] *Ibid.*, p. 899.

señala Hilberg[50], «era el único país en el que los perpetradores sabían que la guerra estaba perdida cuando empezaron la operación. Los judíos húngaros fueron casi los únicos completamente advertidos y que conocían plenamente lo que iba a suceder mientras su comunidad estaba aún ilesa».

Tras el cambio de gobierno y la invasión de asesores alemanes en marzo de 1944, las medidas legislativas antijudías se extremaron. Se creó un *Judenrat* (Consejo judío), se expulsó a los judíos de casi todas las profesiones, se confiscaron todos los comercios y cuentas bancarias, y por último todo tipo de bienes y propiedades. Enseguida, se les aplicó un duro racionamiento de productos alimenticios. Asimismo, se promulgó la obligatoriedad de la estrella amarilla (29 de marzo 1944) y se les restringió la libertad de viajes y movimientos, incluyendo un toque de queda. Como conclusión de todas estas medidas, se les confinó en zonas y guetos asignados. La separación con la sociedad cristiana fue entonces total. Todas estas medidas se sucedieron en el plazo de pocas semanas.

La Iglesia católica protestó por la obligatoriedad de la estrella amarilla sólo en el caso de los judíos cristianos, y el gobierno hizo algunas excepciones con ellos. Pero el grueso de los judíos cristianos siguió la misma suerte de los demás.

En Budapest, los judíos fueron concentrados en casas de pisos cerca de fábricas y otros objetivos de bombardeos, para servir como escudos humanos. La capital húngara contaba en esa época con 1.000.000 de habitantes y unos 200.000 judíos.

---

50 *Ibid.*, p. 887.

Desde finales de abril comenzaron las deportaciones a Auschwitz de judíos de zonas fronterizas. En el plan diseñado por las SS, se dejaba a Budapest para el final. Para entonces, las principales líderes políticos y religiosos locales y, muy pronto, los países aliados, estaban al tanto del destino que aguardaba a los deportados a Auschwitz, merced al informe de Vrba [pronúnciese ver-ba] y Wetzler, dos judíos que lograron escapar de aquel campo de exterminio en abril de 1944 para contarle al mundo lo que allí sucedía. El Consejo Judío, el comité de rescate sionista, los jefes de la iglesia católica en Hungría y los de las iglesias calvinista y luterana… todos guardaron silencio sobre el destino de los deportados y se convirtieron, con su mutismo, en cómplices de la matanza.

El nuncio papal, Angelo Rotta, fue uno de los pocos que protestó y se movilizó contra estas medidas: «Todo el mundo sabe lo que la deportación significa en la práctica», escribió en su nota de protesta al Ministerio de Asuntos Exteriores. No así la Iglesia católica húngara, que se excusó por medio del príncipe primado, el cardenal Serédi: «Si Su Santidad, el Papa, no está haciendo nada contra Hitler, ¿qué puedo hacer yo en mis estrechos confines?».

EL TREN KASTNER

Las actuaciones del Consejo Judío ante las deportaciones fueron tibias y lentas. El 3 de mayo de 1944, con las deportaciones ya en marcha, escribía al ministro del Interior: «Declaramos enfáticamente

que no pedimos esta audiencia para presentar quejas sobre el mérito de las medidas adoptadas, sino simplemente para solicitar que se lleven a cabo con espíritu humano»[51].

El 23 de junio escriben a Horthy para que detenga las deportaciones: Los judíos, escribió el Consejo, estaban siendo enviados a un «viaje desgraciado del que nunca retornarán».

Los intentos de rescate provinieron más bien del Comité de ayuda y rescate, formado por sionistas húngaros (entre los que se hallaba el tristemente célebre Rudolf Kastner).

Se probaron tres planes diferentes de rescate, de los cuales los dos primeros fracasaron. El primero consistía en el lanzamiento de paracaidistas, que fueron detenidos (en julio del 44) y torturados por la SS; el segundo plan era el bombardeo de los nudos ferroviarios por los que debían pasar los trenes a Auschwitz; pero los aliados no hicieron caso a esta petición. El tercer plan, el único que funcionó parcialmente, fue el de emprender negociaciones secretas con los propios nazis y tratar de sobornarles. Rudolf Kastner fue el encargado de todas estas negociaciones, en las que tuvo como interlocutor al propio Eichmann.

Kastner aceptó mantener tranquilas las juderías, engañándoles sobre el destino real de la deportación y haciéndoles creer que, en contra los insistentes rumores que ya circulaban, no se dirigían a la muerte, sino a campos de trabajo. A cambio de esta labor de pacificación, Eichmann dejaría escapar a unos cientos de judíos

---

[51] *Ibid.*, p. 934.

seleccionados por el propio Kastner. Estos incluían finalmente ricos, élites sionistas y, por supuesto, sus propios familiares:

Eichmann declaró en sus memorias que Kastner había «aceptado evitar que los judíos se resistieran a la deportación —e incluso mantener el orden en los campos— si cerraba los ojos y permitía que unos cuantos cientos o unos cuantos miles de judíos jóvenes emigraran ilegalmente a Palestina»[52].

Y en la entrevista de *Life* citada por Hilberg, añadía Eichmann:

Creo que Kastner estaba dispuesto a sacrificar uno o varios miles de individuos de su propia sangre para alcanzar sus objetivos políticos… «Quédese con los otros», me decía, «pero deje que me lleve a este grupo». Y como quiera que Kastner nos prestaba un gran servicio manteniendo calmados los campos de deportación, yo permitía a escapar a estos otros grupos suyos. Después de todo, qué importancia tenían unos pequeños grupos de un millar más o menos de judíos… Ése era el acuerdo de caballeros que tenía con Kastner.[53]

Hilberg describe en toda su crudeza el dilema de este picapleitos jugando a Lot suplicante:

Los dirigentes judíos tenían ahora que escoger entre los 750.000 judíos húngaros condenados a 1.600 [al final fueron 1685] que iban a vivir. Su primera reacción fue seleccionar sólo niños. Wisliceny, sin embargo, vetó este plan, basándose en que un transporte infantil no les pasaría

---

52   *Ibid.*, p. 936.

53   En: http://www.fantompowa.net/Flame/arendt.htm (Última consulta 05/09/2018).

desapercibido a los húngaros. A continuación, los judíos procedieron a confeccionar una lista de diez categorías: judíos ortodoxos, sionistas, judíos prominentes (Prominenten), huérfanos, refugiados, revisionistas, etc. Una categoría estaba formada por «personas que pagan». La distribución geográfica era un poco desigual: 388 personas, incluido el suegro de Kastner, procedían de la ciudad transilvana de Cluj. «Eichmann sabía —informa Kastner— que nos interesaba especialmente Cluj». El transporte partió, en el momento culminante de las deportaciones, hacia Bergen-Belsen. En el otoño de 1944, algunos de los judíos rescatados llegaron a Suiza[54].

Existe un testimonio literario excepcional sobre las vicisitudes de este convoy de privilegiados, escrito por uno de los afortunados elegidos: se trata de Béla Zsolt y el célebre libro de testimonio *Nueve maletas*. La figura de Rudolf Kastner sigue siendo muy controvertida. Para unos (incluyendo aquellos judíos que lo asesinaron en Israel en 1957) fue un traidor, que pactó con el diablo. Para otros sería una nueva especie de Oskar Schindler, olvidando en la comparación que Schindler no envió a la muerte a 440.000 judíos a cambio de los pocos elegidos de su lista, que en el caso de Kastner se componía de judíos adinerados, élite intelectual, religiosa y política, y un porcentaje injustificable y desproporcionado de judíos de Cluj (entre los que se encontraba su suegro y líder de la comunidad local), curiosamente el lugar de procedencia del propio Kastner (quien, por cierto, salvó a la totalidad de sus parientes, incluyendo a su amante).

En mayo, Eichmann ofrece un nuevo trato al comité de rescate: exige 10.000 camiones y otras mercancías a los aliados a cambio de la

---

[54] Hilberg, op. cit. pp. 936-937.

vida de los judíos húngaros. Los Aliados rechazaron la negociación y no dieron ni el más mínimo paso para tratar de rescatar a los judíos húngaros de un destino conocido por todos de antemano:

El comité de ayuda no esperaba que los Aliados enviaran realmente material de guerra a la máquina bélica alemana; sólo esperaban una maniobra verbal —un gesto, una promesa— que provocara unas negociaciones prolongadas durante las cuales los deportados a Auschwitz se mantuvieran «congelados», a la espera de que llegara el Ejército Rojo. Pero pasó una semana tras otra y no hubo aceptación, ni respuesta, ni agitación. Sólo silencio. En Auschwitz la muerte envolvió a los judíos húngaros.[55]

En junio, el comité de rescate aprovechó la necesidad de mano de obra que tenía Viena, para presentar a Eichmann una nueva oferta: una cantidad de dinero (un millón de dólares aproximadamente) a cambio de enviar a trabajar a las fábricas de Viena, en lugar de Auschwitz, a 30.000 judíos. El trato incluía nuevamente mantener el orden en los campos de internamiento —por el procedimiento de engañar sobre su destino a sus moradores—. Unos 18.000 fueron enviados a Viena, librándose de las cámaras de gas, aunque no de las terribles condiciones de los campos.

A finales de junio de 1944, los judíos de fuera de Budapest habían sido prácticamente exterminados. En menos de dos meses (de mediados de mayo a comienzos de julio) se deportaron 437.000 judíos, de los cuales un 90% fueron gaseados de inmediato (un tercio del total de los asesinados en Auschwitz fueron húngaros).

---

[55] *Ibid.*, p. 937.

Faltaban los 200.000 judíos de Budapest. El regente Horthy logra detener en julio su deportación, en contra de los deseos de los nazis, debido ante todo a las presiones internacionales (merced al informe Vrba-Wetzler) y a las amenazas de represalias contra los dirigentes húngaros al finalizar la guerra. Aprovechando el desconcierto alemán ante el avance de los rusos, el regente húngaro nombró un nuevo gobierno menos colaborador, con el general Geza Lakatos de primer ministro.

A comienzos de octubre, el ejército Rojo entra en Hungría. El 14 de octubre, y ante el temor de que Horthy quiera firmar una paz por separado, una división de tanques nazis invade Hungría para deponer al almirante. Szálasi, líder de los fascistas de la Cruz Flechada, tras un golpe de estado el 15 de octubre, fue nombrado regente y primer ministro en lugar de Horthy. La suerte de los judíos empeoró rápidamente.

Miles de judíos de Budapest (27.000) fueron enviados a pie (no funcionaban las redes ferroviarias) a las fábricas de armas de Austria como mano de obra forzosa. Una gran parte de ellos perecería por las terribles condiciones de trabajo y las marchas de la muerte del fin de la guerra. En Budapest aún quedaban unos 120.000 judíos, que fueron confinados en un gueto a partir del 29 de noviembre. «El gueto fue sellado el 10 de diciembre [de 1944], y en enero de 1945 albergaba cerca de 70.000 personas, pero un gran número, con papeles falsos u ocultos, no se trasladaron a él»[56].

---

[56] *Ibid.*, p. 950.

Las ejecuciones en masa y los asesinatos indiscriminados por parte de los cruces flechadas (nyilas) eran continuos. Se calcula que entre noviembre de 1944 y febrero de 1945, los nyilas asesinaron de 10.000 a 15.000 judíos a orillas del Danubio.

Durante aquel infernal trimestre de gobierno criminal de los Cruces Flechadas, unos pocos diplomáticos de países neutrales (Suecia, Suiza, Portugal) se distinguieron especialmente en el salvamento de judíos. Uno de ellos fue el encargado de la legación española, Ángel Sanz Briz y, a la salida de éste ante la llegada de las tropas rusas, el comerciante italiano Giorgio Perlasca, que ocupó oficiosamente su puesto. Entre ambos salvaron la vida de miles de judíos húngaros por el procedimiento de otorgarles pasaportes españoles (en base a supuestos orígenes sefardíes), y acogerles en casas protegidas bajo pabellón español. Ambos fueron nombrados Justos entre las naciones por el estado de Israel.

Los soviéticos completaron el cerco de Budapest el 29 de diciembre de 1944. «El gueto, junto con toda la porción oriental de la ciudad, conocida como Pest, quedó en manos soviéticas el 17 de enero. La lucha continuó en la orilla occidental hasta el 13 de febrero, cuando la guarnición germano-húngara se rindió»[57].

Las cifras de víctimas húngaras de la Shoá oscilan según las fuentes. Para los supervivientes se sitúan entre un 25 y un 30% (200.000/255.000). En cuanto a las víctimas, el número va, según las estimaciones, de 450.000 a 600.000 para los judíos, y alrededor de 28.000 gitanos húngaros.

---

[57] *Ibid.*, p. 952

KERTÉSZ Y LA MEMORIA DEL HOLOCAUSTO

Kertész ha mencionado alguna vez la paradoja en que se mueve el escritor del Holocausto (y, en general, cualquier artista trágico o dramático): debe por una parte horrorizar, pero por otra complacer y agradar:

Tratándose de la Shoá, resulta imposible escribir sin herir, porque uno descarga el peso de su experiencia sobre los hombros del lector. Es necesario que las palabras causen un efecto […], que penetren en la carne. Al mismo tiempo se da una paradoja. La novela que uno escribe debe «gustar» en el sentido de que el lector debe desear pasar la página. Es una trampa en la cual le hacemos caer para volverlo receptivo. Si soy demasiado cruel u odioso, no conseguiré lo que pretendo[58].

Al margen de este problema «técnico», existe un problema de fondo mucho más grave, que, según Kertész, afecta al reciente tratamiento del Holocausto tanto en cine como en literatura. Se trataría de lo que él denomina «estilización» y otros prefieren llamar «banalización» de la Shoá, que se ha extendido de manera paralela a la importancia de Auschwitz en nuestra cultura:

…una estilización del holocausto que hoy en día ya adquiere dimensiones insoportables. La propia palabra holocausto ya es en sí una estilización, una

---

[58] Entrevista en *Le Monde*, 10/6/2005 (traducción propia).

abstracción remilgada de palabras de sonido mucho más brutal, tales como campo de exterminio o solución final. Tal vez no deba extrañar que, mientras se habla cada vez más del holocausto, su realidad —el día a día del exterminio humano— se sustrae cada vez más al ámbito de lo imaginable. Yo mismo me vi obligado a escribir en mi *Diario de la galera*: «El campo de concentración sólo es imaginable como literatura, no como realidad»[59].

Kertész se muestra muy crítico con ciertos productos populares, como *La lista de Schindler*:

Sí, el sobreviviente contempla con impotencia cómo le quitan su única posesión: las experiencias auténticas. Sé que muchos no coinciden conmigo cuando califico de kitsch la película de Spielberg *La lista de Schindler* [...] Considero kitsch cualquier descripción que no implique las amplias consecuencias éticas de Auschwitz y según la cual el SER HUMANO escrito con mayúsculas —y con él, el ideal de lo humano— puede salir intacto de Auwschwitz [...] Considero también kitsch cualquier descripción incapaz o no dispuesta a comprender que existe una relación orgánica entre nuestra forma de vida deformada tanto en el plano de la civilización como en el de lo privado y la posibilidad del holocausto; es decir, considero kitsch cualquier descripción que procura tratar el holocausto de una vez para siempre como algo ajeno a la naturaleza humana y expulsarlo del ámbito de las experiencia del hombre. Además, considero también kitsch degradar Auschwitz a un simple asunto entre alemanes y judíos, o sea, a algo así como una incompatibilidad fatal entre dos colectivos; prescindir de la anatomía política y psicológica de los totalitarismos modernos; no concebir Auschwitz

---

[59] Imre Kertész, «¿De quién es Auschwitz?», en: *Un instante de silencio en el paredón: el Holocausto como cultura*, Barcelona, El Acantilado, 2002, p. 88.

como una experiencia universal, sino como algo limitado a los directamente afectados[60].

Pero hay algo peor: pienso en los voyeurs del Holocausto, quienes —como el director de cine estadounidense Steven Spielberg— encajan el Holocausto en la continuidad de la historia de sufrimientos más que milenaria del pueblo judío y, pasando por encima de las montañas de cadáveres, de los montones de escombros de Europa y del derrumbamiento de todos los valores, glorifican la eterna supervivencia con imágenes abigarradas y música triunfal[61].

Curiosamente, otro de los productos más criticados de esta banalización del Holocausto, la película *La vida es bella*, le merece los más altos elogios. Lo que a Kertész le gusta de esta película es que convierte Auschwitz en «un simple juego». Y prosigue: «¿No reconocemos en esta mentira una característica esencial de la realidad vivida? El hedor de la carne quemada nos revolvía el estómago y, sin embargo, no podíamos creer que fuera cierto. El hombre prefería entregarse a pensamientos más optimistas, a aquellos que lo incitaban a sobrevivir…»[62].

A esto cabría argüir, como han hecho algunos, que reintroducir el humor en Auschwitz, de donde precisamente se había desterrado todo humor, salvo el sádico de los SS, es falsearlo de manera radical, porque se lo hace más soportable de lo que nunca fue. El humor

---

[60] *Ibid.*, pp. 91-92.

[61] Imre Kertész, *La lengua exiliada*, Madrid, Taurus, 2006, pp. 94-95.

[62] *Ibid.*, p. 93-94.

«humaniza» más que cualquier otra cosa, como ha reprochado justamente el propio Kertész en otras obras.

En cualquier caso, su canon de la literatura del Holocausto es harto estricto (acaso en exceso) y admite muy contados nombres:

Podría contar con los dedos de las manos a los escritores que crearon una literatura verdaderamente importante a partir de la experiencia del holocausto. Un Paul Celan, un Tadeusz Borowski, un Primo Levi, un Jean Améry, una Ruth Klüger, un Claude Lanzmann o un Miklós Radnóti son fenómenos sumamente escasos. Con mucha más frecuencia ocurre que se sustrae el holocausto a los encargados de su custodia y se producen productos baratos a partir de él[63].

El autor de *Sin destino* ha reiterado en múltiples ocasiones su idea de que Auschwitz («el trauma más grande del hombre europeo desde la cruz») no es un tema más de nuestra cultura, sino el tema central de la historia contemporánea, donde se pone de manifiesto de forma descarnada el fracaso de nuestra civilización cristiana y humanista: «¿Existe algún símbolo válido? La mitología moderna empieza con una gigantesca negatividad: Dios creó el mundo, el ser humano creó Auschwitz»[64].

Se trata, insiste Kertész, de un acontecimiento de resonancia universal, por más que su víctima principal fuese muy particular:

---

[63] *Ibid.*, p. 89.

[64] Imre Kertész, *Yo, otro: crónica del cambio*, Barcelona, El Acantilado, 2002, p. 113.

A mi juicio, no ofendemos ni disminuimos la tragedia del pueblo judío si hoy, más de cinco décadas después de que ocurriera, consideramos el Holocausto una experiencia universal y un trauma europeo. Al fin y al cabo, Auschwitz no se produjo en el vacío, sino en el marco de la cultura occidental, de la civilización occidental, y esta civilización es una superviviente de Auschwitz, igual que esas pocas decenas o centenares de miles de hombres y mujeres esparcidos por el mundo que aún vieron las llamas de los crematorios e inhalaron el olor de la carne humana que ardía. En ese fuego se destruyó todo cuanto hasta entonces respetábamos como valores europeos; y en este punto cero de la ética, en la oscuridad moral y espiritual se presenta como único punto de partida aquello que creó tales tinieblas: el Holocausto [...] Sigo pensando que el Holocausto es el trauma de la civilización europea y que la pregunta existencial de esta civilización consistirá en si este trauma continúa en forma de cultura o de neurosis, de creación o de destrucción en la sociedad europea[65].

Y sobre esta posición de Auschwitz como el tema capital de nuestra cultura, comenta László Földényi:

Kertész no dice que Auschwitz sea la tragedia del judaísmo ni una aberración en la historia de Alemania. Sino que Auschwitz es la bancarrota de la cultura cristiano-europea. El antisemitismo tradicional no hubiera conducido a Auschwitz, dice. Para eso hacía falta antes el totalitarismo, cuya condición de existencia es la exclusión [...] ¿Y cómo es que se llegó al totalitarismo, caldo de cultivo de Auschwitz? Porque había surgido la sociedad de masas moderna, afirma Kertész [...] «En el núcleo de la sociedad de masas moderna se esconde la posibilidad de Auschwitz, puesto

---

[65]   Imre Kertész, *La lengua exiliada*, Madrid, Taurus, 2006, pp. 100-101, 107.

que en esta sociedad el hombre no se halla comprometido con valores religiosos ni criterios morales». La quintaesencia de Auschwitz no fue el antisemitismo. No era que se odiase a los judíos y por eso se erigiera Auschwitz. Por el contrario: el pensamiento totalitario necesitaba de un Auschwitz y se buscó el material humano adecuado para el caso[66].

No son los conceptos anteriores, nos advierte Kertéz, los que explican Auschwitz, sino al contrario: todo debe ser explicado de nuevo a partir del Holocausto:

Así, Auschwitz no puede explicarse con los conceptos del antisemitismo vulgar, arcaico, por no decir clásico: es esto precisamente lo que hay que entender. No existe allí ninguna relación orgánica. Nuestra era no es la era del antisemitismo, sino la de Auschwitz. Y el antisemitismo de hoy día no odia a los judíos, sino que quiere Auschwitz[67].

Auschwitz permanece en el corazón de nuestra cultura, permeando hasta su parcela más alejada, y su actualidad no depende de modas o conmemoraciones, sino de que los abismos que se abrieron, aún no se han cerrado. Por ello, incluso los que ignoran Auschwitz, escriben sin saberlo de Auschwitz:

Cuando escribimos sobre Auschwitz, hemos de tener en cuenta que, al menos en cierto sentido, Auschwitz ha dejado la literatura en suspenso. De Auschwitz sólo se puede escribir una novela negra o, con todo el respeto, un folletín en el que la acción comienza en Auschwitz y se extiende hasta

---

[66] László Földényi, op. cit., p. 42.

[67] *Un instante de silencio en el paredón*, op. cit., p. 80.

nuestros días. Quiero decir con esto que después de Auschwitz no ha ocurrido nada que haya revocado o refutado Auschwitz. En mis escritos, el Holocausto nunca ha podido aparecer en pasado [...]. De hecho, ¿qué escritor de hoy en día no es un escritor del Holocausto? No se tiene que elegir necesariamente el tema directo del Holocausto para percibir la voz rota que domina el arte contemporáneo europeo desde hace décadas [...] Lo que descubrí en el Holocausto fue la condición humana, la estación final de una gran aventura a la que el hombre europeo llegó después de dos mil años de cultura ética y moral[68].

Kertész ha insistido en diversos textos en que el viejo concepto de antisemitismo no nos sirve para explicar Auschwitz. El Holocausto, por cierto, no es algo inexplicable, como pretenden algunos, sino una evolución de formas de poder y autoridad, que, sin embargo, introduce un elemento inédito en la historia. Si quisiéramos buscar una teoría cercana a sus puntos de vista, Hannah Arendt, con su visión planetaria del totalitarismo, no restringido a la Alemania nazi, y su encarnación práctica en la figura del asesino banal, del malvado burocrático, estaría muy próxima a sus planteamientos. Acaso también Nietzsche, con su visión de la uniformidad cultural como síntoma máximo de decadencia y expresión política del resentimiento de las masas.

Nuestra obligación, sin embargo, es reconocer la diferencia cualitativa [entre el antisemitismo tradicional y el de los nazis]. El antisemitismo del siglo XIX

---

68   I. Kertész, «¡Eureka! Discurso pronunciado en la Real Academia Sueca», en: *La lengua exiliada*, op. cit., pp. 154-156.

difícilmente podía o quería imaginar la solución final. Así, Auschwitz no puede explicarse con los conceptos del antisemitismo vulgar, arcaico, por no decir clásico: es esto precisamente lo que hay que entender. No existe allí ninguna relación orgánica. Nuestra era no es la era del antisemitismo, sino la de Auschwitz. Y el antisemitismo de hoy ya no odia a los judíos, sino que quiere Auschwitz. Eichmann confesó en el juicio de Jerusalén no haber sido nunca antisemita, y si bien el público en la sala se echó a reír, yo no considero improbable que dijera la verdad. Al fin y al cabo, para asesinar a millones de judíos, el estado total no necesita antisemitas, sino buenos gestores. Hemos de ver las cosas con claridad: ningún totalitarismo de partido y de estado puede existir sin la discriminación; y la forma totalitaria de la discriminación es, necesariamente, la matanza[69].

Auschwitz supone un punto de inflexión en la historia del antisemitismo como, por ejemplo, la teoría cuántica en la física. Con ello sólo vengo a señalar que, así como el físico que aún no se ha enterado de la teoría cuántica no es un físico, el antisemita que no toma en consideración Auschwitz no puede ser un antisemita verdadero, serio, digno de crédito, por así decirlo, bien formado y ducho en su obsesión[70].

Para Kertész, el Holocausto no es un tema del pasado, sino del presente y, sobre todo, del futuro. Porque es evidente que, si en un momento histórico, la civilización europea consideró compatible con su tradición una sociedad basada en el crimen, tal cosa podría volver a suceder. Por primera vez en la historia occidental, una gran parte de una nación europea —de las más civilizadas—, con el respaldo de grandes masas de población en otros países del continente, consideró

---

[69] I. Kertész, *Un instante de silencio en el paredón*, op. cit., p. 80.

[70] I. Kertész, *Yo, otro: crónica del cambio*, op. cit., p. 77.

legítimo asesinar como parte de un programa político y de futuro —no al calor del pogromo ni de una explosión de violencia—. El asesinato de masas, el genocidio, se convirtió para un amplio espectro de la población en un valor tan aceptable y sensato como las normas de urbanidad o la probidad en los negocios. Que esta visión radical no triunfase fue más que nada una cuestión de hecho («No olvidemos que Auschwitz no fue disuelto por ser Auschwitz, sino porque la evolución de la guerra dio un vuelco»[71]), no de inviabilidad (un gran porcentaje de la población en las naciones vencedoras compartían los mismos valores que las derrotadas: el antisemitismo, la utilidad de la eutanasia, el autoritarismo y la uniformidad como bases para organizar la sociedad…). Por ello el retorno del totalitarismo está siempre pendiente, en el sentido más literal: pende amenazadoramente sobre nosotros como una posibilidad actualizable en determinadas circunstancias. Ahí radica la actualidad acuciante de Auschwitz, en que no está desactivado, en que sigue latente, amenazando con regresar bajo nuevas formas.

Cuando pienso, pues, en el efecto traumático de Auschwitz, pienso, paradójicamente, más en el futuro que en el pasado. Cuando vivo Auschwitz como un trauma —un trauma que no sólo ha cambiado mi vida sino también, radicalmente, la vida en general— llego a las cuestiones fundamentales de la vitalidad y la creatividad del hombre actual. Lo que se manifestó a través de la «solución final» y del «universo concentracionario» no se puede malinterpretar, y la única posibilidad de sobrevivir y de conservar las fuerzas creativas pasa por reconocer este punto cero. ¿Por qué no puede ser

---

[71] *Ibid.*, p. 81.

fructífera esta lucidez? En lo hondo de las grandes tomas de conciencia siempre se esconde, aunque se basen en tragedias insuperables, el momento de la libertad, que inunda nuestras vidas con un plus, con una riqueza, llamándonos la atención sobre el hecho real de nuestra existencia y sobre nuestra responsabilidad al respecto[72].

Hoy en día ya resulta obvio que la supervivencia no es un problema personal de los sobrevivientes, pues la sombra larga y oscura del holocausto se proyecta sobre toda la civilización en que ocurrió y que debe seguir viviendo con el peso de lo ocurrido y con sus consecuencias [...] Y veremos, analizando si el holocausto es una cuestión vital para la civilización europea, para la conciencia europea, que lo es, en efecto, porque la misma civilización dentro de cuyo marco fue llevado a cabo debe también reflexionar sobre él: de no ser así, se convertiría en una civilización averiada, en un inválido en estado terminal que se dirige, impotente, hacia la desaparición[73].

Kertész arremete contra aquellos que pretenden «expulsar» Auschwitz de nuestra tradición como un parásito extraño, monstruoso e inefable. El Holocausto, argumenta por el contrario, es un producto de la civilización europea, tan nuestro como pueda serlo el estado del bienestar o el ocio de masas.

...dije que la frase era formalmente errónea, la frase de que «Auschwitz no tiene explicación», porque todo cuanto existe siempre tiene una explicación [...] o sea que también esta frase desgraciada —«Auschwitz no tiene explicación»— es una explicación, y el autor explicaba con ella que debemos

---

72 I. Kertész, *La lengua exiliada*, op. cit., pp. 12-13.

73 I. Kertész, *Un instante de silencio en el paredón*, op. cit., p. 83.

89

callar sobre Auschwitz, que Auschwitiz no existe o, para ser más preciso, que no existió, ya que, como es lógico, sólo aquello que no existe o no existió carece de explicación. Con toda probabilidad dije que Auschwitz existió y luego existe, y que por tanto tiene una explicación y que lo único que no tiene explicación es que Auschwitz no haya existido, es decir, lo que no podría explicarse es que Auschwitz no hubiera existido, que no se hubiera hecho realidad, que el espíritu universal no se hubiera realizado en el hecho llamado «Auschwitz» [...], sí, lo que no tendría explicación sería precisamente la ausencia de Auschwitz, de lo que se deduce que Auschwitz está en el aire desde hace muchísimo tiempo, como un fruto oscuro que ha madurado bajo los rayos de innumerables infamias y espera el momento oportuno para caer por fin sobre la cabeza de los hombres. En resumen, que lo que existe, existe, y el hecho de que exista es necesario precisamente porque existe: la historia universal es el acto y la imagen de la razón (cita de H.), porque ver el mundo como una sucesión arbitraria de azares sería, en definitiva, un modo de ver bastante indigno (cita mía) [...] ... y la explicación de Auschwitz, dije con toda probabilidad, por cuanto era mi opinión y, es más, sigue siéndolo, la explicación se encuentra en las vidas individuales y en ningún otro sitio. Auschwitz es, a mi juicio, el acto y la imagen de vidas individuales, visto bajo el signo de cierta organización [...] ...la naturaleza del poder que no es ni satánico, ni de una complejidad turbia y fascinante, ni terriblemente cautivador, no, sino común y corriente, ruin, asesino, estúpido e hipócrita y que incluso en los tiempos de sus logros más grandes sólo está bien organizado [...] dejad de decir por fin, dije con toda probabilidad, que Auschwitz no tiene explicación, que Auschwitz es el producto de fuerzas irracionales, inconcebibles para la razón, porque el mal siempre tiene una explicación racional, es posible que el propio Satanás sea irracional, como lo es Yago, pero sus criaturas sí son racionales, todos sus actos se derivan de algo, igual que una fórmula matemática; se derivan de

algún interés, del afán de lucro, de la pereza, del deseo de poder y de placer, de la cobardía, de la satisfacción de este o de aquel instinto, y si no, pues de alguna locura [...] porque prestad atención, porque lo verdaderamente irracional y lo que en verdad no tiene explicación no es el mal, sino lo contrario: el bien [...] y en vez de la vida de los dictadores hace tiempo que sólo me interesan las vidas de los santos, por cuanto las considero interesantes e inconcebibles y no les encuentro ninguna explicación racional[74].

El antisemitismo, advierte Kertész, no tiene contenido ideológico; no es más que el aglutinador del miedo y los rencores del hombre de la masa, una forma de paletismo moderno, siguiendo en esta explicación a Sartre de *Reflexiones sobre la cuestión judía* («...podemos ya comprender al antisemita. Es un hombre que tiene miedo. No de los judíos, desde luego; de sí mismo, de su conciencia, de su libertad, de sus instintos, de sus responsabilidades, de la soledad, del cambio, de la sociedad y del mundo; de todo, salvo de los judíos»):

El antisemitismo, entiende él [el personaje de su novela], o sea, le hago entender, no es una convicción, sino una cuestión de constitución y de carácter, «la moral de la desesperación, la furia del odio a sí mismo, la vitalidad de los decadentes», señala, o sea, le hago señalar [...] El llamado antisemitismo es un mero asunto privado del que yo personalmente puedo morir en cualquier lugar y en cualquier instante, pero hoy por hoy, después de Auschwitz, pensé, es un simple anacronismo [...] es por tanto provincialismo y nada más, genius loci, idiotismo local[75].

---

[74] I. Kertész, *Kaddish por el hijo no nacido*, op. cit., pp. 48-53.

[75] *Ibid.*, pp. 93, 100.

Lo cual no quita que esté resurgiendo en todo el planeta: «Tengo la impresión de que el antisemitismo, que durante muchos años ha sido tenido a raya, emerge del pantano del subconsciente como si fuese una erupción de lava con olor a azufre»[76].

Kertész ha llamado la atención sobre el hecho de que muchos de los supervivientes de los campos nazis son víctimas de una sentencia aplazada. Bien sea por decepción al comprobar cómo, al cabo de los años, se recae una y otra vez en comportamientos de los que ellos fueron víctimas (en especial el antisemitismo), bien por su incapacidad para transmitir su trauma y, por tanto, descargarse de él, el superviviente termina aplicándose él mismo la condena de muerte que los nazis no consiguieron hacer cumplir.

El espíritu de Auschwitz, que se filtró en ellos como un veneno, así como la siempre dispuesta indiferencia de la sociedad, las muchas puertas abiertas por las que no se podía ni merecía la pena entrar volvían a abrir, cual si fuese una herida nunca curada, la sentencia que les había sido grabada a fuego. Jean Améry y Tadeusz Borowski se suicidaron, al igual que Paul Celan, primo Levi y muchos otros cuyos nombres ni siquiera conocemos[77].

Auschwitz es una enfermedad incurable («No hay manera de curarse de Auschwitz, nadie se recupera jamás de la enfermedad que es Auschwitz»[78]), aunque sus efectos letales tarden décadas en

---

76 I. Kertész, «Jertusalén, Jerusalén», en: *La lengua exiliada*, op. cit., p. 130.

77 Imre Kertész, *La lengua exiliada*, op. cit., p. 96.

78 *Kaddish por el hijo no nacido*, op. cit., p. 96.

manifestarse. Kertész, cuyos impulsos autodestructivos se proyectan en diversos personajes (desde *Kaddish…* a *Liquidación*), se ha interrogado en alguna ocasión por las causas de su inmunidad a la «enfermedad de Auschwitz», que le ha preservado del destino común a quienes la sufren. La explicación es sencilla, pero efectiva: el paso de una dictadura a otra (de la nazi a la comunista) le impidió bajar la guardia y relajarse; como en el campo nazi, la urgencia de sobrevivir hacía que cualquier otra consideración (la melancolía, la depresión, la falta de sentido existencial) pasara a un segundo plano:

En la actualidad pienso a menudo que el holocausto no sólo alcanzó a sus víctimas elegidas en los campos de concentración, sino también décadas más tarde. Como si la disolución de los campos sólo hubiera aplazado la sentencia que luego los elegidos para morir ejecutaron quitándose ellos mismos la vida: se suicidaron Paul Celan, Tadeusz Borowski, Jean Améry y hasta Primo Levi, el cual se enfrentó en sus escritos polémicos al radicalismo existencial de Améry. Cuando comparo mi destino con estos destinos ejemplares en muchos sentidos, debo pensar que para superar las décadas pasadas me ayudó a buen seguro esa «sociedad» que, después de Auschwitz, demostró con el rostro del «estalinismo» que eran imposibles la libertad, la liberación, la gran catarsis, etcétera, o sea, todo aquello de lo que, en regiones más afortunadas, los intelectuales, los pensadores, los filósofos no sólo hablaban, sino en lo que también creían; esa «sociedad» me garantizó la continuidad de mi vida de prisionero y de este modo excluyó también la posibilidad de cometer un error[79].

---

[79]   I Kertész, *Un instante de silencio en el paredón*, op. cit., p. 81.

AUSTERLITZ DE SEBALD:

ECOS DEL HOLOCAUSTO

LAS HUELLAS DEL DOLOR[80]

Austerlitz, publicada pocos meses antes de la muerte de su autor, está considerada hoy día una de las novelas más importantes de las últimas décadas. Lo cual no deja de ser extraño, si tenemos en cuenta lo alejados que se encuentran su estilo y temática de los cánones de libros más vendidos.

El mismo y sorprendente éxito ha tenido el resto de las obras de W.G. Sebald, encumbrado en poco más de diez años al grupo de los muy escasos escritores que han logrado renovar los trillados cauces de la novela contemporánea por medio de una escritura nada sensacionalista, hecha de frases largas, reflexivas y de impronta clásica; con obras que desdeñan la intriga a favor de la divagación, y personajes discretos, que rehúyen el morbo y el patetismo.

En un tiempo de lectura rápida y sintaxis acelerada, su literatura, paradójicamente, parece desmentir toda urgencia, para centrarse en el análisis del pasado, la lentitud, la meditación y la vuelta atrás. Sebald transita el tiempo a contrapelo y nos advierte de que la historia, antes que el desfile triunfal del progreso, es una sucesión de traumas que desembocan en el mayor de todos ellos, el del Holocausto, cuyas secuelas aún perduran en nuestro presente.

---

[80] En las tres primeras ediciones del Club de Lectura (2013-2016) uno de los libros mejor valorados por los participantes fue *Austerlitz* (Anagrama, 2002. Edición citada en el presente trabajo).

Sus viajeros melancólicos recorren la vieja Europa descubriendo tras cada monumento la herida abierta que se pretende ocultar bajo tanta prosopopeya. Como él mismo expresó de su personaje Austerlitz, Sebald (pronúnciese 'tsíbald') nos «...habló largo rato de las huellas del dolor que, como él decía saber, atravesaban la historia en finas líneas innumerables».

MAX SEBALD: VIDA DE UN EXILIADO

Winfried Georg Maximilian Sebald (Max en la intimidad) nació un 18 mayo de 1944, «el mismo mes en que la hermana de Kafka fue deportada a Auschwitz», según recordaba el propio escritor en una entrevista. Wertach, su villa natal, una pequeña localidad de los Alpes bávaros, «era un pueblo de un millar de habitantes, situado en un valle cubierto de nieve cinco meses al año. Un lugar silencioso». Max era hijo de un militar, un padre lejano y, tras la Segunda Guerra Mundial, ausente en un campo de prisioneros hasta 1947, por lo que su verdadera tutela corrió a cargo de un abuelo.

«Mis padres, cuenta Sebald, provenían de familias trabajadoras, de pequeños campesinos y granjeros. […] Durante muchos años, no supe muy bien cuál era mi clase. Luego llegó el "milagro económico" y la familia levantó cabeza de nuevo; mi padre ocupó el puesto "que le correspondía" en la clase media-baja de la sociedad».

De aquella época, el autor destaca el espeso manto de silencio que se abatió sobre los acontecimientos de la guerra: «Se trataba de una verdadera conspiración de silencio, que alcanzaba a toda la nación y a cada familia». Jamás se mencionaba en casa la experiencia del progenitor durante la guerra (en la que alcanzó el grado de capitán), y no fue hasta que, ya entrado en la adolescencia, proyectaron en el instituto un documental sobre la liberación de Belsen, cuando oyera por primera vez hablar del Holocausto. «Me llevaría años, confesaba, averiguar lo que había sucedido. A mediados de los 60, no me cabía en la cabeza que se hubieran producido esos acontecimientos tan sólo unos años atrás».

Tras completar en 1963 el bachillerato, comienza estudios de literatura alemana en la universidad de Friburgo, la alemana, para trasladarse posteriormente a la Friburgo suiza, donde obtiene una diplomatura en 1966.

Huyendo del ambiente enrarecido de su país, llega por primera vez a Inglaterra en 1966, con 21 años, para trabajar de lector por un año en la universidad de Manchester, donde prosigue al mismo tiempo sus estudios y se licencia en 1968.

Allí tomará contacto por primera vez con las víctimas del Holocausto:

…en Manchester, me percaté por primera vez de que estos acontecimientos históricos les había sucedido a gente de verdad. En los años de posguerra, podías crecer en Alemania sin encontrarte nunca con un judío. Existían pequeñas comunidades en Frankfurt o Berlín, pero en una ciudad de provincias del sur de Alemania los judíos no existían. El tardío

descubrimiento fue que habían estado en todos aquellos sitios trabajando como doctores, acomodadores de cine, propietarios de garajes…, pero que habían desaparecido o los habían hecho desaparecer. Se trató de un proceso de descubrimiento por fases[81].

En 1967 contrae matrimonio con una austríaca. Tras un año en Suiza, dando clases en un colegio privado de Saint Gallen, decide regresar en 1970 a Inglaterra, a Norwich, en el sudeste de la isla, donde transcurrirá el resto de su vida (casi treinta años) dedicado a la enseñanza de la literatura alemana moderna en la universidad de East Anglia.

En 1988 obtiene la cátedra de literatura comparada y en 1989, funda el *Centre for Literary Translation* (Centro de Traducción Literaria), del que se convierte en presidente. En los últimos años, impartió también cursos de escritura creativa en la universidad.

Sebald fue un escritor tardío. Tras diversos trabajos académicos, su primer título propiamente literario fue *Del natural*, un libro de poesía publicado en 1988, cuando contaba ya con cuarenta y cuatro años. Para la primera obra de ficción en prosa, *Vértigo*, hubo que esperar dos años más. En 1992 publica *Los emigrados*, recibido en Alemania, como los anteriores libros, con excelentes críticas. Pero no sería sino hasta la primera traducción de este último título al inglés, en 1996, cuando comenzaría a cimentarse su prestigio. Susan Sontag saluda su aparición con los más encendidos elogios. «¿Es posible todavía la

---

[81] Entrevista *The Guardian*, 21-12-2001:

http://www.guardian.co.uk/education/2001/dec/21/artsandhumanities.highereducation (última consulta 05/09/2018).

grandeza literaria?», se preguntaba la escritora norteamericana en un célebre artículo, para responder a continuación: «Vista la imparable renuncia a la ambición literaria, y la propagación simultánea de lo insulso, lo simplista y lo gratuitamente violento como temas favoritos de ficción, ¿cómo debería ser en nuestros tiempos una obra literaria con altura de miras? Una de las escasas respuestas disponibles con la que cuenta el lector inglés es la obra de W. G. Sebald».

Con su siguiente obra, *Los anillos de Saturno*, publicado en alemán en 1995 y traducida al inglés en 1998, su fama se consolida en toda Europa y Estados Unidos. «Ningún otro escritor de las últimas décadas», comentaba el crítico inglés Robert Macfarlane, «ha podido igualar la velocidad de ascenso al panteón de W.G. Sebald. Todo sucedió en poco más de cinco años […] Se le comparó con Borges, Calvino, Kafka, Proust y Nabokov.» Cuando en 2001 apareció su última obra publicada en vida, *Austerlitz*, ya se hablaba del autor alemán como de un firme candidato al premio Nobel y, mientras tanto, acumulaba otros prestigiosos galardones literarios por toda Europa.

El 14 de diciembre de 2001, el coche que conducía se estrelló contra un camión, no lejos de su casa. La autopsia demostró que, previamente, Sebald había sufrido un aneurisma que, posiblemente, acabó con su vida antes de la colisión. Su hija, que le acompañaba, sobrevivió al accidente. Contaba el escritor con 57 años y, poco tiempo antes, había firmado un sustancioso contrato editorial y se le abría un dorado porvenir como autor consagrado. Acaso en sus últimos instantes le viniera a la cabeza lo que escribió en *Los anillos de*

Saturno: «…siempre que uno se imagina el futuro más hermoso está ya encaminado a la siguiente catástrofe».

Del tiempo transcurrido en Inglaterra, llegó a decir poco antes de su muerte: «He vivido aquí durante treinta años y todavía no me siento en casa ni mucho menos». Pero, conociendo su obra, es muy posible que hubiera dicho lo mismo de cualquier otro lugar. Lo cual no significa, en absoluto, que fuera un tipo adusto o lúgubre, como algunos lectores de sus melancólicas obras podrían llegar a pensar. Quienes lo conocieron lo describen como una persona afable, tranquila y discreta (tanto como los personajes de sus libros), proclive a ataques de melancolía, pero no exenta de un peculiar humor, más inglés que alemán. (Una vez le preguntaron: «¿Cómo es el humor alemán?», y él respondió: «Espantoso… No se puede ni describir»). No se le conocieron otros vicios que el tabaco y un infatigable coleccionismo de fotos, postales y recortes de periódicos antiguos.

Aunque no era judío, el desarraigo y la nostalgia imposible de sus obras (protagonizadas en buena parte por judíos) lo convierten en el más judío de los escritores contemporáneos.

En 2003 se publicaría póstumamente una colección de relatos y ensayos, traducidos al español en 2010 (*Campo Santo*, Anagrama). También podemos leer varios estudios sobre literatura centroeuropea (*Pútrida Patria*, Anagrama, 2005) y unas interesantes reflexiones sobre el bombardeo de la ciudad de Dresde por parte de los Aliados en febrero de 1945 (*Sobre la historia natural de la destrucción*, Anagrama, 2010).

LAS ENSOÑACIONES DE UN VIAJERO SOLITARIO

Todos los personajes de Sebald han sido irremediablemente dañados por el pasado. Aunque en apariencia hayan logrado sobrevivir al trauma histórico que los despojó para siempre de lo que amaban (un país, unos seres queridos), su supervivencia es precaria y nominal, y se halla siempre amenazada por los fantasmas de ese mismo tiempo ido en el que aún habitan. Nunca dejarán de sentirse extraños en la nueva tierra que les acoge, ni tampoco podrán regresar jamás a aquella otra que abandonaron, puesto que ya no es sólo un lugar del espacio sino también del ayer. Esta cualidad fantasmal de su existencia (una posteridad que ya no es vida, pero que tampoco consiente el reposo) los convierte en seres errabundos, tanto de cuerpo como de mente: viajan y divagan, transitan por los caminos y por los pensamientos, sin detenerse más que provisionalmente o cuando el colapso los derrumba. No hay estación término ni conclusiones definitivas en su periplo. El azar, bajo el que parece latir una misteriosa lógica, los arrastra sin descanso de un lugar a otro, de un encuentro a otro, de una reflexión a otra. Y por todas partes no encuentran sino huellas destructivas del pasado.

Al igual que algunos buscan consuelo en la bebida, los personajes de Sebald buscan el olvido en el viaje. Sólo que el viajero melancólico de sus novelas descubre en cuanto le sale al paso un reflejo de la propia desolación que trataba de dejar atrás. Paisajes, ciudades, edificios, objetos, lecturas, costumbres, personas y animales, todo se

convierte en una señal de ruina, decadencia y acabamiento, que reabre la herida en lugar de cerrarla y le impulsa a seguir adelante, a no demorarse. Como en la tradición romántica alemana, de la que Sebald se reclama —y con razón— heredero, la realidad exterior se transforma en una inmensa caja de resonancia del drama íntimo del protagonista, donde reverberan sin cesar ecos de una pérdida irrecuperable. Pero a diferencia de los románticos, de las narraciones de Sebald han desaparecido el patetismo y lo subjetivo, y apenas logramos averiguar de sus personajes otra cosa que la forma en que su mirada refleja cuanto ven en sus desplazamientos. Nunca fue más verdad la caracterización de la literatura como un espejo a lo largo del camino que en sus narraciones trashumantes.

De este camino ha sido descartado el lado solar y brillante para retener exclusivamente la pesadumbre. La tonalidad predominante en su obra es la elegía, templada siempre por la máxima contención y el rechazo al desahogo sentimental. Acaso sólo esta limitación le separe de los más grandes autores, capaces de incluir en su expresión todos los misterios de la vida, incluidos los gozosos.

No hay, por ejemplo, erotismo en los libros de Sebald. Las escasas escenas eróticas son silenciadas (la relación en Marienbad entre Austerlitz y Marie) o resultan monstruosas (en *Los anillos de Saturno*, el narrador contempla desde lo alto de un acantilado una cópula en la playa que recuerda el apareamiento de dos bestias marinas).

La naturaleza se halla velada por brumas, nieblas y cielos grises, como si también estuviera en estado de duelo. Los paisajes son lugares desolados, abandonados por la mano del hombre, casi

siempre deshabitados o habitados por otros seres tan solitarios y reservados como el propio narrador; el escenario ideal para que se manifiesten sin interferencias los fantasmas del pasado.

A propósito de la soledad de los personajes de Sebald, el premio Nobel Coetzee se preguntaba:

¿De dónde procede su melancolía? Una y otra vez nos sugiere Sebald que todos ellos actúan bajo el peso de la historia reciente de Europa, una historia en la cual el Holocausto cobra una importancia creciente. En su interior, se hallan desgarrados por la lucha entre el impulso de defenderse de un pasado doloroso y el ansia ciega por aferrar algo que ellos mismos ignoran y que les fue arrebatado.

Aunque en las narraciones de Sebald la superación de la amnesia surge como culminación de una labor de búsqueda —husmeando en archivos, siguiendo el rastro de los testigos—, la recuperación del pasado no hace sino confirmar lo que ya sabían en su fuero interno sus personajes, lo que expresaba ya su melancolía crónica ante el mundo y sus cuerpos no dejaban de advertirles, mediante colapsos y parálisis, en su propio lenguaje, que es el lenguaje de los síntomas, a saber: que no existe cura ni salvación[82].

---

[82]   *The New York Review of Books*, 24-10-2002 (traducción propia):

http://www.nybooks.com/articles/2002/10/24/heir-of-a-dark-history/

(última consulta 05/09/2018).

UNA ENCRUCIJADA DE GÉNEROS

Las obras de Sebald se sitúan en una zona limítrofe entre la ficción y la literatura de testimonio. Hay demasiada invención para ser declarada literatura documental a secas, pero también demasiada realidad para una novela al uso. Él mismo prefería denominarla «ficción documental» («documentary fiction»). En sus libros, nunca se termina de saber si se trata de una novela disfrazada de biografía o autobiografía, o al contrario, de un relato testimonial, ligera y pudorosamente maquillado ante el lector. Erráticos y personales en exceso para un libro de viaje tradicional, impersonales y reservados para lo que se estila en una autobiografía, demasiado divagatorios y eruditos para ser una novela, de todos estos géneros y de alguno más participan sin encajar en ninguno de ellos. En cualquier caso, Sebald declaraba inservibles las fórmulas convencionales de la narración, hechas de intriga, diálogos y patetismo, fórmulas que aún copan las listas de los más vendidos. El trauma, lo que por definición no puede ser dicho sino de manera elusiva e indirecta, que constituye en Sebald el núcleo de nuestra historia y nuestras vidas, requiere de una forma inédita de expresión, muy alejada de ese desfile de personajes transparentes y reconocibles que llenan la inmensa mayoría de las novelas que se publican, y que proporcionan al final al lector el falso consuelo de que el mundo ha quedado restaurado.

Acorde con esta búsqueda de nuevas formas, también en el estilo se muestra Sebald acusadamente antimoderno. Se ha hablado de una prosa arcaizante a propósito de sus frases largas, que avanzan sin

prisas, igual a un caminante, a través de incisos, subordinadas y cláusulas incrustadas unas dentro de otras, como muñecas rusas. Los críticos alemanes aluden a un estilo emparentado con la gran tradición germánica del XIX. Pero hay que tener en cuenta que, más que romántica, la impronta de su prosa es de contención y gravedad clásicas, que excluye por principio cualquier desbordamiento subjetivo. Él mismo reconoce su deuda entre los autores contemporáneos con Kafka, Thomas Bernhard, Borges, Nabokov o Robert Walser (sobre quien escribió un hermoso ensayo); y, ya en el siglo XIX, la influencia capital en su escritura de Adalbert Stifter o Gottfried Keller; sin olvidar a los grandes prosistas ingleses de antaño, como Thomas Browne o Thomas Malory.

Uno de los elementos más reseñados de sus libros es la inclusión de ilustraciones de todo tipo: fotos antiguas, grabados, pinturas, planos, recortes de prensa y hasta billetes de tren, a las que el propio autor concedía una importancia clave en la construcción de sus tramas. Tal vez se haya insistido demasiado en un procedimiento que no es privativo de Sebald (en nuestro país ya lo utilizaba desde antes Javier Marías, por ejemplo, por no hablar de *Nadja* de André Breton) y que, si no molesta, dista de tener ese papel fundamental que su autor le atribuía. Como en cualquier gran obra literaria, lo fundamental siguen siendo las palabras, y el uso de la imagen traiciona, en todo caso, una cierta desconfianza hacia el poder de aquellas y también hacia la imaginación del lector. En cuanto mera ilustración, las imágenes son tan secundarias y prescindibles como cualesquiera otras ilustraciones a una obra maestra. No forman parte orgánica del

texto, al que se puede acceder sin necesidad de esa apoyatura. Como elemento de autoridad para reforzar la credibilidad de la trama, resultan inútiles desde el momento en que las sabemos apócrifas. En último término, no parecen sino una servidumbre de paso que la literatura abona a una cultura dominada por la imagen.

LA LARGA SOMBRA DEL HOLOCAUSTO

En la última revisión de la teoría física del agujero negro de Stephen Hawking, el «horizonte aparente», como se lo denomina ahora, aprisionaría la materia y energía, pero sólo temporalmente, para luego emitirlas de nuevo de una forma caótica. En Sebald y otros autores contemporáneos, como Kertész, el Holocausto ocuparía una posición muy parecida en la historia: representaría ese sumidero hacia el que se encamina y en el que se despeña toda una civilización, y tras del cual, vuelven a emerger los valores morales y culturales convertidos en restos de un naufragio, mortalmente dañados.

A la manera igualmente de un Kertész, Sebald contempla el Holocausto, no como un episodio aislado o un accidente de nuestra historia, sino como la culminación de la rapacidad de toda una civilización, como el fracaso también de toda una cultura del progreso. Para el autor alemán, la barbarie no representa una interrupción en el camino de la razón, sino un desarrollo perverso, inscrito desde el principio en su programa. De sus obras podría

extraerse un análisis equivalente al que llevan a cabo Adorno y Horkheimer en su *Dialéctica de la Ilustración*, donde ambos pensadores de la Escuela de Frankfurt dibujan un desarrollo de la razón occidental muy diferente del habitual en las historias de la filosofía. En él, la razón no figura ya en cuanto facultad noble del hombre, que permite a éste el acceso a un mundo superior de ideas, sino como un instrumento de control y explotación, un impulso depredador y de una voracidad tan insaciable que termina aniquilando a su propio dueño, es decir, que se vuelve sobre sí misma y se autodestruye.

El conocimiento puro, el deseo de hacer de la naturaleza y la sociedad un lugar habitable, a la medida del hombre, y otros fines nobles, no serían finalmente sino los señuelos —las ideologías— bajo los que se ampara y camufla esta voluntad inflexible de dominio. Desde esta perspectiva, la razón aparece como un cáncer, cuya vocación imperialista de control termina imponiéndose y esclavizando a los propios individuos a los que servía de herramienta. El pensamiento, en cuanto instrumento de control, no sólo nos separa de la naturaleza, sino que la somete a una explotación despiadada, incluyendo en el concepto de naturaleza al hombre, a otros hombres, y a la naturaleza en uno mismo: instintos y afectos.

Tal es el sentido de la sentencia de Walter Benjamin que advertía de que cualquier producto de la civilización (sin excluir los del arte) lleva inscrito en sus formas las huellas de la barbarie. Acorde con esta visión, Sebald se aplica a rastrear los síntomas de esta perversión de la razón, no en comportamientos anómalos, sino en las obras que la cultura exhibe con más orgullo: los monumentos y edificios donde el

poder expresa su megalomanía (como esa biblioteca de París, que se alza sobre los terrenos donde se acumulaba las propiedades expoliadas a los judíos), los progresos de una industria y una agricultura que arrasa ciudades y campos (sea la pesca del arenque o la explotación del gusano de seda), o la brutalidad de una lección de anatomía pintada por Rembrandt, donde ya se anticipan los futuros experimentos humanos con prisioneros.

En las obras de la cultura anterior al Holocausto, sus personajes detectan por doquier las señales que ya anunciaban el cataclismo: «…en realidad, toda la historia de la arquitectura y la civilización de la edad burguesa que yo investigaba se orientaba hacia la catástrofe que ya se perfilaba entonces», declara el protagonista de *Austerlitz* a propósito de la arquitectura elefantiásica de Bruselas, un tipo de edificación que culminaría en Albert Speer y sus delirios arquitectónicos para Hitler, como prueba de la continuidad de toda una cultura basada en el expolio y la ostentación grandilocuente.

Pero también en nuestro tiempo, Sebald alerta de cómo las actitudes que llevaron al Holocausto siguen actuando: en la explotación despiadada de recursos naturales y humanos, por ejemplo, o en la fascinación por las grandes cifras macroeconómicas, donde la vida y la muerte de los individuos se convierten en un factor abstracto, despreciable en sí mismo.

En su discurso de recepción del premio Nobel, nuevamente Kertéz apuntaba una idea muy semejante:

Cuando escribimos sobre Auschwitz, hemos de tener en cuenta que, al menos en cierto sentido, Auschwitz ha dejado la literatura en suspenso. De

Auschwitz sólo se puede escribir una novela negra o, con todo el respeto, un folletín en el que la acción comienza en Auschwitz y se extiende hasta nuestros días. Quiero decir con esto que después de Auschwitz no ha ocurrido nada que haya revocado o refutado Auschwitz. En mis escritos, el Holocausto nunca ha podido aparecer en pasado[83].

Sobre la omnipresencia y la actualidad del tema del Holocausto en la obra de Sebald, el escritor inglés Will Self, por su parte, pronunciaba en una conferencia esta frase contundente: «W.G. Sebald no tiene necesidad de un día de conmemoración del Holocausto y pienso que, si lo leemos correctamente, para Sebald no hay necesidad de recordar porque el Holocausto nazi está sucediendo todavía»[84].

El Holocausto ocupa, pues, un lugar central en la obra del escritor alemán, aunque apenas se hable de él de manera explícita. Como comentaba un crítico francés (André Aciman): «Con supremo decoro, Sebald no menciona jamás el Holocausto; y, sin embargo, el lector no piensa en otra cosa»[85]. El propio autor manifestó en diversas ocasiones la imposibilidad de mostrar el horror de frente.

¿Cómo hablar entonces del Holocausto? Antes que nada, se requiere vencer un doble silencio: el de los culpables y el de las víctimas. Respecto al primero, Sebald denunció reiteradamente la

---

[83] Imre Kertész, *La lengua exiliada*, Madrid, Taurus, 2006, pp. 154-155.

[84] Will Self, *Absent Jews and Invisible Executioners: W G Sebald and the Holocaust*, en: http://www.bclt.org.uk/events/sebald-lecture/sebald/ (última consulta: 31/08/2016).

[85] André Aciman, «Out of Novemberland», en: *The New York Review of Books*, 23/12/1998 (traducción propia): http://www.nybooks.com/articles/1998/12/03/out-of-novemberland/ (última consulta 05/09/2018).

conspiración de silencio que predominó durante décadas en la Alemania de posguerra que le vio crecer, un silencio que él vivió en su propia familia.

En la historia de la literatura alemana de posguerra, durante los primeros quince o veinte años, la gente evitaba mencionar la persecución política, el confinamiento y el exterminio sistemático de grupos y pueblos completos de la sociedad. Luego, desde 1965 este asunto se convirtió en una preocupación de los escritores, aunque no siempre con un tratamiento adecuado. De manera que aprendí que escribir sobre este asunto, particularmente para la gente de origen alemán, estaba minado de peligros y dificultades. Era muy fácil incurrir en faltas de decoro, tanto moral como estético[86].

Superar en cambio la segunda resistencia resulta más complicado. Desde la perspectiva del damnificado, el Holocausto constituye un trauma para el que no existen palabras y que termina sumiendo a sus víctimas y testigos en el silencio, como le sucede a ese antiguo oficial británico de *Los anillos de Saturno*, quien, tras participar en la liberación del campo de Bergen Belsen, se encerrará en un mutismo letal, que terminará colapsando sobre sí mismo al cabo del tiempo.

El escritor que decide afrontar el tema se sitúa en un punto de partida parecido al de la víctima del trauma. Sebald ha insistido en la imposibilidad de expresar directamente la experiencia de la Shoá:

No se puede escribir directamente acerca del horror de la persecución en sus formas más extremas, porque resulta imposible mirar de frente estos hechos

---

[86] Entrevista *The Guardian*, op. cit.

sin perder la cordura. De modo que es preciso aproximarse de manera tangencial, dándole a entender al lector que estos temas son una compañía constante: su presencia arroja su sombra sobre cada inflexión de cada una de las frases que uno escribe[87].

El trauma es por definición lo incomunicable. Ahora bien, aquello de lo que no se puede hablar termina expresándose de manera indirecta mediante síntomas, según el psicoanálisis. De manera parecida, el testimonio directo del trauma en literatura está condenado al fracaso: puede que nos conmueva hasta cierto punto y nos provoque una limitada empatía, pero nunca conseguirá transmitirnos ni una mínima parte de la angustia original. Al igual que en el individuo traumatizado, también en la literatura de Sebald la experiencia traumática se comunica de manera indirecta, a través de imágenes de destrucción y ruina. Esta acumulación de resonancias inquietantes va delimitando el enorme vacío del trauma original, que nunca podrá expresarse en toda su intensidad. Como con las ciudades bombardeadas, sólo por la extensión del terreno devastado podemos hacernos una ligera idea del brutal impacto, sin llegar nunca a ser capaces de revivirlo. De esta manera, el lector va aproximándose paso a paso, en círculos concéntricos, o mejor, en una especie de espiral que viaja hacia su centro, al origen de una catástrofe que es tanto individual como colectiva, sin acabar nunca de acceder a él.

---

[87]   *Ibid.*

Una muestra de este proceder indirecto y «oblicuo», y de su negativa a enfrentar al lector cara a cara con el trauma del Holocausto, lo tenemos en *Los anillos de Saturno*, cuando al hablar del campo de concentración croata de Jasenovac, el narrador describe una famosa fotografía de la ejecución de un prisionero, pero se niega a mostrarla, lo cual resulta tanto más paradójico en un libro en el que abundan todo tipo de ilustraciones.

En otra entrevista de diciembre 2001, poco antes de su muerte, el autor de *Austerlitz* justificaba esta renuencia a mostrar directamente el horror:

Es necesario, por encima de todo, escribir la historia de la persecución…, pero al mismo tiempo soy consciente de que es prácticamente imposible hablar de los campos de concentración, así que se necesita encontrar otras maneras de convencer al lector de que eso es algo que está en tu mente… Todos tenemos imágenes de estas realidades, pero estas imágenes coartan nuestra capacidad de reflexionar sobre el tema, de manera que el único modo de aproximarnos a estos asuntos es de manera oblicua, tangencial, por medio de referencias, más que afrontándolas directamente[88].

Volviendo ahora a los culpables, Sebald no se muestra menos crítico con la actitud del pueblo alemán durante el nazismo, que con el vergonzoso silencio que se impuso en la posguerra. Podemos conjeturar con más que probabilidad que es el propio autor quien habla por boca de su personaje (que se llama «Max», como el propio

---

[88] http://www.kcrw.com/etc/programs/bw/bw011206w_g_sebald (última consulta 05/09/2018).

Sebald) cuando, en un pasaje de *Austerlitz*, describe la teoría que sustentaba el padre del protagonista acerca de los nazis:

…Maximilian no creía de ningún modo que el pueblo alemán hubiera sido empujado a su infortunio; más bien, en su opinión, partiendo de los sueños de cada uno y de los deseos guardados en familia, se había recreado de nuevo en esa forma perversa, produciendo los gerifaltes nazis, a los que Maximilian consideraba sin excepción atolondrados y holgazanes, como exponentes simbólicos de su turbulencia interior (169-170).

Es de notar cómo Sebald comparte con Sebastián Haffner, otro autor alemán no judío, esta idea clave sobre la complicidad de la población con el nazismo: los nazis eran un producto natural del pueblo alemán; no se habían impuesto a éste en contra de su voluntad; o en otras palabras, si Hitler no hubiera existido, los alemanes lo habrían inventado. Para ambos, Hitler fue una elección de los alemanes, una encarnación de sus delirios de grandeza nacionalistas, de su adicción a las psicosis colectivas, una religión de sustitución en un tiempo sin religiones. Un mal que se venía incubando desde la conversión de Alemania en el siglo XIX, bajo la égida de Prusia, en un Reich, en un imperio:

Claro que no hay que pensar que Alemania y su cultura estaban ya ahí en 1932, florecientes y maravillosos, y que de repente llegaron los nazis y lo arrojaron todo por la borda. La historia de la autodestrucción de Alemania debido a un nacionalismo enfermizo se remonta mucho más atrás […]

Nietzsche fue el primero en reconocer cual profeta que la cultura alemana había perdido la guerra contra el Reich[89].

Y en otro lugar, define Haffner a los nazis como una «consecuencia lógica» del Reich:

…el Reich alemán tiene que desaparecer, y los setenta y cinco últimos años de la historia alemana han de ser borrados. Los alemanes han de retroceder hasta el punto en que tomaron un camino equivocado: hasta el año 1866. No cabe imaginar una paz con el Reich prusiano, que surgió entonces y cuya última consecuencia lógica es la Alemania nazi. Y en ninguna parte se puede encontrar «otra» Alemania vital, excepto la que fue vencida ese año por un capricho de la guerra y que nunca ha sido sometida del todo[90].

AUSTERLITZ Y EL HOLOCAUSTO

Austerlitz es la obra de Sebald en la que el tema del Holocausto ocupa de manera más explícita el primer plano de la historia. Aunque el protagonista lograra salvarse del exterminio gracias al *Kindertransport*, su vida ha quedado arruinada por la herida indeleble del trauma. Al final de la narración, un Austerlitz de 62 años aún se debate contra las consecuencias de aquella pérdida y lucha por recuperar los restos de la vida que le fue arrebatada.

[89] Sebastián Haffner, *Historia de un alemán*, Barcelona, Destino, 2001, pp. 230-231.
[90] Sebastián Haffner, *Alemania: Jekyll y Hyde*, Barcelona, Destino, 2005, p. 269.

Los lugares de la novela están llenos de huellas de la catástrofe. Huellas materiales como las fortalezas de Breendonk o Terezin, adonde fue deportada la madre del protagonista, o como esa monstruosa Biblioteca Nacional de París, edificada sobre el lugar del expolio; pero también otro tipo de huellas más impalpables, como los fantasmas de las innumerables vidas truncadas, que acechan y nos reclaman a cada paso, ya sean de los padres del protagonista, la vecina Vera o del propio Austerlitz. «Y ¿no sería imaginable», se pregunta Austerlitz, «que tuviéramos también citas en el pasado, en lo que ha sido y en gran parte se ha extinguido, y tuviéramos que visitar lugares y personas que, casi más allá del tiempo, tienen una relación con nosotros?».

El autor de *Austerlitz* rememora en diversas ocasiones personajes y episodios relacionados con la Shoá: por ejemplo, a Jean Améry, torturado en la fortaleza de Breendonk, que visita por dos veces el narrador; las lápidas de los deportados en el cementerio de Montparnasse de París; el recuerdo de la redada del Velódromo de Invierno o esas memorias que el narrador lee al final de la novela, de un judío que regresa a Lituania en busca de las huellas de sus parientes desaparecidos, en una repetición de la propia búsqueda de Austerlitz.

Especial importancia reviste por su intensidad la magistral evocación del gueto de Theresienstadt, con que Austerlitz trata de imaginar el lugar donde su madre fue deportada. O cuando intenta situar a su padre durante la redada del Velódromo:

No hacía más que preguntarme si habría sido internado ya en los alojamientos semiacabados de Drancy, después de la primera redada en París, en agosto de 1941, o si no lo fue hasta julio del año siguiente, cuando un ejército de gendarmes franceses sacó a trece mil conciudadanos judíos de sus casas, en la llamada *grande rafle*, en la que más de un centenar de los perseguidos se tiraron por la ventana desesperados o se quitaron la vida de otras formas. A veces creía ver pasar a toda velocidad el coche de policía sin ventanas, por la ciudad paralizada de espanto, y la multitud de personas detenidas, acampadas al aire libre en el Vélodrome d'Hiver, y los trenes de transporte con los que pronto las enviaron a Drancy y Bobigny; veía imágenes de su viaje a través del Gran Reich Alemán (257).

AUSTERLITZ, ESTRUCTURA Y ESTILO

Austerlitz —el más novelado de sus libros— relata una intermitente amistad entre el narrador, un estudioso del que apenas conocemos otro dato que su ánimo inquieto y viajero, y el personaje epónimo de la novela, Jacques Austerlitz, excéntrico historiador de la arquitectura, no menos viajero y atormentado que el propio narrador. La relación se inicia por casualidad un día de verano de 1967, en la estación central de Amberes, y se prolongará a lo largo de esporádicos encuentros, separados en ocasiones por décadas, durante los cuales el reservado Austerlitz irá revelando poco a poco al narrador el drama de su vida.

Austerlitz es también la historia de una lenta y dolorosa recuperación de un pasado bloqueado por la amnesia. Pero, como suele suceder en Sebald, la historia nunca es lineal, sino que se ve interrumpida por frecuentes giros y desvíos sobre los asuntos más diversos. En todos ellos, no obstante, resuenan ecos del tema principal, lo que hace que la continuidad nunca se rompa y contribuye a adensar la atmósfera que rodea a los personajes, preparándonos para la revelación final.

Esquemáticamente, la novela se estructura en dos periodos: una época inicial (de 1967 a 1975) abarca los primeros encuentros entre el narrador y Austerlitz en Amberes y, más adelante, en Londres, en la cual la relación se basa en un intercambio puramente intelectual y elude cuidadosamente los temas personales. Posteriormente, y tras una interrupción de dos décadas, debido a la marcha a Alemania del narrador, la relación se reanuda en 1996, durante un nuevo encuentro casual en un hotel de Londres. Entremedias, Austerlitz ha sufrido un derrumbamiento nervioso, que dará paso a la revelación del pasado olvidado. En este segundo periodo de su relación, el tema exclusivo de las conversaciones —o más bien monólogos— toma un sesgo totalmente íntimo: Austerlitz irá dando cuenta a su interlocutor de todo lo descubierto hasta entonces acerca de su infancia, reconstruida trabajosamente a partir de indicios, intuiciones y búsquedas en archivos.

Aunque *Austerlitz* es, de todas sus obras, aquella que posee una traza más marcadamente novelesca, Sebald no renuncia a los rasgos característicos de su estilo divagatorio, compuesto de digresiones

sobre los más variados asuntos (libros, cuadros, edificios, fenómenos de la naturaleza o personajes singulares), que se suceden sin ningún plan aparente. Sólo al final de la lectura comprendemos la profunda unidad que subyace a todos ellos, hecha de ecos, resonancias, tonalidades casi musicales.

Un ejemplo de este proceder, donde las asociaciones fluyen y se encabalgan, lo tenemos en la visita del narrador a la fortaleza de Breendonk (pp. 30-31), que le lleva a recordar las torturas allí sufridas por el escritor Jean Améry, torturas descritas a su vez por Claude Simon en su novela *Le Jardin des Plantes*, lo que dará ocasión para hablar de un peculiar personaje descrito en dicha obra, sometido en Dachau al mismo tipo de tortura que Jean Améry, y que, debido a su aversión a los alemanes, terminaría marchándose a una selva de Sudamérica, donde convivió con unos indígenas que poseían un extraño idioma, compuesto casi exclusivamente por la A…

La intriga, mínima y dispersa entre divagaciones del narrador y monólogos de Austerlitz, se construye a partir de los encuentros entre ambos personajes, en buena parte casuales. El verdadero suspense reside, sin embargo, en la biografía del misterioso protagonista, que el autor nos irá dosificando por entregas y sin orden cronológico, haciéndonos partícipes de las dificultades a las que se enfrenta el propio Austerlitz al tratar de desenterrar su pasado.

Sebald no se preocupa gran cosa por los mecanismos de la trama (por ejemplo, a la hora de preparar los encuentros), y no tiene ningún reparo en recurrir al procedimiento narrativo más simple y antiguo: las coincidencias, como si con ello quisiera poner de manifiesto su

menosprecio por lo propiamente novelesco. Así sucede con la única relación amorosa del protagonista, Marie de Verneuil, a quien, en una doble coincidencia digna de un Dickens, conoce por casualidad en la Biblioteca Nacional de París y que resulta además dedicarse, como Austerlitz, a la historia de la arquitectura.

En la escritura de Sebald destaca poderosamente la capacidad de sugerencia, de transmitir inquietud a partir de elementos inanimados, que parecen inertes; como en el siguiente párrafo de muestra sobre el gran reloj de la estación de Amberes:

...había en la pared, bajo el escudo del león del reino de Bélgica y como pieza principal del bufé, un poderoso reloj, en cuya esfera, en otro tiempo dorada pero ahora ennegrecida por el hollín de los trenes y el humo del tabaco, giraba una aguja de unos seis pies. Durante las pausas que se producían en nuestra conversación, los dos nos dábamos cuenta de lo interminable que era el tiempo hasta que pasaba otro minuto, y qué terrible nos parecía cada vez, aunque lo esperábamos, el movimiento de aquella aguja, semejante a la espada del verdugo, cuando cortaba del futuro la sexagésima parte de una hora con un temblor tan amenazador, al detenerse, que a uno se le paraba casi el corazón (12).

El autor alemán extrema en *Austerlitz* los rasgos de su prosa, hecha de frases de largo aliento, que prescinden de capítulos y casi de puntos y aparte (sólo se cuentan dos en todo el libro y es célebre ya la interminable frase sobre Theresienstadt, que en la primera edición española se extiende de la página 237 a la 245), como si no pareciera existir el transcurrir temporal y todo aconteciera en un único gran

instante, una burbuja sin momentos diferenciados. Es el tiempo del trauma, donde no hay progreso, sino retroceso, puesto que se trata de un viaje al pasado y el discurrir se halla bloqueado en un presente inmóvil, que es el de la búsqueda sin término. Sólo las divagaciones de los personajes proporcionan cambios de ritmo a este tiempo sin continuidad ni futuro.

La narración concluye de manera circular, con el narrador regresando al punto de partida, la fortaleza de Breendonk. Han transcurrido treinta años desde aquella primera visita. Es un día bochornoso, como en la anterior ocasión, y el narrador no se atreve a entrar en la fortaleza y permanece en una dependencia exterior, leyendo un libro que le regaló Austerlitz. Se trata de la crónica de la búsqueda de unos antepasados, semejante a la emprendida por Austerlitz, que lleva a cabo un filólogo londinense judío llamado Dan Jacobson. La conclusión del libro parece anticipar la que aguarda a la indagación del mismo Austerlitz: «En casi ninguna parte encuentra Jacobson, en su viaje a Lituania, huellas de sus antepasados, por todos lados sólo signos de una aniquilación de la que el corazón enfermo de Heschel [el abuelo rabino] había protegido a sus deudos, al dejar de latir» (295).

AUSTERLITZ, EL NARRADOR

Como en el resto de las obras de Sebald, el narrador es una figura anónima, de la que se nos proporciona escasos datos, apenas los que él mismo nos cuenta al principio y al final de la narración: «En la segunda mitad de los años sesenta, en parte por razones de estudio, en parte por otras razones para mí mismo no totalmente claras, viajé repetidamente de Inglaterra a Bélgica, a veces para pasar sólo un día y a veces para varias semanas» (primera frase del libro).

Se trata de un individuo culto y observador (un profesor a buen seguro) y en sus relaciones con Austerlitz adopta exclusivamente el papel de oyente. En ocasiones le acometen indisposiciones que parecen tanto del cuerpo como del ánimo. Sus reacciones nos lo dibujan como alguien aprensivo y extremadamente sensible a las sugerencias de ciertos lugares.

Al final, igual que al principio de la novela, la visita a la siniestra fortaleza de Breendonk le causa un intenso malestar. En su último recorrido, no se atreve a franquear el portal de la fortaleza, «ni siquiera después de muchas vacilaciones». En la primera visita ya le acometía este mismo temor: «Tuve miedo de entrar por la negra puerta de la fortaleza misma y, en lugar de ello, la rodeé primero por fuera…». El narrador siente una sensación de opresión en el interior de la fortaleza, la misma que le acomete, según confesión propia, en otros lugares claustrofóbicos: «Y recuerdo también cómo, penetrando más en el túnel, que era en cierto modo la espina dorsal de la fortaleza, tuve que defenderme contra la sensación que arraigó en mí,

y que hasta hoy me invade a menudo en sitios desagradables, de que con cada paso que daba el aire para respirar disminuía y el peso sobre mí aumentaba».

En cuanto a su amistad con Austerlitz, está hecha de fascinación hacia su misteriosa figura y su brillantez intelectual, pero también de piedad hacia la desgracia que le aflige. El narrador admira tanto como compadece a su amigo («Austerlitz fue para mí […] el primer maestro al que podía escuchar desde mis tiempos de la enseñanza primaria»), y se muestra siempre dispuesto a acudir a sus llamadas, sin tomar en cuenta sus excentricidades. Como averiguaremos más adelante, la narración comienza justo después de la muerte en accidente de aviación del mejor y casi único amigo de Austerlitz, una desgracia que acentúa el aislamiento de su carácter. El narrador se convertirá así, sin saberlo, en un sustituto del amigo desaparecido.

Austerlitz, por su parte, no se permite expansiones sentimentales con su amigo, pero podemos colegir por la duración de su amistad y por la franqueza con que se confiesa alguien tan reservado, el aprecio que siente por el narrador. En una muestra elocuente de confianza, antes de la despedida final, no sabemos si definitiva, Austerlitz le entrega en custodia al narrador las llaves de su vivienda de Londres, pero, sobre todo, algo mucho más preciado para él: la única foto que ha conseguido rescatar de su madre.

AUSTERLITZ, EL PERSONAJE

Exteriormente, Austerlitz es un tipo excéntrico, que siempre viste como un excursionista:

Una de las personas que esperaban en la Salle des pas perdus [de la Estación de Amberes] era Austerlitz, un hombre que entonces, en 1967, parecía casi joven, con el pelo rubio y extrañamente rizado, como sólo había visto antes en Sigfrido, el héroe alemán de *Los Nibelungos* de Fritz Lang. Lo mismo que en nuestros últimos encuentros, Austerlitz llevaba pesadas botas de excursionista, una especie de pantalones de faena de algodón descoloridos y una chaqueta de vestir, hecha a medida, pero hacía tiempo pasada de moda... (11)

A pesar de explayarse al hablar de todo tipo de temas intelectuales, Austerlitz es muy recatado en cuanto a su propia persona y nunca cuenta «apenas nada sobre sus orígenes y su vida».

De él, en realidad, sabemos muy poco al principio. Cuando el narrador lo conoce en Amberes, cuenta con unos treinta y un años, según podremos colegir hacia el final de la novela, con las nuevas revelaciones aportadas por Austerlitz (en 1939 cuenta cuatro años y medio; nació, por tanto, en 1934 o 1935). En el curso de uno de los encuentros, el narrador averigua «por una observación hecha casualmente por Austerlitz, que era profesor en un instituto de historia del arte de Londres». Durante largos años, no sabrá nada más de su vida, dado que «con Austerlitz era casi imposible hablar de uno mismo o de su persona».

Sólo después de treinta años de amistad, cuando la relación se reanude tras dos décadas de interrupción, comienza Austerlitz las revelaciones personales a su amigo. Así será como averigüemos poco a poco, de labios del propio protagonista, su traumática vida anterior. Austerlitz fue adoptado a temprana edad (cuatro años y medio) por un severo pastor calvinista de un pequeño pueblo de Gales, y por su esposa, «una mujer medrosa», que le ocultaron celosamente sus orígenes, creyendo así proporcionarle una nueva vida sin las rémoras del pasado. El niño fue criado con justicia, pero sin el menor asomo de calor humano, en un hogar donde reinaba a todas horas el frío y el silencio. Cuando al fin, entrado en la adolescencia, se halla en condiciones de indagar su origen, la muerte de la madre adoptiva y el oscurecimiento mental en que ha caído el padre adoptivo, sus únicas fuentes de información, le impedirán llegar más lejos en su búsqueda.

Privado de afectos, Austerlitz se volcará en los estudios y se convertirá en un brillante estudiante, cuyo aprovechamiento le permitirá marchar a estudiar a Oxford con una beca. Allí inicia estudios de historia de la arquitectura, que proseguirá en 1957 (con veintidós años) en París, y que se convertirá en la especialidad que se dedicará a enseñar en Londres el resto de su vida laboral. Tras décadas de estudios y de soledad (apenas rota por la amistad con un compañero de estudios, Gerald Fitzpatrick, y tras la muerte de éste en accidente, con el narrador), Austerlitz decide jubilarse anticipadamente en 1991, con 56 años, con la intención de dedicarse a escribir la gran obra que planea sobre la historia de la arquitectura y para la que se ha ido preparando durante todos estos años.

Pero justo entonces (en el verano de 1992) le acomete un extraño bloqueo. El lenguaje se le vuelve un enigma, como explica con esta espléndida comparación:

Si se puede considerar al idioma como una antigua ciudad, como un laberinto de calles y plazas, con distritos que se remontan muy atrás en el tiempo, con barrios demolidos, saneados y reconstruidos, y con suburbios que se extienden cada vez más hacia el campo, yo parecía alguien que, por una larga ausencia, no se orienta ya en esa aglomeración, que no sabe ya para qué sirve una parada de autobús, qué es un patio trasero, un cruce de calles, un bulevar o un puente. Toda la estructura del idioma, el orden sintáctico de las distintas partes, la puntuación, las conjunciones y, en definitiva, hasta los nombres de las cosas corrientes, todo estaba envuelto en una niebla impenetrable. Tampoco entendía lo que yo había escrito en el pasado, sí, especialmente eso (126).

Austerlitz, cada vez más aislado, renuncia entonces a su obra y se dedica a una vida errabunda de interminables paseos nocturnos por Londres, durante los cuales le acometen a veces extrañas alucinaciones con figuras del pasado. En el curso de uno de estos paseos, una misteriosa fatalidad conduce sus pasos hasta una sala de espera, cerrada por obras, de la Liverpool Station de Londres. Allí le sobreviene un déjà vu en el que evoca su llegada a la ciudad, siendo niño, y la aparición de sus padres adoptivos. La escena traumática transcurre en 1939, poco antes de la guerra. Al revivirla, Austerlitz toma conciencia del desamparo en que ha vivido, pero acaso demasiado tarde:

Recuerdo sólo que, al ver al chico sentado en el banco, tuve conciencia, por su estupor apático, de la destrucción que el estar solo había producido en mí en el curso de tantos años, y me invadió un terrible cansancio al pensar que nunca había estado realmente vivo, o que acababa de nacer ahora, en cierto modo en vísperas de mi muerte (140).

A partir de entonces las revelaciones se encadenan. Poco después, en una librería, escucha una entrevista en la radio con una antigua niña de los *Kindertransport* (los transportes organizados desde Praga y otras ciudades centroeuropeas en 1939, poco antes del estallido de la guerra, para poner a salvo de la persecución a unos 10.000 niños judíos, enviándolos a Inglaterra), y comprende que ése fue también su caso.

Guiándose por intuiciones y presentimientos, marchará a Praga, donde sus pesquisas en archivos le conducirán hasta Vera, una antigua vecina ya anciana, que le hablará de sus verdaderos padres judíos, un político socialista y una actriz, desaparecidos durante el Holocausto. A partir de entonces, Austerlitz dedicará todo su tiempo y energía a rastrear las huellas de aquellos padres a los que dejó de ver con cuatro años y medio.

En una de sus últimas entrevistas[91], Sebald mencionó las fuentes en las que se inspiró su personaje:

Detrás de Austerlitz se esconden dos o tres, o quizás tres personas y media reales. Una es un colega mío y la otra es una persona a la que descubrí por casualidad en un documental del *Channel 4*. Quedé cautivado por el relato

---

[91] Entrevista *The Guardian*, op. cit.

de una mujer, inglesa en apariencia, que resultó que había llegado al país acompañada de su hermana gemela y fue criada por una familia calvinista de Gales. Una de las gemelas falleció y le hermana superviviente no sabía realmente que sus orígenes se encontraban en un orfanato de Munich. La historia me impresionó de manera vívida y me retrotajo a Munich, la capital más cercana al lugar donde crecí, de manera que sentía muy próximos el horror y la angustia.

Del colega de trabajo que menciona nada sabemos, pero en cuanto a la niña, se trata de Susi Bechhöfer, uno de los 10.000 niños judíos de Alemania, Austria y Checoslovaquia, separados de sus padres y enviados a Inglaterra en 1938 y 1939 para protegerlos de los nazis, en los llamados *Kindertransport* (transportes de niños)[92]. El programa fue

---

[92] Entre 1938 y 1939, Gran Bretaña acogió a unos 10.000 niños judíos, separados de sus padres y provenientes de Alemania, Austria, Checoslovaquia y Polonia. Una gran parte de ellos quedarían huérfanos durante el Holocausto. La misión fue promovida por organizaciones judías y cuáqueras del Reino Unido, con la connivencia del gobierno británico, poco después de la Noche de los Cristales Rotos.

Fueron seleccionados aquellos niños en una situación más precaria: adolescentes internados en campos de concentración, niños y adolescentes polacos en peligro de deportación, niños de orfanatos judíos, niños de familias empobrecidas por las medidas antijudías, y aquellos otros cuyos padres habían sido internados en campos de concentración.

El primer transporte arribó al puerto de Harwich con 200 niños el 2 de diciembre de 1938, tres semanas después de la *Kristalnacht*, y durante los siguientes nueve meses, hasta el mismo estallido de la guerra, continuarían llegando nuevos transportes de niños refugiados.

emitido por la televisión inglesa en 1991. Bechhöfer, que compartía día de nacimiento con Sebald (18 de mayo), publicaría en 1996 un libro de testimonio (*Rosa's Child, La niña de Rosa*) narrando su experiencia. Como el protagonista de Sebald, Bechhöfer y su hermana fueron enviadas a Inglaterra a muy tierna edad (tres años) y adoptadas por un matrimonio sin hijos, un pastor baptista galés y su esposa, que, guiados por la buena intención de hacerles olvidar un pasado traumático, les cambiaron los nombres y silenciaron todo rastro de su vida anterior. La historia real tuvo un desarrollo bastante más sórdido que el de la novela: la gemela de Susi falleció a los diez años de un tumor cerebral y, en cuanto a la propia Susi, sería sometida a abusos sexuales por parte de su padrastro, que la disuadió además de cualquier intento por averiguar su pasado oculto. Como en la obra de Sebald, Susi Bchhöfer emprendería ya de adulta una ardua búsqueda de sus orígenes familiares.

Una parte de estos niños (como en el caso de Austerlitz) fueron dados en adopción a familias británicas, mientras que el resto fue alojado en centros de acogida. Tras la guerra, algunos de ellos conseguirían reunirse con sus familias. Un número de estos jóvenes, alcanzados los dieciocho años, llegaría a combatir o servir como enfermeras en el ejército británico durante la guerra.

Entre los varios miles que permanecieron en Gran Bretaña al término de la guerra, se pueden hallar nombres destacados en todo tipo de profesiones, incluyendo cuatro premios Nobel. Cabe recordar, ante todo, al pintor Frank Auerbach, convertido sin apenas modificaciones en el personaje Max Ferber, protagonista de la cuarta parte de *Los emigrados*, de Sebald.

Hasta ahí las coincidencias externas entre ambos personajes; pero, naturalmente, el Austerlitz de Sebald posee una complejidad psicológica y una riqueza de reflexiones que no se encuentran en el modelo original. Es evidente que para vestir «por dentro» a su personaje, Sebald recurrió a otras fuentes de inspiración, muy en primer término a otro personaje real que la propia novela identifica como modelo: el filósofo judío-austriaco Ludwig Wittgenstein.

WITTGENSTEIN, MODELO DE AUSTERLITZ

Austerlitz se parece al filósofo Ludwig Wittgenstein (1889-1951): «y pensé bastante rato en su semejanza, que me llamaba la atención por primera vez, con Ludwig Wittgenstein, y en la expresión de espanto que los dos tenían en la cara» (44).

No sólo físicamente, sino también en relación con otros rasgos de su personalidad, se ha basado Sebald en el filósofo austriaco para dibujar a su personaje. Por descontado, ambos comparten un origen judío, pero incluso en detalles más anecdóticos se pueden localizar paralelismos: por ejemplo, los dos llevan siempre su mochila al hombro y, al igual que Austerlitz, también el filósofo se mostraba muy interesado por la arquitectura, hasta el punto de llegar a diseñar una casa en Viena para su hermana, así como por la fotografía, otras de las aficiones del personaje de Sebald. Por encima de todo, los dos

son tan lúcidos y brillantes a la hora de pensar sobre temas ajenos, como incapaces de enfrentarse a su propia vida:

Cada vez más me parece ahora, cuando tropiezo en alguna parte con una fotografía de Wittgenstein, como si Austerlitz me mirase desde ella o, cuando miro a Austerlitz, como si viera en él a aquel desgraciado pensador, tan encerrado en la claridad de sus reflexiones lógicas como en la confusión de sus sentimientos, tan notables eran las semejanzas entre los dos, en la estatura, en la forma de estudiarlo a uno como por encima de una barrera invisible, en su vida sólo provisionalmente organizada, en su deseo de arreglárselas siempre con lo menos posible y en su incapacidad, no menos característica en Austerlitz que en Wittgenstein, para demorarse en cualquier tipo de preliminares (45).

La segunda fotografía de unos ojos que aparecen al comienzo de la obra (p. 9) está recortada de hecho de una conocida fotografía de Wittgenstein. Podría aplicársele a esta imagen lo que escribió Cernuda sobre la mirada de Juan Ramón Jiménez: «… ojos, en los que había una mirada dura y fija, que hasta entonces yo sólo viera en algún pájaro pero no en ser humano[93]».

Se trata en cualquier caso de un personaje muy literario, que ya fascinó también a otros escritores como Thomas Bernhard, quien toma rasgos del filósofo para su personaje de *Corrección*. Otro notable escritor influido por el pensador, Imre Kertész, destaca certeramente uno de los rasgos que Austerlitz comparte con su modelo: el rechazo de sí mismo, de una identidad y un pasado traumáticos:

---

[93] Luis Cernuda, «Juan Ramón Jiménez», en: *Prosa II*, Madrid, Siruela, 2002, p 155.

Wittgenstein. No encuentro ninguna huella suya en Viena. Pero en él —en Wittgenstein— me topo con Viena por doquier. La precisión llevada hasta la perversidad; el odio judío a sí mismo (de hecho, aquí se puede estudiar la gestación y el funcionamiento del antisemitismo en su grado más alto, más noble); en general, la inseguridad en la autovaloración como consecuencia funesta de la bota paterna y estatal, que en un punto determinado de la caída hacia la destrucción se vuelve inesperadamente fecunda y productiva… El pensamiento como intento de imponerse, el pensamiento como venganza, como última mirada atrás del fugitivo, llena de desprecio y lucidez[94].

Austerlitz está basado también en Wittgenstein en la perpetua huida de la realidad para refugiarse en un mundo de pureza lógica, de donde ha sido descartado todo lo contingente e impreciso, es decir, lo subjetivo, lo histórico, la moral… todo lo que puede hacer daño y remitirnos al trauma. Su ocupación intelectual se ha convertido en un modo de rechazar aquello que pudiera recordarle el pasado (no lee periódicos, apenas escucha la radio y jamás noticias).

Como su modelo real, Austerlitz podría haber suscrito la proposición final de la obra más célebre del filósofo austriaco, el *Tractatus lógico-philosophicus*: «De lo que no se puede hablar, mejor es callarse». La diferencia estriba en que Austerlitz comienza la historia precisamente allí donde Wittgenstein termina la suya: hablando de lo que no se puede hablar, del dolor escondido en todo lo objetivo (ciudades, edificios, naturaleza: plantas, insectos, estrellas), esto es,

---

[94] Imre Kertész, *Yo, otro: crónica del cambio*, Barcelona, El Acantilado, 2002, p. 15.

132

del trauma, que es tanto personal como histórico. En efecto, del trauma es casi imposible hablar directamente, con el lenguaje explícito de la razón. Y no sólo imposible, sino inútil:

Evidentemente me servía de poco haber descubierto las fuentes de mi trastorno y que, mirando atrás en los años anteriores, pudiera verme con la mayor claridad como a un niño apartado de la noche a la mañana de su vida habitual: la razón no podía nada contra el sentido de rechazo y aniquilación que siempre había reprimido y ahora brotaba en mí con violencia (230).

Sólo una revelación, una iluminación azarosa como la que le acaece a Austerlitz en la sala de espera de la estación de Liverpool, en Londres, o al escuchar casualmente el relato de dos supervivientes del *Kindertransport* mientras hojea libros en una librería, puede devolverle una imagen redentora de ese pasado traumático.

Sólo mediante la sugerencia del lenguaje literario, añadiría Sebald, es posible aproximarse, siquiera de una manera indirecta, a lo indecible.

Una última coincidencia convierte la vida del filósofo aun en más significativa: como si se tratara de un emblema sobre las ambigüedades de la cultura y la inquietante proximidad de los opuestos, el producto más elevado y el más perverso de la historia reciente salieron de los mismos pupitres. Wittegenstein compartió clase con otro célebre alumno, que no se distinguió precisamente por su lógica: Adolf Hitler.

EL CONSTANTE ESFUERZO DE OLVIDAR

Cualquier vida, en la literatura de Sebald, se halla edificada sobre una ruina, un trauma que es tanto colectivo como privado. El trauma se caracteriza por el imperativo de olvidar y la imposibilidad de lograrlo. Todos los caminos que se emprenden para huir del acontecimiento traumático terminan llevando de vuelta, de manera impensada, hacia él. Cuando el exhausto individuo que huye comprende la imposibilidad de la huida sobreviene la parálisis. Lo que define, pues, al trauma es esta doble imposibilidad: imposibilidad de olvidar, pero también de recordar, y un doble impulso desgarrador: el de protegerse contra el recuerdo doloroso y el de sacarlo a flote como único medio para liberarse de él.

Las concepciones sobre la memoria de Proust están muy presentes en estas ideas de la novela, y en especial, su distinción entre memoria voluntaria e involuntaria, es decir, la diferencia entre el depósito de los datos que almacenamos y recuperamos a voluntad, (o «memoria sustitutiva y compensatoria», como la llama Austerlitz) y las reminiscencias o déjà vu inesperados. Al margen de que suceda de manera natural o traumática, para Proust la pérdida de la infancia, en cuanto periodo en el que nos sentimos uno con la vida y máximamente vivos, deja siempre una herida que resulta imposible restañar. De ahí la sensación de pérdida, de haber sido despojado de algo que ya no volverá a recuperarse, que acompaña a todo individuo con el fin de la niñez y el acceso a la edad de la razón.

El final de la infancia se caracterizaría no sólo por el fin de la irresponsabilidad, sino, sobre todo, por la pérdida de memoria. Hasta entonces, el niño no tenía necesidad de recordar —más allá de una memoria inmediata— porque todo su tiempo era presente; a partir de entonces, el nuevo ser razonable no podrá recordar más que datos externos, despojados de toda su sustancia. Como en un refinado tormento griego, el individuo maduro podrá evocar a voluntad todos los momentos de su existencia (cosa que el niño ni podía ni sabía), pero reducidos a una pálida sombra, convertidos en fantasmas insípidos, privados de todas las cualidades que le daban su apariencia de vida.

En cierto modo, la condición para acceder a la edad adulta reside en que la memoria reprima las vivencias de la infancia, para sustituirlas por otros datos regidos tan sólo por el principio de realidad. Lo cual es tanto como decir que cualquier fin de la infancia resulta traumático de por sí, aunque sus efectos queden minimizados para quien lo sufre por la aparente continuidad del escenario y de los personajes, esto es, del entorno familiar. Eso es lo que permite a cualquier lector identificarse de inmediato con un relato de orfandad, por muy distinto que sea de su propia niñez. Aunque nos resulte inimaginable el destrozo que supone añadir a ese desgarro simbólico que todos sufrimos el desgarro real de un Oliver Twist, una Jane Eyre o un Austerlitz, cualquier lector ve reflejado en ese dramático fin de infancia —con el dramatismo que sólo él reconoce— la suya propia.

En Proust, todas las estrategias emprendidas por reconstruir ese mundo perdido de la plenitud —estrategias que se condensan en el

intento de hallar un lugar en el mundo mediante el reconocimiento de nuestros semejantes y el amor— se revelan, finalmente, fraudulentas, espejismos que se deshacen no bien nos aproximamos a ellos. No sólo son caminos errados, sino que su verdadero objetivo no declarado consiste en alejarnos cada vez más del recuerdo reprimido, profundizando el olvido y privándonos, por tanto, de la única condición que haría posible la recuperación o al menos la búsqueda, a saber: la de ser conscientes de lo que perdimos.

Como es sabido, Proust —al contrario que el psicoanálisis— se mostraba pesimista sobre las posibilidades reales de recobrar esa pérdida traumática. Aunque su propia obra, *En busca del tiempo perdido*, sea la crónica de una recuperación triunfal, tal rescate depende de un azar imprevisible. Como la antigua gracia divina, el azar salvador se dispensa tan sólo a unos pocos privilegiados, sin relación alguna con el mérito o el esfuerzo consciente. La mayoría concluye su vida sin haber superado el sentimiento de pérdida y desarraigo, incapaces de hallar el camino de vuelta hacia las vivencias de plenitud. Como para subrayar lo lejos que se hallan del método y el esfuerzo de la inteligencia, Proust esconde algunas de estas reminiscencias decisivas en los actos más nimios: morder una magdalena, pisar unas baldosas desiguales, adoptar determinada postura en la cama...

De manera parecida a lo descrito por Proust, el Austerlitz maduro trabaja de manera inconsciente e incansable por hundir aún más en el olvido el pasado traumático: «Me di cuenta entonces de qué poca práctica tenía en recordar y cuánto, por el contrario, debía de

haberme esforzado siempre por no recordar en lo posible nada y evitar todo lo que, de un modo o de otro, se refería a mi desconocido origen» (142).

Toda su existencia de estudioso se le revela entonces como un intento de sepultar el trauma bajo el peso de incontables conocimientos. «Además, me ocupaba continuamente de aquella acumulación de conocimientos que había continuado durante decenios y que me servía de memoria sustitutiva y compensatoria,..»

Finalmente, los esfuerzos que emprende para protegerse del pasado se demuestran baldíos. Como apuntaba Sebald en la entrevista citada en *The Guardian*: «La memoria, incluso cuando se la reprime, termina regresando y conformando nuestra vida». Lo reprimido interfiere cada vez con mayor intensidad en el presente del protagonista, arruinando todos sus intentos por llevar una vida normal.

Austerlitz necesita de casi toda una vida para empezar a enfrentarse al trauma sufrido. En un primer momento, los recuerdos reprimidos terminan por frustrar su más prometedora historia de amor. Sólo un tiempo más tarde, cuando, con la ayuda de Vera, recuerde un verano de su infancia transcurrido en Marienbad con ella y sus padres, comprenderá por qué cuando en el 1972 viajó allí con una compañera de estudios de París, Marie de Vernuil, hacia quien sentía una atracción al parecer mutua, todo concluyó de la manera más desastrosa posible, debido precisamente a la angustia de origen desconocido que le impidió actuar como hubiera debido para que naciera el romance.

El retorno cada vez más persistente del trauma, junto con el esfuerzo agotador por rechazarlo, acabará conduciendo fatalmente al colapso del personaje:

Esta autocensura de mi pensamiento, el constante rechazo de cualquier recuerdo que apareciera en mí, exigía sin embargo de cuando en cuando, según continuó Austerlitz, mayores esfuerzos y llevó inevitablemente al fin a la paralización casi completa de mi capacidad lingüística, la destrucción de todos mis dibujos y notas, mis interminables vagabundeos por Londres y las alucinaciones que tenía cada vez con más frecuencia, hasta llegar a mi derrumbamiento nervioso en el verano de 1992 (143).

Cuando Austerlitz se halla más perdido, una revelación inesperada le mostrará el camino de la liberación: en la antigua *Ladies Waiting Room* (la sala de espera para señoras) de la estación londinense de Liverpool Street, Austerlitz volverá a revivir su llegada a Londres con el *Kindertransport* y el momento en que sus padres adoptivos aparecieron.

La escena original sucede en 1939, poco antes del estallido de la guerra, cuando el niño contaba cuatro años y medio. La reaparición de aquella imagen, que constituye un verdadero renacimiento, permite a Austerlitz tomar conciencia del desamparo en que ha transcurrido toda su vida, pero acaso demasiado tarde: «Recuerdo sólo que, al ver al chico sentado en el banco, tuve conciencia, por su estupor apático, de la destrucción que el estar solo había producido en mí en el curso de tantos años, y me invadió un terrible cansancio

al pensar que nunca había estado realmente vivo, o que acababa de nacer ahora, en cierto modo en vísperas de mi muerte».

Como en Proust, la reminiscencia que propicia la liberación es producto de la casualidad, el nuevo nombre que adopta la antigua «gracia divina»:

Y sin duda las palabras totalmente olvidadas por mí en un plazo breve, con todo lo que formaba parte de ellas, hubieran seguido enterradas en el abismo de mi memoria si, por una concatenación de circunstancias diversas, no hubiera entrado aquel domingo por la mañana en la antigua sala de espera de la estación de Liverpool Street, unas semanas antes como máximo de que, a consecuencia de los trabajos de reconstrucción, desapareciera para siempre (141).

A partir de esta primera revelación, como si se hubiera levantado la pesada losa que sepultaba el pasado, las reminiscencias se encadenan: la entrevista radiofónica con una antigua niña del *Kindertransport*, escuchada por casualidad mientras hojea libros en una librería; los fantasmas del pasado que acuden a su memoria al transitar por las calles de Praga o cuando se reencuentra con su antigua vecina, Vera; la visita al teatro de Praga donde, entre bambalinas, veía actuar a su madre; la imágenes que se despiertan mientras viaja en tren por Alemania; los presentimientos sobre el padre, que asaltan a Austerlitz en la estación homónima de París…, todos ellos suman momentos del más puro sabor proustiano.

ARQUITECTURA

La arquitectura ocupa un lugar predominante, casi el de un personaje principal, en el desarrollo de la novela. Austerlitz, historiador de la arquitectura, estudia los grandes monumentos arquitectónicos del capitalismo, sobre todo del XIX, que analiza como reflejo de una sociedad volcada a la explotación y la grandilocuencia. El narrador recuerda con admiración cuando, en sus conversaciones, su amigo «se explayaba sobre el estilo arquitectónico de la era capitalista, del que se ocupaba desde la época de sus propios estudios, especialmente de la compulsión del orden y de la tendencia al monumentalismo, que se manifestaba en tribunales de justicia y establecimientos penitenciarios, en estaciones de tren y edificios de bolsa, en óperas y manicomios y en las viviendas para trabajadores dispuestas en retículas cuadradas» (37).

Esos edificios monumentales son los templos de un nuevo culto, el del dinero:

...al entrar en la sala nos sentíamos como si, más allá de todo lo profano, nos encontrásemos en una catedral consagrada al comercio y tráfico mundiales [...] y por ello, continuó, resultaba apropiado que en los lugares elevados, desde lo que, en el Panteón romano, los dioses miraban a los visitantes, en la estación de Amberes se mostraran, en orden jerárquico, las divinidades del siglo XIX: la Minería, la Industria, el Transporte, el Comercio y el Capital (15).

Son numerosos los párrafos dedicados en la novela a estos grandes edificios públicos. Austerlitz habla de ellos no de forma erudita ni como un especialista, sino como si se tratara de seres humanos, buscando por doquier las «huellas del dolor»: «...habló largo rato de las huellas del dolor que, como él decía saber, atravesaban la historia en finas líneas innumerables [...] Desde luego, precisamente nuestros proyectos más poderosos eran los que traicionaban de forma más evidente nuestro grado de seguridad. Así, la construcción de fortalezas...» (17-18).

Dos tipos de construcciones atraen en especial el interés de Austerlitz: las fortalezas y las estaciones. Las fortalezas son para Austerlitz un reflejo de la paranoia humana, de la maniática voluntad por controlar y prever, que acaba volviéndose en contra de quien planifica. Su inutilidad recuerda a las construcciones interminables de los relatos de Kafka (*La muralla china* o *La madriguera*, por ejemplo), donde tales edificaciones, destinadas en un principio a protegerse del enemigo exterior, terminan convirtiéndose en prisión y tumba de sus ocupantes. Tal fue el caso de las monstruosas —e inútiles para fines defensivos— fortificaciones de Breendonk y de Theresienstadt, de las que se ocupa ampliamente la novela, transformadas por los nazis en siniestros campos de prisioneros, repletos de huellas del dolor.

Austerlitz experimenta al mismo tiempo una «manía de las estaciones», a las que contempla como lugares de revelaciones y cambios de vida dramáticos: «No pocas veces se había sentido en las estaciones de París, que, como él decía, consideraba lugares de

felicidad y desgracia, en medio de las más peligrosas y para él totalmente incomprensibles corrientes de sentimiento» (38).

Son varias las estaciones que se mencionan en la novela, siempre con un papel determinante, como la de Amberes, donde se produce el primer encuentro con el narrador; la de Liverpool en Londres, en cuya sala de espera le sobreviene la primera revelación de su pasado; o la que lleva su propio nombre en París, en la que le asalta el presentimiento de que aquel fue el lugar desde el que partió su padre huyendo de los alemanes: «Esta estación, dijo Austerlitz, me ha parecido siempre la más misteriosa de todas las de París».

Uno de los rasgos más sobresalientes en Sebald es su capacidad para rastrear el drama humano que se oculta detrás de los edificios y objetos. Es el caso de la Estación Central de Amberes, un ampuloso monumento construido a la mayor gloria de un Estado rapaz y ferozmente racista, la Bélgica colonialista del rey Leopoldo, y financiado con el dinero ensangrentado llegado de las colonias de África:

Hacia finales del siglo XIX, así había comenzado Austerlitz a responder a mi pregunta sobre la historia del origen de la estación de Amberes, cuando Bélgica, una manchita amarilla grisácea apenas visible en el mapamundi, se extendió con sus empresas coloniales al continente africano, cuando en los mercados de capital y las bolsas de materias primas se hacían los negocios más vertiginosos y los ciudadanos belgas, animados por un optimismo sin límites, creían que su país, durante tanto tiempo humillado por la dominación extranjera, dividido y mal avenido, estaba a punto de convertirse en una nueva gran potencia económica, en aquella época ya

remota que sin embargo determina hasta hoy nuestra vida, fue deseo personal del rey Leopoldo, bajo cuyo patrocinio se producía aquel progreso aparentemente inexorable, utilizar aquel dinero de que se disponía en abundancia para construir edificios públicos, que debían dar renombre mundial a su floreciente Estado (12-13).

LAS BENÉVOLAS DE JONATHAN LITTELL. EL VERDUGO

BIOGRAFÍA DE JONATHAN LITTELL[95]

Afincado actualmente en Barcelona, donde también trabaja su mujer belga y estudian sus dos hijas, Jonathan Littell (New York, 1967) posee la doble nacionalidad estadounidense y francesa, esta última conseguida en 2007 después de tres intentos, ya que su padre es norteamericano y su madre francesa. Es hijo de Robert Littell, conocido escritor de novelas de espías. Sus abuelos eran judíos rusos emigrados a Estados Unidos en el siglo XIX. Littell no se define a sí mismo como «judío del todo», sino heredero de esta circunstancia histórica. En alguna entrevista reconoce que la Shoá es un acontecimiento abstracto para la población judía norteamericana, pero que en el caso de su familia siempre estuvo presente.

De niño estuvo obsesionado con la guerra de Vietnam y temía que ésta durase lo suficiente como para que le pudieran llamar a filas. Estudió en Francia hasta los 16 años y después en Estados Unidos (Universidad de Yale). Lector empedernido, sus autores favoritos son Melville, William S. Burroughs, Genet, Céline, Baudelaire, Bataille o Beckett.

Desde 1989 vivió en Francia ganándose la vida como traductor al inglés de Sade, Blanchot, Genet y Quignard. De 1994 a 2001 trabajó en la ONG Acción contra el Hambre, viajando en diversas misiones a

---

[95] En la primera edición del Club de Lectura (2013-2014) el libro de Littell dio lugar a enconados debates acerca de la imagen de víctimas y verdugos. *Las Benévolas* (RBA, 2007. Edición citada en el presente trabajo).

Rusia, Bosnia, Chechenia, Congo, Sierra Leona o Afganistán. Fruto en parte de esta experiencia es su visión sobre los conflictos y la capacidad destructiva del hombre. En 2001 decide escribir su segundo libro, *Las Benévolas*, tras haber publicado anteriormente *Alto Voltaje*, un thriller futurista que pasó sin pena ni gloria para la crítica y que para el propio Littell es una «mala novela de ciencia ficción». A pesar de no renegar de *Alto Voltaje*, será *Las Benévolas* la presentada como su «primera obra literaria» en el prólogo a la edición francesa.

Durante cuatro años, Littell estuvo viajando y documentándose exhaustivamente para preparar la novela, para la que finalmente optaría por el francés en lugar del inglés. *Las Benévolas* se publica en 2006 en Francia con un éxito de público inmediato, que se multiplicará con la concesión del Premio Goncourt —que el autor no recogió— y el Premio de la Academia Francesa. Sólo en Francia se venden en los primeros meses más de 700.000 ejemplares, convirtiendo la obra en un auténtico fenómeno literario de masas.

Posteriormente, Littell publicaría *Los órganos de seguridad de la Federación Rusa* (2006), *Lo seco y lo húmedo* (2008, un ensayo sobre el nazi belga Leon Degrelle), *Chechenia Año III* (2009) y *Cuadernos de Homs* (2012, sobre la guerra en Siria). Es autor además de breves estudios políticos y sociológicos, incluyendo artículos para diversos periódicos, como el *New York Times*.

Poco amigo de conceder entrevistas o de prodigarse en los medios de comunicación, el autor se negó a vender los derechos de *Las Benévolas* para el cine. Este celo en el control de su obra, se traslada también a la traducción, hasta el punto de que suele elegir

personalmente a los traductores y revisar a fondo, durantes meses, el resultado.

LAS BENÉVOLAS

Escrito en 2006 tras cuatro años de viajes, labor investigadora y de documentación, *Las Benévolas* (*Les Bienveillantes* en francés) es una novela histórica, basada en la confesión de Maximilian Aue, antiguo oficial SS, que en la actualidad vive bajo falsa identidad en una ciudad del norte de Francia junto a su mujer e hijos, convertido en un respetable empresario textil. Aue relata en primera persona los asesinatos en masa en los que participó de la población judía del este europeo, durante la campaña alemana en la Segunda Guerra Mundial, así como sus vivencias durante la época del nazismo (1941-1945) y su implicación en la Solución Final.

Littell eligió el francés como idioma del libro como una muestra de gratitud, según él, hacia la cultura literaria que más había contribuido a su formación, con especial mención a los fondos de las editorial francesa Gallimard. Tras su traducción al castellano, se ha publicado posrteriormente también en inglés (*The Kindly One*) y en alemán. La traducción al inglés estuvo sometida a las severas exigencias del autor, que incluyó una prueba a cinco de los mejores traductores estadounidenses del francés al inglés, tras la que sería elegida Charlotte Mandell. Littell supervisó personalmente la traducción y

durante tres meses ambos —autor y traductora— revisaron los resultados de manera exhaustiva. Lo cierto es que la acogida de *Las Benévolas* en el mercado estadounidense, alemán y en menor medida en el israelí, tuvo menos resonancia de las que en un principio se esperaba, visto su éxito en Francia. En Israel, además Littell publicó un artículo en el periódico *Yediot Aharonoth* criticando la conducta del Ejército de Israel, aunque los debates suscitados por *Las Benévolas* no llegaron al nivel de acaloramiento de otros lugares.

El título de la obra alude a la trilogía de la *Orestíada* de Esquilo. Las Erinias o Euménides (del griego antiguo Εὐμενίδες, 'benévolas'), llamadas más tarde Furias por la mitología romana, eran la personificación femenina de la venganza, deidades que perseguían a aquellos que asesinaban a los padres. En la novela, sin embargo, aparecen mencionadas únicamente al final del libro: «Las benévolas habían dado con mi rastro», dirá Max Aue.

Littell ha declarado que se decidió a escribir el libro tras observar la foto de la partisana soviética Zoya Kosmodemyanskaya —ahorcada por los nazis en 1941—, contemplar *Shoah* de Claude Lanzmann y leer *La destrucción de los judíos europeos* de Raul Hilberg. Su intención principal no era tanto penetrar en la mente de un verdugo, como llegar a comprender el funcionamiento de la maquinaria genocida del Estado nazi. Lejos de ser una doctrina delirante, producto de unas pocas mentes enfermas, Littell considera el nazismo como una ideología ampliamente compartida, basada en férreas creencias y con hondas raíces en el pasado, lo que explicaría en parte la vasta complicidad criminal.

Como él mismo confiesa, *Las Benévolas* se planteó como un intento de imaginar su comportamiento si le hubiera tocado vivir en aquella época, bajo un Estado criminal. Para ello se valió de su propia experiencia durante siete años en zonas peligrosas, como Bosnia, Afganistán o Chechenia. En todos estos territorios fue testigo de matanzas y violencias de toda clase, lo cual le ayudó a la hora de modelar el retrato de un malhechor nazi como Aue.

Maximilian Aue se presenta al comienzo de la novela como un ex official de las SS. Su madre es francesa y su padre, que los abandonó en 1921, alemán. La madre de Aue volverá a casarse con un francés, Aristide Moreau, con quien Aue no termina de llevarse bien en ningún momento. Tras una niñez en Alemania y una adolescencia en Francia, donde asistirá al Instituto de Estudios Políticos de París, se desplaza a la universidad alemana para estudiar Derecho. Aue es un, pues, intelectual culto, con una refinada educación y amante la música clásica. Al comienzo de la novela, lo encontramos recién doctorado en Derecho y capaz de hablar con fluidez alemán, francés, griego y latín. En 1932 se afilia al NSDAP en Kiel. Aue es además homosexual, lo que le acarreará serios problema en la homófoba sociedad nazi y será de hecho el motivo que desencadene su casi forzada entrada en las SS. Al mismo tiempo, mantiene una relación incestuosa con su hermana Una.

La obra, muy extensa, con más de 900 páginas en su versión original francesa y en la traducción al castellano, se estructura en siete capítulos, cada uno de los cuales ostenta el nombre de un

movimiento de una suite musical de Bach, un homenaje a uno de los compositores preferidos de Littell.

En el primer capítulo, «Tocata», Max Aue, el narrador, es presentado al lector a través de sus propias palabras, que nos explican cómo terminó después de la guerra en Francia. Le sigue «Alemandas I y II», donde el protagonista describe su vida como miembro de los letales Einsatzgruppen («grupos de operaciones», las escuadras policiales que seguían a las tropas con la misión de liquidar a los judíos) en Ucrania, Crimea y el Cáucaso. En el capítulo «Courante», Aue toma parte en los últimos días de la batalla de Stalingrado, donde es herido y evacuado. Tras éste, «Zarabanda» nos lo muestra durante su convalecencia en Berlín, donde Himmler le concede la Cruz de Hierro de Primera Clase por su heroica actuación en Stalingrado, y Aue vuelve a reencontrarse con su hermana y su madre. En «Minueto (en rondós)», el joven oficial es transferido al Ministerio Federal del Interior, comandado por Himmler, donde se ocupará de tareas relativas a la gestión y burocracia en los campos de exterminio. En el penúltimo capítulo «Aire», el héroe visita la casa vacía de su hermana en Pomerania y se sume en fantasías eróticas con su gemela. Por último, en «Giga», el protagonista regresa a Berlín en las postrimerías de la guerra, en plena debacle, y se escabulle entre las líneas del frente soviético con su amigo Thomas, que ha viajado hasta Pomerania a rescatarlo.

Aunque basado en algunas figuras históricas, el personaje principal Maximilian Aue es invención de Littell. Recuerda también a algunas imágenes de verdugos de otras obras, por ejemplo el Otto Dietrich

zur Linde de «Deutsches Requiem» de Borges (cuento incluido en la colección *El Aleph*, de 1949). El resto de caracteres oscila entre los ficticios (Thomas Hauser, el doctor Hohenegg) y los que realmente existieron (Hitler, Himmler, Heydrich, Eichmann, Speer, Hess, Blobel, Mengele, Jünger, Degrelle, etc.).

LA RECEPCIÓN DE LA CRÍTICA

Hay que tener en cuenta en primer lugar que, para muchos, la venta de más de medio millón de ejemplares en Francia en pocos meses fue la mejor crítica de *Las benévolas*. El libro se convirtió en un best seller desde el principio y reunió a un público que acogió la novela con fervor. Por lo general, la obra recibió buenas críticas en Francia, obtuvo algunos importantes galardones literarios y fue comparada por algunos con obras maestras del calibre de *Guerra y Paz* de Tolstoi, *Vida y destino* de Grossman o *Doctor Zhivago* de Boris Pasternak, quizás por la ambición épica de reflejar un convulso periodo a partir de un sólido trabajo de documentación. El propio Littell rechazó dichas comparaciones y aclaró que «los que dicen eso no han sabido leerme y encima han leído mal a Tolstoi. No se trata en absoluto del mismo tipo de literatura».

Jorge Semprún, miembro del comité que concedió a *Las Benévolas* el Premio Goncourt del 2006, declaró en una entrevista de televisión que la novela era una de las más importantes de los últimos cincuenta

años y nunca dudó de su calidad literaria e histórica[96]. El escritor español fue un defensor de autores jóvenes como Littell o Laurent Binet (autor de *HHhH*), que se atrevían a encarar la literatura del Holocausto con enfoques novedosos, considerándolos como una forma de que la memoria del genocidio no cayera en el olvido, aunque se tratase de obras escritas desde el punto de vista de los verdugos y no de las víctimas.

Por su parte, Jean Solchany[97], comparaba la novela con la película de Lanzmann, *Shoah*, y argüía que era precisamente el original punto de vista adoptado por Littell lo que le permitía retratar cada aspecto de la realidad, sin caer por ello en demostraciones de gusto por lo morboso. Para Solchany, el lector es capaz en todo momento de captar la intensidad de la escena narrada gracias a que Littell se esmera en describirnos, lenta pero eficazmente, cada personaje, reacción, lugar o acontecimiento histórico.

Daniel Mendelsohn, en la *New York Review of Books*[98], escribía que el éxito del libro encontraba su explicación en tres aspectos: la representación del Holocausto ya no provenía de los supervivientes y testigos; el narrador era un verdugo —abyecto si se quiere— y no una víctima; y finalmente, en Francia la historia impactó aún más porque

---

[96] Jaime Céspedes Gallego, «Littell, Jonathan: *Les Bienveillantes*. Gallimard, 2006», en: *Cartaphilus* 1 (2007), p. 160-162: http://revistas.um.es/cartaphilus/article/view/66/53 (última consulta 05/09/2018).

[97] *Le Monde*, 4-11-2006.

[98] Daniel Mendelsohn, *Transgression*, The New York Review of Books, 26-03-2009 (inglés): http://www.nybooks.com/articles/2009/03/26/transgression/ (última consulta 05/09/2018).

«la vergüenza y la culpabilidad, incluso pasivas, pertenecen a las regiones oscuras de la psique francesa».

Por último, el historiador y especialista Anthony Beevor eligió *Las Benévolas* como uno de los cinco libros imprescindibles para entender la Segunda Guerra Mundial y los temas más transcendentales de la misma, como es el Holocausto.

Por su parte, otros autores y críticos no han sido tan considerados con *Las Benévolas*, acusándola de falta de originalidad. Se remitían en concreto al libro que Robert Merle publicó en 1953, titulado *La muerte es mi oficio*, presentado como una supuesta autobiografía de Rudolph Höss, comandante de Auschwitz; la presunta originalidad de Littell quedaba reducida a la de aprovechar una idea que ya tenía sus años.

El tratar de condensar en casi 900 páginas la historia del nazismo y, por ende, la propia extensión de la novela, también han sido objeto de críticas, en las que se achacaba a Littell premiosidad e incapacidad para la síntesis.

Tampoco le han faltado al autor franco-americano diversas acusaciones de plagio. Según algunos, el verdadero autor de la novela sería su padre, Robert Littell; el editor de Gallimard, Richard Mollet, o bien otros negros literarios. Se trataba de acusaciones absurdas, fácilmente desmentibles y lo cierto era que el propio Littell declaró que después de esta obra y del descomunal trabajo que le supuso, veía difícil que volviera a escribir otra novela de ficción. Hay que resaltar que, si bien tardó más de cuatro años en documentarse, sólo fueron cuatro meses los que invirtió en la redacción de sus más de 900 páginas.

Algunos críticos creen que la obra adolece de falta de argumento y objetivos (¿qué persigue Max Aue al escribir estas memorias?, no se nos dice), más allá de ser un compendio del régimen nazi y su acción genocida. La narración comienza directamente sin que el narrador nos aclare la razón de su confesión, e incluso llega a afirmar que no busca justificación alguna, lo cual hace difícil de entender el propósito de tamaño desahogo. Los hechos —insiste— hablarán por él, y se limita a pedir la indulgencia del lector por lo que va a leer, asegurándole que quien escribe es tan humano como quien lo lee.

También se le ha reprochado la oscuridad en la que quedan las etapas del protagonista antes y después de la guerra, tanto en Alemania como en Francia. Otra reserva señala la manera poco verosímil en que Littell acumula en la persona de Aue todas las características con que se representa a nazis diversos: cultos, melómanos, refinados a la par que crueles, asqueados y seducidos por la violencia, homosexuales. Además, Max participa poco en las acciones, pues se trata más bien de un testigo pasivo y desapegado, que guarda sus distancias con otros colegas más comprometidos con la atrocidad, presentados como borrachos, débiles o sádicos. Igualmente poco verosímil se juzga la cantidad desorbitada de lugares por los que transita el protagonista, que abarcan prácticamente todos los escenarios esenciales de la Segunda Guerra Mundial (el avance alemán, Stalingrado, la ofensiva Aliada, el asedio de Berlín en 1945) y del Holocausto (los Eisantzgruppen, las cámaras móviles de gas, los campos de exterminio).

Se dijo también que la utilización de nombres y abreviaturas propias del Estado y Ejército nazi (RSHA, AMT, SD, etc.) y los diferentes grados de las SS hacía en ocasiones la lectura innecesariamente fatigosa. Peter Schötter[99] consideraba muy improbable la elección de Francia como escondite por parte de un antiguo SS, teniendo en cuenta la proximidad y deseos de venganza de sus víctimas; y le reprochaba a Littell no dominar el idioma y la cultura alemanas o la propia jerga de la Wehrmacht, lo que, para un especialista del CNRS como Schötter, resultaba clamoroso, aunque para el común de los lectores ese detalle pasara desapercibido. El crítico concluía calificando *Las Benévolas* como literatura policíaca de la Shoá, «de quiosco y temática bélica».

Más graves fueron las acusaciones que le hicieron de relativizar o banalizar lo que supuso el Holocausto. Para Edouard Husson[100], la novela era una gran falacia, pues «la sola idea de que todo hombre puede convertirse en verdugo sirve a Littell para relativizar los crímenes del nazismo». El cineasta Claude Lanzmann[101] tachó el libro de «históricamente erróneo» y criticó que el protagonista fuese presentado como modelo de persona que hubiera existido en realidad, aunque reconocía que el contexto estaba muy bien trabajado y que algunos pasajes eran ciertamente «magníficos y amedrentantes».

---

[99] *Le Monde*, 14-10-2006.

[100] *Le Figaro*, 7-11-2006.

[101] *Le Nouvel Observateur*, 21-09-2006.

En Alemania (140.000 ejemplares vendidos en su lanzamiento), gran parte de la prensa calificó la obra de kitsch, debido a su componente supuestamente pornográfico y sobre todo a lo que se entendía como una descripción minuciosa y complaciente de la estética nazi. En Estados Unidos, la crítica Michiko Kakutani se lamentaba en el *New York Times*[102]: «Que semejante novela pueda ganar en Francia dos de los más importantes premios literarios no es tan sólo una muestra de la ocasional perversión de los gustos franceses. Hemos llegado al punto en que el retrato de un nazi psicópata, que evoca con todo lujo de detalles histriónicos la barbarie de los campos, llegue a ser proclamado por *Le Monde* como un "pasmoso logro"».

Otros comentaristas han subrayado que Littell abusa de la escatología, más allá del relato de algunas muertes, pues con frecuencia aparecen en el plano real u onírico del protagonista referencias a las heces o la suciedad en general, lo que quizás sea un intento del propio autor por hacer la narración aún más difícil y oscura, además de convertir a Aue en un personaje todavía más contradictorio, desgarrado entre lo que aparenta ser y lo que realmente es.

Quizás la mejor respuesta a las críticas consista simplemente en afirmar que, tras leer sus casi mil páginas, permanecemos atónitos y sin respuestas frente el horror que nos ha transmitido.

---

[102] *The New York Times*, 23-02-2009.

EL CONTEXTO DE LA OBRA: MAX AUE, EL VERDUGO

Jonathan Littell nos plantea un viaje a la mente de un verdugo, un criminal que responde al nazi tópico modelado por algunos historiadores, escritores o directores de cine: culto, elegante, con un punto de perversión, enemigo de la violencia, pero al mismo tiempo fascinado por ella, y que reflexiona en todo momento sobre las atrocidades que presencia o comete.

La figura de Aue refleja fielmente el retrato de los verdugos tal como aparecen en los últimos estudios de los especialistas. Los mandos intermedios y altos de la jerarquía nazi —exceptuando la cúpula— estaban ocupados mayoritariamente por jóvenes universitarios radicalizados[103], como es el caso de Aue. Se trataba de una generación nacida entre 1900 y 1915, los llamados «hijos de la guerra», que había crecido impregnada de la cultura de la violencia, el militarismo y el antisemitismo. Max Aue nace en 1913 y estudia derecho, en un caso ficticio inverso al real del escritor alemán Sebastian Haffner, también licenciado en Derecho y tentado por las SS, pero que optó por el exilio.

Aue mismo se encargará de ilustrarnos sobre la concepción totalitaria de la ley, que no toma en consideración la contradicción entre bien y mal de la moral tradicional, sino su adecuación a una norma arbitraria, dimanada del dictador:

---

[103] Bernard Bruneteau, *El siglo de los genocidios*, Madrid, Alianza, 2006, p. 218-227.

Si bien el hombre no es, como lo pretendieron algunos poetas y algunos filósofos, bueno por naturaleza; el bien y el mal son categorías que pueden valer para calificar la consecuencia de las acciones de un hombre contra otro hombre; pero, en mi opinión, carecen realmente de adecuación, e incluso de utilidad, para juzgar lo que ocurre en el corazón de hombre [...] Para todo ello es preciso que los hombres egoístas y flojos acepten el imperio de la Ley y ésta debe, pues, referirse a una entidad externa al hombre y debe basarse en una potestad que el hombre sienta superior a él (596-597).

Esa potestad superior es la ley, pero en el Estado nazi la ley es sólo la voluntad del Führer. El verdugo nazi justifica cualquier atrocidad como un mero corolario del Führerprinzip, que en ningún caso consiente ser desobedecido. La autoridad del Führer, delirio mesiánico de un ególatra, era la que ordenaba el exterminio. Esta justificación es una constante en los testimonios de los perpetradores, como nos señala el propio Littell en su análisis de la figura del rexista, fascista y nazi belga Leon Degrelle, en *Lo seco y lo húmedo*. No importa hasta qué punto haya que distorsionar la realidad. Todo cabe para justificar decisiones absurdas, también las genocidas: «Las cosas son así porque sólo pueden ser así: si el nacionalsocialismo conquista, tiene que organizar y construir y, por lo tanto, organiza y construye, he aquí una evidencia ante la que los hechos no tiene peso alguno»[104].

El comandante de Auschwitz, Rudolf Höss, escribió algunas notas reveladoras antes de su juicio y ejecución en abril de 1947. En ellas

---

[104] Jonathan Littell, *Lo seco y lo húmedo*, Barcelona, RBA, 2009, p. 47.

sale a relucir el Furherprinzip como justificación de cualquier acción, por encima de los supuestos reparos morales o éticos:

En el fondo de mi alma no estaba de acuerdo con la vida y las actividades que, por exigencia de Eicke [Theodor Eicke, brutal creador y administrador de los campos de concentración], se llevaban a cabo en el campo de concentración. Entonces debería haberme presentado ante Eicke o el Reichsfürher-SS y explicarles que no estaba capacitado para trabajar en un campo de concentración, pues sentía demasiada compasión por los internos [sic]. Pero no me atreví: porque no quería quedar en ridículo, admitir mi debilidad, y era demasiado testarudo para confesar que, al abandonar el propósito de emprender una vida rural, había tomado el camino equivocado. Me había incorporado voluntariamente a las SS y me sentía demasiado orgulloso del uniforme negro como para volver a renunciar a él [...]

Como viejo nacionalsocialista, estaba más que convencido de la necesidad de los campos de concentración. Había que encerrar a los verdaderos enemigos del Estado en un lugar seguro; era necesario privar de su libertad a los elementos antisociales y a los profesionales del crimen, que las leyes existentes no habían permitido detener hasta entonces, para proteger al pueblo de sus conductas dañinas. También estaba firmemente convencido de que tan solo las SS, como fuerza protectora del nuevo Estado, podían llevar a cabo dicha tarea[105].

Siguiendo el mismo razonamiento, Littell se hará eco en su novela de la descripción que Hannah Arendt ofrece de Eichmann, como un personaje vulgar y banal, pero que se atiene escrupulosamente a unas

[105] Jürg Amann, *El comandante*, Barcelona, Tempos, 2011, p. 36-37.

órdenes de la superioridad, por crueles e inhumanas que puedan parecerle: «La ley común de Hitler exigía que la voz de la conciencia dijera a todos "debes matar", pese a que los organizadores de las matanzas sabían muy bien que matar es algo que va contra los normales deseos e inclinaciones de la mayoría de los humanos»[106].

Órdenes son órdenes; sin embargo, el Max Aue de Littell no será como Eichmann —quien, por cierto, también aparece en Las Benévolas—, sino un tipo de nazi más refinado y filosófico. Mientras Eichmann era un burócrata común que cumplía con eficacia su tarea en el exterminio, sin plantearse la ética de su actitud, Aue se nos presenta como un verdugo a pie de campo, pero también como testigo de algo que en verdad comprende pero le repugna. No por ello es menos responsable, como advierte el propio asesino al lector que piense que, por participar poco (¿qué es participar poco? ¿asesinar a una persona? ¿diez? ¿cien?), queda exonerado de culpa. En una escena de *Las Benévolas*, Una, la hermana de Aue, le pregunta si ha matado a mucha gente:

Una vez tuve que dar tiros de gracia. Casi siempre me he dedicado a la información, a escribir informes.

—¿Y qué notabas cuando disparabas sobre esa gente?

Respondí sin titubear: Lo mismo que cuando veía disparar a los demás. Desde el momento en que hay que hacerlo, poco importa quién lo hace. Y, además, opino que en mirarlo hay tanta responsabilidad como en hacerlo (487-488).

---

[106] Hannah Arendt, *Eichmann en Jerusalén*, Barcelona, Lumen, 2003, p. 217.

No hay espíritu criminal, demencia o asomo de instinto homicida sin más. El historiador alemán Götz Aly cree que los verdugos no fueron delincuentes ni antes ni después de la guerra, pero tampoco fueron cultos alemanes imbuidos de la propaganda nazi. Una gran parte de los asesinos buscaban solamente una posición y buena remuneración aprovechando la coyuntura. Al igual que Eichmann, a menudo incluso se declaraban como no antisemitas. No hay un perfil único que nos explique la figura del verdugo.

Una persona no tiene una historia especial y personal para convertirse en un asesino de masas. Cada biografía está abierta. Eso es preocupante. Esto se puede ver, si nos fijamos, por ejemplo, en los testimonios del libro de Daniel Goldhagen. Varios historiadores trataron de encontrar un perfil particular para los verdugos, pero no tiene sentido. Si nos fijamos en las biografías, por ejemplo, en los archivos de pruebas de Auschwitz, verá dónde nacieron los verdugos: más del 50% eran de los llamados *Volksdeutsche* [alemanes étnicos] en el otoño de 1940, de Besarabia, Transilvania y Bucovina.

La mayoría de estas familias transferidas tuvieron que permanecer en los campamentos durante el primer año, porque no había lugar para asentarse. Fueron años difíciles para ellos. Luego, al final de 1941, cuando se inició el sistema de los campos de exterminio, los mismos jóvenes que provienen de estas regiones eran los únicos hombres en el mercado laboral en Alemania. Venían de un mundo simple, un poco atrasado y no habían sido adoctrinados por la propaganda nazi antes. Eran agricultores y muy religiosos. Esa era su forma de vida. No hay nada excepcional. Si nos fijamos en estas biografías, no se puede encontrar el perfil especial de un asesino SS. Christopher Browning escribe en su libro *Aquellos hombres grises*, que no tenían 18 años, eran mayores, 40-47 años de edad. Todos tuvieron la

oportunidad mientras se trabajaba en estas unidades y los campos de exterminio, de decir: "Yo no soy capaz de hacerlo o yo no lo quiero". Algunos lo hicieron y no había castigo, los comandantes de las unidades decían: "Vete a casa, coge otro trabajo". Tenían otro trabajo y el pago era el mismo de antes. No había ningún riesgo si hubieran dicho, "No, yo no quiero hacer eso". A veces se les preguntó: "¿Eres capaz de hacer eso? y si no quieres hacer esto, dilo"».

Para nosotros esta es la parte más difícil. Uno debe ser consciente de no minimizar el Holocausto. Los pedagogos tienen que destacar los lados del Holocausto que nos perturban; por ejemplo, las historias de las vidas del verdugo, o la posibilidad de alejarse de crímenes sin tener que pagar el precio.

No debemos concentrarnos sólo en los miembros conocidos del partido, sino ampliar la perspectiva a toda la sociedad y cómo se metió en esto, porque todo el mundo estaba involucrado de alguna manera. Por ejemplo, había hombres de las SS que dejaron de matar con la eutanasia porque estaba en contra de sus principios cristianos, pero esa misma gente mataba judíos. O participaron en la conspiración alemana para matar a Hitler y estaban matando judíos dos años antes en la Unión Soviética. Había gente que ayudó a los niños judíos, pero convencido de que la cuestión judía tenía que ser resuelta[107].

Estos últimos ejemplos del profesor Aly desmitifican la justificación de que los ejecutores de las atrocidades cumplían órdenes inapelables de las autoridades, puesto que aquellos que se atrevieron a

---

[107] Entrevista de Katrhryn Berman y Asf Tal al profesor Götz Aly:

   http://www.yadvashem.org/yv/en/education/interviews/aly.asp

   (última consulta 05/09/2018).

desobedecer tales órdenes consideradas ilegítimas o erróneas —la aplicación de la eutanasia obligatoria o la marcha suicida de la guerra por parte de Hitler— no sufrieron represalia alguna.

Esta tesis de la no existencia de un perfil determinado para el verdugo nazi, y el número creciente de no alemanes o alemanes étnicos que participaron en el genocidio (provenientes de otras regiones de fuera de Alemania, y por lo tanto no influidos directamente por años de propaganda nazi), la encontramos magistralmente retratada en la figura de ficción de otro verdugo de los pelotones de exterminio. Se trata de Sepp Lehnart, serbio de origen alemán que se alista en las SS que parten a la Unión Soviética a hacer «labores de limpieza». Sepp aparece en *El uso del hombre*, libro de Aleksandar Tisma que describe el Holocausto en los Balcanes y sus secuelas posteriores. El verdugo le habla a su cuñado, nada menos que un judío de Novi Sad, de «su trabajo»:

Del cielo bajó el genio de la germanidad, el ángel rubio de la pureza cristiana, para salvar al mozo Sepp. Le puso un fusil en la mano y le dijo: ¡Mata! Igual que la Sagrada Escritura dice: Ojo por ojo, diente por diente. ¡Por cada alemán hambriento, por cada alemana ultrajada por un judío peludo, cien cabezas de judíos y bolcheviques, un centenar de sus damiselas en nuestras camas de soldados! Vamos, Sepp, mozo, despierta, han dado la alerta. Ponte el uniforme, coge el fusil, sal a formar, sube al camión y, hala, fuera de la ciudad, allí donde han cavado una tumba, una tumba tan grande como toda esta casa, la han cavado ciento treinta judíos jóvenes durante un día entero, de sol a sol, que ahora están arrodillados en el borde la fosa, los reflectores los alumbran desde todos los lados, iluminando también las profundidades del agujero negro, salimos del camión y descendemos hacia

la fosa en fila, a la espalda de los que están arrodillados, suena una orden y cargamos las armas, suena otra orden y las apoyamos en las nucas de los jóvenes, disparamos y ellos, sin una voz, se precipitan al hoyo [...]

Es una lotería, te puede tocar un viejo que murmura una oración, un hombre joven de músculos tensos como un lince, una mujer preciosa, una chica preciosa, carne blanda tostada como un asado, o un crío que todavía no sabe nada y te grita: ¡Tío, tío, tío querido, no lo hagas! Pero tú disparas igualmente, sea quien sea, sientes el espasmo de esa vida, de esa muerte, sientes que con cada bala eliminas a un canalla, una inmundicia de la faz de la tierra[108].

El antisemitismo de muchos de los verdugos, jóvenes como el protagonista de esta novela, es una constante aprendida a lo largo de años de educación, asentada después en obras de teóricos nazis que defienden como lógica la inferioridad racial del judío y su condición de infrahombre. Matarle así resultaba tarea fácil, puesto que se puede estar de acuerdo o no con la forma, pero no con el fondo. Para utilizar las reflexiones de Max Aue, siempre como espectador y no protagonista de los asesinatos:

Ahora podría diferenciar tres formas de ser entre mis colegas. Estaban, en primer lugar, esos que, aunque intentasen disimularlo, mataban con voluptuosidad; ya he hablado de ellos, eran criminales que habían salido a flote merced a la guerra. Estaban luego los asqueados, que mataban por deber, sobreponiéndose a la repugnancia, por amor al orden; y, por fin, estaban quienes consideraban a los judíos como animales y los mataban

---

[108] Aleksandar Tisma, *El uso del hombre*, Barcelona, Acantilado, 2013, p. 81-82.

igual que un carnicero degüella una vaca, una tarea grata o ardua según el humor o la disposición (114-115).

Estas categorías del verdugo se corresponden en parte con la clasificación del profesor Goldhagen, según el grado de iniciativa del perpetrador en relación con la orden emanada de un superior: el verdugo que toma la iniciativa, incluso sin tener obligación de hacerlo; el verdugo que lleva a cabo la matanza obedeciendo órdenes de un superior; la crueldad autoritaria del colectivo contra la víctima, totalmente innecesaria; la crueldad voluntaria contra la víctima de individuos concretos.

Para Littell, Aue aparece en un plano superior, estético, en el papel de reportero o director de cine que se sitúa por encima de la escena, con la intención de captar lo que ocurre, sin que se le escape detalle. Eso no significa que cuando haya que asesinar, no lo haga o deje de buscar justificaciones a su acción. Como aquella de que Aue participa en las matanzas para intentar encontrar una respuesta al absurdo: «Era lo que no conseguía yo captar: la oquedad, la absoluta falta de adecuación entre la facilidad con la que es posible matar y la tremenda dificultad que debe de haber en morir. Para nosotros, era otro asqueroso día de trabajo; para ellos, el fin de todo» (90).

No obstante, como el propio Littell expone en su libro posterior, *Lo seco y lo húmedo*, al reflexionar sobre la figura de Leon Degrelle (conocido nazi refugiado en España, que escribió *La campaña de Rusia* con la intención de exaltar la lucha del fascismo contra el bolchevismo), tras conocerse las atrocidades con los judíos y los números extraordinarios de víctimas que se barajaban, los antiguos

nazis que habían conseguido escapar a la acción de la justicia y escribían sobre su experiencia durante la guerra, casi siempre omitían las acciones de asesinatos masivos de judíos y otros colectivos:

En *La campaña de Rusia* hay alguien invisible: el judío. Como si no existiera. Ausencia extraña, casi agobiante. Dos excepciones mínimas la hacen aún más patente, la convierten casi en algo destacado […] Semejante ocultación del judío, por supuesto, no es infrecuente en la literatura parahistórica que pretende glorificar la epopeya alemana en Rusia; es más bien la norma, incluso, si nos fijamos en los libros de Jean Mabire o en los best-sellers de Paul Carell, alias Paul Karl Schmidt. Obedece ese mutismo a razones tácticas muy sólidas: después de Nuremberg ya no resulta de buen tono hablar de los judíos e incluso puede resultar peligroso; sea como fuere, puede ser perjudicial para la Causa. Bien está[109].

Conocer de cerca al verdugo no debería representar, sin embargo, una excusa para justificar o encontrar explicación a su atrocidad. En algunas ocasiones se ha tratado de justificar la impunidad de la matanza con el argumento de que la Wehrmacht (ejército alemán) no sabía nada de ella ni tuvo participación en los asesinatos. La historiografía actual ya no duda de que, efectivamente, el ejército regular no solamente conoció y participó también en las masacres, sino que además se trataba de una política deliberada y ordenada por

---

[109] Jonathan Littell, *Lo seco y lo húmedo*, op. cit., pp. 85-87. Sin embargo, Degrelle llegó a la infamia, negando el Holocausto, cuando afirmó en 1985 que no habían existido jamás los campos de exterminio nazis. Violeta Friedmann le combatió en los tribunales y demandó a Degrelle por daños a su honor y al de todos los judíos exterminados, consiguiendo una sentencia favorable del Tribunal Constitucional en 1991.

los mandos de más alto rango, en especial durante la guerra de extermino en el Este.

La idea de *Rassenkampf*, de «guerra racial», dio a la campaña rusa un carácter sin precedentes. Muchos historiadores sostienen ahora que la propaganda nazi había deshumanizado con tanta eficacia al enemigo soviético a los ojos de la Wehrmacht, que ésta estaba moralmente anestesiada desde el inicio de la invasión. Quizá la medida más exacta del exitoso adoctrinamiento fue la escasísima oposición en la Wehrmacht a la ejecución en masa de los judíos, que fue deliberadamente confundida con la noción de medidas de seguridad en la retaguardia contra los partisanos. Muchos oficiales se sintieron afrentados porque la Wehrmacht abandonara la ley internacional en el Ostfront, pero sólo una minúscula minoría expresó su indignación ante las masacres, incluso cuando era patente que formaban parte de un programa de exterminio racial[110].

No obstante, el Aue de Littell no es un verdugo del que podamos esperar una reacción violenta o un impulso homicida que le arrastre a asesinar, e incluso cuando tiene que matar o asistir a matanzas parece hacerlo con evidente repugnancia. Puede afirmarse que Littell modela a un tipo de verdugo al que no le hace falta estar continuamente presente ni intervenir en las masacres, sino que se conforma con que la víctima interiorice su condición de tal, asimile su propio miedo y quede inerme, a expensas de cualquier iniciativa. Littell observó lo mismo en algunas zonas de conflictos y entre dictadores que llegó a conocer bien por su trabajo en la ONG Acción contra el Hambre. A

---

[110] Anthony Beevor, *Stalingrado*, Barcelona, Crítica, 2004, p. 23-24.

nivel personal, Max Aue es una especie de Ramzán Kadirov, actual líder checheno sustentado por las autoridades rusas, que funciona transmitiendo ese miedo:

El régimen actual se ha convertido en todo un maestro en el arte de hacer callar a la inmensa mayoría matando o dejando matar de manera selectiva […] Ramzán, igual que su amo de Moscú, sabe perfectamente que basta con unos pocos casos para que el miedo siga vivo. En Chechenia puedes perfectamente aborrecer a Ramzán; puedes quedarte metido en casa y quejarte con los amigos sin demasiados riesgos; pero ay de quienes se le opongan en público, quienes se conviertan en enemigos suyos. O incluso de quienes tengan la mala suerte de parecerse demasiado a sus enemigos[111].

La fascinación que confiere el poder de matar es, sin embargo, un sentimiento también humano, desgraciadamente muy humano, como Aue se encarga de recordarnos: «Después de la guerra, para intentar explicar qué había sucedido, se habló mucho de lo inhumano. Pues lo siento una barbaridad, pero lo inhumano no existe. Sólo existe lo humano, una y otra vez.»

Las historias que merecen la pena contarse son, sin duda, las de las víctimas, y más cuando éstas se cuentan por millones, con el peligro de que el número las haga caer en el anonimato. Pero la pregunta sobre el mal absoluto hay que hacérsela a los verdugos, los autores de actos espantosos, no a víctimas y supervivientes de los mismos. Determinadas características personales (ser alto o bajo, feo o guapo, homosexual o heterosexual, etc.) no resultan siquiera una respuesta.

---

[111] Jonathan Littell, *Chechenia, año III*, Barcelona, RBA, 2010, p. 23.

Tampoco puede convencernos el que la suerte o las circunstancias de la vida de una persona sean las que le hagan convertirse en un verdugo —brutal o culto—, matar indiscriminadamente a inocentes o asesinar al azar, como Max Aue nos quiere hacer creer de una forma inquietante: «Si habéis nacido en un país y en una época en que no sólo nadie viene a mataros a la mujer y a los hijos sino que, además, nadie viene a pediros que matéis a la mujer y a los hijos de otros, dadle gracias a Dios e id en paz. Pero no descartéis nunca el pensamiento de que a lo mejor tuvisteis más suerte que yo, pero que no sois mejores» (28). Pero se trata de un silogismo falso; siempre se puede escoger.

VERDUGOS REALES QUE HABLAN CON AUE

Best, Werner (1903-1989, pp. 476-481[112]). Doctor en leyes, Jefe de Personal de la Oficina Central de Seguridad del Reich (Oficina AMT I), consultor jurídico de la Gestapo, adjunto civil en la administración de Francia y Plenipotenciario del Reich (*Reichsbevollmächtigter*) para Dinamarca, donde fracasó en el intento de deportar a los judíos daneses. Es el primer jefe en las SS que tiene Aue.

Bierkamp, Walther (1901-1945, pp. 279-281). Responsable de la Policía y el SD en Bélgica y Francia, fue transferido en junio de 1942 al Eisantzgruppe D. Se calcula que bajo su mando se asesinaron a 10.000

---

[112] Entre paréntesis las páginas de la novela en que aparecen.

judíos. Posteriormente fue nombrado responsable de la evacuación de las empresas que utilizaban mano de obra esclava judía en Cracovia. Se suicidó en mayo de 1945 para no ser apresado por los Aliados. (Un libro: Richard Rhodes, *Amos de la muerte*, Barcelona, Seix Barral, 2003).

Blobel, Paul (1894-1951, pp. 114 y ss). Responsable del Einsatzgruppe C, que actuó en Ucrania. Blobel fue el principal responsable de la tristemente célebre masacre de Babi Yar, en Kiev, acaecida el 29 y 30 de septiembre de 1941, donde fueron asesinados cerca de 100.000 civiles, en su mayoría de origen no judío (33.000 judios y más de 60.000 comunistas, partisanos y gitanos, entre otros). Acabada la guerra fue condenado a muerte en el Tribunal Militar de Núremberg y ahorcado en la prisión de Landsberg el 8 de junio de 1951.

Brasillach, Robert (1909-1945, pp. 508-509). Escritor, periodista y crítico de cine francés. Editor del periódico fascista y antisemita *Je suis partout*. Colaboró con la Alemania nazi durante la ocupación de Francia, por lo que en 1945 fue condenado a muerte por alta traición y fusilado. (Un libro: Patrick Modiano: *Trilogía de la Ocupación*, Barcelona, Anagrama, 2012).

Degrelle, Leon (1906-1994, pp. 240-241). Fundador del movimiento político Christus Rex (Rexismo), de inspiración católica y conservadora, radicalizó su posición aproximándose al fascismo. Combatió junto a las fuerzas del Eje en la Segunda Guerra Mundial en la Legión Valonia, una unidad extranjera adscrita a las Waffen SS.

Tras la guerra logró escapar a España, donde el régimen de Franco lo protegió durante décadas de la sentencia de muerte por crímenes de guerra pronunciada en su contra. Dedicó su tiempo en el exilio a escribir propaganda fascista y participar en la organización del neonazismo en Europa. En 1985 Violeta Friedmann se querelló contra él por negar la existencia del Holocausto. (Un libro: Jonathan Littell, *Lo seco y lo húmedo*, Barcelona, RBA, 2008).

Eichmann, Adolf (1906-1962, pp. 153-154, 561-575, 660-663, 805-806). Hombre de confianza de Heydrich y encargado de la organización de la logística de transportes de deportados durante el Holocausto. Obcecado en cumplir con los números que se le exigían, los judíos eran para él «estadística», aunque a tenor de sus declaraciones durante el juicio al que se le sometió, nunca fue un antisemita fanático. Capturado en Argentina en 1960, fue juzgado en Israel y condenado a morir en la horca por crímenes contra la Humanidad. La sentencia se cumplió la madrugada del 31 de mayo de 1962. (Un libro: Hannah Arendt, *Eichmann en Jerusalén*, Barcelona, DeBolsillo, 2006).

Frank, Hans (1900-1946; pp. 12-13, 228-229, 577-578). Gobernador General de la Polonia ocupada por los nazis, se convirtió en el jefe absoluto del territorio durante los siguientes años y fue, por lo tanto, el responsable de las matanzas ocurridas. El 3 de mayo de 1945 fue detenido y procesado en los Juicios de Núremberg. Condenado a la horca y ejecutado el 16 de octubre de 1946. (Un libro: Curzio

Malaparte, *Kaputt*, Barcelona, Círculo de Lectores, Galaxia Gutenberg, 2005).

Globocnik, Odilo (1904-1945, pp. 584-586). El brutal Globocnik, general SS, inició las primeras directrices de la Aktion Reinhard, el llamado Plan Nisko que implicaba la construcción del primer campo de exterminio, en Belzec, y los siguientes campos para el mismo propósito: Treblinka, Majdanek, Sobibor y Małkinia Górna. Responsable de la liquidación de varios guetos polacos y de la muerte de miles de judíos, se suicidó por envenenamiento con cianuro cuando iba a ser detenido por tropas británicas.

Heydrich, Reinhard (1904-1942; pp.61-66). Segundo en el mando de las SS tras Heinrich Himmler. En 1936, fue nombrado además jefe de la Gestapo y desde el año 1939 dirigió la Oficina Central de Seguridad del Reich (RSHA). Fue Protector de Bohemia y Moravia desde el 29 de septiembre de 1941 hasta su muerte, el 4 de junio de 1942, ocasionada por un atentado de la resistencia checa. Convocó y presidió la conferencia de Wannsee del 20 de enero de 1942, donde se planeó el exterminio de los judíos de Europa. Sus propios hombres de las SS lo llamaban la «bestia rubia». (Un libro: Laurent Binet, *HHhH*, Barcelona, Seix Barral, 2011).

Himmler, Heinrich (1900-1945; pp. 440-441, 545-547, 640-643, 672). Comandante (Reichsführer) de las SS, ministro del Interior y fugazmente comandante de los ejércitos del Vístula durante el sitio de

Berlín. Gestionó la orden de la matanza metódica y sistemática de millones de judíos, polacos, gitanos, homosexuales, comunistas, testigos de Jehová y enfermos mentales. Tras la caída de Berlín, Himmler fue detenido por una unidad británica en Brandeburgo, cerca del puerto de Bremen y se hizo pasar por Heinrich Hitzinger, un sargento de la *Geheime Feldpolizei* ejecutado tiempo atrás por derrotismo. Finalmente reconocido, se suicidó ingiriendo una cápsula de cianuro. (Un libro: Peter Longerich, *Heinrich Himmler: una biografía*, Barcelona, RBA, 2009).

Hitler, Adolf (1889-1945, pp. 963-964). Aue conoce al todopoderoso en su búnker en los últimos días de la primavera de 1945, donde, con una demencia colérica alejada de la realidad, sigue mandando sobre ejércitos inexistentes y culpando a judíos, militares y al pueblo alemán en general de su derrota inminente. Aue tiene una escena surrealista con Hitler, con mordisco en la nariz incluido. (Un libro: Ian Kershaw, *Hitler*, Barcelona, Península, 2000).

Höss, Rudolf (1900-1947, pp. 610-635). Comandante del campo de exterminio de Auschwitz desde abril de 1940, bajo su mando se perfeccionó la cadena de la muerte con la fabricación de las cámaras de gas y los hornos crematorios. Huido tras la guerra, fue capturado cuando se hacía pasar por un campesino, y juzgado y sentenciado a morir en la horca. Durante su cautiverio escribió unas memorias donde explica el funcionamiento del campo de exterminio y un

monumento a la hipocresía y la mala conciencia. (Un libro: Rudolf Höss, *Yo, comandante de Auschwitz*, Barcelona, Ediciones B, 2009).

Jünger, Ernst (1895-1998, p. 315). El escritor Ernst Jünger formó parte de la Konservative Revolution, de un nacionalismo radical, pero rechazaba el antisemitismo, no aceptó el ingreso en la Academia de Poesía Alemana y en 1934 prohibió al periódico nazi *Völkischer Beobachter* utilizar y manipular sus escritos. Pasó parte de la II Guerra Mundial como militar en el París ocupado. «El uniforme, las condecoraciones y el brillo de las armas, que tanto he amado, me producen repugnancia», anotó Jünger en su diario al enterarse del exterminio masivo de los judíos. En 1942 fue enviado al frente ruso, y en 1944, tras el fallido atentado contra Hitler (a quien en sus escritos llamaba Kniebolo), dimitió de su puesto en el Ejército. (Un libro: Ernst Jünger, *Radiaciones I: diarios de la Segunda Guerra Mundial (1939-1943)*, Barcelona, Tusquets, 2005).

Knochen, Helmut (1910-2003, pp. 517-518). Comandante de la Gestapo y servicios de seguridad en el París ocupado, Knochen había sido profesor y editor hasta que en 1936 ingresó en las SS. Fue responsable directo de la deportación de los judíos en Francia, así como de la ejecución de miles de resistentes. Involucrado en el complot contra Hitler de julio de 1944, fue degradado a soldado en un batallón SS. Condenado a prisión tras la guerra, en 1962 fue liberado de todo cargo. (Un libro: Jacques Delarue, *Historia de la Gestapo*, Madrid, La Esfera de los Libros, 2010).

Müller, Heinrich (1900-1945; pp. 771-773). Conocido como «Gestapo Müller», por ser jefe de la temida policía secreta alemana. Responsable de implantar las medidas de represión contra los judíos y otros colectivos, y jefe de Eichmann, participó en la Conferencia de Wannsee del 20 de enero de 1942 para coordinar la llamada «Solución Final». Fue visto por última vez el 29 de abril de 1945 cuando se ocupaba del interrogatorio y ejecución del general de División SS Hermann Fegelein en el búnker de Berlín. Posteriormente desapareció y, aunque se declaró su muerte en mayo de 1945, al ser investigada la tumba se comprobó que su cuerpo no se encontraba allí. (Un libro: Antony Beevor, *Berlín, la caída, 1945*, Barcelona, Crítica, 2005).

Olhendorf, Otto (1907-1951; pp. 74, 212, 233). Profesor de Economía y Derecho, en junio de 1941 Ohlendorf es nombrado comandante del Einsatzgruppe D que operaba en el sur del frente oriental, especialmente en Ucrania y Crimea, destinado al exterminio de judíos y otros «enemigos del régimen». Fue responsable de la matanza de Simferopol, donde al menos 14.300 personas, judíos en su mayoría, fueron ejecutados. En total, se le atribuyen más de 90.000 asesinatos. En el juicio que le llevaría a la horca, declaró: «Aquellos judíos se ponían en pie, eran formados y se les fusilaba a la manera estrictamente militar. Me encargué de que no se produjeran atrocidades, ni tratos brutales. No había límite de edad, se ajustició a

pocos niños…». (Un libro: *Las entrevistas de Núremberg realizadas por Leon Goldensohn*, Madrid, Taurus, 2004, pp. 472-483).

Pohl, Oswald (1892-1951, pp.568-569). Jefe de la de la Administración Central de las SS, desde septiembre de 1939 era también director de la Oficina Central de Economía y Administración de las SS. Fue quien se encargó de dirigir la recuperación de los bienes con valor económico confiscados a los judíos que eran asesinados en los campos de exterminio y colaboró con Hans Kammler en la gestión del proceso. Juzgado y sentenciado a muerte en 1951. (Un libro: Richard Overy, *Interrogatorios: el Tercer Reich en el banquillo*, Barcelona, Tusquets, 2003).

Rasch, Otto (1891-1948). *Brigadeführer* (general de brigada) de las SS en el Einsatzgruppe C hasta octubre de 1941. Con la aprobación de Heydrich organizó la creación del campo de concentración de Soldau entre enero y febrero de 1940, donde los presos políticos podían ser ejecutados en secreto. Responsable de la masacre de Babi Yar, donde murieron 33.771 judíos de Kiev y otros 60.000 gitanos y comisarios del servicio ruso NKVD, fusilados posteriormente. Fue apresado al finalizar la guerra en 1945, pero en febrero de 1948 fue declarado incapaz de ser sometido a juicio debido a la enfermedad de Parkinson. Murió el 1 de noviembre de ese mismo año.

Schellenberg, Walter (1910-1952). El personaje de Aue recoge trazos del refinado Schellenberg. Jefe de información y contraespionaje

alemán, demostró ser un personaje hábil, inteligente y cínico en el manejo de intrigas. Su juventud y apostura le facilitaban todo tipo de útiles contactos, especialmente con las mujeres. En una de esas conquistas se relacionó con Lina Heydrich, la mujer de la «bestia rubia», y estuvo a punto de ser asesinado. También dio que hablar su célebre romance con Coco Chanel. Schellenberg era el típico oficial nazi de buena estampa, afable y diestro en la conversación. Se le consideraba muy ambicioso y sus miras estaban puestas en el cargo de Heydrich en las SS, llegando a competir con el mismo Kaltenbrunner a la muerte de aquél. Fue condenado sólo a siete años de prisión en los Juicios de Nuremberg, una prueba más de su habilidad. (Un libro: Christian Ingrao, *Creer y destruir. Los intelectuales en la máquina de guerra de las SS*, Barcelona, Acantilado, 2017).

Speer, Albert (1905-1981; pp. 667-668, 680-706). Arquitecto alemán y Ministro de Armamento y Guerra del Tercer Reich, se lo conoce como «el nazi que pidió perdón», por aceptar su responsabilidad en los juicios de Núremberg y en sus memorias por los crímenes del régimen nazi, aunque su nivel de implicación en la persecución de los judíos y su conocimiento del Holocausto siguen siendo motivo de controversia. Aue conversa con él sobre la cuestión del objetivo final de Hitler: utilizar el mayor número de esclavos al servicio de los intereses de la guerra o seguir adelante con la Solución Final. (Un libro: Joachim Fest, *Conversaciones con Albert Speer*, Barcelona, Imago Mundi, 2008).

HAFFNER: ALEMANIA O LA ATRACCIÓN DEL ABISMO

BIOGRAFÍA DE SEBASTIAN HAFFNER[113]

Ensayista, periodista e historiador, en Sebastian Haffner (1907-1999) se reúne una imposible síntesis de opuestos: prusiano y cosmopolita, patriota pero no antijudío, riguroso en las ideas, pero a la vez ligero y brillante de estilo, fue una de esas raras figuras intelectuales que produce de tarde en tarde la cultura alemana (junto con un Goethe o un Nietzsche) para compensar las brumas y la pesadez intelectual a las que suele ir asociado lo germánico.

Pocos son los autores que consiguen hacer amenos los más embrollados episodios de la historia contemporánea y menos aún, quienes lo llevan a cabo sin renunciar a la profundidad de sus planteamientos. Haffner es uno de esos privilegiados, capaz de presentarnos las intrigas de la república de Weimar como si fuera una cuestión vital de nuestros días, y de hacer que, al término de la lectura, acabemos plenamente convencidos de ello.

Aunque ya en vida gozara de prestigio, su fama póstuma (última paradoja de su existencia) se debe ante todo a un libro de juventud que desechó y dejó sin terminar por no considerarlo valioso. Sólo tras su muerte se descubrió esta obra excepcional, mezcla de ensayo y autobiografía. Publicada por vez primera en el año 2000, *Historia de*

---

[113] En las cuatro primeras ediciones del Club de Lectura (2013-2017) el libro de Haffner fue siempre uno de los dos mejores valorados por los participantes. *Historia de un alemán* (Destino, 2001. Edición citada en el presente trabajo).

un alemán fue traducida y aclamada de inmediato en todos los países y está considerada en la actualidad un clásico de la literatura.

Raimund Pretzel (1907-1999), más conocido por su nombre de pluma Sebastian Haffner, nació en Berlín en el seno de una familia acomodada y protestante. Su padre era un alto funcionario de la burocracia prusiana, estricto en sus obligaciones, pero liberal y humano en la intimidad. A pesar del medio conservador del que proviene, el joven Raimund es de ideas liberales y se muestra muy alejado del chauvinismo exacerbado de sus compatriotas. «Yo no "amo" a Alemania, del mismo modo que no me "amo" a mí mismo», llegará a decir en *Historia de un alemán*; y añade: «Si hay un país al que ame, ése es Francia, pero también podría querer a cualquier otra nación con más facilidad que a la mía propia, aunque no existieran los nazis» (227).

Para complacer a su padre, Raimund Pretzel estudia Derecho y ejerce de pasante en tribunales, donde los jueces delegan considerables atribuciones en estos aprendices (redactan sentencias, dirigen juicios, etc.), lo que le proporcionará una sólida formación jurídica. Su verdadera vocación, no obstante, son las letras y el periodismo, que comienza a ejercer con pequeñas colaboraciones en prensa.

Durante el turbulento año de 1933, una vez acabada la carrera, prepara sus oposiciones al cuerpo jurídico. En *Historia de un alemán*, Haffner nos dibujará su autorretrato al comienzo del nazismo: «A comienzos de 1933 yo era un joven de veinticinco años bien alimentado, bien vestido, bien educado, amable, correcto, ya algo más

curtido y baqueteado, que había superado la etapa de auténtico zangoloteo estudiantil, pero al que, en realidad, aún le faltaba experiencia; en conjunto era el producto medio de la burguesía alemana culta y, por lo demás, un libro con bastantes páginas en blanco» (105).

A pesar de no ser de izquierdas y del ambiente conservador en que se desenvuelve, una repugnancia instintiva le mantendría alejado del nacionalsocialismo, al que la mayoría de sus conocidos terminaría condescendiendo:

Por entonces yo no tenía ninguna convicción política definitiva. Hasta me resultaba difícil decidir si era de «derechas» o de «izquierdas» […] Entre las formaciones políticas existentes no había ninguna que me atrajera en especial, por mucho que hubiera donde elegir. De todos modos, *ut exempla docent*, la pertenencia a una de ellas en ningún caso habría evitado que me convirtiese en un nazi. Lo que sí pudo evitarlo fue mi nariz. Tengo un olfato intelectual bastante desarrollado o, dicho de otro modo, un sexto sentido para reconocer los valores estéticos (¡y antiestéticos!) de una actitud o convicción humana, moral o política. Desgraciadamente, la mayor parte de los alemanes carecen por completo de este instinto. […].

En cuanto a los nazis, la decisión de mi nariz fue inequívoca. […] No me equivoqué ni un solo instante al pensar que los nazis eran unos enemigos para mí y para todo lo que yo apreciaba. En lo que sí erré por completo fue al no pensar que fueran a convertirse en unos enemigos tan terribles. Por entonces seguía inclinado a no tomarles muy en serio, una actitud muy extendida entre sus adversarios inexpertos… (112)

Los opositores que se preparan para el segundo examen de estado (para entrar en la carrera judicial), se ven de pronto convocados a un campamento nazi, denominado «Convivencias para pasantes». *Historia de un alemán* se cierra precisamente con la narración de esta delirante experiencia, que le enseña a su autor en carne propia la imposibilidad de mantener el más mínimo resquicio de independencia personal en la nueva Alemania de Hitler: «Cuatro semanas más tarde llevaba botas con vuelta, uniforme y un brazal con la cruz gamada, marchaba durante muchas horas al día por los alrededores de Jüterbog como parte de una columna militar y cantaba a coro con el resto…».

Ya para entonces ha decidido que no hay lugar para él en la pervertida justicia nazi y, durante los siguientes cinco años, sobrevivirá con colaboraciones en la prensa amordazada por las nuevas autoridades:

Cuanto más se alargaba aquel verano de 1933, más irreal se volvía todo […] Fue entonces cuando me inscribí para el segundo examen de Estado, la prueba final más importante para un jurista alemán, que lo capacita para acceder al cargo de juez, a una carrera en la alta administración, a la abogacía, etc. Lo hice sin la menor intención de recurrir en ningún momento a estas facultades. Nada me era más indiferente que saber si aprobaría el examen o no (224).

En 1938, tras la Noche de los Cristales Rotos y temiendo por la vida de su novia judía, Erika Hirsch —con la que, según las leyes raciales de Nuremberg, tiene prohibido el matrimonio—, decide marchar

junto a ella al exilio; primero a París y, posteriormente, a Londres, donde contraen matrimonio.

Allí la joven pareja lleva una vida muy precaria. Haffner ignora el idioma, que debe aprender a marchas forzadas. Un editor le encarga entonces un libro sobre sus experiencias en la Alemania nazi y el recién llegado comienza la redacción de *Historia de un alemán*, que abandona ante el estallido de la guerra. La inacabada obra permanecerá inédita hasta el año 2000, en que se publicará póstumamente después de ser descubierta por su hijo entre los papeles dejados por Haffner.

Ante las nuevas prioridades que impone la guerra, se lanza a redactar un informe menos personal sobre la Alemania de Hitler, destinado a despejar los tópicos y malentendidos sobre su antiguo país y a facilitar armas dialécticas contra Hitler. Con el título de *Alemania: Jekyll y Hyde*, se publica en 1940 y conoce un éxito inmediato, lo que le facilitará su entrada en la prensa inglesa, tras aprender el idioma en un tiempo récord. El propio Churchill recomendará la lectura del libro de Haffner a sus generales con objeto de entender al enemigo. Para evitar represalias a su familia en Alemania, decide firmar con un pseudónimo que refleja su amor por la música: Sebastian (por el nombre de Bach) Haffner (de la célebre sinfonía del mismo nombre de Mozart).

En el epílogo de la edición española de esta última obra, se nos informa de las difíciles condiciones en que se llevó a cabo su escritura: «¡Qué situación para escribir un libro! Un emigrante que todavía no domina la lengua del país de acogida como para poder

escribir, que escribe entre dos internamientos en calidad de "extranjero enemigo", con unos ingresos irregulares y modestísimos, que será padre y ha huido de los nacionalsocialistas, que están a punto de conquistar toda Europa»[114].

Inicia a partir de entonces una larga y brillante colaboración con *The Observer*, al mismo tiempo que trabaja para el Foreign Office en labores de propaganda antinazi. Durante años desarrolla una prestigiosa carrera como periodista independiente, de posiciones de izquierda, que alternará con la publicación de ensayos históricos sobre la Alemania del siglo XX.

En 1954 retorna a Alemania como corresponsal del *The Observer* y comienza también a colaborar con la prensa alemana (*Die Welt, Stern*), donde sus influyentes artículos y ensayos ayudaron a toda una generación de alemanes a enfrentarse de manera crítica y poco complaciente con su propio pasado.

Haffner defendió siempre la necesidad de rescatar a la verdadera Alemania, el país de la cultura, el humanismo y la honradez intelectual y moral, de las garras del nacionalismo agresivo que se apoderó de ella a mediados del XIX y pervirtió su carácter, convirtiéndola en un Reich depredador y sanguinario:

En definitiva, la Alemania que yo y mis semejantes considerábamos «nuestro país» no era una simple mancha en el mapa de Europa, sino una estructura compuesta por unos rasgos determinados y característicos: uno

---

[114] Sebastian Haffner, *Alemania: Jekyll y Hyde*, Barcelona, Destino, 2005. En adelante AJH.

de ellos era la humanidad, una actitud abierta a todos, una forma de pensar exacta y cavilosa, una insatisfacción eterna respecto al mundo y a uno mismo, el valor de seguir intentándolo y desechar el resultado una y otra vez, la capacidad de autocrítica, el amor a la verdad, la objetividad, la insuficiencia, la indispensabilidad, la variedad, una cierta torpeza, pero también el afán por la improvisación más libre, la lentitud y la seriedad, así como el enriquecimiento que aporta toda creación lúdica de formas nuevas para después volver a rechazarlas como intentos frustrados. El respeto por todo lo que es particular y distinto, la bondad, la generosidad, el sentimentalismo, la musicalidad y, ante todo, una gran libertad: algo que vaga, ilimitado, desmedido, que jamás se define ni se resigna. En secreto estábamos orgullosos de que el país al que nos sentíamos vinculados fuese una nación de infinitas posibilidades intelectuales. [...] Esta Alemania ha acabado siendo destruida y pisoteada por los nacionalistas... (229).

En los 60 comenzó también a intervenir en diversos programas de la televisión alemana en su papel de comentarista político. Una necrológica inglesa recordaba el fuerte impacto que producía su aparición en la pantalla: «Haffner podía parecer intimidante, especialmente a los alemanes que se sentían alarmados o escandalizados por sus ideas. Bajo la amplia bóveda de su frente, sus ojos transmitían un extraño e hipnótico brillo. Su presencia como figura en solitario de la televisión resultaba electrizante. Pero en privado podía mostrarse ingenioso y cordial a un tiempo, y su amabilidad era proverbial; pocos conocen, por ejemplo, el papel de padre adoptivo que asumió durante un tiempo con una joven Ulrike

Meinhoff, antes de que ésta se dedicara al terrorismo callejero que finalmente acabaría con su vida»[115].

Como comentarista político de actualidad, fue un agudo y pragmático observador de los años de la guerra fría, cuyos puntos de vistas creaban opinión pública, tanto en Inglaterra como en Alemania. Si en los 50 fue un firme defensor de una política de contención y mano dura con la Unión Soviética, en los 60 se alineó con la política de entendimiento con el Este del canciller socialista Willy Brandt, la llamada *Ostpolitik*.

Sus ensayos históricos sobre figuras y acontecimientos de la Alemania de preguerra (traducidos al español durante los últimos años en su mayor parte) se convertían sin excepción en éxitos editoriales y, polémicas aparte, eran unánimemente alabados por la capacidad para presentar con claridad y elegancia de estilo los más embarullados conflictos históricos, sin renunciar a la sutileza y la complejidad de la explicación.

En los 80, tras la muerte de su primera esposa con la que tuvo dos hijos, se fue retirando de la escena política y de la escritura a una discreta vida privada. Se supo que despreciaba a Gorbachov por ser un político chapucero y que, después de abogar toda su vida por la reunificación de Alemania, acogió con escepticismo la caída del Muro, que le tomó desprevenido, cuando ya daba por imposible el sueño de una sola Alemania.

Tras su muerte en 1999, la publicación póstuma de *Historia de un alemán* se convirtió en un acontecimiento cultural en toda Europa y

---

[115] *The Guardian*, 14-01-1999.

rescató el resto de sus obras, ampliamente traducidas y consideradas hoy clásicos del ensayo histórico por la agudeza y agilidad de su estilo, y la claridad de sus ideas.

HISTORIA DE UN ALEMÁN

¿Cómo fue posible que Alemania se volviera nazi? ¿Cuál fue el camino que condujo hasta ese callejón sin salida? O como lo expresa uno de los personajes de *El retorno*, novela de Fred Uhlman, un exiliado del nazismo: «Casi la mitad de los electores alemanes votaron por aquel loco. ¿Cómo puedes explicar que la mitad de la población de un país que produjo a Goethe y Schiller, a Beethoven y Bach, y las más hermosas ciudades antiguas, y templos del saber, se dejase arrastrar por aquel demente?».

Tales son las preguntas que se hace todo el que se acerca a aquel periodo e *Historia de un alemán* es sin duda uno de los mejores libros para responderlas. Su autor —conviene recordarlo— no se adscribía a ninguno de los grupos directamente amenazados por los nazis: no era judío ni de izquierdas, sino un jurista «ario», de ideología liberal y defensor de los valores burgueses. Pertenecía, pues, a una clase que se dejó arrastrar masivamente por los cantos de sirena del totalitarismo, a los que él —por puro olfato, como señala en su libro— nunca sucumbió. Merced a ello, se hallaba en una situación

privilegiada para comprender desde dentro las motivaciones y claudicaciones morales que llevaron al desastre a una mayoría.

Historia de un alemán es un libro excepcional por diversos motivos: no sólo por la manera en que combina el análisis histórico con la vivencia privada, la crónica de primera mano con la visión en profundidad, sino también por la complejidad y sutileza de unas explicaciones que recurren a factores políticos, históricos y de psicología social, sin renunciar en ningún momento a la claridad y belleza de estilo.

Teniendo en cuenta la fecha y circunstancias de su escritura —en 1939, antes del estallido de la guerra, recién instalado en un precario exilio en Inglaterra, cuya lengua apenas conocía—, la lucidez y penetración de sus apreciaciones (sobre la importancia de una historia de la gente corriente, el retrato psicológico de Hitler, su teoría del totalitarismo nazi como un fenómeno radicalmente nuevo, el antisemitismo o la psicología social del alemán de su época, entre otros asuntos) resulta sorprendente y muy avanzada a su tiempo. Tanto es así, que cuando el libro se publicó póstumamente en Alemania en el año 2000, algunos críticos sospecharon que pudiera tratarse de una falsificación. El examen riguroso del manuscrito despejó definitivamente cualquier duda y confirmó la agudeza de sus predicciones y análisis.

UN INDIVIDUO PARTICULAR CONTRA EL ESTADO

«La historia que va a ser relatada a continuación versa sobre una especie de duelo. Se trata del duelo entre dos contrincantes muy desiguales: un Estado tremendamente poderoso, fuerte y despiadado, y un individuo particular pequeño, anónimo y desconocido».

Así comienza *Historia de un alemán*, con clarines que anuncian la entrada de los combatientes en la arena y sitúa el texto desde un principio en el terreno de la vibrante crónica personal, antes que en el del estudio aséptico. No se trata de una mera figura retórica para llamar la atención; Haffner señala con esos términos dos asuntos importantes: primero, que el verdadero enemigo de un estado totalitario es siempre el individuo —pequeño, anónimo y desconocido, pero también libre—, que el poder totalitario pretenderá invadir a cualquier precio.

En segundo lugar, Haffner enfatiza la importancia del individuo particular en la fabricación de los grandes acontecimientos históricos. «Mi duelo privado contra el Tercer Reich no es un suceso aislado», advierte el autor y con ello pretende señalar que la historia no sólo la hacen los grandes hombres, sino que también sucede en el interior de las mentalidades de los hombres corrientes y anónimos. De este modo, se adelanta a las nuevas corrientes historiográficas que ponen el acento sobre la actuación y la mentalidad de la gente ordinaria en el origen de los cambios históricos, en lugar de centrarse exclusivamente, como sucedía hasta ahora, en sus protagonistas

políticos y militares: «Como he dicho antes, el relato científico-pragmático de la historia no dice nada acerca de esta diferencia de intensidad en los sucesos históricos. Quien desee saber algo al respecto ha de leer biografías, y no precisamente las de los hombres de Estado, sino las de individuos desconocidos, mucho más escasas» (15).

Se trata, pues, de la historia vista desde abajo, desde la perspectiva de un particular cualquiera. ¿Qué interés puede tener una visión semejante? ¿No sería preferible escoger a los protagonistas y testigos de primera línea? Hacia la segunda mitad del libro, en el capítulo 26, Haffner se preocupa una vez más de defender este punto de vista:

Todo eso es cierto: no intervine en los acontecimientos, ni siquiera fui testigo presencial que disfrutara de información privilegiada y no hay nadie capaz de valorar la importancia de mi persona con mayor escepticismo que yo. Sin embargo, considero —y ruego que no lo interpreten como una arrogancia— que, a través de la historia particular y fortuita del individuo particular y casual que soy, estoy contando una parte importante y desconocida de la historia alemana y europea, más trascendente y relevante para el futuro que si contara quién prendió fuego al Reichstag o el contenido real de las conversaciones entre Hitler y Röhm (186).

Frente a la historia entendida «como una especie de torneo de ajedrez entre Hitler, Mussolini, Chang Kai Chek, Roosevelt, Chamberlain, Daladier y unas cuantas docenas de personas», donde el resto actúa de comparsa, «peones de una partida de ajedrez…», Haffner reivindica que «los acontecimientos históricos realmente

importantes tienen lugar entre nosotros, en los seres anónimos, en las entrañas de un individuo cualquiera, y que ante decisiones masivas y simultáneas, cuyos responsables a menudo no son conscientes de estar tomando, hasta los dictadores, los ministros y los generales más poderosos se encuentran completamente indefensos [...]Por ejemplo, ¿cuál fue la causa de que Alemania perdiese la guerra y los aliados la ganasen en 1918? [...] el hecho de que "el soldado alemán", es decir, la mayor parte de la masa compuesta por diez millones de personas anónimas, de pronto dejó de estar dispuesta a arriesgar su vida en cada ataque y a mantener su posición hasta que cayera el último hombre» (186-188).

Es en las actitudes y mentalidades de la gente corriente donde hay que buscar también, según Haffner, el auge del nazismo.

En la génesis del Tercer Reich hay un enigma no resuelto que me parece más interesante que la cuestión de quién incendió el Reichstag. Es la siguiente: ¿qué les ha pasado a los alemanes? El 5 de marzo de 1933 la mayoría de ellos [56%] votó contra Hitler. ¿Qué ha sido de esta mayoría? ¿Acaso ha muerto? ¿Se la ha tragado la tierra? ¿O es que se ha vuelto nazi tardíamente? ¿Cómo es posible que no se produjera ni la más mínima reacción por su parte? [...] Y no es posible acercarse a estos procesos sin seguirlos hasta el lugar donde se desarrollan: en la vida privada, en los sentimientos y las ideas propias de cada alemán [...] es ahí, en la máxima intimidad, donde hoy está teniendo lugar en Alemania el combate que buscan en vano quienes ponen su mira en el terreno político (189-190).

EL "JUEGO" DE LA GUERRA

La historia arranca con el estallido de la Primera Guerra Mundial. El joven Raimund (su verdadero nombre) tiene siete años y se encuentra de vacaciones en el campo cuando comienza la guerra. En lugar de percibirla como un trauma, la retaguardia de Alemania vivirá el conflicto como una experiencia excitante y embriagadora. Raimund se apasiona por las noticias del frente y sigue los acontecimientos bélicos con el mismo entusiasmo que otros siguen los deportivos: «Lo importante era la fascinación que ejercía el juego de la guerra: un juego en el que, según reglas secretas, el número de prisioneros, los territorios invadidos, las fortalezas conquistadas y los barcos hundidos desempeñaban aproximadamente el mismo papel que los goles en el fútbol o los "puntos" en el boxeo. No me cansaba de organizar interiormente tablas de clasificación» (23-ss).

No se trata de un caso aislado. Una generación entera de alemanes pasó por las mismas experiencias: «La guerra como un gran juego entre naciones, excitante y entusiasta, que depara mayor diversión y emociones más intensas que todo lo que pueda ofrecer un periodo de paz: ésta fue la experiencia diaria de diez generaciones de niños alemanes entre 1914 y 1918, y se convirtió en la postura fundamental y positiva del nazismo».

La guerra como una excitante experiencia que engancha, convirtió en adictos a ella a muchos de los que entonces eran niños: «Pero la auténtica generación del nazismo son los nacidos en la década que va

de 1900 a 1910, quienes, totalmente al margen de la realidad del acontecimiento, vivieron la guerra como un gran juego».

EXCITACIÓN PERMANENTE

Los grandes acontecimientos no paran de sucederse durante la infancia y la adolescencia de Raimund Pretzel. Tras el término de la Gran Guerra, en el albor de la República de Weimar, comienza un periodo de agitación revolucionaria seguido de feroces represiones, que culminarán con el levantamiento espartakista de enero de 1919 y su sangrienta represión a manos de los Freikorps, unas organizaciones paramilitares de extrema derecha que, en una alianza antinatural, se pusieron al servicio del gobierno socialdemócrata. Haffner se muestra muy crítico con esta traición de los socialdemócratas a sus hermanos de clase: «Algo olía mal en el hecho de que los Freicorps, marciales y despiadados —a quienes tal vez no habría desagradado ver regresar a Hindenburg y al káiser— luchasen con tanto empeño a favor del "Gobierno" [socialdemócrata, del SPD], es decir, a favor de Ebert y Noske, que a ojos vistas eran traidores a su propia causa y, por cierto, se mostraban como tales» (39).

Las consecuencias de aquella unión antinatura serían catastróficas para el futuro de la República: «… a partir de la primavera de 1919, la defensa de la República estuvo exclusivamente en manos de sus enemigos, pues, por aquel entonces, todas las organizaciones

revolucionarias militantes habían sido abatidas, sus dirigentes estaban muertos, sus miembros diezmados y sólo los Freicorps llevaban armas; los Freicorps que, en realidad, eran ya unos buenos nazis, sólo que sin ese nombre» (45).

Las intentonas golpistas de uno y otro signo (incluyendo la de Hitler en 1923, el putsch de la Cervecería), y sus correspondientes y brutales represiones (cuando eran de izquierda), seguirían sucediéndose durante los primeros años de la República de Weimar. Pronto, sin embargo, un nuevo acontecimiento acapararía la atención. Tras el asesinato en 1922 de Walther Rathenau (una de las «cinco o seis grandes personalidades de este siglo», al decir de Haffner), el poderoso ministro de Exteriores judío que había mantenido hasta entonces a la República en precario equilibrio, los acontecimientos se precipitan: Francia y Bélgica invaden el Ruhr ante la morosidad de Alemania con el pago de indemnizaciones de guerra, el gobierno llama a la resistencia pasiva y, como consecuencia de la cual, cae en picado la producción, y la inflación, ya endémica, se dispara y se convierte en hiperinflación:

Ninguna otra nación del mundo ha experimentado nada equivalente al acontecimiento alemán de «1923» […], no sólo se devaluó la moneda sino todos los demás valores. El año 1923 preparó a Alemania no para el nazismo en particular, sino para cualquier aventura fantástica […] Pero entonces sí que surgió aquello que hoy confiere al nazismo su rasgo delirante: esa locura fría, esa determinación ciega, imparable y desaprensiva de querer lograr lo imposible, la idea de que «justo es lo que nos conviene» y «la palabra imposible no existe» (58-59).

La cotización del dólar se dispara, el dinero «sólo conservaba su valor por espacio de unas pocas horas»: «En agosto [de 1923] el dólar alcanzó el millón de marcos. Lo leímos con la respiración ligeramente entrecortada, como si se tratara de la publicación de un increíble récord. Dos semanas más tarde ya tendíamos a tomárnoslo a broma, pues, tal y como si hubiese acumulado nuevas energías tras alcanzar la cota del millón, el dólar multiplicó su velocidad de ascenso por diez y su valor comenzó a aumentar rápidamente en unidades de cientos y luego de miles de millones. En septiembre el millón no tuvo ya prácticamente ningún valor y el millardo se convirtió en la unidad de pago. A finales de octubre fue el billón» (69).

Las consecuencias fueron muy diferentes según las personas: unos, los jóvenes, cínicos y oportunistas, acumularon fabulosas fortunas en poco tiempo; la mayoría, sin embargo, vio como toda una vida dedicada al trabajo y al ahorro se perdía en cuestión de horas.

Todos los que tenían una cuenta de ahorro, una hipoteca o cualquier otro tipo de inversión vieron cómo éstas desaparecían de la noche a la mañana. Pronto dejó de importar si se trataba de una calderilla ahorrada o de un gran capital [...] El coste de la vida había comenzado a dispararse, pues los comerciantes le pisaban los talones al dólar. Medio kilo de patatas, que el día anterior costaba todavía cincuenta mil marcos, al día siguiente valía ya cien mil; un sueldo de sesenta y cinco mil marcos traído a casa un viernes el martes siguiente no llegaba para comprar un paquete de cigarrillos [...]
Quienes peor lo pasaron fueron los viejos y los que vivían alejados de la realidad. Muchos fueron arrastrados a la mendicidad, otros tantos al suicidio. A los jóvenes y a los más espabilados les fue bien. De la noche a la

mañana, se vieron libres, ricos e independientes. Era una situación en la que la inercia y la confianza en las experiencias vividas se castigaban con el hambre y la muerte, mientras que la acción por impulso y una rápida capacidad de respuesta ante una situación novedosa eran recompensadas súbitamente con una riqueza increíble. Fue entonces cuando surgió la figura del director de banco de veintiún años…(61-63).

No sólo el dinero, sino cualquier otro valor (también el moral) se volvió frágil y efímero: «Incluso el amor había adquirido un carácter inflacionista. Había que aprovechar la oportunidad, la masa tenía que ofrecerla. El "nuevo realismo" amoroso fue descubierto. Se produjo un estallido de ligereza despreocupada, bulliciosa y alegre. Resultó característico que los amoríos se asemejaran a una carrera en extremo veloz y sin rodeos. Los chicos que aprendieron a amar en aquellos días se saltaron el romanticismo y recibieron el cinismo con los brazos abiertos».

Con la llegada al gobierno del liberal Stresemann, la moneda se fija y comienza un periodo de estabilidad que duraría un lustro (de 1924 a 1929): «Entonces ocurrió algo extraño. Un día empezó a propagarse el increíble cuento de que pronto volvería a haber dinero "de valor constante" y al poco tiempo el rumor se hizo realidad […] El dólar dejó de subir. Las acciones también […] Unas semanas antes Stresemann se había convertido en canciller. La política se volvió mucho más tranquila de repente» (72-73).

EL NAZISMO COMO ELECCIÓN

Haffner descarta las habituales explicaciones del nazismo a partir de causas políticas y económicas: la humillación del Tratado de Versalles, la inflación, el paro. Sin negar que tales factores pudieran influir, afirma que la verdadera explicación hay que buscarla en otra parte: en las ansias de aventura de toda una generación, que no participó por edad en la guerra, que la vivió como un gran juego al igual que la aventura de la inflación, donde los jóvenes trastocaron los valores aceptados y burgueses. Son estas ansias de aventura, unida a la incapacidad para la vida privada (endémica en el pueblo alemán, según Haffner), lo que, sumado a otros factores tradicionales (el autoritarismo de los alemanes, su gusto por lo operístico y lo wagneriano, etc.), propició el clima en el que alguien tan inútil y repelente como Hitler encontraría un eco inmediato.

Lo fundamental en la explicación de Haffner es la idea de que el nazismo no fue una fatalidad histórica, propiciada por las circunstancias, sino una elección de toda una generación de alemanes.

Sin embargo, en aquel momento [cuando la República de Weimar parecía estabilizada] sucedió algo extraño —y al decir esto considero que estoy revelando uno de los acontecimientos políticos fundamentales de nuestro tiempo que no figuró en ningún periódico—: las nuevas posibilidades fueron desestimadas en la gran mayoría de los casos. No hubo disposición para ello. Resultó que toda una generación de alemanes no supo qué hacer con un regalo consistente en gozar de una vida privada en libertad.

Alrededor de veinte generaciones de niños y jóvenes alemanes habían estado acostumbradas a que el ámbito de lo público les suministrara gratis, por así decirlo, todo el contenido de sus vidas, la esencia de sus emociones más profundas, del amor y del odio, del júbilo y de la tristeza, pero también todos los hechos excepcionales y cualquier estado de excitación, aunque vinieran acompañados de pobreza, hambre, muerte, confusión y peligro. En el momento en el que dicho suministro fue interrumpido bruscamente, ellos se quedaron ahí, bastante desamparados, empobrecidos, expoliados, decepcionados y aburridos. Jamás habían aprendido a vivir por sí mismos, a hacer de una pequeña vida privada algo grande, hermoso y lleno de compensaciones, a saber cómo disfrutarla y apreciar cuándo se vuelve interesante. Así, no percibieron el fin de las tensiones públicas ni el regreso de la libertad individual como un don, sino como una privación. Empezaron a aburrirse, se les ocurrieron ideas tontas, se volvieron huraños y, finalmente, aguardaban casi con ansia a que se produjera el primer desorden, el primer revés o incidente que les permitieran liquidar todo el periodo de paz y emprender nuevas aventuras colectivas (75-79).

En los acontecimientos de la Primera Guerra Mundial, la revolución izquierdista, la inflación, las diferentes intentonas golpistas y la crisis del 29, los niños y jóvenes alemanes se acostumbraron a las grandes excitaciones colectivas, y la paz y valores burgueses les resultaban aburridos. Cuando esa generación llegó a la madurez siguió buscando estas grandes aventuras colectivas como fuente de interés en su existencia. Haffner abundó en esta interpretación en su siguiente libro, *Alemania: Jekyll y Hyde*, de 1940:

Fundamentalmente, [los nazis] eran personas de la generación que había nacido entre los años 1900 y 1910. De niños habían presenciado la primera Guerra Mundial; de escolares, el fracaso de la revolución izquierdista, y de jóvenes, la inflación de 1923. No habían vivido la guerra como una realidad, como los soldados del frente, sino como el espectacular acontecimiento deportivo en que la había convertido la propaganda bélica alemana. Nunca volvieron a ser capaces de contemplar las naciones como otra cosa que no fueran clubes gigantescos que servían para promover festejos deportivos-defensivos [...] Sus convicciones se vieron reforzadas por el fracaso de de la confusa revolución izquierdista de 1918-1919 [...] Por último llegó la inflación, cuya consecuencia fue que, durante un disparatado año de carnaval, la gente joven esgrimió el cetro y se rió de la larga experiencia de los ancianos. Esta orgía desenfrenada, en la que todos los conceptos burgueses de orden ardieron como leña seca, fomentó la confianza de la juventud, su irreflexión, su pasión por el desorden y su afán de aventura[116].

Haffner atribuye a la incapacidad del alemán para encontrar gratificaciones en la vida privada esta búsqueda desesperada de alicientes en lo colectivo:

...qué le faltaba a esa generación. No era poco. Sobre todo les faltaba talento y aptitud para la vida privada y para la felicidad personal, una aptitud que incluso en los mejores tiempos ha estado menos desarrollada entre los alemanes que entre otros pueblos. Capacidad de amar, reflexión, laboriosidad sosegada, goce del refinamiento de la civilización y de las «pequeñas alegrías»...: nada de eso existía [...] Estos valores eran tachados de «burgueses». Bajo la rúbrica de «burgués» figuraban —sin ánimo de

---

[116] AJH, pp. 81-82.

exhaustividad—, por ejemplo, el amor, la vida familiar, la religión, el sentido de la responsabilidad, la modestia, el individualismo, el arte, los negocios, la honradez, los buenos modales, Beethoven, Goethe, «esa palabrería sin ton ni son sobre la educación», la autoridad, la tolerancia y la objetividad [...]

Así pues, ¿qué podía suponer una vida satisfactoria, emocionante y que mereciera la pena? Sólo esas diversiones excitantes e inolvidables que guardaban en la memoria desde la infancia y la juventud: jugar a la guerra, alborotar tanto como fuera posible...[117]

...el gran riesgo que siempre corre la vida en Alemania es y será el vacío y el aburrimiento (tal vez a excepción de ciertas regiones geográficas fronterizas como Baviera o Renania, en las que algo del Sur, de romanticismo y de humor forman parte del paisaje). En las grandes extensiones de la zona norte y este de Alemania, en sus ciudades descoloridas, tras sus negocios y organizaciones gestionadas con tesón, exactitud y sentido del deber acecha y acechará siempre la ignorancia y, al mismo tiempo, el horror vacui y el deseo de «salvación»: una salvación a través del alcohol, de la superstición o, en el mejor de los casos, de un gran estado de embriaguez masiva que lo inunde todo[118].

Tal vez sea este el rasgo más endeble de la explicación de Haffner: atribuir a un supuesto carácter nacional —un concepto ya obsoleto— lo que es producto de unas condiciones sociales e históricas muy concretas, y afecta a cualquier nación por igual. No en vano fue Max Weber, uno de los padres de la constitución de Weimar, quien acuñó el concepto de «desencanto del mundo», la sensación de desamparo que acecha al individuo en un mundo reducido a explicaciones

---

[117]   AJH, pp. 82-83.

[118]   AJH, pp. 77-78.

racionales, donde lo divino ya no tiene cabida. La búsqueda de un sustitutivo de la religión en las «psicosis colectivas», como las denomina Haffner, no es una «extraña habilidad alemana», sino universal; ni tampoco es cosa del pasado, como lo demuestran los comentarios de Haffner sobre el deporte de masas en la Alemania de Weimar, perfectamente extrapolables a nuestro tiempo:

Uno de estos presagios [de la catástrofe], malinterpretado en extremo e incluso fomentado y elogiado públicamente, fue la obsesión por el deporte que se adueñó de la juventud alemana por aquella época. Durante los años 1924, 1925 y 1926, Alemania evolucionó hasta convertirse de repente en una potencia deportiva [...] Lo raro fue que los políticos, empezando por los de derechas hasta los de izquierdas, no se cansaban de alabar este llamativo ataque de atontamiento pasivo que sufría la juventud [...] No se les ocurrió que aquello era simplemente una forma de practicar y mantener vivo el encanto del juego de la guerra y la antigua representación de un gran combate emocionante entre naciones, y que en modo alguno se «liberaban» «instintos bélicos»[119].

EL NACIONALISMO COMO ENFERMEDAD MENTAL

Frente a esta serie de causas más recientes, válidas especialmente para la generación nacida a comienzos de siglo que proporcionaría

---

[119] AJH, pp. 79-82.

sus primeras huestes y simpatizantes al nazismo, Haffner destaca otra serie de causas más lejanas, que nos sirven para comprender la pasividad de los alemanes ante el nazismo. Entre éstas sobresale muy en primer lugar el nacionalismo exacerbado: «El nacionalismo, es decir, la autocontemplación y egolatría nacionales, es en todas partes una enfermedad mental peligrosa, capaz de desfigurar y afear los rasgos de una nación» (230-ss).

Pero si el chauvinismo resulta en todas partes dañino, en Alemania adquiere rasgos patológicos: «...en Alemania es precisamente el nacionalismo lo que mata el valor fundamental del carácter nacional. Esto explica por qué los alemanes —que en estado sano son sin lugar a dudas un pueblo fino, sensible y muy humano— en el momento en que padecen la enfermedad nacionalista se deshumanizan totalmente y desarrollan una fealdad propia de las bestias que no se observa en ninguna otra nación... Un alemán que cae víctima del nacionalismo deja de ser alemán, apenas es persona».

Ahora bien, las raíces del mal eran remotas: «Claro que no hay que pensar que Alemania y su cultura estaban ya ahí en 1932, florecientes y maravillosos, y que de repente llegaron los nazis y lo arrojaron todo por la borda. La historia de la autodestrucción de Alemania debido a un nacionalismo enfermizo se remonta mucho más atrás [...] Nietzsche fue el primero en reconocer cual profeta que la cultura alemana había perdido la guerra contra el "Reich"».

En *Alemania: Jekyll y Hyde*, Haffner profundizaría en estas raíces antiguas del mal:

Incluso ya antes de 1914 predominaban en Alemania algunos elementos característicos del nazismo: el cansancio de la civilización, el cinismo, el nihilismo, que se da colorete en las mejillas para aparentar vitalidad, las grandes ambiciones alemanas, el hartazgo de la paz y la alegre espera de la guerra que, cuando llegó, fue recibida con vivas y gritos de júbilo [...]

Esta concepción del patriotismo ha predominado en Alemania desde los tiempos del Reich [...] El patriotismo alemán era el punto más débil de la época anterior a Hitler, por el que penetraron las toxinas del nacionalismo. Y aún sigue siendo el único punto en el que realmente coinciden los nazis y muchos alemanes civilizados que no son nazis [...]

Alemania fue la Hélade de Europa mientras constaba —pese a la sana y nada exagerada conciencia nacional de entonces— de una serie de estados pequeños y medianos. Desde que fue «unificada» por Prusia —la Macedonia moderna—, ha dejado de ser Alemania, del mismo modo que Grecia dejó de ser la Hélade en los siglos IV y III antes de Cristo [...] Sólo existe una diferencia: hasta ahora, Prusia-Alemania no ha logrado ningún éxito en su papel de conquistadora del mundo. Y tras cada nuevo intento fracasado, la vieja Alemania se impacienta y busca preocupada algo que ha perdido y que, en lenguaje culto, se llama libertad, cultura y belleza de la vida y, en lenguaje llano, tranquilidad, modestia y tranquilidad[120].

La conclusión es un llamamiento a desandar el camino: «...el Reich alemán tiene que desaparecer, y los setenta y cinco últimos años de la historia alemana han de ser borrados. Los alemanes han de retroceder hasta el punto en que tomaron un camino equivocado: hasta el año 1866. No cabe imaginar una paz con el Reich prusiano, que surgió entonces y cuya última consecuencia lógica es la Alemania nazi. Y en

---

[120] AJH, pp. 97, 125, 273.

ninguna parte se puede encontrar "otra" Alemania vital, excepto la que fue vencida ese año por un capricho de la guerra y que nunca ha sido sometida del todo»[121].

JEKYLL Y MR. HYDE: LA VERDADERA ALEMANIA CONTRA EL REICH

Una consecuencia de esta perversión nacionalista es la esquizofrenia moral que anida en la conciencia de cada ciudadano. Haffner distinguía entre el «alemán», un tipo por lo general íntegro, trabajador y de buenos sentimientos, y los «alemanes», una chusma peligrosa, que no entendía de barreras morales:

En su vida privada, el alemán no es más amoral que otro europeo. […] Pero es un hecho llamativo y para muchos misterioso que de esa moralidad y esa decencia «del alemán» no queda nada cuando salen a la palestra «los alemanes»: como masa política, con su extraordinaria falta de escrúpulos, de formalidad, su malicia, sus mentiras y su barbarie, se diferencian de otras naciones civilizadas, y no sólo desde la toma del poder de los nazis.

Lo curioso es que el alemán medio no es consciente de ello. No se da cuenta de que en política atenta contra la moral; más bien le parece que la inmoral es la política. A sus ojos, la política es un terreno en el que lo

---

[121] AJH, p. 269.

habitual es no tener escrúpulos, ser deshonesto y malicioso. En su opinión todas las naciones son así...[122]

En lo que se refiere a la población leal alemana, los que escriben cartas a la prensa [inglesa] no son conscientes de que unos y otros [es decir, los que piensan que todos los alemanes son nazis y los que creen que son buenas gentes engañadas por el loco de Hitler] tienen razón, es decir, que estos alemanes llevan una doble vida, como Dr. Jekyll y Mr. Hyde, y son tanto personas amables y hospitalarias a las que sus amigos ingleses y norteamericanos no creen, ni con la mejor voluntad, capaces de hacer nada malo, como las personas que disculparon e incluso cometieron crímenes contra los belgas en el año 1914, contra los judíos desde 1933 hasta 1939, contra los polacos y los checos en los años 1939 y 1940, crímenes acerca de los cuales los mismos ingleses y americanos han leído con espanto en sus periódicos[123].

Esta esquizofrenia cultural tiene su reflejo en la doble moral de la nación, una privada y rigurosa, y la otra, la política, donde todo está permitido, sobre todo de cara al exterior: «Para el alemán medio existe una moral privada y otra política, siendo la moral política exactamente la contraria a la privada. La traición, el chantaje, el latrocinio, el perjurio, el asesinato y el robo no son, según la concepción alemana, delitos ni excesos en la vida política, como lo serían en la vida privada. En su opinión, la política consiste precisamente en esas cosas»[124].

---

[122] AJH, pp. 199-20

[123] AJH, p. 110

[124] AJH, p. 120.

EL ÚLTIMO ACTO

La crisis de 1929 golpeó de lleno a Alemania, disparando el paro en tiempo récord hasta alcanzar un tercio de la población laboral. A partir de 1930, los gobiernos reaccionarios (Brüning, Papen, Schleicher) que se suceden en el poder, hacen amplio uso de la posibilidad constitucional de gobernar por decretos, facilitando el camino que utilizaría sin empacho Hitler. Con la excusa de defender a la República, el poder adquiere un perfil cada vez más autoritario y semejante al que propugnan sus enemigos:

Según tengo entendido el régimen de Brüning fue el primer estudio y, por así decirlo, el modelo de una forma de gobierno imitada desde entonces en muchos países de Europa: una semidictadura ejercida en nombre de la democracia como defensa frente a una dictadura auténtica. Si alguien se tomara el esfuerzo de analizar detenidamente el periodo de gobierno de Brüning, encontraría un prototipo de todos aquellos elementos que, en efecto, terminan convirtiendo inevitablemente esta forma de gobernar en una escuela preparatoria de lo que en realidad se pretende combatir: el abatimiento de sus propios partidarios, la socavación de su propia postura, la habituación a la falta de libertad, la indefensión ideal frente a la propaganda enemiga, el traspaso de la iniciativa al adversario y, finalmente, el fracaso en el momento en el que todo se agudiza y pasa a consistir en una mera cuestión de poder (94).

Las elecciones se suceden ante la imposibilidad de formar mayorías estables; el parlamento resulta cada vez más inoperante y los gobiernos dirigen el país sin contar prácticamente con él. Los nazis se adueñan violentamente de las calles ante la resistencia cada vez más débil de los comunistas. En las elecciones de septiembre de 1930, con un programa basado en nacionalismo agresivo y antisemitismo radical, los nacionalsocialistas, hasta entonces minoritarios, se disparan electoralmente y se convierten en la segunda fuerza.

En 1930 Hitler era aún para muchos una figura vergonzosa, perteneciente a un pasado gris: el redentor muniqués de 1923, el hombre del grotesco putsch de la cervecería. Además su aspecto le producía bastante rechazo al alemán medio (no sólo a los «inteligentes»): ese peinado de proxeneta, esa elegancia de pacotilla, el dialecto de los suburbios vieneses, esa increíble verborrea unida a los ademanes de epiléptico, su gesticulación desenfrenada, esos espumarajos, la mirada entre flameante y extraviada. Y encima el contenido de sus discursos: ese gusto por la amenaza y la crueldad, sus fantasías sobre ejecuciones sanguinarias. La mayoría de la gente que empezó a vitorearle en el Palacio de los Deportes en 1930 probablemente habría evitado pedir fuego por la calle a un hombre como aquél. Pero es ahí donde ya empezaba lo raro: la fascinación que ejercía precisamente lo más repugnante, lo nauseabundo, ese rezumadero de asco llevado al extremo (96).

Sorprende la fatalidad y resignación con que los alemanes marcharon al precipicio: «El hecho de que a los alemanes, a cada uno de ellos le fuese arrebatada esa pequeña porción de libertad personal y dignidad ciudadanas garantizada por la Constitución, fue aceptado con una sumisión borreguil, como si no quedara otro remedio» (130).

De hecho, el ascenso al poder de los nazis fue completamente «legal», no se trató de ningún asalto revolucionario:

Los expertos en Derecho político afirman lo siguiente: una revolución consiste en alterar una Constitución a través de medios no previstos por ella. Si nos atenemos a una definición tan escueta, la «revolución» nazi de marzo de 1933 no fue tal, pues todo transcurrió dentro de la más estricta «legalidad», a través de medios que sí estaban previstos por la Constitución: en un primer momento los «decretos-ley» promulgados por el presidente del Reich y, más adelante, la decisión de traspasar al Ejecutivo un poder legislativo ilimitado, tomada por una mayoría de dos tercios del Reichstag, la necesaria para modificar la Constitución (132).

Los nazis celebran el 30 de enero [día del nombramiento de Hitler como canciller] como el día de su revolución. Se equivocan. El 30 de enero de 1933 no trajo consigo ninguna revolución, sino un cambio de gobierno. Hitler se convirtió en canciller, pero, dicho sea de paso, en modo alguno lideró un gobierno nazi… (132).

Muchos, empezando por los partidos reaccionarios que le ayudaron a alcanzar la cancillería, aún consideraban a Hitler un fantoche al que se podría domesticar fácilmente una vez instalado en el poder. El propio Haffner cayó en este error de menospreciar a los nazis:

En cuanto a los nazis, la decisión de mi nariz fue inequívoca […] No me equivoqué ni un solo instante al pensar que los nazis eran unos enemigos para mí y para todo lo que yo apreciaba. En lo que sí erré por completo fue al no pensar que fueran a convertirse en unos enemigos tan terribles. Por entonces seguía inclinado a no tomarles muy en serio, una actitud muy

extendida entre sus adversarios inexpertos, que por entonces favoreció a los nazis sobremanera y sigue haciéndolo aún hoy (113).

Sin embargo, bastó ver al líder nazi jurando el cargo de canciller para comprender el error:

Desconozco cuál fue exactamente la primera reacción general. La mía fue la correcta durante un minuto aproximadamente: un gélido sobresalto. Claro que contábamos con ello desde hacía tiempo. No nos quedaba otro remedio. Sin embargo, era algo tan insólito, tan increíble, ahora que lo veíamos realmente ante nosotros, escrito en negro sobre blanco. Hitler como canciller del Reich... Por un instante casi percibí físicamente el olor a sangre y suciedad que rodeaba a ese hombre, a Hitler, y sentí algo parecido al acercamiento amenazante y a la vez asqueroso de un animal mortífero, el contacto de una pezuña sucia con garras afiladas en mi rostro (115).

El incendio del Reichstag, en febrero de 1933, facilitaría el pretexto para el recorte de libertades y la persecución de los comunistas, quienes, en contra de lo esperado por todos, apenas oponen resistencia. A partir de entonces todo se desarrollaría a velocidad de vértigo ante la pasividad general. Una libertad tras otra, una parcela de privacidad tras otra, fueron cayendo.

La gente comenzó a participar [en los desfiles y ceremonias nazis], primero sólo por miedo. Sin embargo, tras haber tomado parte una primera vez, ya no quisieron hacerlo por miedo —eso hubiera sido cruel y despreciable—, así que terminaron incorporando el convencimiento político necesario. Éste es el mecanismo emocional básico del triunfo de la revolución nacionalsocialista.

Claro que tuvo que ocurrir algo más para que este mecanismo fuese perfecto: la traición cobarde de los dirigentes de todos los partidos y organizaciones en quienes confió el cincuenta y seis por ciento de los alemanes que votó en contra de los nazis el 5 de marzo de 1933 (138).

A partir de marzo de 1933, una avalancha de afiliaciones (compuesta de oportunistas, resignados o amedrentados) llenó el partido nazi de antiguos enemigos reconvertidos, incluyendo a buen número de comunistas: «Durante el mes de marzo de 1933 cientos de miles de personas se afiliaron de repente al partido nazi tras haber estado en su contra hasta ese momento […] Sin embargo, por mucho que uno busque, no encontrará ni un solo motivo de peso, bien fundado, sostenible ni positivo, ni uno solo que pueda mostrarse con orgullo. Cada una de las manifestaciones de este proceso tuvo todas las características de un inconfundible ataque de nervios» (143-144).

EN EL VIENTRE DE LA BESTIA: 1933, PRIMER AÑO NAZI

Exteriormente, nada parecía haber cambiado tras la llegada al poder de los nazis: «Al menos los primeros años de la época nazi se caracterizaron porque de puertas para afuera la vida diaria apenas sufrió alteraciones: los cines, los teatros y los cafés estaban llenos, las parejas bailaban en los jardines y en los dancings, los paseantes

deambulaban ingenuos por las calles y los jóvenes se tumbaban tranquilamente en las playas» (165).

Bajo esta apariencia inalterable, sin embargo, los signos del terror se multiplicaban. Algo tan sencillo como pasear por la calle estaba lleno de riesgos:

Si uno se asomaba por la ventana, veía columnas del ejército vestidas de color pardo que iban avanzando por la calle, interrumpidas por banderas con cruces gamadas; y allí por donde pasaran las banderas, la gente que estuviese en las aceras a derecha e izquierda levantaría el brazo (habíamos aprendido que el que no lo hiciera recibiría una paliza) [...] A diario se veían desfiles y se oían canciones y uno debía estar bien ojo avizor para poder desaparecer en el portal de una casa en el momento justo si no quería verse obligado a saludar a la bandera (245).

La justicia fue pervertida (los jueces «ya no tenían por qué atenerse tímidamente a la ley. Es más, ni siquiera debían hacerlo»); la cultura, amordazada:

La quema simbólica de libros ocurrida en mayo fue noticia en los periódicos, pero lo verdaderamente palpable e inquietante fue que a partir de entonces los libros desaparecieron de las librerías y de las bibliotecas. Al margen de lo buena o mala que fuera, se cargaron la literatura alemana contemporánea de un plumazo [...] Numerosos periódicos y revistas desaparecieron de los quioscos, pero mucho más inquietante fue lo que ocurrió con los que permanecieron. Resultaban prácticamente irreconocibles (200).

De manera ininterrumpida desaparecían conocidos (huidos o apresados) a los que no se volvía a ver:

Casi a diario podía notarse cómo desaparecía y se hundía un fragmento más de ese mundo […] Lo menos grave casi ocurría en el ámbito de lo público, de manera visible y llamativa. Sí, los partidos fueron disueltos, primero los de izquierdas y luego los de derechas, yo no había pertenecido a ninguno. Las personas cuyos nombres habían estado en boca de todos, cuyos libros habíamos leído y cuyos discursos habíamos comentado se esfumaron con rumbo a la emigración o a los campos de concentración; cada cierto tiempo se oía hablar de alguien que «se había suicidado durante su cautiverio» o que había sido «abatido mientras huía» (198-199).

PRIMERAS MEDIDAS ANTISEMITAS

Desde el primer instante, los nazis acosaron a los judíos con un radicalismo que siempre fue por delante del tradicional antisemitismo de la población. Haffner, con una lucidez poco común en su tiempo —y también en el nuestro— comprendió que para explicar el antisemitismo había que hablar exclusivamente del antisemita, nunca del judío. La única «cuestión judía» residía en la huida de la realidad del judeófobo, que optaba por una fantasía delirante, inalterable durante siglos, antes que por enfrentarse a la complejidad de los hechos.

Lo más extraño y descorazonador fue lógicamente que —más allá del terror inicial— este primer anuncio generoso del advenimiento de una nueva mentalidad asesina desató una avalancha de conversaciones y debates en toda Alemania, ya no sobre la cuestión antisemita, sino sobre la «cuestión judía» […]

De repente todos se sintieron obligados y autorizados a formarse una opinión sobre los judíos y a hacer gala de ella. Se efectuaban sutiles distinciones entre los judíos «decentes» y el resto; si unos apelaban a los logros científicos, artísticos y médicos de los judíos con intención de justificarlos —¿qué es lo que había que justificar?—, los otros les reprochaban precisamente eso: haber «extranjerizado» la ciencia, el arte y la medicina. Es más, enseguida surgió una práctica habitual y popular consistente en percibir el ejercicio de profesiones decentes y de un alto rango intelectual por parte de los judíos como un crimen o, cuando menos, como una falta de tacto. A los defensores de los judíos se les echaba en cara con el ceño fruncido que éstos tuviesen la desfachatez de representar tal o cual porcentaje entre los médicos, los abogados, los periodistas, etc. De hecho a la gente le encantaba opinar sobre la «cuestión judía» basándose en porcentajes. Se ponían a calcular si la parte proporcional de judíos miembros del partido Comunista no era demasiado elevada y su equivalente entre los caídos en la Gran Guerra demasiado baja… (151-152).

Haffner adivinó enseguida, incluso antes de su puesta en práctica, el carácter genocida del antisemitismo nazi. Y no sólo eso, sino que captó el papel esencial que jugaba el asesinato en cualquier poder totalitario, puesto que su único modelo es la jauría, la solidaridad que se crea entre los que matan en grupo. Repárese en que el siguiente

párrafo se escribió en 1939, cuando ni las futuras víctimas consideraban concebible un genocidio:

Sin embargo, hoy ya a nadie le cabrá la menor duda de que, en realidad, el antisemitismo nazi no tiene prácticamente nada que ver con los judíos, ni con sus méritos ni con sus deméritos. Lo verdaderamente interesante del propósito nazi, cada vez menos velado, de amaestrar a los alemanes para que persigan a los judíos a lo largo y ancho del mundo y a ser posible los exterminen, no es ya su justificación —un disparate tan absurdo que el mero hecho de argumentar en su contra ya implica una degradación—, sino el propósito en sí mismo. Éste constituye en efecto algo novedoso en la historia de la humanidad: el intento de anular, en el caso del género humano, esa solidaridad primigenia que comparten todos los miembros de una especie animal y que es lo único que los capacita para sobrevivir en la lucha por la existencia; la pretensión de dirigir los instintos depredadores del hombre, que normalmente sólo apuntan contra el mundo animal, contra miembros de su propia especie y de «azuzar» a toda una nación contra determinadas personas, como si fuera una manada de perros. Una vez despierto el instinto básico y perpetuo para asesinar el prójimo y transformado incluso en obligación, el hecho de cambiar de objeto se reduce a un detalle sin importancia. Ya hoy resulta bastante evidente que donde dice «judíos» se puede poner «checos», «polacos» o cualquier otra cosa. De lo que se trata aquí es de la vacunación sistemática de todo un pueblo —el alemán— con un bacilo cuyo efecto consiste en que todos los portadores actúan contra el prójimo con ferocidad, o dicho de otro modo: se trata de liberar y cultivar aquellos instintos sádicos cuya represión y destrucción ha sido obra de un proceso civilizador de muchos miles de años de duración […]

De este breve esbozo ya se desprende que es precisamente el antisemitismo nazi lo que afecta a cuestiones definitivas sobre la existencia —y no sólo la de

los judíos—, alcanzando un límite al que no llegan los demás puntos del programa nazi. Y esto permite hacerse una idea de lo increíblemente ridícula que resulta la opinión, hoy nada infrecuente en Alemania, de que el antisemitismo nazi es un pequeño detalle secundario, o como mucho un defecto de forma que, según se tenga a los judíos en mayor o menor estima, puede lamentarse o aceptarse con resignación, pero que «lógicamente no significa nada en comparación con las grandes cuestiones nacionales». Estas «grandes cuestiones nacionales» son en realidad totalmente insignificantes, forman parte de la rutina diaria y del caos generado por un periodo europeo de transición al que tal vez le queden unas décadas; pero en verdad no tienen nada que ver con el peligro primigenio que supone el crepúsculo de la humanidad y es lo que el antisemitismo nazi pretende (153-155).

Su sensibilidad especial hacia los judíos (su prometida era judía), unida a su pertenencia al medio social del que procedían los antisemitas, le facultaban como a nadie para captar la naturaleza ritual del antisemitismo nazi, que no guardaba relación alguna con la víctima, puesto que ésta puede ser intercambiable. Su verdadero propósito consiste en servir de bautismo de sangre, que compromete de manera inexorable al que lo perpetra y lo convierte en cómplice para siempre. Una prueba de ingreso que aún se practica entre algunas bandas de matones, como sucede en nuestro país, por ejemplo, en ciertas bandas latinas.

… hay algunas características inconfundibles para distinguir si la persona en cuestión es nazi. El criterio más importante y más sencillo es su actitud hacia los judíos de Alemania. Muchas personas leales secuaces del régimen desaprueban los excesos antisemitas, otras los ignoran, les restan

importancia o los disculpan (en casos excepcionales). Ninguna es nazi. Un nazi consiente sin reserva esa orgía sádica general y permanente, y participa en ella. El objetivo principal del antisemitismo consiste, en primer, lugar, en ser una especie de señal oculta y de secreto vinculante, como si se tratara de un asesinato ritual permanente, y en segundo lugar, en anular la conciencia de la segunda generación nazi.

Este objetivo ha sustituido hace mucho al motivo original —ser una válvula de escape de la exasperación personal de Hitler […] Hace años que los nazis han dejado de esforzarse por inventar pretextos para robar, torturar y asesinar a los judíos. Y lo han hecho calculadamente. Porque la gente que necesita esas razones ficticias es la que se supone que se queda sin hacer nada y temblando de miedo. Sin embargo, de los que son capaces de torturar, pegar, perseguir y asesinar a otras personas sin razón alguna, se espera que, unidos por la férrea cadena de los delitos cometidos conjuntamente, formen ese orden nazi que ha de someter al mundo y al que, por selección natural, pertenecen los más carentes de escrúpulos y los más «dinámicos».

Para los nazis, ése, y sólo ese, es el significado fundamental del antisemitismo, y no la «pureza de la raza alemana», la «represión de toda influencia no alemana», la «defensa de la raza contra la conspiración mundial judía» o cualquier otro sinsentido. Como ciertas pruebas de valor y acreditación que se utilizaban para la admisión de candidatos en las antiguas órdenes de caballería y en las modernas sociedades secretas para comprobar la discreción y la obediencia, también el antisemitismo sirve de examen y selección. Pero el examen para verificar la idoneidad como nazi no es una prueba de valor, sino que sirve para demostrar la falta de escrúpulos. El novicio tiene que estar dispuesto a perseguir, robar y asesinar a los indefensos. Que el objeto de adiestramiento sean los judíos carece de importancia: son una comunidad pequeña, sin raíces y, al mismo tiempo,

inteligente que, por así decirlo, está a mano. También podrían haber servido otros grupos, pero la casualidad ha querido que sean los judíos [...] Lo que hay que tomarse en serio es el hecho de que mucha gente en Alemania y en otras partes estaba dispuesta a obedecer a los nazis y, por consiguiente, a sancionar el asesinato[125].

Pocas veces se ha llegado más lejos en el desentrañamiento de los mecanismos totalitarios; que este análisis sea estrictamente contemporáneo a los acontecimientos lo hace aún más portentoso. Haffner identificó como nadie, casi al primer vistazo podríamos decir, el verdadero núcleo del nazismo oculto tras la faramalla retórica. Y este no era otro que el antisemitismo:

«¿Y qué hay de la cosmovisión nacionalsocialista?». A lo que tenemos que responder que, salvo el nombre, no existe tal cosmovisión. Detrás de ese ostentoso nombre, o no se oculta nada o, a lo sumo, se oculta la doctrina que permite o incluso ordena robar torturar y matar a los judíos. ¡Qué contenido más mezquino para una cosmovisión![126]

Su diagnóstico permanece plenamente válido y aplicable a nuestro propio mundo, cuyo impulso principal sigue siendo el «nihilismo en acción»: «Quizás se pueda decir que el nazismo, reducido a la fórmula más breve, es nihilismo en acción, dominio del mundo por aburrimiento, algo completamente nuevo en la historia»[127].

---

[125] AJH, pp. 74-76.

[126] AJH, p. 58.

[127] AJH, p. 89

Haffner era desde luego una rara avis entre sus compatriotas; un alemán que no sólo no renegó de sus amistades judías, sino que, en pleno recrudecimiento de las campañas antisemitas, reconocía sentirse más próximo a la sensibilidad judía que a la teutona:

Soy eso que los nazis denominan un «ario»; está claro que tengo tan poca idea como cualquiera de las razas que forman parte de mi persona. No obstante, durante los doscientos o trescientos años que he podido remontarme en mi genealogía no es posible detectar sangre judía en la familia. Sin embargo, siempre he sentido una afinidad instintiva más fuerte hacia el mundo judío alemán, con el que establecí vínculos estrechos y duraderos, que hacia el entorno alemán nórdico medio, en cuyo centro crecí. Mi mejor y más antiguo amigo era judío. Incluso la pequeña Charlie, mi nueva novia, era judía, y una cosa se hizo evidente: de pronto amé a aquella chica —con la que en realidad seguía jugueteando, algo indeciso— de una forma un poco más apasionada y orgullosa en el momento en que supe que el infortunio se cernía sobre ella. Estaba convencido de que nadie iba a obligarme a boicotearla (155).

ACTITUDES PSICOLÓGICAS FRENTE AL NAZISMO

Sin embargo, no todos los alemanes sucumbieron al miedo, la propaganda o el oportunismo. Para estos pocos resistentes, la

situación no podía ser más desesperada y las únicas salidas se revelaron ilusorias:

La situación de los alemanes no nazis durante el verano de 1933 fue ciertamente una de las más difíciles en las que se puede encontrar un ser humano: un estado de sometimiento total y desesperado sumado a los efectos tardíos del shock que supone que los acontecimientos le pillen a uno totalmente desprevenido. Los nazis nos tenían completamente en sus manos. Todos los baluartes habían caído, era imposible cualquier resistencia colectiva y la oposición individual era una mera forma de suicidio. Nos habían perseguido hasta llegar a los últimos recovecos de nuestra vida privada (203-ss).

La salida más fácil, adoptada por muchos, fue la de rendirse, la de «pasarnos al bando contrario […] Ésta era la tentación más simple y más primitiva. Muchos cayeron en ella». Para los que se negaban a claudicar, las opciones oscilaban entre el escapismo, («huir hacia un mundo de ilusión, preferiblemente la ilusión de sentirse superiores») o la entrega a la desesperación, «el propio abandono masoquista al odio, al sufrimiento y a un pesimismo sin barreras».

El propio Haffner optó por replegarse y hacer oídos sordos:

Aún he de hablar de una tercera tentación. Se trata de aquella con la que yo mismo tuve que vérmelas y, una vez más, en absoluto fui el único […] desviar la mirada, taparse los oídos y aislarse. Pero esto sólo conduce a un endurecimiento producto de la debilidad y, en definitiva, a otra forma de delirio: la pérdida del sentido de la realidad. […] Sin embargo, tal y como

pensé entonces, la simple actitud de ignorarlo todo y retirarse a una torre de marfil no funcionó (211).

Finalmente, lo único factible fue la huida:

No, eso de replegarse en la vida privada no funcionó en absoluto. Daba igual dónde intentara aislarse uno, pues en todas partes volvía a encontrarse con aquello de lo que pretendía huir. Me di cuenta de que la revolución nazi había suprimido la antigua división entre política y vida privada [...] Si de verdad se quería escapar a sus efectos, sólo había una solución posible: el distanciamiento físico, la emigración, despedirse del país al que uno pertenece por nacimiento, idioma y educación y renunciar a todo vínculo patriótico. En aquel verano de 1933 me dispuse a consumar también esta despedida (224).

HUELLAS DE IDA FINK:

LA MUJER EN EL

HOLOCAUSTO

Eso es. Busque una huella. Una huella lleva a
otra, la segunda a la tercera y así…

(Ida Fink, «La huella»)

BIOGRAFÍA DE IDA FINK[128]

Autora israelí de origen polaco, idioma en el que escribe toda su obra, Ida Fink nació en 1921 como Ida Landau en Zbaraz, una ciudad de la actual Ucrania localizada en la región histórica de Galitzia, por entonces de población polaca, alemana, ucraniana, rusa y judía, perteneciente a Polonia y anteriormente al imperio austro-húngaro. Zbaraz fue la cuna del Premio Nobel de Literatura de 1905, Henryk Sienkiewicz, y en ella habitó una próspera comunidad judía que dio personalidades destacadas como el rabino Zev Wolf o el cantante Velvel Zbarjer, precursor del teatro en yiddish. De Zbaraz procede también el activista y diplomático polaco Karol Kuryluk, Justo entre las Naciones, título concedido por Israel a aquellos gentiles que se destacaron en la salvación de judíos durante el Holocausto. Como

---

[128] Con Ida Fink introdujimos a la primera escritora y al relato corto en el Club de Lectura. Siempre fue uno de los libros mejor valorados por los participantes. Con *Huellas* (Errata Naturae, 2012. Edición citada en el presente trabajo) contamos con la presencia de su traductora, Elzbieta Bortkiewicz, en la primera reunión donde comentamos el libro.

tantas otras ciudades centroeuropeas, se trataba de una población con una rica tradición multicultural, crecida en torno a las posesiones de una familia nobiliaria, los Zbaraski y posteriormente los Potocki. Poseía asimismo un importante patrimonio monumental —castillo, monasterio y diversas iglesias—, destruido en gran parte por el paso del tiempo, la despoblación y el régimen soviético.

La madre de Ida, Francisca Stein, era maestra en ciencias naturales y el padre, Ludwig Landau, médico y psicólogo; ambos judíos, pero alejados del ámbito religioso y asimilados de pleno en la sociedad polaca de Zbaraz, a tal punto que en el hogar se hablará polaco y alemán, pero raramente yiddish. En este ambiente ilustrado, tanto Ida como su hermana Elsa, nacida en 1922, recibirán una esmerada educación compuesta de abundantes lecturas y, en el caso de Ida, de estudios de solfeo en el entonces prestigioso conservatorio de Lvov.

En el exterior, el antisemitismo polaco anterior a la guerra resulta omnipresente, reforzado por leyes segregacionistas y restrictivas para la población hebrea. La discriminación y el desprecio por parte de polacos y ucranianos están a la orden del día. Ida crecerá escuchando a todas horas insultos por su condición de judía. En uno de sus relatos biográficos («Julia»), nos narra un incidente significativo:

Ocurrieron dos sucesos que debilitaron bruscamente su simpatía por la ciudad que había admirado tanto por su limpieza y su orden. A su hijo mayor, David, los compañeros en el colegio le dieron una paliza, gritando: «¡Zurra al judío, zurra al judío!»… Aquel año en muchos locales colgaron letreros de PROHIBIDA LA ENTRADA A PERROS Y JUDÍOS, quedaban

sólo los paseos por la orilla del río que rodeaba esta ciudad limpia y germanizada.

El antisemitismo no le hará claudicar de sus proyectos de dedicarse a la enseñanza y la música. La joven Ida sueña con llegar a ser una virtuosa del piano —los pianos en *Huellas* son una presencia frecuente—, proyecto que se verá truncado por la invasión alemana de Polonia en septiembre de 1939. El pacto de no agresión entre alemanes y soviéticos de ese mismo año (Pacto Ribbentrop-Mólotov, firmado el 23 de agosto) dividirá el país entre ambos imperios totalitarios, quedando Zbaraz en la zona soviética. Ida abandona por entonces los estudios en el conservatorio.

Dos años más tarde, los alemanes lanzan la Operación Barbarroja y en el verano de 1941 entran en Zbaraz, creando un gueto para concentrar a la población judía. Francisca, la madre de Ida, fallece de cáncer ese mismo año; el padre y las dos jóvenes hermanas Landau quedan atrapados en el gueto. Cuando están a punto de ser seleccionadas para la deportación —y eventual exterminio—, Ida y Elsa consiguen hacerse con una documentación falsa que les permite escapar del cerco. En dicha documentación figuran como arias, algo que su aspecto físico —rubias de ojos azules— no parece desmentir a los ojos de los antisemitas. Vivirán bajo nombres falsos durante el resto de la guerra, haciéndose pasar por campesinas y trabajando duramente en una granja. En *El viaje*, novela publicada por Ida en 1990 y basada en su experiencia durante la guerra, la protagonista nos describe el miedo continuo en que vivía:

Decidió dejar de esperar, despojarse del miedo a la policía, de que la encontraran, ese miedo primordial, dominante pero no único. Porque también había otros, más pequeños y también ellos amenazaban peligrosamente, como, por ejemplo, el temor a que el desconocimiento de las costumbres campesinas, la ignorancia de diversos quehaceres despertara desconfianza y sospecha, delatara que no se era lo que se decía ser[129].

Ludwig, el padre, se esconderá en otra granja y también sobrevivirá al Holocausto. Morirá en Israel en 1964, en compañía de su familia. En total, de una comunidad de más de 3.000 judíos, tras el Holocausto en Zbaraz quedan únicamente unos sesenta.

Al término de la guerra, se inicia para los Landau un nuevo éxodo a través de diferentes países de Europa, semejante al de tantos supervivientes que encontraron una acogida hostil al regreso a sus hogares. Podemos leer la descripción de una de estas odiseas en *La tregua*, del superviviente Primo Levi. El autor italiano invirtió casi medio año en retornar al hogar y disfrutar de «una cama ancha y limpia, que por las noches (instante de terror) cedía blandamente a mi peso». Ida Fink plasmará también este deambular clandestino y accidentado por la Europa devastada de posguerra en su novela El viaje:

Nuestras madres murieron, nuestros padres perecieron, desaparecieron en la guerra, habían sido hechos prisioneros, los mató una bomba. Nadie se interesaba por nosotras, no teníamos familiares, nadie nos enviaba paquetes,

---

[129] Ida Fink, *El viaje*. Madrid, Mondadori, 1991, p. 115 (la primera edición en polaco e inglés es de 1990). En adelante V.

nadie nos escribía, sólo alguna que otra vez aparecía una carta esporádica. Mi padre en el sótano del apicultor, pronto hará un año de la muerte de mi madre, una pequeña habitación vacía, una estrecha cama junto a la pared, no pensar, no pensar...[130]

La escritora se casa en 1948 con Bruno (Bronek) Fink, superviviente de cuatro campos de exterminio, en los que perdió a toda su familia. Ambos permanecerán en Polonia (donde en 1952 nace su hija Miri) hasta 1957, en que deciden emigrar a Israel. Se establecen en la localidad costera de Holon, al sur de Tel-Aviv, donde Ida aprende a marchas forzadas el hebreo y trabaja como bibliotecaria en una biblioteca musical, al tiempo que desarrolla una labor de documentalista en el memorial de Yad Vashem, ayudando a recopilar testimonios de otros supervivientes. Encontramos en «Julia» un retrato de esta difícil adaptación a la nueva patria de acogida: «Todavía nadie lo sabe y Julia está aprendiendo dificultosamente las letras y palabras ajenas; por las noches, sentada en un banco escolar. Aún nadie presiente nada, y Julia renueva las viejas amistades y entabla otras nuevas» (87).

Las primeras obras de Fink, escritas en las décadas de los 50 y 60, no fueron del agrado de los editores, que las consideraron frías y recatadas en exceso al describir el Holocausto, cuando lo que realmente vendía era la exposición directa del horror. Pese a ello, la escritora se negará siempre a cambiar su estilo, conformándose con publicar, a partir de 1971, sus primeros relatos sueltos en diversas

---

[130] V., p. 62.

revistas de escaso renombre, que pronto se convertirán en un éxito de crítica y público en Israel, Gran Bretaña y Estados Unidos.

En 1983 fallece Bruno Fink; Ida vivirá durante los siguientes veinte años en compañía de su hermana Elsa, emigrada también a Tel Aviv, donde trabaja de enfermera. Pero 1983 será también el año en que debute, por fin, con su primer libro de relatos en polaco, *Un pedacito de tiempo y otros relatos*[131], Premio Ana Frank de Literatura (1985) y traducido al inglés en 1987. En 1990 se edita *El viaje*, novela basada en los avatares de las hermanas Fink durante y después de la guerra. Para Ida Fink, que ya comienza a ser reconocida internacionalmente, representa un nuevo éxito traducido a varios idiomas, incluyendo su primera publicación en español al año siguiente.

En 1995 la autora recibe el prestigioso Premio Yad Vashem por su labor de difusión de la memoria del Holocausto a través de la literatura. De 1997 es su libro *Huellas*, conjunto de relatos y tres piezas teatrales que le valen otra vez la admiración de la crítica internacional, y dos nuevos premios (el italiano Alberto Moravia de 1996 y el PEN Club de Polonia en 2003).

En 2004, es nombrada doctora honoris causa por la Universidad Ben-Gurion de Beerseva, en Israel, un galardón más que la consagra como una de las mejores escritoras israelíes sobre el Holocausto. Y todo ello, pese a que fuera el polaco el idioma escogido por Fink para escribir toda su obra. De hecho, sus primeros libros traducidos al hebreo no aparecerán hasta el 2004.

---

[131] Ida Fink, *Un pedacito de tiempo y otros relatos*, Almería, Confluencias, 2015.

A pesar de su timidez y retraimiento (son contadas las entrevistas que concedió), Ida Fink fue toda su vida una mujer comprometida, que denunció la persecución de escritores polacos por parte del régimen soviético y prohibió la publicación de su obra en Polonia como muestra de solidaridad con los perseguidos. Falleció en Tel Aviv en 2011.

Algunos de sus relatos han sido adaptados al cine. Su formato es ideal para ello. En 1995 «Una partida clave» es llevada a la pantalla por el director francés Michael Hassan. De 2002 es la miniserie dirigida por Pierre Koralnik para la televisión alemana, basada en *Un pedacito de tiempo…* En 2007 Ruth Walk realiza el documental *El jardín que se alejó flotando*, basado en la vida y relatos de la escritora. Un año más tarde, el director Uri Barbash dirigió la miniserie *Primavera 1941*, protagonizada por Joseph Fiennes, basada también en distintas narraciones de Fink. Desafortunadamente, ninguna de estas películas, series o documentales ha llegado a nuestro país.

Por su profundidad y aparente sencillez, bajo la que se esconde, sin embargo, una estructura compleja, los relatos cortos de Ida Fink han sido considerados muy útiles como ejemplos literarios para la enseñanza del Holocausto. Podemos leer algunos de ellos en la web de Yad Vashem, enfocados siempre a conocer el Holocausto y combatir cualquier tipo de negacionismo, como el titulado «El décimo para un minián»[132].

Estudiantes de Israel y de países anglosajones han tomado su primer contacto con el Holocausto a través de sus libros, a medio

---

[132] En http://goo.gl/VHhjV0 (última consulta: 06/09/2018).

camino entre la ficción corta y la autobiografía velada. Un fenómeno parecido al de otra escritora y superviviente: Johanna Reiss, autora de títulos de gran difusión entre el público juvenil, como *La habitación de arriba* o *La noche fatal*. Johanna Reiss sobrevivió al Holocausto haciéndose pasar por campesina en una granja holandesa, una peripecia muy semejante a la de la propia Fink.

Ida Fink, que ya desde su infancia y juventud había sido objeto de insultos antisemitas por parte de polacos y ucranianos, entendía que sólo la educación desde la más temprana infancia puede lograr revertir la situación de prejuicio y rechazo irracional. Recordemos que ella misma tuvo de joven la aspiración de convertirse en docente, proyecto frustrado por la guerra, que ha dejado, no obstante, su reflejo en varios de sus personajes, maestros e intelectuales, jóvenes artistas o músicos, o simplemente madres volcadas en el cuidado y la educación de un hijo bajo amenaza permanente. Muchos de sus relatos giran en torno a los niños, la peor pérdida producida en el Holocausto, contemplados de una forma parecida a la expresada por Elie Wiesel en la siguiente reflexión:

Siempre debemos recordar a los niños, tristes y asustados, todos parte de una procesión nocturna que caminaba hacia las llamas y se elevaba hasta el cielo más alto. Entre estos niños había futuros científicos, físicos, eruditos, estadistas, escritores, poetas, filántropos. Alguno de ellos podría haber inventado una cura para el SIDA o redactado un texto de tal humanidad que enmudecería de vergüenza a todos los racistas. Al asesinarlos, los asesinos le

robaron futuro a la familia de la humanidad. Un millón y medio de niños judíos[133].

OBRA DE IDA FINK

Según Sara R. Horowitz[134], Ida Fink tuvo presente, ya desde los años inmediatamente posteriores a la guerra, el propósito de escribir sobre su experiencia durante el Holocausto. En la década de los 50, mientras aún residía en Polonia, ensaya sus primeros relatos breves con el exterminio del pueblo judío como telón de fondo, pero se muestra poco convencida del resultado y desiste de publicarlos. Ha pasado muy poco tiempo desde los acontecimientos, y el trauma es aún demasiado reciente para permitir el tratamiento estético. No será hasta 1971, cumplidos ya los cincuenta, cuando la autora se lance a publicar sus primeras narraciones en revistas, pues hasta entonces, según confesión propia, no había logrado reunir la fuerza suficiente para superar el bloqueo característico que afecta a tantos supervivientes, quienes sólo tras largos años de transcurridos los hechos, son capaces de prestar testimonio tardío. En *El viaje* nos explica Fink, a través de su alter ego, lo que significa para ella viajar al pasado:

---

[133] Elie Wiesel. Extracto del Día del Recuerdo (2002): http://goo.gl/DTiOZG (última consulta: 01/09/2016).

[134] http://jwa.org/encyclopedia/article/fink-ida (última consulta: 05/09/2018).

La reconstrucción de esos días es una tarea difícil porque hay que atravesar los nebulosos terrenos de la memoria. La niebla se despeja, se vuelve más densa, algunas veces la imagen resulta nítida, en otras hay lagunas, la reconstrucción de aquellos días es un laborioso trabajo que consiste en unir trozos y retales en un todo continuo. Y, especialmente, es un trabajo lacerante[135].

Partiendo de este trabajo «lacerante» por superar la resistencia a hablar, el mutismo será una de las claves de su literatura, un silencio que reaparece en personajes callados, enigmáticos, pero profundamente traumatizados. Algunos de los relatos nos muestran el miedo del superviviente, que aún perdura en la propia autora, y el trauma de revivir el horror una y otra vez en un instante de crueldad que retorna sin tregua, desplazando cualquier otro contenido de la memoria. Es el caso del asesinato del panadero Weiskranz en «La resurrección del panadero», donde la muerte del personaje del título se consuma a diario y es lo único que se recuerda de él:

Desde hace semanas devuelven la vida al panadero Weiskranz para quitársela de nuevo, siempre por el mismo método rebuscado. Cada mañana a las ocho de la mañana (es el año 1970) el capo Heinz irrumpe en el barracón número 2, cada mañana el panadero se arrastra fuera del catre…(61).

Ida Fink creía que su obra se asentaba en «las ruinas de la memoria» (Horowitz), en el precario equilibrio entre recuerdo, imaginación y

---

[135] V., p. 28.

lenguaje, que daba lugar a su vez a ficciones donde se conservaban intactos, como en relicarios, los fragmentos nebulosos del pasado. Quizás sea eso, más allá de los memoriales y las conmemoraciones, lo que nos quede finalmente del Holocausto: el frágil recuerdo, por definición volátil, preservado por el trabajo de la imaginación, pues cada cual actúa con su pasado exactamente igual que el escritor con su material, reelaborándolo sin tregua hasta obtener un relato coherente:

De modo que había dos «entonces» y el «ahora» de hoy, que en unas horas se añadiría a aquéllos como tercer «entonces». En este preciso momento este tercer «entonces» le parecía más difícil, pues el primero sólo podía ser imaginado, algo que nunca había logrado hacer o, más bien algo que siempre se negaba a intentar (99).

En el relato de la cita anterior, a través de la evocación de un superviviente que recorre en tren los mismos lugares de la tragedia, ya remota, Fink nos muestra cómo la memoria, lejos de ser un depósito inerte, implica un trabajo interminable, agotador, por fijar los contornos siempre inestables del pasado. A veces, como sucede con el trauma, la propia viveza del recuerdo representa paradójicamente el mayor obstáculo para acceder el pasado. El acontecimiento traumático nos ata de manera tiránica a un instante concreto del ayer, impidiéndonos ir más allá. Toda la luz de la memoria parece concentrarse entonces en un punto arbitrario, dejando a oscuras el resto del escenario de nuestro pasado. Al contrario del trabajo liberador de la memoria, que consiste en

conectar los distintos restos para restaurar el conjunto, el trauma mantiene obstinadamente aislado el fragmento, como un fetiche intocable que nos devuelve, en un presente obsesivo, una visión parcial y deformada de lo que fue. El aislamiento de la imagen traumática es la condición de su terrible poder mágico, de su naturaleza indeleble, que la conserva pura, incontaminada, como el primer día, pues todo lo que permanece sin relacionarse no se puede explicar. Como Sebald, Modiano y otros autores recientes sobre el Holocausto, Fink contrapone el trabajo reintegrador de la memoria a la obsesión disgregadora del trauma.

Frente a esta falsa «resurrección» traumática (la que resucita al panadero del cuento, pero sólo para volverlo a asesinar una y otra vez, negando hasta el consuelo de que «sólo se muere una vez»), se levanta el esfuerzo de reconstrucción de la literatura («el laborioso trabajo que consiste en unir trozos y retales en un todo continuo»), para demostrar que los que sufrieron fueron mucho más que las víctimas indefensas a que los reduce la memoria «oficial». Como en los moldes de Pompeya, los relatos de Fink preservan los gestos cotidianos que están a punto de ser sepultados por la catástrofe.

Fink escribirá toda su obra en lengua polaca («mi lenguaje es mi hogar», dirá), sin que el hecho de que estuviera asociada con el lugar de la persecución y el duelo la disuadiese nunca de hacerlo. No se trata de una especie de penitencia literaria autoimpuesta, sino de algo más simple; pues —a diferencia de la mayoría de los judíos polacos de su época, que se expresaban casi exclusivamente en yíddish—, la autora se sentirá más cómoda escribiendo en la lengua materna en la

que fue educada, leyó libros y se expresó en casa durante la mayor parte de su vida.

Esta fidelidad a la lengua no se extiende, sin embargo, a los lugares geográficos, que pocas veces aparecen identificados con claridad. Fink nunca escribirá, por ejemplo, el nombre de Zbaraz, su pueblo natal, o cualquier otro nombre real de aldeas polacas o shtethls judíos. Salvo las grandes ciudades como Viena o Berlín, la mayor parte de las localidades permanecen innominadas, aunque no por ello sean estrictamente ficticias. Casi todas poseen su correlato real como escenarios de hechos históricos verificables, por más que se hallen tamizados por la memoria de la autora.

Como en Kertész, también Fink demuestra en sus narraciones un decidido propósito de trascender lo testimonial para moverse en el terreno de lo estrictamente literario, debido sobre todo a la imposibilidad de abordar abiertamente lo sucedido a través de la experiencia personal. Pese a ser transpuestas en la ficción, es de sus propias vivencias de donde la escritora extrae el material de la mayoría de los relatos. Al igual que la joven Ida Fink, sus personajes viven en pueblos pequeños, albergan esperanzas de adolescente truncadas de raíz, sienten pasión por la música, gozan en soledad de la contemplación de la naturaleza, sufren nimios conflictos domésticos aplastados enseguida por la rueda del exterminio, y en medio del horror, anudan incipientes amistades y amoríos que nunca llegarán a germinar… La violencia apenas comparece, salvo como el amenazante eco de la tormenta que se aproxima y que pondrá un fin abrupto a las ensoñaciones y pequeñas miserias cotidianas. Es, pues,

en la ficción donde Ida Fink reencontró la distancia y la libertad artística necesarias para «narrar lo inenarrable» (Horowitz) del propio trauma.

Debido a su preferencia por el relato corto, algunos especialistas han llegado a calificarla como «la Chéjov del Holocausto». Aunque compararla al maestro ruso puede antojarse excesivo, su producción no desmerece en absoluto al lado de otros grandes de la narrativa breve centrada en el Holocausto, como Tadeusz Borowski, Liana Millu o Zofia Nalkowska. Comparte con éstos la capacidad de sintetizar lo inexpresable en unas pocas imágenes de gran intensidad, un rasgo que brilla por ejemplo en su relato «Julia», donde desde el estremecedor inicio —un aldabonazo en la tranquilidad confiada del lector— se nos sitúa de golpe en la cotidianidad de una vida que continúa en medio de la catástrofe:

Junio de 1941 se está acercando a su final, los alemanes ya están en la ciudad, la sinagoga ya está quemada, las barbas de los judíos píos cortadas, las tiendas saqueadas, el zapatero muerto de un tiro, sentado en su taburete, con el martillo en la mano, y con él otros nueve judíos; las pancartas azules y amarillas con la leyenda HAJ ZYWE WILNA UKRAINA ondean en la calle principal, lacitos azules y amarillos adornan las americanas de los ucranianos que dan la bienvenida a Hitler (79).

No sólo con Chéjov se la ha comparado; uno de sus editores españoles (Errata Naturae) menciona a propósito de Fink a la premio Nobel y poeta también polaca Wislawa Szymborska (1923-2012), unidas ambas en una estética común que «No busca lo épico, lo

trágico, lo sublime, sino que es portadora de lo mejor del arte del fragmento, que ennoblece y "metaforiza" la cotidianeidad, el detalle, el evento, y los inserta líricamente en un contexto que trasciende una realidad que sólo en apariencia es insignificante». En ambas corren parejas la capacidad de rescatar lo cotidiano y lo íntimo en medio de la vorágine, de utilizar la sutileza sin renunciar al dramatismo, precisamente en aquellas escenas donde podría imperar una imagen más gráfica del horror.

HUELLAS, RELATO CORTO DEL HOLOCAUSTO

Huellas[136] es una narración del Holocausto confeccionada a partir de los «trozos y retales» del relato breve, y utiliza una doble perspectiva. Por un lado, la de los hechos cotidianos y banales, a los que no se presta importancia, salvo cuando resulta que, sin saberlo, son los últimos que viviremos antes de que una fuerza destructora los arrase. Por otro lado, la de la «gran historia», en este caso la decisión de exterminar a los judíos europeos tras la Conferencia de Wannsee en enero de 1942, que afectó de lleno a cientos de miles de vidas; víctimas que, aun sospechándolo, no llegarían a percatarse hasta el último instante del destino que les aguardaba. Fink nos emplaza en el punto de confluencia entre ambas corrientes, la cotidiana y la

---

[136] Publicado por primera vez en polaco (*Ślady*) en 1987; la traducción inglesa es de 1996 (*Traces*); la francesa (*Traces*) del 2000; la española (véase antes) del 2012.

colectiva, que es el lugar donde se produce la verdadera historia, la del ciudadano normal, aquella que Sebastian Haffner distinguía con claridad de la otra, la historia «oficial»:

Como he dicho antes, el relato científico-pragmático de la historia no dice nada acerca de esta diferencia de intensidad en los sucesos históricos. Quien desee saber algo al respecto ha de leer biografías, y no precisamente las de los hombres de Estado, sino las de individuos desconocidos, mucho más escasas[137].

El conjunto de *Huellas* lo componen veinte piezas breves en torno al Holocausto (en su mayoría de narrativa, aunque también hay teatro), situadas cronológicamente en momentos diferentes del genocidio: antes, durante y después. En cuanto a la temática, se divide en relatos del tiempo del Holocausto por balas («El umbral», «El segundo pedazo de tiempo», «Alina y su derrota», «Zygmunt», «Una tarde en el campo», «La descripción de un amanecer»); relatos sobre campos de exterminio («La resurrección del panadero», «La mano»); aquellos otros sobre el tiempo posterior al Holocausto y la suerte que corrieron los supervivientes («Variaciones nocturnas», «Ya hemos ido a la ópera», «Los pájaros», «De viaje, de noche», «La dirección», «En la infancia, al anochecer», «La huella», «La mesa»); apuntes biográficos sobre diversos personajes, incluyendo a la autora («Eugenia», «Julia», «Sabina bajo los sacos»); y uno —el único— centrado excepcionalmente sobre los verdugos («Ascenso»).

---

[137] Sebastian Haffner, *Historia de un alemán*, Barcelona, Destino, 2001, p. 15.

Un interesante descubrimiento son las tres escenas teatrales que Ida Fink incorporó a *Huellas* y que suponen una arriesgada apuesta por contar el Holocausto sobre las tablas. Se trata de tres piezas breves estremecedoras, que se cuentan entre lo mejor del libro, y en la que los acontecimientos se narran desde la perspectiva del durante («La descripción de un amanecer») y el después («La huella» y «La mesa»). El teatro de calidad centrado en la Shoá es un bien escaso, pese a los grandes dramaturgos que se han ocupado del tema, como Peter Weiss (*La indagación*), Arthur Miller (*Cristales rotos*), Harold Pinter (*Cenizas a las cenizas*), Thomas Bernhard (*Plazas de los héroes*), Berthold Brecht (*La mujer judía*) o el *Himmelweg* de Juan Mayorga, por sólo citar los principales.

En palabras de este último, uno de nuestros autores teatrales contemporáneos con mayor proyección internacional, el mejor teatro de la Shoá sería aquel que «Ha sido capaz de incitar al duelo por las víctimas y, al tiempo, hacer que el espectador mire a su alrededor y dentro de sí, preguntándose por lo que queda del veneno de Auschwitz y por lo que en sí mismo hay de verdugo o de cómplice del verdugo»[138].

De acuerdo con este criterio, en las piezas de Ida Fink encontramos precisamente duelo, angustia por las víctimas, y, sobre todo, la sensación de complicidad del testigo, junto con una visión descarnada de los que entonces se negaron a conocer y ahora se niegan a reconocer; una actitud de triste actualidad en los países del

---

[138] Juan Mayorga, «La representación teatral del Holocausto», en: *Himmelweg*, Ciudad Real, Ñaque, 2011, p. 191.

Este. En las obras de Fink asistimos a la desesperación, primero de las víctimas por esconderse de la barbarie, y después de los supervivientes que tienen anhelo de noticias de sus seres queridos o simple sed de justicia, un anhelo que se verá torpedeado y finalmente frustrado por un vasto manto de silencio.

EL ESTILO DE IDA FINK

Gran parte de los relatos de *Huellas* están narrados en primera persona, a través de la voz de un superviviente o un testigo de los hechos; unas cuantas narraciones nos sitúan, en cambio, en la posición de una narradora omnisciente, que podríamos identificar con el propio punto de vista y la experiencia de la autora. A pesar de la engañosa sencillez de la literatura de Ida Fink, hay que saber interpretar entre líneas, donde se juega en ocasiones con el conocimiento del lector sobre lo que está aconteciendo —las distintas fases del Holocausto, el después—, en un continuo fluir de imágenes, símbolos, metáforas que aluden por lo general a la naturaleza: personajes que se marchitan como la fruta, árboles que pierden sus hojas como las poblaciones sus judíos, jardines abandonados tras la desaparición de sus dueños, el paso de estaciones —en particular del verano al otoño— que personifica el del tiempo que se marcha abruptamente... «Zygmunt», por ejemplo, comienza con un espléndido verano que contrasta dolorosamente con los hechos que

están a punto de suceder: «Era el año 1941, principios de junio. El sol reverberaba en el agua clorada de la piscina que había junto al parque. El mundo era verde y soleado. Nos preguntábamos: ¿qué tonos musicales le corresponden al color verde?» (31).

En la novela *El viaje* encontramos otra escena que nos muestra el simbolismo de las estaciones, la naturaleza y los colores para Ida Fink y cómo la mudanza de tales elementos representa la precariedad de la vida:

De mala gana nos levantamos de los escalones del porche desde donde se admiraban, en toda su magnitud, los frutales verdes, las manzanas rojas, los variopintos arriates, todo ello bañado por el dorado sol. A decir verdad, el despacho del padre también se hallaba lleno de sol, pero era ya ese sol distinto, apagado y gris[139].

Los colores, los olores, la luz, son una constante en los relatos de *Huellas* y la autora es sensible a ello en otras obras, como en la biográfica *El viaje*, en la que frente a la ciudad y las casas desde donde se llevan a la muerte a los judíos, se hallan el río, el bosque, la naturaleza liberadora:

El comienzo del camino ha desaparecido de la memoria. Existe la oscuridad de la noche otoñal, el viento que arrebata, el susurro de los árboles en el callejón de claustro, pero no está el momento de cruzar la ciudad y el puente, el instante en que debimos haberlo atravesado (es curioso que todo

---

[139] V., p. 13.

lo relacionado con el río se incrustara como una señal duradera en la memoria). Sólo ese instante, cuando entramos en la llana estepa, es nítido[140].

Pero el verdadero motivo central, casi único, en todos los relatos de Fink es la destrucción de la comunidad judía del Este de Europa y, con ella, el fin de una cultura milenaria que ha quedado extinguida. Esta visión adopta en la mayoría de las narraciones el punto de vista de una mujer, ya sea una mujer que ha perdido a su familia, ha sido expulsada de su pueblo natal, sobrevive escondida o busca desesperadamente a una hermana desaparecida, más allá de la locura de perder al hijo.

La quiebra que supuso el Holocausto en nuestra nuestra cultura se reproduce en la microhistoria de la peripecia de cada personaje, como en el superviviente de un campo de exterminio del relato «La mano»:

Seguía doliéndome el corazón, y me duele aún hoy, bien que, a lo largo de aquellos tres años, descendí a los infiernos y supe que en cualquiera de nosotros hay una frontera, una línea divisoria tras la cual terminaba nuestro conocimiento de nosotros mismos (109).

Poco de lo que se nos cuenta en *Huellas* alcanza la categoría de acontecimiento histórico relevante; se trata más bien de retazos nimios de vidas, pequeños destellos de la existencia de un individuo concreto en un momento pasajero. Tales fogonazos se nos revelan, sin embargo, como verdaderos escaparates del horror, el dolor y la pérdida definitiva, sin necesidad de enfatizar las explicaciones. Ida

---

[140] V., p. 19.

Fink cuestiona también la fidelidad de nuestra memoria hacia un pasado que se desvanece sin remisión con el tiempo. Nada hay menos fotográfico en su literatura que la memoria, salvo en el caso de las imágenes indelebles, obsesivas, del trauma. No es tema baladí cuando en nuestra cultura, que es una cultura del trauma, vemos el terrible impacto de la imagen que nos encadena a un instante atroz. Se trata de una especie de culto morboso que fija nuestra recuerdo al instante fatídico, acaso el menos significativo de una vida, puesto que adviene desde su exterior. Lo encontramos en la proliferación de vídeos de catástrofes, accidentes, muertes violentas, que invaden Internet, pero que también han terminado por apoderarse del duelo por las pérdidas más cercanas, como en esos ramos de flores que los familiares de accidentados depositan en el fatal punto kilométrico, y que hacen de la conmemoración una perpetuación del trauma en lugar de una celebración de la vida cumplida.

La escritora nos advierte —una advertencia perfectamente vigente en nuestros días— que el Holocausto no puede ser resumido únicamente en los últimos momentos de las vidas que consumió, las de víctimas como el panadero del tonel de su relato. Ida Fink llama la atención sobre la necesidad de ir más allá, como es el caso de su personaje Sabina. En «Sabina, bajo los sacos», la autora recuerda a su protagonista, una mujer asesinada junto a su hija, y se lamenta de que la memoria quede fijada para siempre en los últimos momentos de una biografía, ignorando lo anterior. La violencia ejercida sobre la persona real se prolonga en la mutilación de su recuerdo. El personaje, como el panadero del cuento, resucitará una y otra vez en

el minuto fatídico. Sin embargo Sabina y su hija eran lógicamente mucho más:

(Qué poco sabemos de la verdadera Sabina, ni siquiera si ha existido una Sabina distinta de la que conocimos, la verdadera… Da hasta vergüenza. Se escurre por los caminos laterales de la memoria, aparece e instantáneamente desaparece, no llama la atención con su persona, ni siquiera lo pretende. Sólo los últimos momentos, y hablando con más exactitud, las últimas horas entre la mañana y la tarde de su último día, se grabaron en mi memoria con una imagen que perdura. Y ni siquiera los vi con mis propios ojos, tan solo oí a alguien relatarlo, y por casualidad.
En esta imagen no están Sabina ni su hija Dora. Ambas están escondidas bajo un montón de sacos vacíos en el pasillo del Judenrat. Todavía están allí. El SS borracho entrará dentro de un momento) (137-138).

Huellas se transforma por ello en un intento desesperado por recobrar la verdadera biografía, la que sepulta el trauma, esos «trozos de tiempo» que se desprenden a cuentagotas de la memoria y destilan lentamente hasta formar un conjunto que nos muestra entonces la infamia, los estragos del absurdo, aquello que casi no puede ser descrito con palabras.

En el relato «El umbral», Elzbieta, aterrorizada, es obligada a contemplar el asesinato a sangre fría de un joven ruso durante una de las Aktionen de los SS. Poco después llega el final de la historia, delicado pero a la vez terrible:

Agafia y ella lo enterraron debajo del castaño, en el jardín del vecino, el boticario. En las habitaciones de las tías la luz ya estaba encendida, el kasha

hervía en el fuego, llenando toda la estancia con su aroma. Había varias personas sentadas a la mesa.

—… Y después mataron a Goldman y a su hijo pequeño…—dijo el tío en voz muy baja.

Elzbieta entró en la habitación sin el menor ruido y ocupó un sitio en la mesa (16).

El estilo de Ida Fink trabaja siempre sin estridencias ni subrayados inútiles, semejante en esto a otros grandes autores del Holocausto (Primo Levi, Modiano, Kertész), que rehúyen el detalle morboso, la viñeta violenta o sanguinaria, el primer plano de la crueldad. La crueldad queda latente para el lector, que en todo momento sabe de qué, de cuándo, de dónde se le está hablando. Como sucede, por ejemplo, con la joven superviviente del relato «De viaje, de noche», que en medio de su viaje en tren, es asaltada repentinamente por los más tenebrosos recuerdos que la asoman al borde de un pasado tenebroso:

De pronto, tuve un presentimiento, algo que tan sólo había experimentado una vez en mi vida, ya que solo una vez subí en un tren que iba en dirección equivocada. Fue hace mucho, hace treinta años. Aquel incidente me vino a la memoria con gran nitidez. Entonces, al igual que hoy, sin ocupar el asiento en el compartimento, permanecí de pie (105).

En *El viaje*, la novela basada en la huida de Fink, la protagonista recuerda otro trayecto en tren por Alemania similar al que hizo muchos años atrás, en circunstancias muy diferentes, tratando de salvar la vida:

Aún muchos años más tarde, cuando pasé por allí en tren, ese tren que atravesaba por primera vez el país sin detenerse, y mientras esperaba apostada junto a la ventana, oí el fuerte latido de mi corazón: «cerca de aquí se halla el lugar donde apenas faltó nada...», verdes praderas, tejados rojos... El tren pasó a gran velocidad, ni siquiera logro leer el nombre de la estación... treinta años después iba al encuentro de ese lugar, ese único lugar[141].

Tampoco en los relatos que tienen por escenario los campos de exterminio, el símbolo máximo del horror del Holocausto, se muestra la autora más explícita, pues casi nunca se citan sus nombres, o se hace desde la perspectiva del testigo presencial que no sabe aún qué es aquello ni en dónde se halla; información innecesaria para el lector, que conoce de sobra lo que sucedió dentro del campo. Ida Fink juega con su silencio y con lo que sabemos. En «El segundo pedazo de tiempo», la autora escribe resaltando incluso la banalidad inicial de un nombre que pronto se convertirá en maldito:

A la mañana siguiente llegaron las primeras noticias. Provenían de los ferroviarios polacos, que hablaban de un tren compuesto de vagones de mercancías blanqueados con cal viva; mencionaban el nombre de un pueblo: Belzec. Jamás habíamos oído hablar de él. El nombre traía a la cabeza una canción popular... (22).

---

[141] V., p. 168.

En la literatura de Fink, la inhumanidad del Holocausto no se trasluce jamás de manera directa, sino a través de la humanidad y cotidianidad de sus personajes. En «La mano» tenemos una muestra delicada de este proceder, al mismo tiempo que una magistral descripción en pocas frases del funcionamiento de un campo de exterminio, de lo que significaba sobrevivir como un musulmán o de las marchas de la muerte en las postrimerías de la guerra. El mismo relato nos permite observar también la miseria humana del *Lager*, el terrible triunfo del verdugo al lograr convertir precisamente en verdugos a las víctimas. Pues no otra cosa significa pasar por encima del que se halla al lado, moribundo, para sobrevivir a toda costa. En su beatificación de la víctima, la literatura del Holocausto se ha atrevido pocas veces a abordar este «todos contra todos» que el *Lager* impuso a los prisioneros: familiares contra familiares, vecinos contra vecinos, padres contra hijos o viceversa —baste recordar la escalofriante experiencia personal que narraba Elie Wiesel en *La noche*—. En «La mano», un preso veterano, que ha ayudado a sobrevivir a otro más joven a toda clase de peligros, descubre con estupor el odio con que su protegido le golpea para conquistar su sitio en un cobertizo abarrotado de cadáveres vivientes:

Me dio un empujón y me echó. Pensé estupefacto: ¿de dónde saca tanta fuerza? Ahora yo estaba tirado sobre otro, y alrededor no había ni un centímetro de espacio libre, a pesar de que hacía poco cabía también mi cuerpo. Ahora era yo quien se arrastraba a la puerta pisoteando a los demás, yo que no tenía fuerzas ni de moverme medio metro. Era como si los golpes

y las patadas del otro, como si su mano hubiese despertado en mí vestigios de rebeldía (114).

Fink nos muestra la inhumanidad más terrorífica, la del que poco minutos antes luchaba aún con éxito por conservar su condición humana. La historia cuenta con un fulminante epílogo: ambos personajes sobrevivirán y volverán a encontrarse por la calle un tiempo después; pero mientras el joven parece haber borrado de su memoria la agresión, el veterano conserva intacta toda la repulsión de la víctima. Primo Levi definió esta degradación de la víctima en una breve sentencia de *Si esto es un hombre*: «pocos son los hombres que saben caminar a la muerte con dignidad, y muchas veces no aquéllos de quienes lo esperaríamos».

IDA FINK, ¿DESPUÉS DEL HOLOCAUSTO?

Tras la guerra, se abre para los supervivientes una etapa marcada por el silencio y el trauma. La mayoría desarrollará síntomas de alteraciones psíquicas de por vida —además de las físicas como consecuencia del maltrato y las condiciones del gueto o el campo—. «Jamás se sale de Auschwitz», nos recuerda Imre Kertész, como nos revela la frecuencia del suicidio entre los supervivientes, algunos de ellos intelectuales de talla mundial como Primo Levi o Jean Améry. Son varios los relatos donde Fink se hace eco de este trauma del

después, protagonizados por supervivientes salvados casi milagrosamente de la muerte, a los que no dejan vivir las obsesiones y visiones infernales que les acosan tiempo después de los hechos. El relato titulado «Variaciones nocturnas» nos habla de estas pesadillas del liberado del lager, unas ensoñaciones que nos recuerdan de cerca, por ejemplo, a las del prestamista Sol Nazerman descritas en el libro de Edward Lewis Wallant (*El prestamista*, 1961), quien, por su parte, se inspiró en un amigo judío polaco emigrado a Estados Unidos y superviviente del Holocausto. «Variaciones...» nos presenta las pesadillas recurrentes (hasta tres) de un joven judío liberado por fin del campo de exterminio, pero que, por uno u otro motivo absurdo, termina siempre retornando a él, en una ejemplificación del *dictum* de Kertész:

De repente, al mirar hacia arriba, vio que el cielo sobre él era negro, sin luna, y comprendió que la luz que iluminaba su camino era la de un foco de la torre de vigilancia que le había encontrado y atrapado con su luz. Comprendió que tenía que volver al campo. Y volvió (64).

Para Fink, como para tantos otros supervivientes, el horror no concluye con el fin de la guerra ni la liberación de los campos, como pone de relieve el hecho de que, meses y hasta años después del fin de la contienda, miles de supervivientes liberados de campos y guetos continuaran errando por Europa, sin que los aliados o los soviéticos supieran qué hacer con ellos; por no mencionar las frecuentes agresiones antisemitas por parte de sus antiguos vecinos, que se resistían a devolver lo expoliado. Este fue el caso precisamente

de Ida Fink y su familia, expulsados de su hogar, errantes y provisionalmente asentados en un nuevo lugar de Polonia, para verse forzados finalmente a emigrar a Israel ante la hostilidad todavía imperante entre sus vecinos polacos y, sobre todo, ante la constatación de que los crímenes de guerra quedarían impunes en medio de un vasto manto de complicidad.

Los campos de la UNRRA (el organismo de las Naciones Unidas encargado del auxilio a los supervivientes) donde se hacinaban sin control los refugiados que iban llegando a cuentagotas, fueron también conocidos por Ida Fink. El antisemitismo continuaba vigente, como aparece reflejado en *El viaje*:

Sentadas en la sala de espera de una ciudad extraña donde vive el padre que ha sido trasladado desde los territorios del este a los del oeste, llamado —como ya conocen— el oeste salvaje. Fueron avisadas: de noche no es aconsejable salir a la calle, así que hacían tiempo junto a las demás en la sala de espera. «Esas dos vienen de lejos —se oía susurrar— quizá judías, ahora regresan muchos judíos, y decían que…»[142].

A menudo esta experiencia resultaría aún más traumática que la pasada de la persecución nazi, como algunos testimonios han puesto de relieve. La magnitud del crimen nazi ha servido para silenciar el brutal antisemitismo padecido por los judíos supervivientes del exterminio en los años posteriores a la guerra, víctimas por segunda vez de conductas no muy diferentes a las de los nazis, no sólo por parte de las poblaciones liberadas (polacos, húngaros, checos), sino

---

[142] V., p. 180.

también a manos de norteamericanos o soviéticos, que los recluyeron en campos de internamiento sospechosamente parecidos al modelo anterior y cuyos dirigentes no se privaban de lanzar declaraciones antisemitas dignas de un Julius Streicher. El informe Harrison, redactado por un honrado funcionario —Earl. G. Harrison— que visitó dos docenas de campos en julio de 1945, resultaba demoledor a este respecto: «Da la impresión de que estamos tratando a los judíos tal como los nazis los trataron, salvo que nosotros no los exterminamos. Los supervivientes se encuentran aún en gran número en campos de concentración, bajo custodia de nuestros soldados en lugar de las SS. Uno se pregunta, al ver este panorama, si los alemanes que vean esto no pensarán que vamos a continuar su política hacia los judíos o, al menos, a perdonarla»[143].

La incomprensión y el rechazo del superviviente quedan de manifiesto en el relato «La dirección», donde una antigua víctima sale de un centro de acogida en busca de su mujer e hijo:

Hace un mes abandonó la búsqueda. En la maleta se amontonaba una columna de escritos, formularios y cartas, cuya respuesta era siempre «no». Llevaban sellos de la Cruz Roja y la Cruz Blanca, la oficina de Repatriación, Joint, Hias; sellos suizos, londinenses, alemanes. Hace un mes cerró la maleta con llave; y aceptó la condena a muerte. Dejó de preguntar...(119).

---

[143] https://en.wikipedia.org/wiki/Earl_G._Harrison (última consulta: 05/09/2018).

Inesperadamente, cuando ya los da por perdidos, el protagonista recibe la notificación de que han encontrado a sus parientes, y se precipita al primer tren para correr a su encuentro... sólo para descubrir que se trata de una confusión, debida a la coincidencia del nombre. El golpe demoledor lo asestará la mujer que ostenta el mismo nombre que la desaparecida, también ella una superviviente:

Sigo con la esperanza de que aparezca alguien de la familia… Pero que usted haya venido así, a ciegas… Tendría que haberlo verificado antes y no venir así, como… como una polilla atraída por la luz…
«¿Cómo podía dudar?», pensó. El mismo nombre, apellido. E hijo. En voz alta dijo: —Una vez más le pido perdón. Ya me voy… (126).

La reacción de los personajes que aparecen como allegados y vecinos no judíos de las víctimas judías hace aflorar el silencio cómplice y la vergüenza. Todas las narraciones ambientadas en épocas posteriores al Holocausto incluyen protagonistas traumatizados por una fobia social comprensible. Así en «Ya hemos ido a la ópera»:

Sacó una botella de Coca-Cola del frigorífico y bebió un trago, mordió una galleta seca. Lo que más le apetecía era recoger los bártulos y volver a casa. Se le antojaba que en casa todo resultaba menos duro, cuando estaba en casa creía precisamente todo lo contrario. De modo que daba igual donde estuviera, aquí o allá (94).

El antisemitismo, que en una lógica de años ha conducido al horror del Holocausto, una vez concluida la guerra se niega a morir. Ni

siquiera necesita renacer porque nunca se extinguió, emerge más o menos, se ve más o menos, como un iceberg en el mar. En todo caso persiste en estado larvario, pero jamás desaparece. En «La mesa», un fiscal desea averiguar exactamente qué les sucedió a los judíos de una población durante la pasada guerra. Cada cual recuerda a su manera la matanza de más de mil personas ante casi todo el pueblo presente, pero el asunto deriva en torno a una supuesta nimiedad: las dimensiones de una mesa donde tres SS decidían la vida o la muerte de los condenados. El fiscal se enfada ante lo que parece una nadería, un absurdo que no pueden solucionar ni las propias víctimas:

ZACHWACKI: Señor fiscal, me exige demasiado. Hubo lista porque de ella leían los nombres, pero no la vi. SI uno viera una escena como ésa en el teatro quizá podría describirla con todo detalle. Eso, aquello, lo otro. ¿Pero cuando la tragedia ocurre en la vida? ¿Tengo que mirar una lista cuando mi vida pende de un hilo? Estaba allí, de pie, con mi mujer (227).

En «La huella», la pieza teatral que alude al título del libro, una superviviente de un campo busca desesperadamente noticias de su hermana de doce años, escondida con la familia Kepinski en un pueblo de Polonia, durante la primavera de 1942. Nadie sabe darle cuenta, todos se declaran inocentes y hasta se molestan con las preguntas. El alcalde, el mismo de cuando los alemanes entraron en el pueblo años atrás, le espeta: «¿Para qué todo esto? Su hermana no ha vuelto, han pasado casi dos años desde el fin de la guerra y no ha vuelto, quiere decir que ha muerto» (178).

Los que ahora viven en la casa donde la hermana permanecía oculta no saben nada y al mismo tiempo lo saben todo. Las huellas llevan a una verdad que sospechamos, pero de la que no se desvela la dimensión mortífera.

LOS SILENCIOS

En sus relatos, los personajes de Ida Fink comparten el silencio en el que durante largos años vivió sumida la propia autora. Todos ellos parecen encapsulados en aquel hecho dramático que se niegan a contar por miedo a revivirlo, aunque el mutismo ponga sobre aviso al lector. Tal vez sea en los personajes femeninos donde con mayor obstinación se hacen presentes estos silencios; aparecen en narraciones protagonizadas por mujeres vulnerables, física o psicológicamente, no desprovistas de cierto amor a la vida ni de genio artístico o intelectual, pero que se han visto relegadas a una existencia solitaria y desolada, carente de otra expectativa que la de aguardar la muerte. Es el caso de la Eugenia del relato del mismo nombre, una joven judía polaca a la que la narradora describe siempre como sombría, salvo, paradójicamente, cuando los alemanes están a punto de liquidar el gueto donde ha sido confinada, en una especie de triunfo de última hora del amor sobre la muerte:

Jamás la vi feliz, tampoco cuando se reía. O quizá sí, una sola vez. Me asustó entonces, porque fue en el gueto, en sus últimos meses, ya casi al final del todo... Me dice aún una frase (que no termina) sobre un amor súbito en el gueto moribundo, un amor frenético, tierno, arrancado aún a la vida (53).

Es también el caso de la Sabina del relato «Sabina bajo los sacos», una joven circunspecta, triste, callada, que, se diría, presagia la tragedia: «Sabina era flaca y alta, de mirada timorata, como si supiera de antemano que nada bueno podía ofrecerle al mundo ni la gente» (133).

Entre los recuerdos y la búsqueda de lo perdido existe una zona de mutismo casi absoluto. En una escena de «Los pájaros», que parece extraída de los relatos de testigos y supervivientes de *Shoah*, el documental de Claude Lanzmann, donde éste adopta siempre una postura de respetuoso silencio, un hombre que lo ha perdido todo vuelve al lugar donde fue asesinada su familia. El campesino que le guía le cuenta con toda clase de pormenores, durante el camino por el bosque, lo que recuerda, como si fuese el detalle morboso y no el fondo de la pérdida definitiva lo único importante. El protagonista, no obstante, permanece callado y pensativo: «Volvieron a la ciudad tal como habían ido, andando. El vecino seguía contándole todo lo que sabía, él escuchaba en silencio. Cuando llegaron a la estación le dio las gracias, se despidió y subió al tren» (102).

Los silencios pueden ser también los de aquellos jóvenes que acaban de despedir la infancia y comienzan una adolescencia repleta de emociones por descubrir y experimentar. Debutantes a los que el exterminio alcanzó demasiado pronto para llegar a conocer el amor,

la felicidad, el primer trabajo o simplemente el final del libro que se comenzó a leer. Son jóvenes que maduran de repente, antes de tiempo, una experiencia común a tantos supervivientes del Holocausto que entraron en un lager siendo aún niños.

En «Zygmunt», Ida Fink se ocupa también de esto. La protagonista conoce a un frágil, inteligente y sensible muchacho judío al que enrolan en las brigadas de trabajo forzado. Es perceptible su deterioro físico, pero no deja de deleitar a su amiga tocando el piano. En el relato se contrapone el joven al que le han abierto los ojos a porrazos y la joven inocente que aún no sospecha nada:

—Zygmunt —dije ya en voz baja y calmada—. Haz algo, defiéndete, ¿me oyes? Debes hacer algo… Debes, de alguna manera… Sonrió. Y me di cuenta de que era la sonrisa benévola con la que un hombre responde a las tonterías de un niño (35).

También terrible, pero sutil, es el relato titulado «Una tarde en el campo», donde tres jóvenes amigas judías se reúnen en la casa de campo de los padres de una de ellas para hablar de sus cosas. A la narradora, que forma parte del trío, otra amiga la interroga sobre el novio que tiene en la ciudad; la escena, un cuadrito de costumbres de la mejor escuela, podría transcurrir en cualquier relato de Chéjov, hasta que una aparición inesperada nos recuerda dónde estamos y lo que se avecina:

Caminábamos de vuelta a casa rápidamente. Un chiquillo pasó a nuestro lado gritando en ucraniano: Zydiw bijut [Están apaleando judíos], y estalló

en risa, satisfecho con su broma. La ciudad callaba. Justo después de pasar el puente nuestros caminos se separaban…(151).

El silencio puede ser también el del verdugo, la barbarie que prescinde de justificaciones. Su irrupción no necesita explicarse, puesto que le basta con dejarse arrastrar por la espiral sin fin de la violencia. Por supuesto que no hay razonamientos ideológicos para las atrocidades de la que es responsable. Como decía Henry James: «Uno no defiende a su dios; el dios de uno es en sí mismo una defensa», o lo que es equivalente, uno no se cuestiona la fuente de la que mana todo su poder, y el asesinato como forma de vida, no como fenómeno circunstancial o transitorio, es el verdadero sustento de cualquier poder totalitario.

De hecho, los verdugos de Fink son jóvenes alemanes o ucranianos —tan jóvenes como sus víctimas— que matan por placer o para parecer mayores. El silencio del verdugo es la inexistente respuesta a sus actos. En el relato «Ascenso» —único dedicado a la figura del perpetrador en Huellas—, Ernst es un joven SS que vuelve del frente durante un permiso de un mes para ayudar a su padre en la granja. Ha ascendido y cuando cuenta orgulloso al padre el motivo:

Bebió el vino de un trago y dejó el vaso dando un golpe en la mesa. En sus mejillas aparecieron dos manchas rojas de rubor. El viejo permanecía inmóvil, con la boca abierta, como en un mal sueño (43).

MUJER Y HOLOCAUSTO

La mujer como víctima es una constante en la literatura de Ida Fink. Entre las diversas categorías de víctimas de la Shoá, la mujer, junto con los niños, se situaba entre las más vulnerables; ambos, mujeres y niños, excitaban un ensañamiento especial entre los genocidas como símbolos de la pervivencia del pueblo judío. El propio Himmler previno en diversas ocasiones a sus mandos (como en el tristemente célebre discurso de Posen) contra la tentación de la compasión por los débiles. Debían ser exterminados sin contemplaciones y, efectivamente, mujeres y niños solían ser los primeros en ser asesinados, pues además no podían ser utilizados como mano de obra esclava. Una doctora lituana describió el funcionamiento del exterminio en el gueto de Kovno en 1941:

Desvistieron a los condenados y por grupos de 300, les obligaron a meterse en las fosas. Primero, arrojaron a las criaturas. Fusilaron a las mujeres al borde la fosa, y después llegó el turno de los hombres… muchos fueron cubiertos cuando aún vivían[144].

El sufrimiento de la mujer durante el Holocausto fue en numerosas ocasiones superior al del hombre. Primo Levi, en su prólogo a *El humo de Birkenau* de Liana Millu —quizás la autora y superviviente que mejor ha descrito la vida de la mujer en los campos nazis—, hace

---

[144] *El Holocausto en documentos.* Jerusalén, Yad Vashem, 2008, p. 447.

un buen resumen del sufrimiento añadido que suponía para la condición de prisionero el mero hecho de ser mujer:

Sus condiciones [de las mujeres] eran mucho peores que las de los hombres por varios motivos: la menor resistencia física a los trabajos, más pesados y humillantes que los impuestos a los hombres; el tormento de los afectos familiares; la presencia obsesiva de los hornos crematorios, cuyas chimeneas situadas en el centro mismo del campo de mujeres, imposibles de eludir, de negar, corrompen con su humo sacrílego los días y las noches[145].

El dolor de la madre ante la pérdida de un hijo —una situación cotidiana en los campos— es imposible de describir en parámetros emocionales. La literatura ha intentado recrearlo en diversas ocasiones e Ida Fink consigue plasmarlo en algunos relatos. Por ejemplo, en «Julia», una mujer del mismo nombre, casada con Szymon, polaco, y sus hijos, asisten como testigos impotentes a la desesperación y asesinato sistemático de la comunidad judía de la ciudad en que residen. A pesar de la aparente calma que ha sucedido a la «libertad absoluta» de los asesinos, sólo ella es capaz de vislumbrar el futuro, o más bien la falta de él, a sabiendas de que nada ha terminado aún:

«¿Y tú mamá? ¿Tú que dices?», preguntaban. Julia se tapaba los oídos. Hasta que, una vez, la pusieron entre la espada y la pared y entonces dijo que, simplemente, tenía miedo. Miedo de lo que estaba ocurriendo en esos momentos y de lo que ocurriría después (75).

---

145 Liana Millu, *El humo de Birkenau*, Barcelona, Acantilado, 2007, p. 7.

En Ida Fink hallamos la constante presencia del recuerdo de la familia. Padres, madres, hijos, etc… no dejan de aparecer en sus relatos como símbolo de destrucción de lo más íntimo del ser humano: sus raíces y su pasado, y con ellos su presente y futuro. La nostalgia del ayer se une a la realidad de la pérdida irreparable del hoy. El trauma emerge al cabo de los años, como en «Sabina bajo los sacos»:

Sólo después de la guerra, cuando la memoria de aquellos tiempos, en contra de lo acostumbrado, en vez de palidecer, volvió a encenderse, un hombre encontrado «por casualidad», un turista de Australia, oriundo de la ciudad, desveló la imagen. Sólo él podía hacerlo, porque también él, igual que ellas, había estado debajo de los sacos, en el mismo pasillo (144).

La pequeña pieza teatral «La descripción de un amanecer» narra la vida de un matrimonio judío escondido en un desván de algún vecino, en tanto que afuera se oyen los disparos de la matanza. Mientras Artur —profesor de primaria— trata de que el tiempo transcurra entre conversaciones y juegos mentales, y lucha por mantener la entereza, su mujer Klara enloquece sin remedio pensando en el niño que se les perdió en la huida:

¿Cómo pudo suceder, Artur? Si no se hubiera soltado de mi mano… Vio un gato. «¡Mamá, un gatito! ¡Un gatito sobre el murete!» Eso dijo… y ya no estaba. ¿Artur, recuerdas cómo ocurrió? Porque yo… nada… no recuerdo nada (165).

Los niños actúan como emblema de la pérdida más irracional e irrecuperable del Holocausto para Ida Fink. Madres que han perdido a sus hijos, salvo en sus atormentadas mentes, donde continúa la imposible búsqueda, reencarnan el tema de la Pietà.

FIN DE UNA CULTURA

A través de la hecatombe humana de *Huellas* podemos vislumbrar también el fin de siglos de cultura judía en Europa y la nostalgia, imposible de apaciguar, de aquello que nunca más volverá a existir. En términos culturales, el daño resulta irreparable tras la catástrofe (traducción literal de «Shoá»). La devastación fue tanto más eficaz cuanto que se trató, no de una explosión asesina más, sino de un crimen largamente premeditado (siglos de adiestramiento en judeofobia y pogromos), capaz de suscitar las más vastas complicidades. Como demuestran los estudios sobre el tema, el odio al judío no era patrimonio de alemanes ni de nazis; en muchos lugares conquistados por estos (de Francia a Rusia) fueron los propios vecinos de los judíos sus perseguidores más encarnizados. En *El viaje* encontramos algunas muestras:

—Decían que usted... y la otra, y otras más, aquella grandota, morena y también...
—¿Qué, qué?

—Que sois judías… —los ojos de Ania, azules como un nomeolvides, me miran con curiosidad de niña.

—Eh, cuentos chinos, están mal de la cabeza, quién creerá en esas habladurías…

Ania respira con alivio.

—Se habrán vuelto locas. Me daría mucha pena, usted se parece tanto a la hija del maestro de nuestro pueblo. A mí los judíos no me gustan.

—¿Y por qué? Es gente como los demás…

Ania se ríe: «Ahora es usted quien está mal de la cabeza…»[146]

No es necesario el subrayado en este punto: la autora omite las explicaciones explícitas sobre determinado lugar; se limita a constatar simplemente que el mundo que conoció, el que nos relata, ya no existirá más. No quedan judíos y corresponde al lector sacar sus conclusiones. Al respecto, se nos dan algunas indicaciones al inicio del relato titulado «El segundo pedazo de tiempo»:

Una vasta distancia separa el viejo y el nuevo tiempo, el espacio entre la primera operación, a la que todavía llamábamos «redada», y la segunda, a la que por primera vez llamábamos con el término correcto: Aktion. El tiempo nuevo no expulsó de golpe al viejo, que estaba acomodado en las costumbres y los pensamientos; fue un proceso lento y apenas perceptible y, sin embargo, implacable y consecuente…(17).

En la novela *El viaje* la protagonista, que trabaja escondida haciéndose pasar por polaca aria, se percata de una doble evidencia: que el antisemitismo perdura como siempre y que casi todos saben lo

---

[146] V., p. 67.

que está sucediendo con el pueblo judío: «El jabón que recibíamos racionado duraba una semana, dos en el caso de las más ahorradoras. Era duro, amarillento, las chicas decían: "Está hecho de judíos"»[147].

Sin entrar en las grandes figuras individuales, los judíos aparecen en Fink como uno de los motores de la modernización de Europa, desde un punto de vista artístico y científico. Una comunidad interesada por lo intelectual, por la lectura y las manifestaciones culturales. Para la escritora ésa era la verdadera identidad que aglutinaba al pueblo judío exterminado, al margen de otras consideraciones políticas, sociales o económicas: un ambiente impregnado de cultura donde la propia autora nació y se crió. Fink nos habla de una comunidad pacífica y próspera borrada de la faz de la tierra en unos meses. Un recuerdo indeleble de esos judíos —tanto más importante cuanto que ya no existen físicamente— es la educación que le proporcionaron a la autora a través de los libros y la música. En «Julia», los miembros de la familia de la protagonista son ávidos lectores de Proust, Montherlant, Tácito, Stendhal; escriben poesía, escuchan y tocan a Beethoven. En «Ya hemos ido a la ópera», se citan piezas de Beethoven, Chopin, Mozart o Brahms, que el personaje, una superviviente, recuerda con la melancolía de un mundo irremediablemente destruido. En «Sabina…», las hermanas de la desdichada protagonista leen a Karl Kraus y Thomas Mann, acuden a la ópera y a conciertos de música clásica.

Como símbolo de la pérdida de una cultura se nos muestran casas vacías y descuidadas, abandonadas apresuradamente por sus dueños,

---

[147] V., p. 75.

tal como aparecen en muchos de sus relatos. En la narración «En la infancia, al anochecer», un hogar antaño lleno de vida, ruidos y alboroto, permanece desierto. Salvo para Agafia, la única superviviente:

El silencio, la penumbra, los árboles susurran, en la boca el sabor dulcísimo del café. La cabeza apoyada sobre la mano. Desde una habitación lejana fluye la música, se posa en la garganta y ahoga. Ya no se oyen los rumores nocturnos ni los murmullos de Agafia en la escalera, ni las risas de la vecina de ojos color violeta. Una lágrima cae en el café (130).

En este punto, Ida Fink nos recuerda a otro gran escritor que trató sobre la destrucción de las comunidades judías de los Balcanes, Aleksandar Tisma (1924-2003), quien, al igual que la autora de *Huellas*, emplea el símil de las casas vacías para evocar las vidas rotas. Casas que cuentan otras veces con nuevos ocupantes, a los que los supervivientes se enfrentan al regresar a su antiguo hogar, como le sucede a la Vera de *El uso del hombre*:

Donde antes se hallaba la casa de la abuela, después de que Vera llamase a la puerta, salió la portera, gorda y colorada, descalza, que esperaba allí la vuelta del frente de su marido, un húngaro, y que desde el umbral, rascándose la pantorrilla con la planta del pie, le comunicó indiferente que ella era el último miembro de la familia Kroner[148].

---

[148] Aleksandar Tisma, *El uso del hombre*, Acantilado, Barcelona, 2013, pp. 135-136.

Los relatos de Ida Fink nos hablan de las comunidades judías del Este, integradas con la población local —polaca y ucraniana— o establecidas al margen, en aldeas y pueblos judíos, los shtetls, donde sobrevive un mundo tradicional de pequeños comerciantes y artesanos. En el relato «El décimo para un minián», los judíos de un poblado imaginario han sido deportados y la sinagoga destruida. En el transcurso de las semanas siguientes van reapareciendo algunos supervivientes como fantasmas rotos por el dolor de las pérdidas o consumidos por el trauma de lo vivido. Entre todos no llegan a formar un minián, el quórum de diez adultos necesario para la lectura de la Torá y otras ceremonias, como la recitación del kaddish en memoria de los fallecidos:

Los vendedores estaban durmiendo todavía, cuando volvió la primera mujer, a la que nadie pudo reconocer. Solo cuando se acercó corriendo a la casa del maestro y comenzó a llorar un llanto amargo, entendieron que era su mujer, entendieron, pero no la reconocieron, porque tenía puesto un perfecto disfraz de mendiga. Ella pedía limosna al lado de las iglesias, vagabundeó en los mercados y leía la palma de las manos prediciendo el futuro. Ése era su refugio. A través de su mantón de cuadros, se veían unos ojos cansados de aldeana. Le preguntaban con asombro: ¿Es usted, señora? Soy yo —contestaba con una voz confusa y desteñida. Solo la voz había quedado como era antes. Sí, ellos eran seis. Los días pasaron rápidamente, los jardines se cubrieron de verde...[149]

---

[149] En:

http://www.yadvashem.org/yv/es/education/lesson_plans/pdfs/ida_fink.pdf (p. 3, última consulta 06/09/2018).

EL LARGO VIAJE DE JORGE SEMPRÚN AL INFIERNO DE DANTE

BIOGRAFÍA DE SEMPRÚN: ESE SOY YO Y LO QUE QUEDA[150]

Nieto del presidente de Gobierno de Alfonso XIII, Antonio Maura (1853-1925), e hijo del intelectual y ministro republicano sin cartera, en el exilio, José María Semprún y Gurrea (1893-1966), Jorge Semprún (1923-2011) es símbolo y ejemplo de la historia europea del siglo XX: niño exiliado, joven combatiente de la resistencia francesa a la ocupación nazi, arrestado y torturado por la Gestapo, deportado a Buchenwald, miembro del Partido Comunista durante veinte años, europeísta convencido, ministro de Cultura de España con Felipe González y, al final sobre todo, escritor y ensayista. A lo largo de una existencia de casi noventa años, no exenta de claroscuros y polémicas, encontramos a varios hombres.

Vivirá fuera de España casi toda su vida, habiendo nacido en Madrid en diciembre de 1923. Desde que un 23 de septiembre de 1936 cruzó la frontera francesa, en compañía de su padre, madrastra y seis hermanos, huyendo de la guerra española. Tras algunos años en la legación diplomática republicana de la Haya, donde estaba destinado José María Semprún, la familia se trasladará y vivirá en París. Allí

---

[150] En las ediciones del Club de Lectura siempre procuramos leer a algún escritor español y también acercanos a historias de otros colectivos y represiones. En la quinta edición (2017-2018) Jorge Semprún cumplía ambos requisitos, ya que estuvo preso en Buchenwald por pertenecer a la resistencia contra la Ocupación. *El largo viaje* (Tusquets, 2014. La edición citada en el presente trabajo es la de Círculo de Lectores, 1994).

Jorge Semprún estudia en el prestigioso Liceo Henri IV y lee las primeras obras marxistas, que le calarán. Pronto participa en las huelgas estudiantiles contra la ocupación alemana, pero su compromiso irá más allá.

A lo largo de su vida le preguntarán recurrentemente el porqué de estar en algunos de los peores sitios y momentos, con riesgo cierto de su vida, cuando parecía estar destinado, por su familia y orígenes burgueses, a una existencia más tranquila. Son sus convicciones políticas progresistas las que tienen la respuesta. No pudiendo intervenir en la Guerra Civil Española, con diecinueve años entra en el maquis francés con el alias de Gérard. Tras intervenir en algunas acciones contra los alemanes, es finalmente delatado, detenido en octubre de 1943 y torturado —desde entonces se remontaba su aversión a sumergirse bajo el agua, pues fue torturado con el método de "la bañera"—, fue confinado a cárceles en Auxerre y Compiègne. Esta terrible experiencia la cuenta en *El desvanecimiento* (1967). Tras unas semanas, la Gestapo decide enviarle, junto a otros cientos de presos del maquis, al campo de Buchenwald, cerca de Weimar. El viaje, hacinado en un tren de ganado, dura cuatro días y cinco noches descritas en *El largo viaje*. Semprún llevará cosido en el uniforme carcelario el triángulo rojo de los *Rotspanier*, rojos españoles. Será el preso número 44.904.

Estará recluido en Buchenwald desde su llegada en enero de 1944 hasta abril de 1945. Consigue sobrevivir, pues no es destinado a los trabajos forzados que acababan con la mayor parte de los condenados. Después, su hermano Carlos Semprún o Stéphane

Hessel, también preso y superviviente de Buchenwald, declararán que había sido uno de los kapos rojos, puesto que los nazis valoraban la disciplina de los presos comunistas para labores administrativas y Jorge Semprún, tras entrar en contacto con la organización clandestina comunista del campo, desempeñó funciones en la oficina de estadística. ¿Colaboracionismo? Su trabajo en Buchenwald consistía en confeccionar las listas de destinos de los prisioneros. La muerte segura para los que iban al trabajo forzado o la esperanza de algo más tranquilo, en otro lugar. En varias de sus obras, como *El largo viaje* (1963), *Aquel domingo* (1980) *La escritura o la vida* (1994) y *Viviré con su nombre, morirá con el mío* (2001) se aborda desde memoria y literatura esta experiencia concentracionaria. También encontramos algunas noticias sobre el campo que sorprenden, como que Semprún tuvo tiempo y ganas de leer a Faulkner o Hegel en Buchenwald, cogiendo libros de la biblioteca que el comandante del *Lager* decidió crear como parte del supuesto proceso de reeducación de los presos.

Tras la liberación del campo por fuerzas norteamericanas, el 11 abril de 1945, un hecho que Semprún evoca en su último discurso pronunciado en Buchenwald en 2010, se instala en Francia y se afilia al Partido Comunista, auténticamente convencido de que la URSS es el paraíso terrenal e implicado en sus comités de dirección, haciendo caso omiso a las noticias de represión y asesinato de Stalin y los suyos. Marguerite Duras y Robert Antelme le acusarán de ser autor de un informe para el partido que llevó a su expulsión. Semprún siempre lo negó. Desde 1956 hace frecuentes viajes entre España y Francia, al amparo de su supuesto trabajo como traductor de

Naciones Unidas. En realidad, en España organiza la resistencia clandestina al franquismo, con el seudónimo de Federico Sánchez. En Francia será Jacques Grador, un insulso parisino. Semprún, en la treintena, se convence poco a poco de que el comunismo es otro totalitarismo que restringe la libertad del hombre, que hay un culto a la personalidad de Stalin (en Moscú el XX Congreso del PCUS de ese 1956 reconoce que había sido un criminal) mientras aparecen informaciones de disidentes y represaliados sobre el alcance del gulag, las purgas y los cientos de miles de cadáveres por toda Europa, en especial en la URSS. Poco a poco se vuelve crítico con la dirección del partido, controlada por La Pasionaria, Carrillo y Líster, de raigambre soviética, poco europeísta y, aun reconociendo la labor de resistencia a la dictadura española, piensa en distanciarse porque también corre el riesgo, a su vez, de ser "purgado".

Tras casi veinte años desde que ocurrieran los hechos, dos décadas de clandestinidad política y militancia comunista, decide que es hora de cumplir con un antiguo anhelo: escribir sobre Buchenwald y la experiencia concentracionaria. Cercano a un círculo de escritores e intelectuales de izquierda franceses, en 1963 publica su primer libro en la emblemática editorial Gallimard. *Le grand voyage*, que es un inmediato éxito de crítica y público, recibe el prestigioso Prix Formentor, pero no pudo ser traducido en España por la censura (el editor Carlos Barral lo mandó imprimir en México). Supone el inicio de su prolífica carrera como escritor, ensayista y guionista, con múltiples premios y distinciones. Se vuelve un convencido del proyecto europeísta, pues, en su opinión, sólo una Europa unida, con

instituciones supranacionales, podría prevenir la vuelta de los nacionalismos excluyentes que desestabilizaron y asolaron el continente en la primera mitad del siglo XX.

Jorge Semprún decide distanciarse definitivamente del activismo y la política, para consagrarse a una carrera de escritor. Finalmente, en 1964, un año después de la publicación de *El largo viaje*, es dolorosamente expulsado del Partido Comunista, siendo Santiago Carrillo uno de los máximos responsables de esta decisión. En esta nueva etapa que se le abre, Semprún entra también en el mundo del cine como guionista en diversas películas y series televisivas, colaborando con directores de la talla de Alain Resnais, para quien escribe el guión de *La guerra ha terminado* (1966) o Costa-Gavras (guión de *La confesión*, 1970), además de convertirse en amigo personal de actores como Yves Montand.

Con la llegada de la democracia a España, se recupera a Jorge Semprún como símbolo del exilio y la reconciliación. También se rescata su obra, pues si en 1983 de *El largo viaje* se habían vendido en todo el mundo unos treinta mil ejemplares, de su *Autobiografía de Federico Sánchez*, en 1977, año de su publicación, se vendieron trescientos mil sólo en España. Por este libro le concedieron el Premio Planeta, y fue su primer libro escrito en español y no en francés. Desde la izquierda se le reprochó ampliamente, con alguna reseña muy crítica, que Semprún lo publicase en una editorial considerada conservadora. Éste respondió pidiendo comprensión (quería llegar a más audiencia) y atacando a sus propios puntos de vista anteriores, de hacía algunos años. Por ejemplo, Buchenwald, entendido como la

cima de la explotación proletaria por parte del capitalismo, tal como insinúa en algunas partes de *El largo viaje*, pasa a ser equiparado ahora al gulag, al punto de que los presos rusos del *Lager* alemán, víctimas acostumbradas al estalinismo, se encontraban allí «como en su casa».

Semprún seguirá residiendo y escribiendo en Francia, al hallar allí un ambiente más propicio para trabajar, pues de España lamentaba que siempre hubiese alguien presto a interrumpirle con alguna visita o llamada. Mantuvo la nacionalidad española junto a la francesa.

En julio de 1988 Felipe González le nombra ministro de Cultura, ejerciendo como tal hasta marzo de 1991. Pronto tuvo numerosos roces con el entorno del entonces vicepresidente Alfonso Guerra. Contará después que como ministro tenía la sensación de menos control y poder efectivo de decisión que cuando era miembro del comité del PCE, una forma de decir que estaba vigilado en sus iniciativas. No obstante, como ministro trabajó para elaborar un inventario de los bienes culturales españoles, promover el Museo del Prado, cerrar el traspaso de competencias con las comunidades autónomas e iniciar los preparativos de las Olimpiadas y Expo de 1992. En su libro *Federico Sánchez se despide de ustedes* (1993) describe en clave de ficción esta etapa, sin ahorrar críticas a personas e instituciones que le decepcionaron. Poco después publica *La escritura o la vida* (1994), donde retoma el tema del *Lager* y cambia definitivamente su perspectiva de treinta años atrás reflejada en *El largo viaje*. Nazismo y estalinismo, reconoce Semprún, eran

indudablemente lo mismo desde un punto de vista estructural, su objeto final era el propio *Lager* o el gulag.

Retirado de manera definitiva de la política, se dedicó a escribir e impartir charlas y conferencias por toda Europa, en especial en Francia y Alemania, y otros trabajos realizados solo o en colaboración, donde Semprún analizó el pasado y futuro del continente. Desde 1992 visitaba periódicamente Buchenwald, invitado casi todos los meses de abril en la conmemoración de los aniversarios de su liberación. Así, en la del 2005, un tanto obsesionado por la cercanía de la muerte, declaró en un discurso que por edad esa conmemoración sería la última con la participación de supervivientes, excepto con los judíos que entraron siendo aún niños. Fue interrumpido por un anciano judío francés, en protesta por tal afirmación. Semprún se enfadó, había querido decir que en adelante correspondía a los judíos mantener encendida la llama del recuerdo de Buchenwald. Sin embargo, no sería hasta el 2010 su última visita al campo. Los supervivientes, como él mismo, seguían ahí cinco años después.

Semprún llegó a ser también uno de los diez miembros de la Academia Goncourt, que otorga el prestigioso y suculento premio anual a la mejor novela. Para permitir su candidatura, hubo que cambiar la regla que establecía que sus miembros debían ser personas nacidas en Francia, por otra que admitía escritores en lengua francesa, aunque fuesen extranjeros. La misma regla se siguió para elegir a los premiados. En 2006 Jorge Semprún fue uno de los más fervientes partidarios de conceder el galardón a Jonathan Littell por

su novela *Las Benévolas*, memorias ficción de un antiguo SS nazi que vive tras la guerra como un modélico empresario en el norte de Francia. Para Semprún, era la obra definitiva sobre el tema en cincuenta años.

El 7 de junio de 2011 falleció en su domicilio de París, en la Rue de l'Universitè, del barrio de Saint-Germain-des-Prés, donde habitualmente residía. Poseía también una casa de campo a las afueras, donde escribía sus libros aislado de todo, incluso sin teléfono. Su método de trabajo era el siguiente: componía un primer borrador con las ideas centrales en cualquier lugar (su casa parisina, un hotel, un café, de viaje, etc…) y posteriormente se encerraba en su casa de campo para redactar la obra en su totalidad. Precisamente le llegó la muerte cuando estaba embarcado en el proyecto de escribir una autobiografía definitiva, titulada *Ejercicios de supervivencia*. Pensaba iniciarla en sus años jóvenes, durante su compromiso con la resistencia francesa, etapa de la que llegó a escribir algunas reflexiones sueltas, que ahora han sido publicadas (*Ejercicios de supervivencia*, Tusquets, 2016).

Desde 1963 estaba casado con Colette Leloup, editora cinematográfica, que falleció en 2007. Tenían cinco hijos y los restos de ambos reposan en el cementerio de Garentreville.

ESTACIÓN: DE MADRID A BUCHENWALD

En 1963 Primo Levi publica *La tregua* y su anterior *Si esto es un hombre* (1945) es reeditado con notable éxito editorial y de público. Auschwitz y la memoria del superviviente está en los focos que *La noche* de Elie Wiesel encendió cinco años antes, en 1958. Ese 1963 Hannah Arendt publica su *Eichman en Jerusalén* y el monumental clásico de Raul Hilberg, *La destrucción de los judíos europeos*, lleva meses en las librerías. 1963 es también el año en el que Jorge Semprún publica su primera novela, *Le grand voyage*, que trata de un viaje, de un protagonista preso y hacinado en un tren de ganado, al campo de Buchenwald.

La acogida del público, sobre todo en Francia, será notable y le concederán el Premio Formentor y el Prix de la Résistance. En España la censura prohíbe su impresión y venta, por lo que Carlos Barral lo editará traducido al castellano en México, durante 1965. Desde entonces, medio siglo después, se ha reeditado más de una decena de veces. Es la prueba de que no ha perdido interés. La historia del libro, claro está, comienza en la experiencia del protagonista, Jorge Semprún, que entre 1943-1945 fue miembro del maquis francés, torturado por la Gestapo, confinado y superviviente de Buchenwald. Veinte años después Semprún está preparado para hablar de aquello desde la literatura. Pero la verdadera historia de la gestación del libro en cuanto a su escritura comienza en Madrid durante 1961 y lo concibe Federico Sánchez. Este era el seudónimo de Semprún en sus

viajes clandestinos a España para organizar la resistencia al franquismo como miembro del partido comunista. En Madrid, en un piso de la calle Concepción Bahamonde, siente la necesidad de escribir la obra del tirón, en tres semanas, mientras debe permanecer escondido, con riesgo de que la policía dé con él:

Tal vez yo estaba completamente dispuesto para tomar esta decisión [contar la experiencia] desde antes del regreso de ese viaje. De todas formas, al contestar maquinalmente a todas aquellas preguntas estúpidas: "¿Pasaban mucha hambre?, ¿tenían frío?, ¿se sentían desgraciados?", tomé la decisión de ya no hablar de aquel viaje, de no ponerme jamás en situación de tener que responder a preguntas sobre aquel viaje. Por una parte, ya sabía que no iba a ser para siempre. Pero, al menos, la única manera de salvarse era guardar un largo periodo de silencio, señor, años de silencio sobre aquel viaje[151].

Escribe el manuscrito en francés, en una máquina de escribir española, sin acento circunflejo ni grave. Semprún recordará que el detonante para ponerse con *El largo viaje* fue más bien mundano, alejado de necesidades filosóficas, literarias e incluso de prestar testimonio. Por el piso clandestino de Concepción Bahamonde desfilan varios militantes comunistas. Uno de ellos, Manuel Azaustre, había sido deportado y superviviente de Mauthausen y cuando contaba su experiencia, Semprún pensaba que lo expresaba mal y que la gente no podría saber así la realidad de aquellos infiernos:

---

[151] Jorge Semprún, *El largo viaje* (op. cit.), p. 117.

En cierto modo, pues, le debo aquel inicio de escritura: él me dio para escribir una razón que había perdido, u olvidado o abandonado. Sus deficiencias al narrar me permitieron meditar sobre el mejor modo de contar algo que no sólo fuera verídico, sino verosímil[152].

La llamada a escribir sobre el *Lager* y la experiencia de ser detenido y torturado por la Gestapo es atendida por Jorge Semprún de la forma más o menos casual que vemos, veinte años después de los acontecimientos. Desde entonces, junto a ensayos autobiográficos, artículos y reflexiones, seguirá experimentando la necesidad de escribir para que la memoria de lo sucedido, del mal al que llegó el ser humano, de las maneras de sobrevivir a él y, en definitiva, de que todo aquello ocurrió, no caiga en el olvido o sea arrinconado como un capítulo más dentro de la historia general de la Segunda Guerra Mundial. Los libros sobre Buchenwald continuarán, como un compromiso, tras este *Largo viaje*.

Me veía obligado a permanecer en la memoria del campo a la hora de escribir, y la memoria del campo era la memoria de la muerte, de ahí el título de un libro muy posterior: *La escritura o la vida* [1995]. Había que elegir una u otra cosa. Y elegí vivir, porque no podía abandonar el proyecto de escribir mi experiencia en Buchenwald, ni escribir en su lugar novelitas de amor. No tengo nada contra las novelas de amor, pero no cuadran conmigo. De modo que renuncié por completo a la idea de escribir. La necesidad vino mucho más tarde, diecisiete años después, y pude retomar la escritura con serenidad. Pero cuando no se escribe, un libro sigue evolucionando, y vino

---

[152] Jorge Semprún, *Vivir es resistir*, Tusquets, 2014, p.109.

casi solo. Todavía hoy, incluso cuando escribo otra cosa, sin tocar el tema del campo, siento una necesidad irresistible, vital, de escribir[153].

EDICIÓN DEL LIBRO

En 1947 el semanario comunista *Action* publicó una reseña elogiosa de *La especie humana* de Robert Antelme, por aquel entonces compañero de partido del propio Semprún. A éste le impactó su descripción del paso por los campos de Buchenwald y Dachau, aunque no estará de acuerdo con la opinión de que el preso político es llevado al extremo de su resistencia en esas condiciones, que no son otra cosa que el reflejo de la penuria cotidiana del proletariado. Los campos son una cuestión de lucha de clases, entre explotadores y explotados, y apenas se aborda el genocidio en ellos. Aún no se conocía la magnitud de Auschwitz. Muchos años después, en 2005, Semprún aclarará que no se vio reconocido en el libro de Antelme, pero que era una especie de manual sobre la alienación y humillación de las personas. Sin embargo, a la hora de escribir *El largo viaje* lo tuvo presente, quizás desde un punto de vista más colectivo, pues el *Lager* supone la pérdida de toda individualidad en medio de la masa de condenados. Semprún sentía la necesidad de escribir su verdad, su perspectiva de lo ocurrido, recordemos que está imbuido del ideario comunista, de la lucha de clases marxista. En la obra se habla del

---

[153] *Vivir es resistir* (op.cit.), p.108.

chico de Semur, el chico del bosque de Othe, etc… precisamente ahora la tónica de la memoria es la contraria, recuperar lo individual salvándolo del colectivo que no nos dice nada aparte de las cifras, por desgracia.

Semprún estaba relacionado con un círculo de intelectuales cercano a la prestigiosa editorial Gallimard, que ya había publicado literatura sobre la resistencia y de autores de izquierda como Malraux o Gide. Dos escritores muy próximos a la editorial, como Monique Lange y Claude Roy, leen el manuscrito de Semprún a su vuelta de España y le animan a publicarlo en Gallimard. El propio Gastón Gallimard impulsó la edición del libro como testimonio de un superviviente de los campos, abriendo la puerta a otros posteriores. Salvo algunos periodos de divergencias, Gallimard será la editorial de Jorge Semprún desde 1963. Se calcula que anualmente se venden unos cincuenta mil ejemplares de *El largo viaje* y *La escritura o la vida* (Franziska Augstein, *Lealtad y traición. Jorge Semprún y su siglo*, *Tusquets*, 2010, p. 407).

La historia de mis libros, se halla totalmente ligada a Gallimard. En los inicios, por amor a la sigla negra de la NRF, y posteriormente tras tres generaciones de relaciones con la familia Gallimard. Allí me siento en mi casa[154].

La familia Semprún hablaba en casa español y el resto del tiempo francés. El autor escribirá su obra en francés, salvo su *Autobiografía de*

---

[154] *Vivir es resistir* (op. cit.), p.154.

Federico Sánchez (1977) que lo hará en español, como *Veinte años y un día* (2003). En alguna entrevista reconoció que consideraba el francés su primera lengua y el español la segunda, algo también lógico cuando las editoriales que le podían publicar, Gallimard incluida, eran francesas, pues en España estaba censurado. Era en Francia donde «tenía lectores» (*Vivir es resistir*, p.111). Tampoco le gustaba traducirse a sí mismo, nunca lo hizo. Sin embargo, se da la circunstancia paradójica de que *El largo viaje* va a ser mecanografiado en francés cuando el autor está en Madrid, rodeado de compañeros del partido como él, clandestinos, que sólo hablaban español.

[El francés] es la lengua que me ha gustado hablar. Hasta tal punto que cuando era clandestino en España, donde sólo hablaba español y no oía hablar a mi alrededor más que esa lengua, durante las semanas en que me aislé para ocultarme de la policía, sin embargo escribí *El largo viaje* en francés. Porque ésa era la lengua de mi adolescencia, en la que había vivido aquella historia. Desde entonces, continué escribiendo en francés[155].

En 1969 *El largo viaje* fue adaptado como película para televisión por parte de Jean Prat. Será la primera de varias adaptaciones de obras de Semprún al cine o la televisión. Consideraba el escritor que el cine era el mejor modo de testimoniar, de conseguir hacer perdurar en la memoria a través de las imágenes. También es autor de guiones para películas, como *La guerra ha terminado* (1966) de Alain Resnais, con Yves Montand de protagonista, basada en su experiencia en la

---

[155] *Vivir es resistir* (op.cit.), pp.110-111.

resistencia francesa y en el campo de concentración. Lo mismo que hizo para *Les temps du silence*, adaptación de su libro *La escritura o la vida*, rodada como telefilm por Franck Apprederis para France 3, acabada en junio de 2011 y que Semprún no llegó a ver por meses.

TEMAS Y ESTRUCTRURA

Semprún divide sus libros en dos categorías: relatos a los que llama "novela novela", donde su vida juega un gran papel, pero desde un punto de vista de ficción del protagonista; y aquellas otras narraciones que versan sobre el campo de concentración, donde procura no describir nada contrario a los hechos que ocurrieron verdaderamente. Aquí tendríamos *El largo viaje* y también *La escritura o la vida* y *Viviré con su nombre*. Por lo tanto estamos ante una novela con un argumento basado en la experiencia personal del autor. Una novela que relata un viaje a la incertidumbre del mañana, confinado en un tren de ganado junto a otros cientos de presos, hacinados todos, cuyo destino será la máxima expresión de explotación y humillación del hombre por el hombre: el *Lager*. Una novela repleta de flashbacks que intercalan hechos y recuerdos del pasado o del futuro del protagonista, al hilo del desarrollo de los acontecimientos narrados, el viaje en el tren hacia Buchenwald.

Ahora miro a la gente que pasea, y no sé todavía que esta sensación de estar dentro va a resultar insoportable. Quizá no debiera hablar más que desde esta gente que pasea y de esta sensación, tal como ha sido en este momento, en el valle del Mosela [encerrado en el tren], para no trastornar el orden del relato. Pero esta historia la escribo yo, y hago lo que quiero[156].

El largo viaje abarca los cuatro días y cinco noches en que el protagonista, un joven de la resistencia francesa llamado Gérard, es conducido en un tren de ganado, hacinado con otros presos, sin comida ni agua, al campo de concentración de Buchenwald. Gérard escribe desde el después, el recuerdo donde aparecen detalles de su vida anteriores a la detención; el paso por la cárcel de la Gestapo de Compiègne; los rigores del viaje en pleno invierno; los compañeros y conocidos, muchos de ellos muertos, asesinados en realidad como ese chico de Semur, devenido también en ficticio personaje principal junto al protagonista; al fin las conversaciones y reflexiones que suscita en Gérard este viaje a la muerte. Un viaje físico, con el progresivo deterioro y maltrato, pero también psicológico, en tanto los verdugos consiguen deshumanizar al que hasta anteayer era humano, y donde se observa el mirar hacia otro lado del que está libre pero sabe lo que pasa dentro, pues también se incluyen recuerdos del campo de concentración.

Encontramos dos partes en el libro, narradas incluso desde personas diferentes. Una primera parte que ocupa casi toda la obra y donde se narra en primera persona lo que el protagonista observa, recuerda,

---

[156] *El largo viaje* (op. cit.), p.25.

conversa, reflexiona. Al final un pequeño capítulo ya en tercera persona donde el protagonista nos abre la puerta del campo de concentración, nos presenta y describe el *Lager*, al que han llegado tras cinco noches y decenas de muertos en los vagones. Es el lugar donde pasará los siguientes meses y desde el principio ya se advierte que allí, en soledad, la persona morirá seguro. Hay que sobrevivir apoyado en los demás, conociendo a otro superviviente del viaje que parece instruirle sobre esto y prestarle ayuda. Para Jorge Semprún —recordemos que en 1963, año de edición del libro, aún pertenece al partido comunista y cree en el materialismo histórico de índole marxista—, su relato se explica como la consecuencia lógica del capitalismo opresor hasta la muerte del explotado.

El campo de concentración es la máxima explotación, la definitiva, y el viaje en tren no es otra cosa que la consecuencia del maltrato del hombre por el hombre. Por eso no quiere escribir como un superviviente, de hecho deja pasar veinte años de los hechos para no tener que responder a preguntas. También debemos recordar que la chispa que le llevó a escribir *El largo viaje* era, a su juicio, el mal relato que se hacía de la no vida en los campos de concentración por parte de los supervivientes, en especial republicanos españoles.

Semprún es un enamorado de la literatura francesa y en especial de Proust. Salvando las distancias, coge de éste los vaivenes de tiempos, los repentinos cambios entre una época y otra, la mezcla de conversaciones provenientes de distintas fechas. Estos tránsitos son bruscos, al servicio de sus reflexiones, al amparo de un recuerdo que como un fogonazo brilla y nos lleva a otro recuerdo. La memoria

trabaja, pero veinte años después lo hace desde lo que considera sus propias sensaciones y emociones, lo cual significa que algo pudo o no haber sucedido. Para ello utiliza el estilo de Proust, por ejemplo en *Por el camino de Swann*, siendo el mayor ejemplo el recurso a la ya famosa magdalena que le hace evocar con algo del presente un estado anterior, una situación ya vivida.

«Esta noche, Dios mío, esta noche no acabará nunca», decía el chico de Semur, y esta otra noche tampoco acababa, esta noche de Eisenach, en esta habitación de hotel alemán de Eisenach. ¿Era la extrañeza de la cama verdadera con sus sábanas blancas y el edredón ligero y cálido? ¿O era el vino del Mosela? Quizás el recuerdo de esta muchacha, la soledad y sus ojos grises... acechando las conversaciones en el jardín cuando Swann venía a cenar[157].

De repente me encontré con una rebanada de pan negro en la mano, y mordí la rebanada de manera maquinal, mientras seguía la conversación. Entonces aquel sabor a pan negro, un poco ácido, esa lenta masticación del pan negro y grumoso, hizo revivir en mí, brutalmente, aquellos instantes maravillosos en los que comíamos la ración de pan en el campo de concentración[158].

El largo viaje es la primera novela de Semprún y por ello, reconocido años después por el propio autor, adolece de algunos errores de principiante. En este mestizaje de recuerdo y realidad, descripción y reflexión, se cuelan en ocasiones grandes parrafadas poco entendibles

---

[157] *El largo viaje* (op. cit.), p.97.

[158] *El largo viaje* (op. cit.), pp.141-142.

o reiterativas, que pueden llegar a cansar al lector. Son digresiones puestas para enriquecer la novela desde el punto de vista descriptivo, alardes literarios en forma de exceso de adjetivos o frases subordinadas, con el resultado de cargar en ocasiones la narración.

Los barracones del campo de cuarentena y los edificios del hospital están en parte ocultos por los árboles. Más arriba, en la ladera de la colina, se alinean las filas de bloques de cemento, y en el perímetro de la plaza de formaciones, los barracones de madera, de un lindo color verde primaveral. Al fondo y a la izquierda, la chimenea del crematorio. Miramos esta colina talada donde unos hombres construyeron el campo. El silencio y el cielo de abril caen sobre este campo que los hombres construyeron[159].

Pero es un hecho, nosotros no lo hemos elegido, y estamos obligados a tenerlo en cuenta. Un hombre debería poder ser un hombre aun cuando no fuese capaz de resistir a la tortura, pero he aquí que tal como están las cosas un hombre deja de ser el hombre que era, que podría llegar a ser, si cede ante la tortura, si denuncia a los compañeros. Tal como están las cosas, la posibilidad de ser hombre está ligada a la posibilidad de la tortura, a la posibilidad de ceder bajo la tortura[160].

Hans no quería morir, en la medida en que tendría que morir, sólo por ser judío, pensaba, creo yo por lo que contó a Michel y que esté me contó a mí, que aquello no era una razón suficiente, quizá válida, lo suficientemente

---

[159] *El largo viaje* (op. cit.), p.129.

[160] *El largo viaje* (op. cit.), p.191.

válida para morir, pensaba, con toda seguridad, que necesitaba dar otras razones para morir, o sea, para que le mataran[161].

El autor también utiliza en ocasiones el humor negro para describir algunas situaciones que, en aquel dramático trasfondo de muerte cotidiana, nos parecen grotescas y hasta cómicas. El episodio de la muerte del viejo en el vagón del tren, tras asomarse por el ventanuco; dos encerrados que se tratan de "señor ministro" y "señor senador", quizás lo fueran; un Buchenwald liberado por los Aliados que ve arriar sus banderas por la muerte del presidente Roosevelt 12 de abril de 1945, pero no por los cientos de cadáveres que aún se apilan en los crematorios... Es un ambiente de pesadilla, donde se ríe por no llorar, donde la muerte cuenta chistes desgraciados o donde la esperanza está cogida con alfileres, como la creencia del protagonista en que, acabada la guerra, le tocaba el turno al franquismo: «El fin de los campos es el fin del nazismo, será por tanto el final del franquismo» (*El largo viaje*, p.86).

Irrealidad si miramos al mundo con la mentalidad anterior al *Lager*, con la cultura y la moral de antes de la guerra. Una cultura que se resiste a irse y aceptar la nueva realidad. Semprún compara la existencia misma del *Lager* con el absurdo, no lo logra explicar; algo ya visto en otros supervivientes a la hora de contar sus historias.

A veces me invade su recuerdo [del valle del Mosela] ante la línea pura y quebrada de un paisaje urbano, ante un cielo gris sobre una llanura gris. Y

---

[161] *El largo viaje* (op. cit.), p.200.

sin embargo esta sensación de irrealidad a lo largo de la cuarta noche de este viaje no alcanzó la intensidad de la que experimenté al regreso de este viaje. Los meses de cárcel, seguramente, habían creado una especie de hábito. Lo absurdo y lo irreal resultaban familiares. Para sobrevivir, el organismo necesita ceñirse a la realidad, y la realidad era precisamente ese mundo totalmente antinatural de la prisión y la muerte[162].

VERDUGOS, VÍCTIMAS Y LOS JUDÍOS

El largo viaje trata de las víctimas y los verdugos, sí, pero desde una óptica marxista de lucha de clases y no de nacionalidades o étnica. Como resultado de todo ello, los verdugos representan a un sistema capitalista que, en su máxima injusticia, ha engendrado el fascismo como forma de opresión extrema y el *Lager* como símbolo máximo de ésta. Así los mismos alemanes son los engañados, los que actúan como esclavos de una ideología que encumbra el asesinato de los que el poder ha presentado como diferentes. En el libro, el protagonista dialoga varias veces con los guardias alemanes que le custodian en la cárcel de Compiègne o en Buchenwald; en ambos casos, tras hablar con él, no comprenden el porqué de estar ahí. Es otra característica en los personajes de Semprún, la incomprensión del otro sobre el sentido de su detención o muerte. Personas que en una vida anterior posiblemente podrían estar tomando unas cervezas, en el nuevo sistema se han convertido en enemigos irreconciliables. Los

---

[162] *El largo viaje* (op. cit.), p.77.

verdaderos verdugos son los SS, fanáticos y, estos sí, convencidos de su propio trabajo de exterminio. El protagonista es tajante: obsesionados por las formas, la higiene del prójimo, las normas ridículas, el asesinato sin escrúpulos, no cabe el diálogo con ellos. Son el enemigo.

A los S.S. les gusta el orden y la simetría y los hermosos movimientos de conjunto de una multitud amaestrada, pero son unos pobres diablos. Creen dar un ejemplo, y no saben hasta qué punto es verdad, hasta qué punto es ejemplar la muerte de este camarada[163].

No tiene interés alguno entender a los S.S. Basta con exterminarlos[164].

Por el contrario, no se alberga odio contra el pueblo alemán, víctima del fascismo (no se habla de los rusos víctimas del estalinismo). A las conversaciones con los guardias de Compiègne y Buchenwald, se les unen dos experiencias. La primera es la detención del tren camino al *Lager* en un pueblo donde una multitud de personas, hombres, mujeres y niños, comienza a reírse de unos presos que son desnudados como castigo por el intento de huida en su vagón. La risa es peor que el odio, pues deshumaniza a la víctima y hace que el discurso del verdugo cale en la conciencia de la sociedad donde se inserta. Esa sociedad es a su vez víctima de esa mentira, asesina pero mentira.

---

[163] *El largo viaje* (op. cit.), p.58.

[164] *El laro viaje* (op. cit.), p.80.

El hecho de que nos tomaran por criminales era accesorio. Su buena conciencia mixtificada era también algo accesorio. Lo esencial era precisamente el carácter irreductible de nuestras relaciones, el hecho de que fuéramos la mutua negación unos de otros. Que ellos sintieran odio hacia nosotros era algo normal, hasta deseable, pues este odio confería un sentido claro a lo esencial de nuestra acción. Pero el hecho de que hubieran podido reírse a carcajadas ante el espectáculo grotesco de estos hombres desnudos que daban saltitos como monos en busca de una escudilla de caldo asqueroso, eso sí que era grave. Eso falseaba las justas relaciones de odio y de oposición absoluta entre ellos y nosotros[165].

Sólo en el viaje y al final del viaje, cuando se ha tenido tiempo de observar la reacción de los vecinos en las estaciones que recorre este tren de la muerte, cuando desde el interior del campo se observa a los vecinos de la vecina ciudad de Weimar, testigos mudos de la ignominia cercana; sólo cuando el protagonista, libre ya, decide visitar una casa cercana y comprueba estupefacto que desde la ventana de su salón se veían las chimeneas del crematorio; cuando conoce también a una muchacha llamada Sigrid que le asegura no saber nada de lo que sucedía en el *Lager*; sólo entonces es cuando comprende que ha existido un silencio cómplice del pueblo alemán y que el engaño ha sido posible gracias a un convencimiento colectivo de que aquello no pasaba y si pasaba sería debido a alguna razón de peso, la necesidad de la muerte del otro.

---

[165] *El largo viaje* (op. cit.), p.155.

Nada cambiará para nosotros, desde luego, sea cual sea la imagen que tengan de nosotros todos esos alemanes apretujados tras los cristales de la sala de espera. Lo que somos, lo seremos sea cual fuere la mirada que nos lanzan todos esos alemanes mirones. Pero, en el fondo, también somos los que ellos imaginan ver en nosotros[166].

¿Y los judíos? ¿El Holocausto? Semprún se acerca tangencialmente a él. Su relato es el de un preso político torturado y encerrado en un campo de la muerte, que explica como símbolo del poder homicida del capitalismo-fascismo sobre el proletariado, frente a un marxismo, por entonces (1963), redentor. El conocimiento del Holocausto todavía está en una fase inicial, empiezan a hacerse oír los supervivientes, se juzga mediáticamente a criminales de lesa humanidad (Eichmann), se escribe, se va poniendo el foco en lo sucedido. Pero ello no le impide al protagonista de *El largo viaje* observar que el tratamiento a los judíos tiene un prisma muy diferente al suyo. Se trata del exterminio sin más. Los judíos no son enemigos, sino una enfermedad que el nazi quiere eliminar de raíz. No hay reeducación ni posibilidad de redención del ser judío, en tanto se es judío. Semprún narra momentos espantosos de los que fue testigo o bien escuchó de otros presos, como la llegada de los trenes atiborrados de cadáveres (cuenta que en el campo pudieron ocultar a tres chicos judíos que llegaron escondidos en un vagón repleto de muertos) o la matanza de niños judíos en la puerta del campo. También reconoce que luego sí sabrá la diferencia.

---

[166] *El largo viaje* (op. cit.), p.145.

Todavía no sé que, de todas formas, si ha hecho este viaje [una superviviente judía que conoce tras su paso por Buchenwald], no lo habrá hecho como nosotros. Pues para los judíos todavía hay otra manera de viajar, eso lo vi más tarde. Pienso en ese viaje que tal vez ella ha hecho de una manera vaga, pues todavía no sé de manera precisa qué clase de viajes obligan a hacer a los judíos. Lo sabré más adelante[167].

Más tarde, dentro de algunos meses, sabré qué clase de viaje mandan hacer a los judíos. Veré llegar los trenes a la estación del campo, durante la gran ofensiva soviética de invierno, en Polonia. Evacuaban a los judíos de los campos de Polonia, los que no habían tenido tiempo de exterminar, o a quienes tal vez creían poder hacer trabajar todavía. Fue un invierno duro, aquel invierno del año que viene[168].

LAS CRÍTICAS: IMRE KERTÉSZ

La forma de narrar el paso por los campos de Semprún, entre novela y memoria autobiográfica, ha sido criticada por algunos otros autores, supervivientes también de los campos nazis. Ya vimos cómo por ejemplo Stéphane Hessel o Carlos Semprún, en una biografía tendenciosa, criticaron que en sus libros no contase con claridad su paso por Buchenwald y cómo consiguió sobrevivir. No es una crítica al estilo o forma de narrar, sino directamente a la verdad de lo

---

[167] *El largo viaje* (op. cit.), p.104.

[168] *El largo viaje* (op. cit.), p.108-109.

expuesto. Semprún nunca contestó y, en el caso de Hessel, lo tuvo por un buen amigo de siempre. Otra crítica incide en el mismo sentido de edulcorar la visión del campo, mostrando sin tapujos que sobrevivió mejor que otros, como cuando cita la biblioteca creada en Buchenwald por el comandante del campo para «reeducar» a los presos. Semprún, según sus palabras, tuvo tiempo y ganas de leer, por ejemplo, a Hegel o Faulkner.

Varias veces al día pasaba por delante de la puerta de la biblioteca. En efecto, ésta instalada en el mismo barracón que la Secretaría –Schreibstube- y la Arbeitsstatistik. Entre las dos oficinas, en medio del barracón, que a su vez se encontraba en la primera hilera de edificios que daban a la plaza donde se pasaba lista, al lado mismo del horno crematorio rodeado de una alta empalizada. En previsión de una próxima semana de turno de noche, consulté el catálogo. Y di con Faulkner por casualidad, hojeando las páginas del folleto[169].

En *Viviré con su nombre* recoge esta polémica. Recibió muchas cartas inquiriéndole sobre la verdad de la existencia de dicha biblioteca, preguntándole cómo se creó, cómo tuvo el tiempo de hojear catálogos y leer libros: «Ya sé que esto irritará a algunos. O les sorprenderá, incluso les inquietará. Lo sé perfectamente» (*Viviré con su nombre*, pp.95-97).

Sin embargo, la mayor crítica se la hizo el superviviente, escritor y Premio Nobel húngaro, Imre Kertész. En su novela, *Fiasco*, cita a Jorge Semprún como modelo de escritor del Holocausto (sería discutible si

---

[169] Jorge Semprún, *Viviré con su nombre, morirá con el mío*, Tusquets, 2002, p.108.

lo es, puesto que Semprún defendió la especificidad del Holocausto judío y él se consideraba un preso político) que narra su experiencia teniendo en cuenta categorías morales anteriores. Mientras los personajes del propio Kertész, por ejemplo en *Sin destino*, aceptan las nuevas condiciones que se les imponen sin juzgarlas en base a conceptos tales como justicia, ética, humanidad. Eso ya, existiendo Auschwitz, pertenecerá al pasado para siempre. Al Nobel húngaro le irritaba aún más el retrato que hace Semprún de Ilse Koch, la mujer del comandante del campo, presentada como una perversa reina del mal, sádica y atractiva en su perversidad. Reproducimos este análisis de la valoración de Kertész, que se encuentra en la guía de lectura *Buchenwald, 70 años, monstruos de pacotilla* (2015):

Kertész evoca a Semprún y un pasaje de *El largo viaje* y en su mención de Semprún se ve cómo su representación del personaje llamado Ilse Koch alcanza una dimensión alegórica mediante una estética de concentración: «He aquí la sangre, el placer y el diablo condensados en una sola figura». Esta imagen literaria también trae a la memoria —de acuerdo con las referencias culturales del lector— ciertos personajes históricos que la literatura ha glorificado por su perversidad y hace del horror un objeto estético. Sin embargo, la creación literaria en la que el personaje debe ser centro de atención es arriesgada, porque oscurece el ambiente en que se coloca a ese personaje, en un «mundo organizado para el asesinato». El personaje trágico, Ilse Koch —o Larrea en *La montaña blanca*, de Semprún—, a quienes el suicidio les confiere una especie de eternidad mística, representa, según Kertész, la propia esencia del asunto que está entre manos: el totalitarismo es un universo histórico y determinado por situaciones y el personaje es el resultado de todo ello. El que participa no hace sino

corroborar la lógica del campo de concentración, sin convertirse ni en excepción, ni su acto en transgresión (Marie Peguy, «Imre Kertész y Jorge Semprún: dos perspectivas», en: *Archipiélago*, nº 82, septiembre 2008).

Dejé de leer. He aquí la sangre, el placer y el demonio condensados en una sola figura e incluso en una sola frase. Mientras la leo, me ofrece una forma definitiva: puedo insertarla sin esfuerzo alguno en el instrumentario ya preparado de mi imaginación histórica. Una Lucrecia Borgia de Buchenwald; una criminal que ha ajustado las cuentas con Dios, digna de la pluma de Dostoievski; un ejemplar femenino de las magníficas bestias rubias de Nietzsche, ávidas de victoria y botín, que «retornan a la candidez de la conciencia de fiera»… (Imre Kertész, *Fiasco*).

Y es que, efectivamente, Semprún pinta a los nazis, concretamente a los guardias y torturadores de las SS, como auténticos monstruos demoniacos del mal, refinados en su perversidad, con el perfil que ha perdurado en el imaginario colectivo —no es cierta, salvo en casos contados— de ser aficionados a la cultura, «a la higiene, a los perros de raza y a la música de Wagner» (*El largo viaje*, p.181). Efectivamente, en el libro Ilse Koch es presentada como una especie de valkiria que atrae con su fatal encanto.

Aquel cuerpo recto y rechoncho, rectamente plantado sobre piernas rectas, firmes, aquel rostro duro y preciso, indiscutiblemente germánico, aquellos ojos claros (aunque ni las fotografías, ni las imágenes de actualidades filmadas por aquel entonces, y desde entonces reproducidas, incluidas en los montajes de algunas película, permitieran ver si los ojos claros de Ilse Koch eran verdes, como los de Sigrid, o bien claros, de un azul claro, o de un gris

de acero, más bien de un gris de acero), aquellos ojos de Ilse Koch, clavados en el torso desnudo, en los brazos desnudos del deportado que había escogido como amante, algunas horas antes, su mirada recortando ya de antemano aquella piel blanca y enfermiza, según el punteado del tatuaje que la había atraído, su mirada imaginando ya el hermoso efecto de aquellas líneas azuladas[170].

Semprún repite en otros libros la descripción del mismo estereotipo, el de una Ilse Koch diosa «sadomaso» de lo perverso. Una imagen que recuerda a *Ilsa, loba de las SS*, la película fetichista protagonizada por Dyanne Thorne en los años setenta.

Kertész se muestra también muy crítico con el episodio de la matanza de los niños judíos a las puertas de Buchenwald, una escena de *El largo viaje* quizás criticable por la crudeza en el detallismo y el regodeo literario, literalmente «digna de la pluma de Dostoievski», según el autor húngaro. Aunque Semprún describe el infierno sádico ante la puerta del campo de concentración como si lo hubiera presenciado desde muy cerca, posteriormente reconoció que ni siquiera fue testigo del hecho, aunque quizás pudo ocurrir. Se trata de un artilugio literario en la narración.

Lógicamente no fue así. El escritor me dijo que se lo había contado un prisionero alemán. Sucedió en los primeros años del campo de concentración. Los colaboradores científicos del centro conmemorativo de Buchenwald no saben nada del asunto. Que la caza de niños tuviera o no

---

[170] *El largo viaje* (op.cit), p.166.

lugar carece de importancia para la verosimilitud interna de la descripción. Lo decisivo es que algo así habría podido ocurrir[171].

Jorge Semprún no se hizo eco de los reproches de Kertész o de otros supervivientes al respecto, pero él mismo fue muy crítico con algunos autores y diarios por su contenido. Más arriba vimos que expuso su profundo desacuerdo con la forma en que Robert Antelme, entonces compañero de partido, retrató las torturas y el paso por los campos nazis en *La especie humana*. Para minimizar, Semprún estaba en contra de la idea de que, bajo tortura, todas las personas pueden derrumbarse y declarar lo que sea, incluyendo la delación de sus amigos o compañeros (curiosamente, Antelme reprocharía a Semprún haberle delatado falsamente ante el la dirección del partido para que le expulsaran). Con aquellos supervivientes que habían pasado por los campos y denunciaban en sus libros la inhumanidad de los nazis Semprún era muy crítico, pues pensaba que aquello era lo previsible; no cabía quejarse cuando a uno le tocaba vivir ese infierno, más concretamente el de la tortura. Recordemos que él fue torturado con el método de la bañera. No entiende la queja del superviviente, y otro ejemplo de esta ojeriza, que mantuvo hasta el final, lo tenemos en la crítica a Jean Améry y su *Más allá de la culpa y la expiación* (1964), cuando éste sugiere que la tortura era la sangre, literalmente, que alimentaba al Tercer Reich.

---

171 Franziska Augstein, *Lealtad y traición: Jorge Semprún y su siglo*, Tuquests, 2010, p.406.

He aquí a un hombre de treinta años, Hans Mayer-Améry, lo bastante lúcido y decidido para exiliarse, huyendo del nazismo con la intención de proseguir la lucha; alistado en la Resistencia y atrapado por la barbarie moderna en su país de asilo, Bélgica. ¿Y ese hombre ve su confianza en el mundo desquiciada por el primer golpe recibido durante su primer interrogatorio de la Gestapo? O bien eso no quiere decir nada, no es más que una frase, o bien esa confianza que se desmorona de golpe era ciega a las realidades del mundo, sorda a los clamores de la realidad. No era más que una confianza ingenua, angelical, infantil en definitiva, que no concordaba en absoluto con el comportamiento adulto, combativo, de Améry[172].

Y AL FINAL, EL *LAGER*

Buchenwald, cerca de Weimar, la ciudad símbolo de la república alemana que se formó tras la Gran Guerra, fue un campo de concentración abierto de julio de 1937 a abril de 1945 (véase, en este mismo libro, *Buchenwald, 70 años, monstruos de pacotilla*) con un primer objetivo de «reeducar» a presos políticos, homosexuales y testigos de Jehová. No había cámaras de gas, no se puede comparar a un campo de exterminio como Auschwitz-Birkenau, pero los trabajos forzados en la industria del armamento aledaña produjeron, se calcula, unos 56.000 muertos. Para 1945 pasaron por Buchenwald cerca de 250.000 presos, incluyendo decenas de miles de judíos de los campos del este de Europa, según avanzaba el Ejército Soviético.

---

[172] Jorge Semprún, *Ejercicios de supervivencia*, Tusquets, 2016, p.66.

El objetivo de reeducar a unos adversarios políticos del régimen nazi no tardó en abandonarse. El campo se convirtió en lo que ya no dejó de ser: un campo punitivo, de exterminio por trabajos forzados. Exterminio indirecto, si se quiere, en la medida en que en Buchenwald no había cámara de gas. O sea, que no se hacía una selección sistemática de los más jóvenes, de los más débiles, de los más incapacitados, con el fin de destinarlos a una muerte inmediata[173].

El viaje en el tren de ganado, hacinado con otros desgraciados presos, tiene su final en la incertidumbre que representa el campo de concentración. Una incertidumbre al preguntarse cómo puede uno sobrevivir a aquello, fabricado para conseguir la muerte de las maneras más diversas: trabajos forzados, ejecuciones, enfermedades, hambre, frío, pena. La segunda parte de *El largo viaje*, que ocupa apenas unos folios, está escrita en tercera persona, semejando que el protagonista es un remedo de Virgilio, que nos guía a través del infierno, atravesando sus espantosas puertas en donde aparece inscrita la cita romana, atribuida a Ulpiano, «A cada cual, lo suyo». Lo esencial es que el hombre ha perdido allí su condición, su principal anhelo natural, que es la libertad. En cuanto a la libertad, Buchenwald es el mal mismo. La esencia perversa del ser humano que explota y mata a otros seres humanos, da igual en qué momento se ocupe el lugar del verdugo o de la víctima. Semprún desconoce aún que para los nazis, los judíos, por ejemplo, ni siquiera son

---

[173] *Viviré con su nombre* (op. cit.), p.109.

humanos. El campo es también una prueba de resistencia del convencido político, del comunista.

En los campos de concentración el hombre se convierte también en ese ser invencible capaz de compartir hasta la última colilla, el último pedazo, hasta su último aliento para sostener a sus camaradas. Es decir, no es en los campos donde el hombre se convierte en este animal invencible. Lo es ya. Es una posibilidad inscrita desde siempre en su naturaleza social. Pero estos campos son situaciones límite, donde la criba entre los hombres y los demás se hace de manera más brutal. En realidad no eran precisos estos campos para saber que el hombres es el ser capaz de lo mejor y de lo peor. Esta contestación llega a ser desoladora por lo banal[174].

El símbolo máximo de ese bien y mal absolutos es, sin duda, un roble de la cercana colina Ettersberg, donde Goethe y Schiller tallaron de jóvenes sus nombres, y donde el primero, quizás el máximo representante de la cultura alemana del siglo XIX, escribió alguna de sus obras, como la segunda parte del *Fausto*. Buchenwald significa en castellano «bosque de hayas». El roble de Goethe simboliza al árbol de la ciencia bíblico, del mal y el bien, que supone la caída del ser humano por sus propios pecados. Semprún narra un encuentro cerca de ese roble con un guarda del campo, que muestra su extrañeza de que un preso que habla tan bien el alemán y parece distinguido, que conoce la historia del roble de Goethe, pueda estar encerrado allí. De nuevo la pregunta: ¿Cómo es posible?

---

[174] *El largo viaje* (op. cit.), pp.67-68.

El árbol está quemado por dentro y ya no es más que una cáscara podrida y vacía, pues una bomba de fósforo americana liquidó el haya de Goethe el mismo día en que bombardearon las fábricas del campo[175].

Este viaje perpetuo en verdad nunca termina. Incluso después de la liberación del campo por parte de los norteamericanos, el protagonista se enfrenta al asombro de las tropas, de la nueva administración que trata de hacerse cargo de ellos, de los vecinos de Weimar que, fingidamente o no, le remarcan continuamente su inocencia. No sabían. Más tarde, Buchenwald seguirá siendo un campo para prisioneros políticos, los de las nuevas autoridades soviéticas. En fin, el superviviente no quiere ser tratado como tal, quiere rehuir las miradas, las preguntas. «Teníamos precisamente que aprender a vivir», confiesa Gérard (p.194). Y aún así, nunca se sale del *Lager*, el protagonista sabe en lo más profundo de sí mismo que alguna vez volverá a este lugar, que su deber será el la de contar lo que ha vivido y presenciado. Ese *Largo viaje*.

Todo había terminado, íbamos a hacer ese mismo viaje en sentido contrario, pero quizás este viaje nunca se puede hacer en sentido contrario, tal vez este viaje no se puede borrar más. En verdad, no lo sé. Durante dieciséis años he intentado olvidar este viaje, he olvidado este viaje, sabiendo, perfectamente que un día tendría que rehacerlo. Dentro de cinco años, dentro de diez, de quince, necesitaría rehacer este viaje[176].

---

[175] *El largo viaje* (op. cit.), pp.134-135.
[176] *El largo viaje* (op. cit.), p.27.

Buchenwald seguirá presente en otros libros posteriores del autor. Además, desde 1992 Jorge Semprún será invitado casi todos los abriles de año para asistir a la conmemoración de la liberación del campo, por parte de la dirección del ya memorial museo. Esas visitas suscitarán nuevas reflexiones, como la de que los campos no eran sólo la máxima expresión de la explotación capitalista del proletariado, sino algo más, intrínsecamente humano y perverso, que aún puede germinar de nuevo. En esos eventos, además, Semprún escribiría algunos discursos memorables, como el de su último viaje, en 2010, apenas un año antes de morir.

Como ya dije hace cinco años, en el Teatro Nacional de Weimar, «la memoria más longeva de los campos nazis será la memoria judía. Y esta, por otra parte, no se limita a la experiencia de Auschwitz o de Birkenau, Y es que, en enero de 1945, ante el avance del Ejército soviético, miles y miles de deportados judíos fueron evacuados hacia los campos de concentración de Alemania central. Así, en la memoria de los niños y adolescentes judíos que seguramente sobrevivirán todavía en 2015, es posible que perdure una imagen global del exterminio, una reflexión universalista. Esto es posible y pienso que hasta deseable: en este sentido, pues, una gran responsabilidad incumbe a la memoria judía... Todas las memorias europeas de la resistencia y del sufrimiento solo tendrán, como último refugio y baluarte, dentro de diez años, a la memoria judía del exterminio. La más antigua memoria de aquella vida, ya que fue, precisamente, la más joven vivencia de la muerte»[177].

---

[177] Jorge Semprún, "El archipiélago del horror nazi", *El País*, 8 junio 2011. En https://elpais.com/diario/2011/06/08/cultura/1307484005_850215.html (última consulta, 06/09/2018).

HIMMELWEG,

DE THERESIENSTADT AL

TEATRO CON JUAN

MAYORGA

En 2003, el dramaturgo madrileño Juan Mayorga publicó *Himmelweg* (Camino del cielo), una obra de teatro que se estrenó y se ha seguido representando en todo el mundo, con enorme éxito de crítica y público[178]. Tal vez se trate de la pieza de nuestro teatro contemporáneo más conocida y aclamada internacionalmente. Recrea uno de los episodios más inquietantes de la historia reciente: la visita que una delegación de la Cruz Roja efectuó en 1944 al presunto gueto modelo de Theresienstadt, en la Checoslovaquia ocupada por los nazis. Todo fue una farsa preparada para engañar a los visitantes, que emitieron posteriormente informes de lo más favorables sobre las condiciones de vida en un campo de internamiento donde los prisioneros morían a diario de hambre o eran deportados masivamente a las cámaras de gas.

No fue, sin embargo, la astucia de los nazis lo que engañó a los visitantes, sino sus deseos de mirar a otra parte y ser engañados, o como dice Mayorga, «su negativa a mirar detrás de las apariencias». Esa hipocresía humanitaria ha tenido una larga descendencia y se repite cada vez que gobiernos e instituciones predican una política compasiva con los desfavorecidos, propios y extraños, mientras con la otra mano los margina o los expulsa de manera despiadada para complacer a sus xenófobos electorados. Los políticos actuales han demostrado haber aprendido muy bien la lección de la propaganda

---

[178] Con Juan Mayorga no sólo introdujimos a un escritor español en la tercera y cuarta edición del Club de Lectura (2015-2017), sino un género nuevo como era el teatro. Fue uno de los libros mejor valorados por los participantes. Con *Himmelweg* (Ñaque, 2011. Edición citada en el presente trabajo), además, contamos con la presencia del propio dramaturgo, en la primera reunión donde comentamos el libro.

nazi: no importa la infamia que se cometa con tal de que sepa encubrirse con una campaña de imagen.

Se puede dejar morir impunemente a unos enfermos de hepatitis (un homicidio digno de un nazi) o dar ostentosamente la bienvenida a unos refugiados fantasmas, a los que, por otro lado, se encierra en campos de internamiento antes de ser deportados. No importa; los expertos se encargarán de maquillarlo antes de las próximas elecciones.

Palabras e imágenes que nos recuerdan sospechosamente a las que representa Juan Mayorga en su obra.

> La muerte, al fin, reclama a todos,
> Y por doquier cualquiera se la encuentra.
> Alcanza incluso a los que, orgullosos,
> Caminan con la barbilla levantada al cielo.
> Una cierta justicia parece gobernar
> El ancho y vasto mundo. Y en ello
> Algún consuelo halla el desgraciado
> Para su aflicción y su pena
>
> (Miroslav Kosek, deportado a Theresienstadt,
> murió con 12 años en Auschwitz)[179]

---

[179] It All Depends On How You Look At It: *Death, after all, claims everyone, / You find it everywhere. / It catches up with even those / Who wear their noses in the air. / The whole, wide world is ruled / With a certain justice, so / That helps perhaps to sweeten / The poor man's pain and woe.* https://www.american.edu/cas/terezin/upload/Terezin-study-guide.pdf (última consulta: 05/09/2018).

THERESIENTADT

Theresienstadt (Terezín en checo) es una antigua fortaleza checa, situada a 60 km al noroeste de Praga. Construida a finales del XVIII por el emperador austriaco José II y bautizada con el nombre de su madre, María Teresa, la fortaleza sirvió como guarnición militar hasta comienzos del XX, en que empezó a utilizarse para encerrar a prisioneros políticos. Gavrilo Princip, autor del magnicidio que desencadenaría la Primera Guerra Mundial, fue uno de sus más conspicuos ocupantes. Diseñada en forma de estrella, consta de dos partes: la fortaleza principal (*Grosse Festung*) y la pequeña fortaleza (*Kleine Festung*), separadas por el río Elba.

Tras la ocupación nazi de Checoslovaquia en 1940, la Gestapo se hizo cargo de Theresientadt y convirtió la pequeña fortaleza en prisión para prisioneros políticos de la resistencia, un siniestro lugar de ejecuciones y torturas, que se cobró la vida de 2.600 de los 32.000 prisioneros que pasaron por sus celdas.

En cuanto a la fortaleza principal, en octubre de 1941 las SS decidieron transformarla en gueto y campo de tránsito, con la doble función de alojar a los sectores privilegiados de judíos de la Gran Alemania, al tiempo que servir de punto de reagrupamiento de los judíos checos, con los que no eran necesarias tantas consideraciones en su camino hacia los lugares de exterminio. Los internos más o menos «estables» provenían en su mayoría de Alemania, Austria y los Sudetes, aunque también se añadieron pequeños contingentes de judíos de otras nacionalidades (daneses, holandeses, franceses,

checos…). Eran los llamados Prominenten (los «privilegiados») que abarcaban a diversas categorías de presos: ancianos, veteranos de guerra condecorados o con severas discapacidades, altos funcionarios, familias adineradas, artistas e intelectuales, profesionales distinguidos, judíos casados con arios y mestizos…; todos aquellos cuyo envío como fuerza bruta de trabajo a los campos del Este hubiera resultado inverosímil y alarmante. Se decidió preservar provisionalmente a estos grupos especiales, que hubieran hecho imposible seguir manteniendo la farsa de los campos de trabajo, para fines de propaganda de cara al interior y, muy pronto, en cuanto los rumores sobre el exterminio de los judíos empezaron a circular, también para tranquilizar a la opinión exterior. Se creó así la ficción de que Theresienstadt era un entorno idílico, una «Ciudad balneario» o «Asentamiento de retiro» para ancianos y otros privilegiados, no muy diferente de las urbanizaciones para jubilados extranjeros que se anuncian en la costa española. En la realidad, Theresienstadt fue un infierno desde el primer instante.

El 24 de noviembre de 1941 llegaron al campo-gueto los primeros 1.000 judíos destinados a acondicionar las instalaciones para la llegada de la esperada avalancha. En la primavera del 42 ingresó el primer transporte de deportados alemanes y austriacos, y el retiro ideal que esperaban encontrar (y por el que, en algunos casos, les habían hecho pagar los ahorros de toda una vida), se reveló como un conjunto de barracones atestados e infectos, donde pronto se hacinarían una media de 45.000 deportados en unas instalaciones previstas para una soldadesca de 7.000. Al hacinamiento y la falta de

higiene, se sumaban un trabajo extenuante y una dieta escuálida, a base de repollo y patatas, de unas 1300/1800 calorías (frente a las 2500 que necesita un adulto medio), que condenaba fatalmente a la inanición. El resultado fue que de los 144.000 deportados que pasaron por Terezín, apenas sobrevivió un 13%: 17.247 en el propio campo, y unos 3.000 de los 88.000 que enviaron a Auschwitz y otros lugares de exterminio. Casi un cuarto de los internados (33.000) murió de hambre y enfermedades sin salir del gueto. En el caso de los niños, las cifras son aún más devastadoras: de los 15.000 que pasaron por Theresienstadt, sólo sobrevivieron unos 1.500, es decir, el 10%.

«Había unas sesenta mil personas metidas a la fuerza en una superficie de apenas algo más de un kilómetro cuadrado...», nos explica el protagonista de *Austerlitz*, la novela de Sebald. En efecto, en septiembre de 1942 se alcanzó el ápice de internos en Theresienstadt con una cifra de 58.491 deportados. Para hacerse una idea de lo que supone embutir 60.000 habitantes en un kilómetro cuadrado, basta recordar que Chamberí, el distrito con mayor densidad de Madrid, tiene 31.043 hab./km^2, es decir, la mitad que Terezín; o que la densidad de un lugar tan poblado como Manhattan es de 27.330 hab./km^2, aún menos.

Sin embargo, sólo había 28 SS en el recinto de Theresienstadt para vigilar a toda esta masa de prisioneros (¡cada SS, incluyendo al comandante, tocaba como mínimo a 1.600 internos!), auxiliados, eso sí, por la propia policía judía, mientras otros 150 guardias de la Gendarmería checa vigilaban el perímetro exterior. Una feroz disciplina hacía el resto: la pena de muerte era casi la única pena para

todas las faltas, incluidas las más nimias, como por ejemplo un mero error tipográfico en un informe. De hasta qué punto los presos habían interiorizado el miedo al castigo y se habían convertido en sus propios guardianes da fe la siguiente anécdota: durante una fiesta para generales alemanes y sus familias celebrada la noche del 5 de diciembre de 1944, los prisioneros quedaron libres de vigilancia, pero sólo un interno se atrevió a aprovechar la ocasión para escapar[180]. Era esa misma resignación al terror lo que tanto chocó y desagradó a Maurice Rossel, el delegado de la Cruz Roja que visitó el campo, y lo que él interpretó como conformismo y comportamiento robótico.

Pero a pesar de esta existencia azarosa, la vida de Theresienstadt mantuvo cierta estabilidad y unas estructuras más o menos permanentes de gobierno. A medio camino entre el gueto y el campo de concentración, su condición de escaparate propagandístico le otorgaba un estatuto especial. Como los otros guetos, los internados tenían su propio Consejo judío y vestían de civiles, no con el habitual pijama de rayas. De los campos de concentración, en cambio, retenía la estricta disciplina y organización interna: el trabajo forzado era obligatorio para todos y, a diferencia de los guetos, hombres, mujeres y niños eran separados a la llegada y alojados en barracones diferentes.

También administrativamente su situación era especial; Theresienstadt escapaba a la red de campos de concentración, bajo el mando de Oswald Pohl, y dependía directamente del departamento de Eichmann. El pequeño número de SS y gendarmes checos que

---

[180] https://es.wikipedia.org/wiki/Terez%C3%ADn (última consulta: 05/09/2018).

controlaba a la inmensa población de judíos, por intermedio de la propia policía judía, se hallaba al mando de un comandante nombrado por Eichmann en persona. En los tres años y medio de existencia del campo (de noviembre de 1941 a mayo de 1945), hubo tres comandantes, los tres austriacos como el propio Eichmann (a veces se olvida que la gentil Austria acogió a su compatriota Hitler con mayor entusiasmo que la propia Alemania). No se diferenciaban gran cosa, salvo en el talento organizativo. Los tres fueron igualmente despiadados, con esa crueldad exhibicionista tan propia de los SS.

El primero, Siegfried Seidl, el único universitario, después de dirigir Terezín y Bergen Belsen, fue uno de los artífices de la siniestra hazaña de deportar en 1944 a casi medio millón de judíos húngaros en menos de dos meses. El siguiente, Anton Burger, hijo de un pequeño comerciante de papelería, venía de Auschwitz y fue el comandante que menos duró: de julio del 43 a febrero del 44, en que fue sustituido por su falta de eficacia en la operación de embellecimiento. Se hizo célebre por ordenar, durante un gélido día de noviembre, un recuento interminable que causó la muerte por hipotermia de 300 internos. Burger era un inútil embelleciendo, pero muy diligente en cambio a la hora de deportar a los judíos de Grecia, su siguiente trabajo.

Karl Rahm, tercer y último comandante de Theresienstadt, era mecánico y aficionado a la carpintería y el bricolaje. Tal vez por ello, este manitas fuera el elegido para impulsar la estancada operación de camuflaje, que él desarrolló con notable eficiencia desde su llegada. Fue el comandante que acompañó a la delegación de la Cruz Roja en su célebre visita, pero poco tiene que ver con el intelectual refinado

que dibuja Mayorga en su obra. Rahm prefería golpear a los prisioneros y supervisar sesiones de tortura que leer a Spinoza. Como curiosidad, este SS tuvo un hermano comunista que acabó deportado en un campo de concentración.

Los tres comandantes fueron condenados a muerte tras la guerra, pero sólo dos de ellos fueron ejecutados. El más inútil del trío se reveló el más habilidoso a la hora de la fuga: Anton Burger logró escapar por dos veces de su prisión y vivió en Alemania sin ser molestado hasta su muerte en 1991, bajo el falso nombre de Wilhelm Bauer, un judío al que mató personalmente en Theresienstadt.

A diferencia de los otros campos de concentración, un Consejo judío (*Aeltestenrat* o Consejo de Ancianos, aunque más que ancianos, eran personalidades relevantes de la comunidad) se ocupaba de controlar la vida diaria del gueto y responder ante las autoridades alemanas. El Consejo se hacía cargo de los servicios municipales de cualquier ayuntamiento: suministros de agua y electricidad, alcantarillado, salud, limpieza, orden público (con su propia policía y juzgado), correos, actividades culturales y religiosas. El Consejo se ocupaba también de asignar los trabajos en los diferentes talleres que funcionaban en el campo (uniformes, correajes, carpintería, minería…), con jornadas extenuantes de doce y más horas. Incluso administraba un banco que funcionaba desde agosto de 1942, con su propio papel moneda, y donde cada preso recibía un ingreso de 50 coronas mensuales para gastarlos en el propio interior de Terezín.

Los responsables judíos del Consejo tenían además otras atribuciones más dramáticas, a las que difícilmente tiene que hacer

frente un municipio normal: eran los encargados de distribuir las escasas raciones de comida, proporcionadas al trabajo de cada uno (con lo cual condenaron a la inanición a la población no activa, principalmente ancianos, que apenas llegaban a las 1000 calorías, mientras que los trabajadores recibían —dependiendo del trabajo— de 2000 a 1500 calorías y los niños, unas 1800 calorías[181]). Pero, ante todo, sobre el Consejo recaía la siniestra obligación de confeccionar las listas de deportados, es decir, de decidir quién vive y quién muere.

Hubo también tres presidentes del Consejo de Ancianos en Theresienstadt. Los dos primeros murieron fusilados; se trataba de Jakob Edelstein, jefe de la comunidad judía de Praga, asesinado en Auschwitz en 1943 tras contemplar las ejecuciones de su mujer y su hijo; y de Paul Eppstein, portavoz de la comunidad de Berlín, ejecutado en el mismo Theresienstadt en 1944, a los pocos días de lanzar un célebre discurso que enojó a los nazis, por entender que anunciaba la pronta liberación y derrota de los alemanes. El tercer y único presidente que sobrevivió fue el infame Benjamin Murmelstein, un notable de la comunidad judía de Viena, entusiasta colaborador de Eichmann y recientemente reivindicado, de manera incomprensible, por Lanzmann en su film *El último de los injustos*. Como ha sucedido con el resto de los *Judenrat* (nombre en alemán de los consejos judíos de los guetos), las acusaciones de colaboracionismo y nepotismo contra el de Terezín son demoledoras. Los integrantes del Consejo

---

[181] http://www.executedtoday.com/2013/06/20/1944-jakob-edelstein-and-family/ (última consulta: 05/09/2018).

favorecían a parientes y adláteres con diversos privilegios (mejores alojamientos y trabajos, exenciones a la hora de las deportaciones), que aumentaban considerablemente las posibilidades de supervivencia. Junto a ésta, otra acusación aún más grave: la estrecha y entusiasta colaboración con los alemanes, incluso cuando ya se conocían sus planes de exterminio, sirvió para engrasar y multiplicar la eficacia de su maquinaria de muerte. La filósofa Hannah Arendt, una de los más implacables críticos de los *Judenrat*, argumentó cómo, no ya la resistencia o el sabotaje, sino simplemente un menor espíritu de colaboración, hubiera impedido que las cifras de víctimas alcanzaran las cotas abrumadoras que todos conocemos.

También la defensa de los acusados es conocida y Murmelstein la repite en la entrevista que le concedió a Lanzmann: los notables del Consejo pensaban que la entusiasta colaboración con los nazis los preservaría de la destrucción, puesto que también a los alemanes les interesaba conservar un gueto modelo para enseñarlo al mundo. Es un argumento que desmienten los hechos: hasta la visita de la Cruz Roja en 1944, los nazis no se esforzaron gran cosa por mantener la ficción del gueto modelo; no sólo la tasa de mortandad se disparó desde el principio, sino que las deportaciones a centros de exterminio (principalmente Auschwitz y Treblinka) comenzaron enseguida. Incluso el bienestar que acarreó la visita de la delegación fue pasajero y benefició tan sólo a un sector de los internos, sin contar a los más de 7.000 a los que se deportó a Auschwitz como parte del adecentamiento del campo. Pero si aún quedaban esperanzas antes de la visita, a los pocos meses de efectuada y una vez concluido el

rodaje del célebre documental propagandístico, cuando en el otoño de 1944 se reanudaron las deportaciones masivas y las condiciones del campo volvieron al nivel miserable del principio, ya no podían caber dudas sobre la inutilidad de colaborar con los nazis con vistas a la supervivencia.

Tampoco resulta convincente la alegada ignorancia de los responsables judíos sobre el destino que aguardaba a los deportados. Nadie en Terezín se hacía ilusiones al respecto, como demuestran los numerosos testimonios de supervivientes. Es cierto, en cambio, que la colaboración garantizó la supervivencia de Murmelstein y su familia, así como de otros miembros del Consejo judío, pero al precio de acelerar la aniquilación de miles de los suyos. Es indudable también que los Consejos, al organizar la vida de los guetos, hicieron menos intolerable la existencia en ellos, como alegan sus defensores, entre ellos Yad Vashem; pero no es eso lo que se discute, sino la falta de cualquier iniciativa para retrasar, entorpecer o boicotear el mecanismo de exterminio que necesitaba de su colaboración como de una pieza clave para su funcionamiento.

Al mismo tiempo que un infierno, Theresienstadt fue también un experimento único y fascinante: pocas veces se ha visto concentrado tanto talento artístico e intelectual en tan escasos espacio y tiempo. Una pléyade de escritores, intelectuales de todas las especialidades, músicos y artistas plásticos, así como de la escena y el cine, desmentían con su actividad frenética el tópico de que primero haya que satisfacer las necesidades más básicas para que surja la apetencia de otros alimentos más espirituales. El gueto de Terezín fue

posiblemente el único lugar en la historia donde sus habitantes tenían más fácil satisfacer el hambre de cultura que el hambre de pan. Podía elegirse a diario entre una amplia oferta de conciertos, conferencias, representaciones teatrales, o simplemente acudir a una biblioteca con más de 60.000 volúmenes (10.000 en hebreo) o a un café a disfrutar de música o cabaré en directo.

Que esta imagen no nos lleve a engaño, como pretendían los nazis: igual de fácil que acudir a un espectáculo, resultaba enfermar, morir de inanición o ser deportado a Auschwitz. Pero la amenaza constante de la muerte, en lugar de sofocar, espoleó aún más el ansia de arte y cultura.

Con tal de que no interfiriese o amenazara la vida del campo, a los nazis les resultaba indiferente lo que hicieran los internos en su tiempo libre, salvo la enseñanza a los niños, que se hallaba prohibida, pero que de todas formas prosiguió clandestinamente. La intensa vida cultural que hubo desde un principio se potenció aún más, con el beneplácito de los alemanes, durante la operación de embellecimiento.

En el campo funcionaban hasta cuatro orquestas, varios grupos de cámara y de jazz, compañías de teatro y de ópera, y una nómina, digna de la mejor universidad, de científicos y humanistas que impartían charlas sobre las más variadas disciplinas. Había también exposiciones, torneos deportivos y de ajedrez, y una producción artística constante a cargo de pintores, escritores y compositores de primera categoría. La vida musical revistió una especial brillantez. Compositores como Viktor Ullman, Pavel Haas, Gideon Klein, Hans

Krása, Carlo S. Taube o Zigmund Schul crearon en los barracones del campo obras que aún se siguen escuchando. Óperas como *El emperador de la Atlántida* de Viktor Ullman o la infantil *Brundibar* de Hans Krása, han entrado por derecho propio en el repertorio operístico. Un director de primera fila como el checo Karl Ancerl (que sobrevivió a la guerra) dirigía un amplio repertorio, entre el que se contaba obras tan exigentes como el *Réquiem* de Verdi. Es imposible imaginar la impresión que una obra tan estremecedora de por sí como la de Verdi (interpretada más de una vez) podía causar entre aquellos muertos vivientes.

Otro de los aspectos más admirables de la vida del campo fue la dedicación prestada a los niños. Se cuidó de manera especial tanto su bienestar físico como su educación, así como se procuró protegerlos del ambiente tétrico del campo. La nutrida población infantil (recordemos: 15.000 niños de los que apenas sobrevivieron 1.500 e incluso llegaron a nacer 247 en el interior del campo) se alojaba en barracones aparte, mejor acondicionados y en un relativo aislamiento (los niños en el barracón L 417, las niñas en el L 410), y tenían asignados tutores secretos para que cuidasen de ellos, designados por el Consejo de Ancianos. Se mejoró su alimentación y sus condiciones sanitarias y, aunque la enseñanza estaba prohibida, se les educó de manera regular en escuelas clandestinas, a cargo de pedagogos y maestros de prestigio, que abundaban entre los deportados a Terezín. Al mismo tiempo, se les preparó toda una serie de actividades culturales y artísticas que aliviara la atmósfera opresiva del gueto. Es célebre la colección de dibujos infantiles que se rescató tras la guerra,

y hasta llegó a haber una revista dirigida por los propios niños, *Vedem* (*En cabeza*), de la que han quedado testimonios.

LA VISITA DE LA CRUZ ROJA

En febrero de 1943, ante las denuncias de los gobiernos aliados por el trato dispensado por los alemanes a los judíos, Himmler, jefe de las SS, ordenó detener las deportaciones desde Theresientadt a Auschwitz, una moratoria que tan sólo duraría siete meses. Al mes siguiente dio un paso más, y con el propósito de frenar las protestas internacionales, decidió convertir Theresienstadt en un gueto modelo. Hubo una primera visita al campo el 28 de junio de 1943 por parte de dos miembros de la Cruz Roja alemana, que emitieron un informe muy negativo sobre la malnutrición y sobrepoblación de los internados. Esto aumentó la preocupación internacional.

Las presiones crecieron cuando, en octubre de 1943, 456 judíos daneses fueron deportados a Terezín. Alarmados por los siniestros rumores que circulaban sobre la suerte deparada a los judíos, el gobierno y el rey de Dinamarca solicitaron información al gobierno nazi sobre el estado de sus súbditos deportados. Los nazis deseaban evitar un deterioro de sus relaciones con los países escandinavos, de los que provenía una parte importante de su industria bélica. Todas estas presiones hicieron que Himmler autorizase una visita de la Cruz

Roja al campo de Theresienstadt, con el propósito de tranquilizar a la opinión internacional, y en especial al gobierno danés.

La visita fue minuciosamente planificada con meses de antelación. Benjamin Murmelstein, miembro del Consejo judío del campo, se encargó de la parte constructiva y el presidente Eppstein de la cultural. Por el lado de los nazis, el responsable fue el mayor Karl Rahm, que acababa de sustituir al anterior comandante, Burger, juzgado ineficaz en el embellecimiento. Rahm fue el encargado no sólo de supervisar el proyecto de embellecimiento de Theresienstadt, sino también de acompañar a los delegados de la Cruz Roja Internacional (entre ellos a Maurice Rossel) durante su visita al campo.

El plan pretendía crear una especie de poblado Potemkin, uno de esos pueblos falsos hechos de decorados que, según la leyenda, al parecer inventada, el consejero Potemkin le preparó a la emperatriz Catalina de Rusia para hacerle creer que los territorios conquistados de Ucrania y Crimea habían sido colonizados. Con el fin de llevar a cabo esta operación de ilusionismo a gran escala, digna de Hollywood, se puso en marcha la *Verschönerungsaktion* (Campaña de embellecimiento). Desde finales de diciembre de 1943 (seis meses antes de la visita), se acometió un ambicioso trabajo de remodelación de aquellas zonas del gueto que debían ser visitadas. Se mejoraron las infraestructuras: se crearon jardines, se plantaron flores, se asfaltaron calles, se instalaron bancos en los paseos, se pintaron fachadas, se reformaron algunos barracones, se bautizaron las calles con nombres (el propio gueto pasó a llamarse «asentamiento») que sustituían a los

anteriores e impersonales números, se construyó un quiosco de música, un café, varias tiendas con falsa mercancía confiscada a los propios judíos, se simuló un hospital con falsos enfermos, un parque infantil con columpios, una guardería, una escuela infantil (con un cartel de «Cerrado por vacaciones»), una sinagoga, un auditorio, un salón de actos para actos culturales, se amplió la biblioteca hasta los 60.000 volúmenes, se potenció el ya existente banco (con su propia moneda), se habilitaron baños públicos con duchas y vestuarios, huertos privados y hasta un columbario, con inscripciones en hebreo, para depositar las cenizas de los fallecidos…

En cuanto a las actividades culturales, aumentaron considerablemente desde meses antes de la visita y, a diario, podía disfrutarse de una amplia oferta de actos: hubo una banda de música para el quiosco de la plaza central, se creó una jazz band (música degenerada para los nazis) llamada los Ghetto Swingers, hubo conciertos de clásica y representaciones de ópera infantil (*Brundibar*), conferencias, lecturas poéticas, una liga de fútbol (con dos divisiones adultas y una infantil), torneos de ajedrez, música en el café. Se recibieron del exterior, por cortesía de los nazis, instrumentos musicales y vestuario teatral…

Los internos vieron doblada su ración de comida desde diciembre de 1943 y se les permitió recibir paquetes en mayor medida que hasta entonces. Se mejoró asimismo la atención médica y el suministro de medicamentos. Los presos fueron vacunados contra el tifus (lo cuenta Murmelstein en la película de Lanzmann). Los deportados daneses y los prominentes fueron realojados en mejores viviendas con un

mobiliario de calidad. Deportaciones previas a Auschwitz (7.500 internos el 12 de mayo de 1944) eliminaron parte del exceso de población. Para ello se eligió a los impresentables: huérfanos, enfermos, incluso enanos. En el momento de la visita la población era de 27.702 y ya le pareció a la delegación que Theresienstadt estaba superpoblado. Cuesta imaginar, pues, cómo sería en su momento álgido de septiembre de 1942, cuando el gueto alcanzó su máxima aglomeración: 58.491 deportados, en un lugar preparado para alojar una guarnición de 7.000.

Además de las mejoras, los nazis impartieron toda una serie de instrucciones a los prisioneros: se prohibió el saludo a los alemanes, obligatorio hasta entonces, para no interferir con la fantasía de que los judíos se regían de manera autónoma. Repárese en la ironía: se prohibieron las muestras de sumisión bajo pena de muerte. Fue prohibido también levantarse, interrumpir lo que uno estuviera haciendo o prestar atención a los visitantes, para no dar la impresión de que todo estaba preparado.

El recorrido de la visita fue meticulosamente planificado para que no traspasara los límites del decorado del gueto modelo. Se dibujó incluso en un mapa la línea roja por la que debían transcurrir los visitantes. A lo largo de dicho trazado, se preparó una sucesión de escenas cotidianas, dignas de una ciudad feliz: un diálogo preparado de unos niños, un juicio, un partido de fútbol, la representación de la ópera infantil *Brundibar*... Hasta el más mínimo gesto y palabra fue estudiado y previsto al detalle. Cada frase del guión ensayado repetidamente. Cuando la delegación alcanzara el parque infantil, los

niños debían dirigirse al comandante SS de esta forma: «¡Sardinas otra vez no, tío Rahm! ¿Cuándo vas a venir a jugar con nosotros, tío Rahm?», dando a entender no sólo la confianza y familiaridad con su carcelero, sino la saciedad de una dieta rica en proteínas. Se instruyó a otro grupo de niños sobre cómo debían moverse, sonreír y jugar con sus juguetes en una especie de guardería. El propio Eppstein, jefe del gueto y el único judío que acompañó a la delegación, ensayó concienzudamente su discurso y las respuestas a las posibles preguntas. Una serie de mensajeros (hasta tres) debían avisar con anticipación a los diferentes actores de la aproximación de los delegados para que todos estuvieran preparados.

A los prisioneros que debían ser contemplados por los delegados de la Cruz Roja se les entregó ropa elegante y zapatos de tacones a las mujeres. Los impresentables (malnutridos, lisiados, enfermos…) fueron retirados de la circulación y alojados en barracones apartados. Entre 150 y 200 «prominentes» fueron sacados de los infectos barracones colectivos y se les asignaron alojamientos individuales, donde, a diferencia de lo que sucedía en el resto del campo, se les permitió a las parejas vivir juntas. Entre estos privilegiados, que incluían a prisioneros daneses, se encontraban también, curiosamente, conocidos y parientes de los miembros del Consejo judío, empezando por los de Murmelstein.

La visita tuvo lugar finalmente el 23 de junio de 1944 a cargo de una delegación compuesta por dos representantes daneses y el suizo Maurice Rossel, en nombre del Comité Internacional de la Cruz Roja, a los que acompañaron seis SS, un representante del ministerios de

exteriores alemán, un enviado de la Cruz Roja alemana, el jefe del campo, Karl Rahm, y el presidente del consejo judío, Paul Eppstein. Rossel no llegó a hablar con ningún otro judío que no fuera el «alcalde» Eppstein, al que calificaba de «autómata». Si el delegado suizo se dirigía a cualquier otro preso, éste sencillamente lo ignoraba, como si no lo hubiera oído.

La visita comenzó por las dependencias de la administración autónoma judía, donde Paul Eppstein les dio la bienvenida y les dibujó un panorama repleto de datos falseados sobre número de pobladores, tasa de mortalidad, alimentación, etc., que Rossel dio por buenos y recogió en su informe. La gira prosiguió por la lavandería, los comedores, los dormitorios de los trabajadores, la panadería, el presunto hospital infantil y un centro social donde se representó en honor de los ilustres visitantes *Brundibar*, la ópera infantil de Hans Krása y se cantó el *Requiem* de Verdi por parte de un coro diezmado por las deportaciones, al que dirigía Rafael Schächter, un músico asesinado en las marchas de la muerte. Visitaron también una escuela «fabricada» un mes antes, donde jamás se dieron clases, así como los alojamientos de los judíos daneses y otros judíos «prominentes», la farmacia, el banco, la oficina de correos, diversas tiendas falsas (entre ellas, una carnicería), la estación de bomberos, los baños, el consultorio (con falsos enfermos encamados), una corte penal (donde asistieron al falso juicio de un ratero, que terminó siendo absuelto merced a la magnánima intercesión del comandante) y otras instalaciones de pega, para finalizar astutamente en el pabellón infantil, con la idílica imagen de unos niños jugando alegremente con

sus juguetes. La visita duró en total ocho horas, comida incluida (la delegación llegó a las diez de la mañana y se marchó a las seis de la tarde) y en ningún momento los visitantes intentaron salirse del recorrido marcado por los nazis.

Tanto Rossel como los delegados daneses emitieron con posterioridad sendos informes de lo más favorables. «Ciertamente», escribió Rossel en el suyo, de julio de 1944, «existen pocas poblaciones que estén tan bien cuidadas como la de Theresienstadt». Entre otras falsedades, el informe añadía que los judíos disfrutaban de una completa autonomía administrativa y que Terezín era un campo final y no uno de tránsito en ruta hacia otros campos de exterminio. Paul Eppstein, el presidente del Consejo Judío, era descrito por Rossel como un «estaliniano de gran valor», que detentaba «un extenso poder» sobre una «sociedad comunista». La alimentación de los internados era «suficiente» e incluso disponían de «ciertos artículos imposibles de encontrar en Praga»[182]. Si no los disiparon, los informes, en especial el de Rossel, sirvieron al menos para crear dudas en torno a los rumores que corrían sobre el trato criminal a los judíos, y tranquilizaron a más de uno. La Cruz Roja se mostró tan satisfecha que renunció a una posterior visita, ya planeada, al campo familiar de Auschwitz-Birkenau, donde los nazis ya le tenían preparada otra pantomima. La renuncia a esta última visita convertía en superfluo el campo familiar y los nazis procedieron a su inmediata liquidación y al exterminio de los comparsas.

---

[182] Los informes pueden consultarse en Internet.

Según las declaraciones de los delegados de la Cruz Roja (incluyendo a Rossel), ya contaban antes de la visita con que todo fuera una pantomima y con que su misión fuese mirar por detrás de la fachada. Rossel es culpable, por tanto, de haberse conformado con lo que le enseñaron, de no tratar de salirse del circuito y hacer averiguaciones por su cuenta o de descubrir, al menos, que no se le permitía investigar por detrás de la fachada. Una cosa queda clara: Rossel no vio más allá, como dice él, porque no quería ver, porque llegó al campo con los prejuicios antisemitas habituales, que aún le duraban en el momento de la entrevista de Lanzmann (1979). Para él aquellos judíos se adaptaban al estereotipo previo del judío rico e insolidario: gente aprovechada, que sólo piensa en su salvación egoísta, pagada a precio de oro, y que se desentiende de sus hermanos de raza condenados. Therensienstadt era para Rossel un campo de *Prominenten*, de privilegiados y aprovechados, y se negó a ver otra cosa que esa imagen previa que ya traía. Ya el solo hecho de que llame siempre a los judíos con el remilgado y desfasado eufemismo de «israelitas» demuestra su profunda hipocresía.

En la entrevista de Lanzmann y en el libro que la recoge[183], Maurice Rossel descarga la responsabilidad por su ceguera sobre los propios deportados judíos, a los que acusa incluso de no avisarle de lo que se estaba fraguando, y da a entender que lo hacían para no comprometer su presunta situación de privilegio en un campo especial, o su propia salvación, comprada a base de dinero, sin que el destino de sus congéneres menos afortunados les importara un

---

[183] Claude Lanzmann, *Alguien vivo pasa*, Madrid, Arena Libros, 2005.

comino. ¡Y lo sigue diciendo en 1979, cuando ya se sabe que todo eso es falso y que si no hablaban era por puro terror! ¡Aún sigue manteniendo que hubiese sido muy fácil que le avisaran de lo que ocurría dentro, sabiendo que estaban estrechamente vigilados en todo momento y que se jugaban la vida al menor descuido! Los internos abrigaban además la esperanza de que, si todo salía bien, los nazis mantuvieran Theresientadt como escaparate y ellos pudieran salvarse. De hecho, los supervivientes recuerdan aquel periodo como una bendición, puesto que, durante meses, mejoró la alimentación y el trato: ¿cómo iban a poner en peligro tales mejoras denunciando a la Cruz Roja una pantomima que les beneficiaba? ¿Cómo no iban a mostrarse contentos tanto durante la visita como durante el documental que se filmó posteriormente?

Rossel habla de docilidad, pasividad, sometimiento, que le «provocaron un gran malestar» (p. 36). Una y otra vez se defiende alegando que aquellos prisioneros estrechamente vigilados podían haberle hecho un «guiño», «haberse permitido hacer una alusión, en fin, un comentario, o por haber pasado un papel o un informe; lo que les hubiera resultado fácil, fácil, fácil,» (p. 37) Incluso llega a calificar la actitud robótica de aquella gente como «muy antipática» (p. 50).

Durante su entrevista, Lanzmann, que, astutamente, le ha ido soltando cuerda a Rossel para que él mismo se ahorque, decide hacia el final romper su propia pantomima (al contrario de lo que sucedió en la visita de Terezín) y enfrentar al suizo a los hechos: «Teledirigieron su visita metro a metro. Por eso cuando usted habla, por ejemplo, de las condiciones de alojamiento, y dice que le

parecieron absolutamente decentes y adecuadas, es que no vio nada en Theresienstadt. Porque había que entrar en los barracones o en los cuarteles donde la gente vivía como en Auschwitz» (pp. 46-47).

Como dijo Lanzmann en la presentación americana del film[184], «Rossel se engañó a sí mismo», no lo engañaron los nazis. Y es tanto más significativo este autoengaño, cuanto que Lanzmann tiene buen cuidado en señalarnos que su entrevistado no era un miserable ni un cobarde ni un oportunista. Al contrario, manifestó considerable valor cuando, antes de la visita a Terezín, viajó por iniciativa propia y sin ninguna invitación hasta Auschwitz.

La actitud de Maurice Rossel, por otra parte, no era aislada ni se salía de la tónica de su organización por aquellas fechas. En el Comité Internacional de la Cruz Roja (CICR) abundaban los germanófilos, por no llamarlos pro-nazis. Pese a estar perfectamente informada de la «Solución final» desde la primavera de 1942, la Cruz Roja no emitió protesta ni condena algunas por el trato nazi a los judíos, ni tomó ninguna iniciativa oficial para intentar rescatar o aliviar la suerte de las víctimas civiles de los nazis. Sólo en 1944, cuando los alemanes emprendieron la masiva deportación de judíos húngaros, la Cruz Roja intercedió tímidamente por ellos[185].

Tras la visita, en septiembre de 1944, se rodó una película propagandística[186] igual de falseada (*Theresienstadt*: un documental

---

[184] http://www.nytimes.com/1999/06/24/movies/a-holocaust-bloodhound-gently-tracks-a-target.html (última consulta: 05/09/2018).

[185] http://www.yadvashem.org/odot_pdf/Microsoft%20Word%20-%205769.pdf (última consulta: 05/09/2018).

[186] https://goo.gl/7UwLor (última consulta: 05/09/2018).

sobre el asentamiento judío, también conocida como *El führer regala una ciudad a los judíos*), que presentaba el campo de Therensienstad como una idílica «ciudad balneario». En el documental se habla de «residentes», en lugar de «presos» o «internos» y en ningún momento se divisan SS o guardias armados. Estaba destinado a la Cruz Roja, el Vaticano y otras organizaciones neutrales, con el propósito de modificar la visión catastrofista sobre el trato a los judíos que ya empezaba a cundir entre la opinión pública internacional. Kurt Gerron (un célebre y experimentado hombre de cine, que apareció junto a Marlene Dietrich en *El ángel azul*) fue el encargado de dirigirlo. Él, su equipo de rodaje y la mayor parte de los que aparecen en el documental, cambiaron la cámara cinematográfica por la de gas en el otoño de 1944, poco después de finalizar el rodaje. La película, de la que han sobrevivido veinte sobrecogedores minutos, ardió casi en su totalidad durante los bomardeos del final de la guerra, aunque antes se realizaron algunas proyecciones privadas para miembros del gobierno y de algunos organismos internacionales. Los internos que aparecen en el documental —bien vestidos y alimentados— muestran una rigidez robótica muy semejante a la que debieron encontrarse los delegados de la Cruz Roja durante su visita, la propia del secuestrado a quien obligan a sonreír y aparentar normalidad a punta de pistola.

En cualquier caso, los beneficios que trajo la visita fueron efímeros y limitados a un sector minoritario de Theresienstadt: las raciones de comida volvieron a reducirse para desesperación de los internos y, lo que es más grave, en el otoño de 1944, se deportó a la mayoría de los participantes en el fraude de la visita, en una gran purga que redujo

la población de Terezín a un tercio de la que había. De los 30.000 prisioneros contabilizados en septiembre de 1944, un mes después sólo quedaban unos 11.000; el resto, 18.402 internos, fueron deportados a Auschwitz, donde perecieron casi todos en las cámaras de gas. Al presidente del Consejo Judío, Eppstein, que acompañó a la Cruz Roja en su recorrido, le ahorraron la deportación: fue fusilado en la pequeña fortaleza tres meses después de la visita, en septiembre de 1944. Sólo los judíos daneses mantuvieron sus privilegios y evitaron las deportaciones a Auschwitz, gracias a las presiones del gobierno danés.

El 28 de octubre de 1944 partió de Theresientadt el último transporte con destino a las cámaras de gas de Auschwitz. La anunciada derrota nazi hizo que Himmler detuviera las operaciones más visibles de genocidio, como eran las deportaciones a campos de exterminio, en un intento ingenuo de limpiar su imagen. El 5 de febrero de 1945 autorizó incluso una operación de rescate de 1.210 judíos holandeses, que fueron trasladados a Suiza a cambio de un cuantioso pago en dólares.

Hubo una segunda visita a Terezín el 6 de abril de 1945. También esta vez se había adecentado previamente el campo, y también, como en la anterior ocasión, el informe de la Cruz Roja fue favorable. Tras esta segunda inspección, todos los judíos daneses fueron devueltos a su país. Por último, tras otra nueva visita el 21 de abril, el 2 de mayo los nazis entregaron Theresienstadt a la Cruz Roja.

En el momento de la liberación por los rusos, el 9 de mayo de 1945, la población del campo había ascendido otra vez a 30.000 internos,

debido a la llegada en las semanas anteriores de evacuados procedentes de otros campos, como Buchenwald y Gross-Rosen. El hacinamiento y las desastrosas condiciones sanitarias del final de la guerra causaron una virulenta epidemia de tifus que se cobró numerosas víctimas de última hora. Como consecuencia, los internos fueron declarados en cuarentena y no pudieron abandonar el campo hasta julio y agosto. El último judío superviviente partió de Theresienstadt el 17 de agosto de 1945.

Tras la guerra, la fortaleza sirvió hasta 1948 como campo de internamiento para la minoría alemana de Checoslovaquia, y posteriormente se destinó a usos militares, hasta que en 1996 fue definitivamente abandonada. En la actualidad, algunas de sus instalaciones se han reconvertido en memorial, mientras otras siguen sirviendo de vivienda para unos 3.000 habitantes de piel dura (hay que tener, desde luego, estómago, por no decir insensibilidad histórica, para hacer la vida allí donde tantos perdieron la suya entre atroces sufrimientos).

BIOGRAFÍA DE JUAN MAYORGA

Juan Antonio Mayorga Ruano nació en Madrid en 1965 y adquirió una sólida formación humanística y científica con sendas licenciaturas en Filosofía y Matemáticas. De esta última especialidad, impartió clases durante un lustro en diversos institutos, antes de

dedicarse en exclusiva a la escritura y la enseñanza del teatro en instituciones, como la Escuela Superior de Arte Dramático o la cátedra de Artes Escénicas de la Universidad Carlos III. En su faceta de filósofo, completó una tesis doctoral sobre Walter Benjamin[187], un pensador muy presente en el tratamiento de la historia de su teatro. Ha participado también en diversos seminarios filosóficos en el seno del CSIC (Consejo Superior de Investigaciones Científicas), sobre temas relacionados con el Holocausto y la memoria histórica, bajo la dirección de su admirado maestro Reyes Mate.

Desde su primera obra de 1989 (*Siete hombres buenos*), el dramaturgo madrileño ha publicado y estrenado numerosas piezas de diversos géneros (obras breves, dramas, comedias, teatro más o menos realista, de ideas, histórico…), entre las que cabe destacar *Himmelweg* (2003, uno de sus mayores éxitos internacionales), *El chico de la última fila* (2006, convertida en aclamada película en 2012 por el director francés François Ozon con el título *Dans la maison, En la casa*), *La lengua en pedazos* (2011, un vibrante diálogo entre Teresa de Jesús y un inquisidor), *Reikiavik* (2012, sobre el mítico duelo de ajedrez entre Fischer y Spassky en 1972) o *El cartógrafo* (representada con gran éxito en 2016). Estrechamente relacionadas con el nazismo y el Holocausto son dos obras del autor madrileño: *El traductor de Blumemberg* (1993) y la citada *El cartógrafo* (2009).

Mayorga se ha convertido no sólo en uno de nuestros autores más representados en nuestro país, con éxito de público y crítica (y

---

[187] Juan Mayorga, *Revolución conservadora y conservación revolucionaria. Política y memoria en Walter Benjamin*, Barcelona, Anthropos, 2003.

numerosos premios), sino en uno de los pocos —tal vez el que más en nuestros días— que es reconocido y estrenado en cualquier idioma y país del mundo.

Su escritura desborda las convenciones del teatro costumbrista. Para la construcción de la ficción, Mayorga confía en buena parte en la imaginación del espectador: la escenografía es austera y tan sólo sugerida. Lo fundamental en su teatro es siempre la palabra, el diálogo. Los personajes atraviesan en ocasiones los límites de la representación para interpelar directamente al espectador, a su propio presente. Como él mismo ha señalado alguna vez, la veracidad en la escena surge de la combinación de dos factores: una asamblea más la imaginación de los espectadores[188].

Hablando de la libertad del dramaturgo para reconstruir la realidad, dice Mayorga en uno de sus textos teóricos más importantes: «El dramaturgo puede no sentirse obligado por las restricciones que constriñen al historiador académico; puede decidir que en el escenario se representen sucesos nunca acaecidos, se unan personas que nunca se conocieron, se fusionen espacios distantes, se altere el orden en que ocurrieron los hechos…»[189]. Es en otro lugar, diferente de la fidelidad al dato histórico, donde el teatro se la juega: «Lo fundamental es si una obra consolida la imagen con que el presente domina al pasado o si la desestabiliza. Si confirma las convicciones del espectador o las pone en crisis. Si se adhiere al prejuicio o si lo desmonta […] Si consigue, sin incurrir en la

---

[188] https://www.youtube.com/watch?v=7VLGqall4CQ (última consulta: 05/09/2018).

[189] «El dramaturgo como historiador», 2007, en: *Himmelweg*, p. 182.

arbitrariedad, presentar el pasado a contracorriente, asaltando al confiado espectador, poniéndolo en peligro [...] Ésa es, a mi juicio, la misión del teatro histórico: que se vea con asombro lo ya visto, que se vea lo viejo con ojos nuevos».

En cuanto a su temática, el de Mayorga no puede hallarse más alejado del teatro comercial. Si algo van buscando sus obras no es la distracción o la evasión, sino la reflexión y la crítica; y no sobre asuntos etéreos, sino sobre otros muy directamente políticos, de una rabiosa actualidad a veces, como la boda de la hija de Aznar, a la que dedicó en su día una sártira breve: *Alejandro y Ana. Lo que España no pudo ver de la boda de la hija del presidente*. El dramaturgo se ha mostrado rotundo en reiteradas ocasiones sobre este punto: «El teatro es un arte político. El teatro se hace ante una asamblea. El teatro convoca a una polis y dialoga con ella»[190]. Y en otro artículo teórico insiste: «Éste es el arte político por excelencia, puesto que se realiza ante una asamblea. El teatro convoca a la polis y dialoga con ella. Por eso tiene una responsabilidad mayor que cualquier otro arte. Si hay un arte que tiene por misión decir la verdad, ése es el teatro»[191]. ¿Cuál es esta verdad que debe proclamar el teatro? Una que tiene que ver siempre con las víctimas de la barbarie y la dominación: «El teatro es un arte de la memoria. Recordamos todas las guerras desde los griegos. Todas las víctimas, cada una de ellas. Y todas ellas están hoy, otra vez, en peligro. Porque sólo hay una forma de hacer justicia a las víctimas del pasado: impedir que haya víctimas en el presente»[192].

---

[190] «El teatro es un arte político», 2003, en: op. cit., p. 198.
[191] «Teatro y verdad», 2004, en: op. cit., p. 188.
[192] «El teatro es un arte político», en: op. cit., p. 199.

Se han apuntado múltiples influencias en la dramaturgia de Mayorga, desde Samuel Becket o Albert Camus a autores ingleses contemporáneos (Tom Stoppard, David Hare o Harold Pinter), pero todas ellas pasan por las tendencias que privilegian la idea y la palabra antes que el espectáculo visual o escenográfico.

Su carrera teatral se inició en los 90, participando en algunos grupos independientes como El Astillero, en lo que se dio en llamar generación Bradomín, en referencia al premio Marqués de Bradomín de teatro que comenzó a concederse por aquellos años. Pronto pasaría a los escenarios del Centro Dramático Nacional, y en la actualidad, sus obras se estrenan o se reponen con regularidad en los teatros más comprometidos de todo el mundo. En 2018 es elegido Académico de la Real Academia Española.

HIMMELWEG, CAMINO DEL CIELO

«*Himmelweg* es una obra en cuyo centro está la memoria — ¿atormentada?, ¿autoindulgente?— de un hombre. Ese hombre, en su juventud, siendo delegado de la Cruz Roja, inspeccionó un campo de exterminio y acabó redactando un informe positivo sobre las condiciones de vida de los concentrados, sin reconocer —o sin querer reconocer— que los nazis le habían puesto ante una mascarada, una representación teatral. Al construir ese personaje que, queriendo ayudar, acabó convirtiéndose en aliado del verdugo, pensé en mucha

gente que conozco, y en mí mismo, y en la invisibilidad del horror que nos rodea».

Con estas palabras presentaba *Himmelweg* su autor en un importante artículo teórico de 2007[193]. *Himmelweg* está basada libremente en la visita que efectuó la Cruz Roja al campo-gueto de Theresienstadt el 23 de junio de 1944. Aunque el propio Mayorga reconoce que tomó datos y hasta palabras literales de la entrevista de Lanzmann a Maurice Rossel (el delegado suizo de la Cruz Roja que encabezaba la delegación de la visita), no se trata en absoluto de una obra documental ni de una reconstrucción histórica dramatizada. Ni siquiera se escenifica la propia visita, sino los prolegómenos y los momentos posteriores. El teatro de Mayorga no es lo que se conoce habitualmente por teatro realista: sus escenarios están sólo sugeridos, las acciones no respetan pautas temporales (suceden de manera simultánea o alternan pasado y presente sin atenerse a un orden cronológico), los personajes rompen en ocasiones el marco de la ficción y se dirigen directamente al espectador…

Especialmente relevante resulta la advertencia del autor contra los que pretenden usurpar el lugar de la víctima, identificándose con ella. No tenemos ningún derecho a identificarnos con las víctimas del Holocausto, nos advierte Mayorga, alegando sentimientos de desarraigo presuntamente comunes, pero en realidad muy alejados. «Detesto las obras de arte que pretenden "hablar por las víctimas", "ser voz de los sin voz". Ése me parece un ejercicio de suplantación inaceptable. Nadie puede ponerse en lugar de las víctimas, ni hablar

---

[193] «El dramaturgo como historiador», en: *Himmelweg,* pp. 186-187.

por ellas; todo lo que podemos, a lo sumo, es hacer que resuene su silencio»[194].

Sería este el caso, no sólo de la literatura del Holocausto más comercial (ficciones lacrimógenas que incluyen 'Auschwitz', 'Mauthausen' o cualquier otro reclamo comercial en el título), sino también de productos más prestigiosos, como puede ser *Sefarad*, la novela de Antonio Muñoz Molina, donde, con el pretexto del concepto muy elástico de desarraigo, se mezclan churras con merinas, es decir, marginaciones y desamparos muy diferentes y difícilmente comparables: la frustración de un oficinista con aspiraciones artísticas o la del niño gordito hostigado por sus compañeros de clase (traumas sacados de la biografía del autor), con los destinos atroces de las víctimas del Holocausto. Muñoz Molina pretende que el primer tipo citado de experiencias nos capacitan para comprender desde dentro las segundas. «Eres Jean Améry [...] Eres Evgenia Ginzburg [...] Eres Margarete Buber-Neumann [...] eres Franz Kafka», escribe el autor en la novela, identificándose a sí mismo y al lector con tales víctimas. Pero no es cierto: ni Muñoz Molina ni la mayoría de sus lectores somos Klemperer, Améry, Primo Levi o Margarete Buber-Neumann por mucho que lo pretendamos; no hemos vivido, por fortuna, sus experiencias extremas y con suerte, no las viviremos jamás.

El horror de las cámaras de gas es irrepresentable; no sólo es imposible representarlo, sino obsceno; hay que dejar que sea el espectador el que se lo imagine; esta es otra de las ideas maestras de

---

[194] «Entrevista de Manuel Aznar Soler a Juan Mayorga sobre *Himmelweg*», en: op. cit., p. 270.

Mayorga[195] que lo acercan a algunos autores contemporáneos, como Sebald, Kertész o Modiano, que han tratado el tema del Holocausto o sus consecuencias siempre de una manera elusiva, indirecta, negándose a la explotación directa del morbo. De hecho, en *Himmelweg*, la violencia no aparece de manera explícita, está sólo presentida y por ello es más inquietante y ominosa. Tampoco se muestra en directo la propia visita, que se salta mediante una elipsis, para referirse a ella después por medio de un personaje.

Igual de contundente resulta su opinión sobre el boom de cierta literatura centrada en el Holocausto: «Conviene no alegrarse inmediatamente de esa proliferación. Las faltas a la hora de presentar la Shoá pueden ser enormes, y en ellas incurren muchas obras mejor o peor intencionadas: la manipulación sentimental del sufrimiento, la exhibición obscena de la violencia, la explotación del siniestro "glamour" del *Lager*... De la oscuridad del *Lager* procede un extraño brillo aurático del que muchos creadores parecen querer apropiarse, como si ubicar allí una ficción diese a ésta un prestigio mayor, una importancia suplementaria»[196].

Pero frente a esta utilización kitsch del recuerdo del horror, existe un tratamiento legítimo, liberador, de la memoria histórica: «La memoria de la Shoah es nuestra mejor arma en la resistencia contra viejas y nuevas formas de humillación del hombre por el hombre...».

---

[195] https://www.youtube.com/watch?v=7VLGqall4CQ (última consulta: 05/09/2018).

[196] «La representación teatral del Holocausto», en: op. cit., p. 195. También consultable en Internet:

http://www.proyectos.cchs.csic.es/fdh/sites/default/files/10JMayorgaRepresentaci%C3%B3nHolocaustoES.pdf (última consulta: 05/09/2018).

La siguiente caracterización del teatro sobre el Holocausto es igualmente aplicable a la narrativa o la poesía: «Ese teatro [del Holocausto] no debería aspirar a ser un espejo de lo que sucedió […] El mejor teatro del Holocausto, como en general el mejor teatro histórico, no pone al espectador en el punto de vista del testigo presencial. Pues lo que el teatro puede ofrecer no es lo que aquella época sabía de sí misma, sino lo que aquella época aún no podía saber sobre sí y que sólo el tiempo ha revelado […] Buscará un modo de representación que se haga cargo de la imposibilidad última de la representación. Ese teatro del Holocausto no aspirará a competir con el testigo»[197].

Sobre la permanente actualidad de Auschwitz, no sólo para iluminar nuestro pasado, sino también nuestro presente, Mayorga se ha pronunciado en alguna ocasión[198]: «Auschwitz arroja luz hacia atrás y hacia delante, ilumina nuestro pasado y nuestro presente. Vemos con otros ojos la historia del pensamiento, el camino que lleva a Auschwitz (¿por qué los grandes filósofos no nos avisaron de Auschwitz?); y nos hace plantearnos la actitud de Europa ante los derechos humanos (refugiados, doble discurso), como algo similar a lo que sucedió en Auschwitz».

En cualquier caso, *Himmelweg* no es tan sólo una obra sobre el Holocausto o el nazismo, sino también una reflexión actual sobre la sociedad del espectáculo, aquella en que la apariencia suplanta a la realidad. «Habla sobre lo que sucede cuando el teatro no está frente a

---

[197] *Ibid.*, pp. 196-197.

[198] https://www.youtube.com/watch?v=7VLGqalI4CQ (última consulta: 05/09/2018).

la vida, sino en lugar de la vida. De lo que sucede cuando, en lugar de ser la máscara que desenmascara y libera, el teatro enmascara y mata»[199]. En otra intervención, el autor desarrollaba esta idea: «La obra habla del papel del teatro en nuestras vidas. Todos representamos personajes, el problema es si representamos los personajes que otros nos escriben o los nuestros propios. El teatro puede ser liberador o asfixiante»[200].

Era casi inevitable, pues, que lo que se concibió como puro teatro (una visita llena de acotaciones escénicas) terminara siendo representado sobre un escenario. Pero mientras el primero, el mal teatro, sirvió para disfrazar los hechos, el segundo, el buen teatro, sirve para desvelar la realidad oculta. El teatro que se hacía pasar por la vida cede el lugar a otro en que se muestra la vida que se hace pasar por teatro. Una ficción (la de las tablas) que no pretende engañar a nadie, se utiliza para desenmascarar otra ficción engañosa (la de la propaganda), que se quiere hacer pasar por la verdad. Así, el teatro se libera del sentido peyorativo de la palabra (como cuando se le dice alguien que tiene «mucho teatro») para transformarse en un espejo que nos muestra lo que no podemos ver a simple vista, lo que se oculta tras las apariencias.

---

[199] «Entrevista de Manuel Aznar Soler a Juan Mayorga sobre *Himmelweg*», p. 275.

[200] https://www.youtube.com/watch?v=7VLGqalI4CQ (última consulta: 05/09/2018).

ESTRUCTURA DE LA OBRA

Himmelweg consta de tres personajes principales: el delegado de la Cruz Roja, el comandante del campo y el alcalde judío, el único que tiene nombre en la obra, Gershom Gottfried. La obra se divide en cinco breves actos:

I. El relojero de Núremberg.

El primer acto es un largo monólogo del delegado de la Cruz Roja (sin nombre), que recuerda detalles de su visita a un campo de concentración y se dirige al espectador en presente. Está basado en la visita de Maurice Rossel al gueto de Theresienstadt el 23 de junio de 1944, aunque libremente recreado. Mayorga, como él mismo reconoce, sigue muy de cerca la entrevista de Lanzmann a Maurice Rossel. Resulta interesante comparar ambas obras para analizar dónde el autor se atiene al dato histórico y dónde se aleja de él para recrearlo. A este respecto escribía el dramaturgo: «No pretendo reconstruir el pasado tal como fue —objetivo, a mi juicio, ilusorio, y que en todo caso desborda mi capacidad—, sino hacer de él mapas que destaquen puntos, líneas, accidentes relevantes para el hombre contemporáneo y quizás para el hombre futuro»[201]. En los siguientes párrafos aparece primero la cita de *Himmelweg* y, a continuación, el párrafo de la entrevista de Lanzmann a Rossel en la que se basa[202]:

---

[201] «El dramaturgo como historiador», en: *Himmelweg*, pp. 185-186.

[202] La edición de Mayorga que citamos es la contenida en la última recopilación de sus obras, de 2014, en la editorial La Uña Rota (véase bibliografía). Las declaraciones de Rossel están recogidas en: Claude Lanzmann, *Alguien vivo pasa*, Madrid, Arena Libros,

Mayorga: «Nadie quería ir a Alemania en aquel momento» (p. 299).

Rossel: «… y fui enviado a Alemania, adonde nadie quería ir en aquel momento» (p. 16).

Mayorga: «Yo podía señalar a un piloto inglés condenado a muerte y decir a los alemanes: "Sé de un piloto alemán que está preso en Inglaterra. Será ejecutado si este hombre es ejecutado". En la guerra, ése es el modo de hablar» (299).

Rossel: «… le decía: "No se preocupe, va a seguir así, condenado a muerte hasta el final de la guerra, porque en mi cartera tengo doce condenados a muerte alemanes que esperan lo mismo, y si a usted lo ejecutan, ellos serán ejecutados". Era la única manera de hablar…» (18).

Mayorga: «Vivíamos en Berlín, en la Berliner-Wannsee, junto al lago, en una casa que nos había cedido el Gobierno alemán. Una casa grande, hermosa, yo jamás había vivido en una casa así» (299).

2005 (Título original: *Un vivant qui passe*). Se puede consultar también una transcripción de la entrevista en inglés y francés en las siguientes webs (en las dos primeras se puede además visionar completa la entrevista con subtítulos en inglés):

https://www.ushmm.org/online/film/display/detail.php?file_num=5012

https://www.ushmm.org/online/film/display/detail.php?file_num=5278

https://archive.org/details/ClaudeLanzmannInterviewWithMauriceRosselShoah

(última consulta: 05/09/2018).

Rossel: «… teníamos una casa que nos había cedido Asuntos Exteriores […] y nos instalaron en el Berliner Wannsee, en una casa de ensueño…» (19).

Mayorga: «Cuando volvías de una misión, aquel lugar era el paraíso. Cosas elementales convierten la vida en un paraíso: una conversación con un amigo…» (300).

Rossel: «Efectivamente, era llegar a puerto cuando volvíamos entre dos misiones, por lo menos podíamos descansar y pasar un momento agradable entre amigos» (19).

Mayorga: «Con los alemanes no nos relacionábamos» (300).

Rossel: «Lanzmann: ¿…se relacionaban con los alemanes, con la población civil? — Rossel: Muy poco con la población civil, muy, muy poco» (19).

Mayorga: «No tenía permiso para acercarme, pero sí tenía cartones de tabaco, medias de nylon, transistores americanos que resultaban convincentes a la hora de conseguir un papel». (300).

Rossel: «Afortunadamente teníamos cartones de Camel, y teníamos, lo que era mejor todavía, algunas medias de nylon, algún transistor pequeño cuando se trataba de un personaje realmente importante al que había que… porque se necesitaba un papel para pasar…» (22).

Mayorga: El comandante del campo. «Un hombre de ojos azules, aproximadamente de mi edad; lo había imaginado mayor. "Tome asiento. ¿Puedo ofrecerle algo? ¿Un café?"» (300).

Rossel: «Era un hombre joven, un hombre joven muy elegante, de ojos azules, muy distinguido, muy amable. "Siéntese, por favor, ¿quiere tomar un café?"». (25).

Mayorga: «Le digo lo que me ha traído aquí: "Podemos enviarles medicamentos para su enfermería". Ustedes me entienden: es sólo un pretexto» (300).

Rossel: «… iba a proponerles el envío de medicamentos para su enfermería. Sabíamos que era un farol increíble y que ellos no iban a aceptar» (24).

Mayorga: «Él reconoce mi acento: "Me gusta mucho su país. Estuve allí de vacaciones, antes de la guerra". No sé si intentaba hacerme ver que era de esa clase de familia que puede permitirse unas vacaciones en el extranjero. Como hijo de gente humilde, yo jamás había viajado» (300).

Rossel: «Él me contestó: "Ah, ¿es usted suizo? Vaya, me gusta mucho Suiza. He hecho carrera de bob en Suiza […] De todas maneras, lo que quería hacerme ver es que pertenecía a un medio social que podía hacer "bob". Yo, como hijo de obrero que era, había visto bob, pero nunca había podido permitirme un viaje a los Grisones para practicarlo» (25).

Mayorga: «Hablamos de mi país hasta que yo consigo volver al asunto. Se trata de darle confianza, de hacer teatro: "Nos gustaría ayudar. Estamos en condiciones de suministrarles medicamentos". Él medita unos segundos y dice: "Pueden enviarlos, sí, esos medicamentos. Nosotros nos encargaremos"». (301).

Rossel: «Luego hablamos de esto y lo otro y le dije: "Bueno, esta es la situación. El CICR [Comité Internacional de la Cruz Roja] quisiera algunos datos. ¿Podemos enviarles alguna cosa? —No veo por qué no…"» (26).

Hasta aquí Mayorga sigue de cera los recuerdos de Rossel de su visita a Auschwitz. A partir de aquí, utiliza los recuerdos de la posterior visita a Theresientadt, fundiendo ambas como si se trataran de una sola. En la realidad, en Auschwitz Rossel no pudo pasar del despacho del comandante y no le dejaron visitar las instalaciones. En la obra de Mayorga, el intruso consigue acceder fácilmente al interior del campo, después de solicitarlo. En realidad, la visita a Theresienstadt no fue una visita imprevista del delegado de la Cruz Roja, sino que fue cuidadosamente planificada durante meses por los propios nazis. No resulta verosímil que alguien sin permiso accediera con tanta facilidad al interior de un campo.

Mayorga: «Yo siento que puedo ir un poco más allá: "Necesitaríamos alguna información a fin de enviar los medicamentos". "Ah, eso es lo que le trae por aquí. Necesita información". Y guarda silencio. Yo pienso: "Bueno, amigo, tu excursión ha acabado". Pero él dice: "No

veo por qué no. Ustedes necesitan información". Entonces toma el teléfono: "Nuestro invitado va a hacer una visita al campo. Avisen a Gottfried. Nuestro invitado tiene permiso para abrir cualquier puerta"» (301).

Rossel: «Le pregunté si había alguna posibilidad de que nos ocupáramos de la enfermería, que íbamos a visitar… Dijo "No, son internos, no tienen ustedes derecho a ver nada. Pero si quieren enviar ayuda para la enfermería, pueden hacerlo"» (26).

El comandante de Mayorga es un intelectual sofisticado, al que le gusta filosofar, muy diferente del comandante real de la visita, el tercero y último que tuvo Theresienstadt, el austriaco Karl Rahm, un Sturmbannführer de las SS (comandante o mayor) que había sido mecánico en la vida civil, y que desplegaba la brutalidad habitual entre los nazis de su clase. Esta mitificación, consistente en convertir a los, por lo general, burdos nazis en tipos refinados y cultos, es muy común en el cine y la literatura (Borges lo hace en *Deutsche Requiem*, un cuento de Ficciones, y Littell en *Las benévolas*, por ejemplo).

Mayorga: «Hice muchas fotos» (301).

Rossel: «Hice, por cierto, todas las fotografías que quise…» (36).

Mayorga: «…hablaba con un tono de voz extraño…» (301); «Gottfried habla como un autómata» (303).

Rossel: El alcalde judío de Mayorga, Gershom Gottfried, está basado en Paul Eppstein, que acompañó a Maurice Rossel durante la visita y

le hablaba como un autómata. Lanzmann: «…ha dicho que hablaba un poco como un autómata…» (42).

Mayorga: «La gente me mira con extrañeza […] Tengo la molesta sensación de que me evitan» (301).

Rosell: «LANZMANN: «Usted no me lo ha dicho a mí, sino a mi colaboradora, le ha dicho que tenía la impresión de que aquella gente huía de usted como de la peste.

DR ROSSEL: Sí, seguro. La gente huía de mí. Era evidente.» (51).

Mayorga: «Yo he venido a mirar. Yo soy los ojos del mundo» (303)

Rossel: «Como enviado, yo era los ojos, tenía que ver, y tenía, si se quiere, que tratar de ver más allá, si había algo que ver más allá» (35).

Mayorga: «…por eso estoy aquí, porque quiero ayudar. Pero necesito que alguno de ellos, el viejo, la pareja, los niños, que alguno me haga una señal, necesito una señal. En ningún momento nadie me ha hecho un gesto. En ningún momento nadie ha dicho: "Necesito ayuda"» (303).

Rossel: «Porque un hombre cuyo trabajo consiste, durante meses, en visitar campos de prisioneros está acostumbrado a encontrarse con gente que le hace un guiño, que llama su atención sobre alguna cosa. Eso era lo habitual. Pues bien, allí, nada de nada.» (36).

En Mayorga (304), el campo es también de exterminio y dispone de una cámara de gas (el «hangar») que el delgado de la Cruz Roja no se

atreve a investigar, aunque sospeche de qué se trata. Precisamente «Himmelweg», «camino del cielo», es como llaman en el campo a la rampa que conduce a la cámara de gas. Theresienstadt no disponía de cámara de gas, aunque se supone que en un momento dado comenzó a construirse una, que se paralizó ante la alarma causada entre los prisioneros. El campo de Mayorga es pues una mezcla de Auschwitz con Theresienstadt, es decir, un cruce de gueto modelo más campo de exterminio.

Mayorga: Discurso de Gottfried: «Los jóvenes saben que somos como un barco que espera entrar a puerto, pero una barrera de minas se lo impide. El capitán, que desconoce el estrecho paso que lleva al puerto, debe ignorar las falsas señales que le envían desde la costa. El capitán espera una señal inequívoca. Mientras tanto, su deber es conservar la paciencia» (395).

Este discurso está casi calcado del que dio el presidente de Theresienstadt, Paul Eppstein, en septiembre de 1944, días antes de ser fusilado (precisamente por tal motivo, según supone Lanzmann): «Es como si nos encontráramos en un barco que espera la entrada a puerto, pero que no puede penetrar en la bahía porque se lo impide una barrera de minas. Sólo el mando de la nave conoce el estrecho paso que conduce a puerto. No debe hacer caso de las luces engañosas y de las señales que le hacen desde la costa. La nave debe permanecer donde está y esperar órdenes». (54).

Mayorga: Despedida de Gottfried: «La mirada de Gottfried es muy intensa. Hoy sé por qué me miraba así. Me miraba como pensando: "Ahí va un hombre vivo"». (305).

Rossel: «LANZMANN: Entonces se trataba de los llamados "musulmanes"; tienen miradas muy, muy intensas. DR ROSSEL: Sí. Muy intensas, muy intensas. Aquellas personas, observándote con una intensidad increíble, al punto de decirse: "Ahí pasa uno: uno que está vivo" y que no era un SS», (32).

Mayorga: «El comandante no deja de hablar mientras me guía hasta el coche: "Alemania está haciendo aquí un trabajo extraordinario. Algún día, Europa nos lo reconocerá"» (305).

Rossel: «Aquella gente estaba orgullosa del trabajo que hacía [...] Pero creían que estaban haciendo algo útil [...] decían: "Sí, pero Alemania está haciendo ahora, aquí, un trabajo increíble, extraordinario, que toda Europa nos agradecerá"» (30).

Mayorga: Informe Rossel. «"He visto una ciudad normal". Yo no había visto nada anormal, yo no podía inventar lo que no había visto» (306).

Rossel: «Lanzmann: … Porque en el informe usted dice: "He visto una ciudad de provincias normal" [...] Rossel: "Casi normal", es lo que me enseñaron. Y no tenía nada que decir, no podía inventarme cosas que no había visto» (48).

Mayorga: «… no voy a pedir perdón por haber escrito aquello. Volvería a escribirlo como lo escribí, palabra por palabra. Lo firmaría otra vez» (306).

Rossel: «No veo cómo hubiera podido hacer otro [informe] distinto. Hoy lo volvería a firmar» (53). «Hice un informe del que no reniego y que mantengo por considerarlo totalmente válido» (35).

Mayorga: «Escribí lo que vi y no dije que fuera un paraíso» (306).

Rossel: «Lanzmann: Usted no dice que fuera el paraíso, desde luego, pero su informe es de color de rosa» (53).

II. Humo.

Escuchamos el diálogo de diversos personajes (un par de niños jugando a la peonza, una pareja de novios, una niña que enseña a nadar a su muñeco en el río), hasta que comprendemos, por la repetición, que están ensayando un diálogo aprendido, como en el teatro. Algunos personajes cambian (los niños del principio son sustituidos por otros, la novia pelirroja del principio huye y también es reemplazada por otra), pero los diálogos se repiten de manera idéntica.

III. Así será el silencio de la paz.

Monólogo del comandante del campo, que se dirige a los miembros de la delegación de la Cruz Roja que visitan por segunda vez el campo («Claro, por eso conocían el camino, porque ya estuvieron aquí. ¿Cómo no los he reconocido hasta ahora?», 314). En esta segunda visita (basada efectivamente en una segunda visita que hizo

la Cruz Roja el 6 de abril de 1945), el campo está muy cambiado: han desaparecido todas las construcciones modélicas que se hicieron para la operación de engaño de la primera visita (los columpios, el campo de fútbol, la sinagoga, los barracones…), porque ya no resultan necesarias.

Es más o menos lo mismo del monólogo del delegado de la Cruz Roja, pero contado desde el otro punto de vista. El comandante presume de cultura (le encanta leer y el teatro, cita a Spinoza —¡un filósofo judío!, algo inverosímil en un SS—, le gusta divagar filosóficamente) y tiene un comportamiento exquisito con los visitantes. El comandante se muestra como alguien europeísta, de amplias miras, que alcanzan más allá de la guerra:

«El mundo marcha hacia la unidad. Esta guerra es un paso enorme hacia eso. […] Un solo idioma, una sola moneda, un solo camino. Incluso si perdiéramos la guerra, lo que tiene que suceder sucederá. Quién gane la guerra es irrelevante. Esta guerra ha sido la primera obra en común de toda la humanidad. La paz que le ponga término será la segunda» (314).

En esta segunda visita el disimulo se ha terminado: el comandante no trata de encubrir el crimen, sino de justificarlo (a sabiendas, quizás, de que, ante la inminencia de la derrota, es inútil cualquier engaño): «… ¿quién provocó esta guerra? No se dejen confundir. Antes de juzgarnos, recuerden que nosotros estamos dando solución a un problema que ha atormentado durante siglos a toda Europa» (315). Se refiere naturalmente a la solución del problema judío. El comandante admite cínicamente: «Nosotros hemos sido los primeros

en darnos cuenta de que se trataba, fundamentalmente, de un problema de transporte [...] Todos los trenes de Europa tienen aquí su estación término».

«El objetivo inmediato es reagrupar aquí a todos los hebreos de Europa. Pero nuestro objetivo final es mucho más elevado. Nuestro objetivo final es demostrar que todo es posible. Todo es posible. Todo lo que podemos soñar, podemos hacerlo realidad» (315).

De este acto dice Mayorga[203]:

El Comandante de «Así será el silencio de la paz» es el mismo personaje que el de «El corazón de Europa». Pero si en el segundo texto el Comandante se halla en un lugar de Europa durante la Segunda Guerra Mundial, en el primero se presenta aquí y ahora, en el tiempo y el espacio del espectador [...] Para el Comandante, ni el mundo ni el ser humano tienen valor en sí. Sólo el arte tiene valor. El Comandante podría decir, con gesto nietzscheano: «Hágase el arte y perezca el mundo». O «Hágase el arte y perezca el hombre» [...] En el discurso del Comandante de Himmelweg aparece el núcleo de lo que a mi juicio constituye la oferta nazi. La frase más importante de ese discurso reza: «Todo es posible». Creo —y aquí sigo a Hannah Arendt— que esas palabras encierran el corazón del totalitarismo, y son la base de que el nazismo, más o menos transformado, sea una oferta atractiva para muchos hombres. Hombres a los que el nazismo invita a lanzarse a la acción sin reconocer a los otros seres humanos como un límite.

El comandante no es un antisemita, sino un nihilista, un lector de cierto Nietzsche que dice: «Hágase el arte, perezca el mundo»[204].

---

[203] «Entrevista de Manuel Aznar Soler a Juan Mayorga sobre *Himmelweg*», pp. 272-273.

IV. El corazón de Europa.

Es el acto más largo, dividido en once cuadros, y el verdadero núcleo de la obra. Comienza con un diálogo entre el comandante y el alcalde judío del campo, Gershom Gottfried, en el que el primero le expone su intención de preparar una «representación» para engañar a la visita de la Cruz Roja, y le solicita al alcalde su colaboración para llevar a cabo con éxito la puesta en escena. El comandante trata con extremada cortesía al alcalde, pero tras esta amabilidad se esconde una amenaza.

En el segundo cuadro asistimos a los primeros ensayos de la representación. El comandante utiliza la poética de Aristóteles para su puesta en escena (hay que buscar la máxima complejidad comprensible por el espectador, un delicado equilibrio). El alcalde, más simple, sólo se preocupa por cuestiones del campo (la llegada de un tren, los zapatos nuevos sin cordones que les han dado).

En el tercer cuadro, comandante y alcalde reparten las diferentes escenas de su representación en un plano y les asignan los papeles a los internos. Cada papel asignado significa un seguro de vida; cada candidato rechazado, una condena inapelable.

En el cuarto cuadro, comandante y alcalde ensayan una de las escenas, encarnando a los dos niños con la peonza. Todo un comandante de las SS al que no le importa degradarse haciendo de niño judío: hasta ese punto llega la pasión del nazi por el arte (del engaño).

---

[204] Véase: https://www.youtube.com/watch?v=7VLGqalI4CQ (última consulta: 05/09/2018).

Durante el quinto cuadro las cosas no marchan bien con los ensayos. El comandante está irritado por la falta de verosimilitud de los actores. Al tiempo que amenaza veladamente al alcalde, el comandante le imparte un curso acelerado de interpretación teatral: los parlamentos no tienen que ser como en la vida; son ellos, los actores, quienes tienen que insuflar vida a las palabras, por artificiosas que resulten. El alcalde se disculpa alegando que los prisioneros están confusos, no sabe qué se espera de ellos ni qué puede salir de la representación. El comandante le responde que, gracias a esa representación, ellos no siguieron el destino de todos los que llegaron en tren.

En el cuadro seis, comandante y alcalde dan los últimos retoques a la función. Las cosas marchan mejor desde el anterior cuadro y el comandante se muestra satisfecho con el progreso. Los participantes en la función parecen haber comprendido al fin que les va la vida en ella.

En los cuadros siete a diez casi todo está a punto, salvo la escena de la plaza con muchos figurantes, que no acaba de cuajar. Eso preocupa al comandante. Este piensa que no funciona porque hay demasiada gente y todo resulta excesivamente complejo (la complejidad, según Aristóteles, es un aliciente hasta determinado punto, traspasado el cual, resulta ininteligible). Le pide al alcalde que reduzca el número de participantes, pero el alcalde trata de resistirse por todos los medios, consciente de que participar en la escena equivale a la supervivencia y que los actores que sobren, no sólo pierden el papel sino también la vida. El alcalde debe elegir sólo a cien actores, es

decir, debe decidir quién vive y quién muere, pero vacila, no termina de decidirse. Finalmente le pregunta al comandante qué sucedería si se niegan a colaborar. El comandante le hace ver que sería un gesto inútil, pues nada cambiaría salvo la supervivencia de los actores. El alcalde comprende y termina por elegir a los cien actores, entre los que no se encuentra él. El comandante se da cuenta y quita un actor para introducir al alcalde.

En el último cuadro de la escena, el once, se hace una elipsis y la representación ya ha tenido lugar. El comandante pasa revista a la función, una vez transcurrida. Se muestra más que satisfecho con las actuaciones, salvo por algunas cuestiones de detalle. Incluso se permite un instante de sentimentalismo, hablando de la melancolía que siente el actor una vez que acaba la ficción y retorna a la realidad. Sin embargo, le ha desagradado la actuación de la niña del barco y el discurso del alcalde (basado en el discurso real del presidente del gueto, Paul Eppstein). La niña, según el comandante, estuvo a punto de echar a perder la función al cambiar el parlamento que tenía preparado, cuando tira el muñeco al agua y le grita que escape del alemán, revelando de esta forma que todo era una pantomima. En cuanto al discurso del alcalde, es bien sabido que en la realidad llevó al alcalde auténtico a ser fusilado a los pocos días; los nazis entendieron seguramente la metáfora de los barcos que llegan a puerto y la necesidad de ser pacientes como una alusión a la próxima derrota nazi y a la conveniencia de actuar con prudencia, ahora que todo estaba a punto de acabar.

El comandante vuelve a llamar Gerhard al alcalde, como al principio, en lugar de Gershom, en una clara demostración de lo poco que le importa ese individuo, pese a toda su aparente cordialidad, una vez que ya no le es de utilidad. No sólo le obliga a representar alguien que no es él, sino que le arrebata hasta el nombre.

V. Una canción para acabar.

En una escena retrospectiva, vemos al alcalde ensayando con los actores la futura representación. Se supone que esta escena transcurre después del cuadro quinto o sexto de la escena anterior, cuando el comandante se muestra insatisfecho por los progresos de los ensayos y amenaza veladamente al alcalde si no mejora todo. El alcalde se esfuerza por corregir a algunos actores (los chicos de la peonza, la pareja de novios, la niña que baña al muñeco), advirtiéndoles que el comandante piensa que no podrán superarlo.

En el último párrafo averiguamos por qué el alcalde cambió, en una de las escenas, el niño previsto por el comandante por una niña (véase cuadro tres de la escena IV): no por su bonita voz, como le dijo al comandante, sino porque se trata de su propia hija. La niña está desanimada, pero el padre le alienta a proseguir y a representar bien su parte, con el pretexto de que si lo hace bien, volverán a ver a la madre.

A propósito de esta niña, Mayorga comentaba en una intervención[205] cómo, mientras el nazi trata a las personas como muñecos, la niña trata a la muñeca como persona. Es precisamente

---

[205] Op. cit.

esta niña y la chica pelirroja que, en el acto II («Humo»), decide renegar de la farsa y emprender la huida, los únicos personajes de la obra que mantienen una postura moral inequívoca, según Mayorga: «Los dos personajes más valientes son dos mujeres: la mujer que se marcha al bosque y la niña de la muñeca que rompe el guión»[206].

Todos los otros personajes (en especial el comandante, el delegado y Gottfried, el alcalde judío) se mueven en una zona de turbiedad moral, donde las complicidades de víctimas y verdugos, y las responsabilidades de cada uno son difíciles de delimitar. Una zona donde nadie está libre de culpa, ni siquiera las víctimas y los testigos: el delegado, nos dice Mayorga, es culpable de no querer mirar; Gottfried de plegarse al engaño.

Mayorga toma esta noción de solapamiento moral de la «zona gris» de Primo Levi. En palabras del autor, extraídas de la antes citada intervención:

La zona que separa y une a víctimas y verdugos. El comandante siente la tentación de deslizarse a esa zona, hacia las víctimas. Gottfried es otro habitante de la zona gris. Si por un lado trata de ganar tiempo para los suyos, por otro actúa de cómplice de los verdugos. Es un territorio de ambigüedad moral.

---

[206] *Ibid.*

II

TRABAJOS DESDE EL RECUERDO

AUSCHWITZ:

DICCIONARIO

IMPROVISADO[207]

---

[207] El 27 de enero de 2015 se cumplieron setenta años de la llegada de los soviéticos al campo de Auschwitz-Birkenau, liberándolo de los nazis. Organizamos una serie de eventos en las bibliotecas públicas municipales de Madrid: conferencias de autores (Luis Mateo Díez, Joan Tarrida, Mercedes Monmany), especialistas (Guadalupe Seijas, Concha Díaz Berzosa) y supervivientes (Rhoda Henelde), así como una exposición de paneles sobre Janusz Korczak y el gueto de Varsovia. El presente trabajo es un diccionario con casi todo sobre Auschwitz y el Holocausto, ordenado alfabéticamente por términos. Las citas remiten a la bibliografía final. En caso de no encontrarse en ésta, aparece la edición completa de la obra.

El nazismo fue derrotado hace setenta años, pero la misma perversión de la razón que fabricó Auschwitz —la perversión totalitaria de controlar la vida de los ciudadanos hasta el último rincón de su interior—, nos ha convertido a cada uno en un pequeño nazi para quien la propia vida no es más que un esclavo al que hay que sacar, hasta la extenuación, el máximo rendimiento.

Hablar de Auschwitz, pues, no significa ni más ni menos que hablar de nosotros mismos. Como recordó uno de sus supervivientes más preclaros: «Nada se ha resuelto todavía, ningún conflicto se ha neutralizado, la memoria no ha interiorizado su pasado… Ninguna herida ha cicatrizado…»[208]

Setenta años después de la liberación de Auschwitz, la información es abundante y rigurosa. Los libros de testimonios, de historia, de ficción, los documentales, las películas, e incluso el turismo de masas, han hecho del Lager casi un lugar común de nuestra historia. Hoy como entonces, sólo el que se niega saber, ignora qué sucedió allí. Competir con el testigo, el historiador o el filósofo por decir algo nuevo resulta una temeridad; por ello, al azar de las lecturas y sin ninguna pretensión de exhaustividad, hemos preferido recolectar en un diccionario algunas palabras significativas a base de citas, que aún nos dan que pensar.

---

[208] Jean Améry, *Más allá de la culpa y la expiación*, Valencia, Pre-Textos, 2004, p. 46

Álbum Auschwitz.

Uno de los testimonios fotográficos más vertiginosos e insoportables de todos los tiempos. Se trata de una colección de 193 instantáneas, tomadas por dos SS para documentación y recreo de sus superiores, y abarcan todo el proceso, salvo la propia aniquilación, desde la llegada en tren de las víctimas a Birkenau, la selección en las rampas y la espera y marcha de los condenados hacia la cámara de gas. Fueron realizadas en mayo o junio de 1944 y sus protagonistas son todos judíos húngaros, en fase de frenético exterminio durante aquellos meses. En la actualidad pertenece a Yad Vashem. Resulta difícil sostener la mirada sobre cualquiera de estas fotos sin sentir que todo empieza a tambalearse a nuestro alrededor.

Álbum Höcker

Karl Höcker (1911-2000), un teniente SS destinado en Auschwitz, dejó constancia en un álbum descubierto recientemente de la vida privada del personal del campo. En ninguna de las instantáneas recogidas se trasluce la finalidad de las instalaciones ni la actividad de los confiados modelos. La jovialidad y el buen humor son la tónica dominante. Los fotografiados aparecen relajados y sonrientes, como si, en lugar del mayor escenario del crimen, se tratase de un balneario. Es difícil encontrar en estas fotos un solo rostro sádico e incluso desagradable, ninguna actitud torva. Las expresiones resultan francas y cordiales, llenas de sana vitalidad y camaradería. Nadie diría viéndolas que pertenecen a los mayores verdugos de la historia.

Alemanes

«Yo, que conozco Norteamérica y también un poco la Rusia soviética, [...] sigo afirmando que Alemania alberga hoy la chusma más infernal del mundo» (Friedrich Reck, 2-julio-1944).

«Era un mundo sin comedimiento, donde los nuevos alemanes podrían expresar sus odios profundos, podrían practicar el dominio sobre sus "inferiores" y enemigos, podían dar rienda suelta a la moralidad nazi alemana cuyo principio era no tener piedad en la aplicación de la violencia a los "infrahumanos". Sin embargo, la libertad de las cortapisas expresivas y la gratificación que los alemanes obtenían de esa libertad no eran tan sólo la expresión de cualesquiera impulsos viles que pueden albergar los seres humanos. No hay duda de que el sistema de campos no sólo permitía sino que también promovía la expresión de tales tendencias». (Goldhagen, p. 229).

«Soy un hombre porque actúo. Antes era sólo una voz. No cuestiono los fines de nuestra acción. No hace falta. Sé que son justos porque son vitales. Los hombres no se ven arrastrados a la iniquidad con tanta alegría y afán. Dices que perseguimos a hombres de pensamiento liberal, que destruimos bibliotecas. Debes despertar de tu desfasado sentimentalismo. ¿Debe el cirujano perdonar al cáncer porque para extirparlo está obligado a cortar? Somos crueles. Claro que somos crueles. Todo alumbramiento es atroz, así es este

alumbramiento nuestro. Pero nos regocija. Alemania levanta bien alta la cabeza entre las naciones del mundo» (Taylor, p. 43).

«La máxima dialéctica en que Améry resumió su relación con su patria decía: "A una posá de la que l'han echao a uno no se vuelve má"» (W.G. Sebald, PP, p. 205)

«Él no se consideraba judío: no conocía el hebreo ni la cultura judía, no prestaba atención a la palabra sionista, religiosamente era un agnóstico. Tampoco se sentía en condiciones de fabricarse una identidad que no tenía: sería una falsificación, un disfraz. Quien no ha nacido en la tradición judía no es un judío, y difícilmente puede llegar a serlo. Por definición, una tradición se hereda: es un producto de siglos, no se fabrica a posteriori. Sin embargo, para vivir es necesaria una identidad, es decir, una dignidad. Para él, los dos conceptos coinciden, quien pierde la una pierde también la otra, muere espiritualmente: privado de defensas, está expuesto también a la muerte física. Pero a él, y a muchos judíos alemanes que, como él, habían creído en la cultura alemana, la identidad alemana les fue denegada: por la propaganda nazi, en las inmundas páginas del *Stürmer* de Streicher, el judío es descrito como un parásito peludo, grasiento, de piernas torcidas, de nariz aguileña, de orejas como pantallas, que sólo sabe perjudicar a los demás. No es alemán, por axioma; por el contrario, basta su presencia para contaminar los baños públicos y hasta los bancos de los parques.

De esta degradación, *Entwürdigung*, es imposible defenderse. El mundo entero la contempla impasible; los mismos judíos alemanes, casi todos, sucumben a la prepotencia del Estado y se sienten objetivamente degradados. La única manera de librarse es paradójica y contradictoria: aceptar el propio destino, en este caso el judaísmo, y al mismo tiempo rebelarse contra la elección impuesta. Para el joven Hans, judío por conversión, ser judío es simultáneamente imposible y obligatorio; su escisión, que le acompañará hasta la muerte y la provocará, empieza a partir de aquí. Niega que tenga valor físico, pero no le falta el valor moral: en 1938 deja su patria "aneja" y emigra a Bélgica. De ahí en adelante será Jean Améry, un casi anagrama de su nombre original. Por dignidad y no por otra cosa, aceptará el judaísmo, pero como judío irá "por el mundo como un enfermo de uno de esos males que no provocan grandes sufrimientos pero que tienen con seguridad un desenlace fatal"» (Primo Levi, HS, pp. 582-583).

Amor

«Se desarrollaban desgarradoras escenas a partir del momento en que un cierto número de mujeres no tuvieron sitio en el crematorio 1 y hubo que conducirlas hacia donde estaban los hombres. Los hombres desnudos se precipitaban enloquecidos hacia las mujeres buscando entre ellas, algunos a su esposa, otros a su madre, a su hija, a su hermana o a alguna conocida. Los particularmente "afortunados", tanto hombres como mujeres, que se encontraron allí se abrazaban estrechamente y se besaban apasionadamente. Y en

medio de la espaciosa sala veías la horrorosa escena de un hombre desnudo que abrazaba a su mujer o a un hermano y una hermana que están allí de pie, avergonzados, y se besan llorando, mientras entran juntos y "felices" al búnker.

Muchas mujeres se quedaron desoladas. Su esposo, hermano o padre habían sido de los primeros que habían entrado al búnker. Estaba allí pensando en su mujer y su hija, su madre, su hermana y no sabía el desdichado que en el mismo búnker, en medio de hombres extraños estaba su esposa desnuda buscándolo, que escudriñaba, por si acaso encontraba su amado rostro entre ellos. Y así, entre la añoranza y la búsqueda, sus miradas seguían vagando desquiciadas.

Entre la masa de hombres se distinguía una mujer añorante que buscaba, su cuerpo se proyectaba con el rostro hacia la masa; hasta el último aliento siguió buscando a su marido entre ellos.

Y ahí en el fondo, junto a la pared del búnker, había un hombre agitado, que no conseguía hallar sosiego. Elevaba su cuerpo sobre las puntas de sus pies. Y también buscaba a su mujer desnuda, que estaba en medio de la masa de hombres. Y cuando por fin la vio su corazón comenzó a latir impetuosamente y sus brazos se extendieron hacia ella: hubiera querido abrirse camino hasta alcanzarla; había comenzado a decir su nombre en voz muy alta, pero en ese momento el gas se expandió por la sala y así, se quedó inmóvil, con los brazos extendidos hacia su mujer, con la boca abierta y los ojos fijos, enloquecidos, así quedó tendido. Con su nombre en los labios se le detuvo el corazón y desapareció su alma.

Dos corazones latían allí rítmicamente a compás y han perecido añorantes mientras se buscaban» (Gradowski, pp. 158-159).

«Era el amor lo que ayudaba a resistir» (Marek Edelman, superviviente del levantamiento del gueto de Varsovia).

Antisemitismo

«…desde los primeros tiempos, desde los siglos IV, V, VI, los misioneros cristianos habían dicho a los judíos: "vosotros no podéis vivir entre nosotros como judíos". Los jefes seculares que les siguieron desde la Alta Edad Media, decidieron entonces: "vosotros no podéis vivir entre nosotros". Finalmente los nazis decretaron: "vosotros no podéis vivir"» (Raul Hilberg en: Claude Lanzmann, S, p. 79).

«El antisemitismo, entiende él [el personaje de su novela], o sea, le hago entender, no es una convicción, sino una cuestión de constitución y de carácter, "la moral de la desesperación, la furia del odio a sí mismo, la vitalidad de los decadentes", señala, o sea, le hago señalar» (Imre Kertész, KHNN, p. 93).

«La aversión contra los judíos, impropiamente llamada antisemitismo, es un caso particular de un fenómeno más vasto: la aversión contra quien es diferente a uno. No hay duda de que se trata, en sus orígenes, de un hecho zoológico: los animales de una

misma especie pero de grupos distintos manifiestan entre sí fenómenos de intolerancia» (Primo Levi, SEH, pp. 233-234).

Arbeit macht frei

«A la izquierda, apenas en las afueras de la ciudad, había un campo de concentración de hombres, y en lo alto de la verja de hierro forjado, dispuesta en arco, se leía el lema de los campos: *Arbeit macht frei*, el trabajo hace libres. *Arbeit macht frei, crematorium ein, zwei, drei!*, exclamábamos a coro, riendo y repitiendo el conocido dicho del *Lager*» (Millu, p. 164).

«Cruzó el portón del campo con el letrero ARBEIT MACHT FREI. Una oleada de felicidad distinta a cualquiera que hubiese experimentado se apoderó de él [...] De repente, al mirar hacia arriba, vio que el cielo sobre él era negro, sin luna, y comprendió que la luz que iluminaba su camino era la de un foco de la torre de vigilancia que le había encontrado y atrapado con su luz. Comprendió que tenía que volver al campo. Y volvió» (Fink, p. 64).

Arios

«Moisés fue imperfecto e impuro; de no ser así, no habría elegido una negra como mujer (...) Lo que fue Moisés, fueron los judíos, que nos quieren imponer sus creencias, sus escrituras y sus leyes: imperfectos e impuros, almas serviles y bastardas [...] Nuestro cielo no es el cielo de Jerusalén o de Roma. Nuestro cielo sólo habla a los puros, a aquellos que no son criaturas y siervos de razas inferiores o de razas

mixtas; habla a los arios. ¡Que significa noble y señor!» (Otto Rahn, ideólogo SS, pp. 165-169).

«Ha llegado el tiempo en que se entregará todo el poder a los fuertes. Así morirá el pecado de este mundo, porque pecados son la imperfección y la debilidad [...] Las religiones redentoras de los débiles están muertas; nace la religión de la ejecución, la de los fuertes: ella es la ley» (Idem, p. 241).

Asociales

«Con ello querían indicar determinados grupos de minusválidos y deficientes mentales. Se acuñó el concepto "vida indigna". Esas ideas fueron absorbidas por el nazismo, que quería favorecer a los "sanos" y hacer desaparecer a los "enfermos" y a los "inferiores" [...] Se los consideraba económicamente "improductivos", y por ello, eran una carga demasiado pesada para los sanos y productivos.

[...] En su fervor por "purificar" a la sociedad y a la "raza aria", los nazis persiguieron y encarcelaron a miles de personas de un grupo de ciudadanos definido como "asocial", el cual abarcaba a todas las gentes imaginables, desde prostitutas hasta individuos que se hubiesen negado más de dos veces a aceptar un trabajo ofrecido. Lo mismo ocurría con pequeños criminales considerados por la "biología criminal" vigente en Alemania como biológicamente "inferiores". Los individuos de este grupo eran esterilizados o castrados. Llevaban un triángulo negro en los campos de concentración» (Bruchfeld, p. 15).

Auschwitz - Visto por lo nazis.

«El recinto principal… era como una ciudad en pequeño: tenía sus chismes, y una verdulería. Había cantina, cine y un teatro en el que se representaban obras con regularidad. Había un club deportivo del que yo era socio, bailes…; en fin, todo tipo de diversión y entretenimientos… Pero la situación especial de Auschwitz propiciaba amistades que, hoy día, sigo recordando con agrado" (Oskar Gröning, en la foto, SS del campo, condenado en 2015, Rees, pp. 228-229).

¿Auschwitz otra vez?

«¿Cómo no va a ser posible una nueva destrucción cuando vemos que al fin y al cabo en unos años los causantes de semejante horror son ahora quienes dirigen el continente? ¡Y menos mal que no nos dirigen los ingleses, los rusos, los italianos o los franceses!

En la edad clásica, cuando un monarca o una nación eran derrotados, por lo general desaparecían sin hacer ruido. Allí se fueron los griegos vencidos por los romanos, y los cartagineses y los iberos y más tarde los imperios centrales o el Sacro Imperio, los Caballeros Teutones o la Sublime Puerta. Nuestro tiempo es particularmente enigmático y una nación causante del mayor asesinato masivo de la historia de la humanidad, derrotada y hundida, se convierte de nuevo en la jefa de sus víctimas al cabo de unos escasos 50 años.

A los pies del Ángel, 70 millones de cadáveres observan estupefactos el presente. ¿Para esto hubo que matar a tanta gente? ¿Para que todo siguiera igual? ¿Para que Alemania unificara de una vez a Europa? ¿Después de Auschwitz no más poesía? Después de

Auschwitz todo es Historia» (Félix de Azúa, "Avive el seso y despierte…", *El País,* 13-12-13).

«Se nos pregunta con frecuencia, como si nuestro pasado nos dotase de una visión profética, si "Auschwitz" puede repetirse: es decir, si volverá a haber exterminios en masa, unilaterales, sistemáticos, mecanizados, provocados por un gobierno, perpetrados sobre poblaciones inocentes e inermes y legitimados por la doctrina del desprecio. Profetas, afortunadamente, no somos, pero algo podemos decir. Que una tragedia semejante, casi ignorada en Occidente, ha ocurrido en Camboya, hacia el año 1975. Que las matanzas alemanas han sido cebadas y luego alimentadas por sí mismas, por el afán de servidumbre y la pobreza de ánimo, gracias a la combinación de algunos factores (el estado de guerra, el perfeccionamiento tecnológico y organizativo germánico, la voluntad y el carisma invertido de Hitler, la falta de raíces democráticas sólidas en Alemania) no muy numerosos, ninguno indispensable y en sí mismo insuficientes. Estos factores pueden reproducirse y en parte se están reproduciendo ya en distintas partes del mundo. La nueva combinación de todos, dentro de diez o veinte años, es poco probable aunque no imposible» (Primo Levi, *HS,* p. 544).

Axioma

«Lo que empieza con los judíos termina convirtiéndose en el azote de toda la sociedad» (Simon Wiesenthal).

Banalización

«…una estilización del holocausto que hoy en día ya adquiere dimensiones insoportables. La propia palabra *holocausto* ya es en sí una estilización, una abstracción remilgada de palabras de sonido mucho más brutal, tales como *campo de exterminio* o *solución final*. Tal vez no deba extrañar que, mientras se habla cada vez más del holocausto, su realidad —el día a día del exterminio humano— se sustrae cada vez más al ámbito de lo imaginable. Yo mismo me vi obligado a escribir en mi *Diario de la galera*: "El campo de concentración sólo es imaginable como literatura, no como realidad"» (Kertész, [IS], p. 88).

«Sí, el sobreviviente contempla con impotencia cómo le quitan su única posesión: las experiencias auténticas. Sé que muchos no coinciden conmigo cuando califico de *kitsch* la película de Spielberg *La lista de Schindler* […] Considero *kitsch* cualquier descripción que no implique las amplias consecuencias éticas de Auschwitz y según la cual el SER HUMANO escrito con mayúsculas —y con él, el ideal de lo humano— puede salir intacto de Auwschwitz. […] Considero también *kitsch* cualquier descripción incapaz o no dispuesta a comprender que existe una relación orgánica entre nuestra forma de vida deformada tanto en el plano de la civilización como en el de lo privado y la posibilidad del holocausto; es decir, considero *kitsch* cualquier descripción que procura tratar el holocausto de una vez para siempre como algo ajeno a la naturaleza humana y expulsarlo del ámbito de las experiencia del hombre. Además, considero también *kitsch* degradar Auschwitz a un simple asunto entre

alemanes y judíos, o sea, a algo así como una incompatibilidad fatal entre dos colectivos; prescindir de la anatomía política y psicológica de los totalitarismos modernos; no concebir Auschwitz como una experiencia universal, sino como algo limitado a los directamente afectados» (Kertész, [IS], pp. 91-92).

Birkenau [Auschwitz II]

«Hacia comienzos del verano de 1943, un total de cuatro cámaras combinadas de crematorio-gas estaban en pleno funcionamiento en Auschwitz-Birkenau […] En total, estos cuatro complejos de crematorios y cámara de gas tenían capacidad para acabar con la vida de cuatro mil setecientas personas cada día y deshacerse luego de sus restos. Por tanto, si todas las nuevas instalaciones de muerte hubieran trabajado continuamente, Auschwitz hubiera matado a 150.000 personas por mes […]

Para la primavera de 1943, hombres como Himmler consideraban evidente que Auschwitz era la única instalación en el imperio nazi capaz de unir de manera satisfactoria los objetivos del trabajo y del exterminio. Los crematorios y cámaras de gas de Birkenau fueron concebidos como el centro neurálgico de un inmenso complejo semi-industrial. En Auschwitz, los judíos seleccionados para trabajar podían ser primero enviados a uno de los muchos campos secundarios cercanos, y más tarde, cuando se considerara que ya no estaban en condiciones de cumplir con su labor después de ser maltratados espantosamente durante meses, podían ser transportados a las instalaciones de exterminio de Auschwitz-

La cultura del abismo

Birkenau, a sólo unos pocos kilómetros de distancia» (Rees, *Auschwitz*, pp. 244-246).

Block (Barracón)

«Los *Blocks* comunes de viviendas están divididos en dos locales; en uno (*Tagesraum*) vive el jefe del barracón con sus amigos; tienen una mesa larga, sillas, bancos; por todas partes un montón de objetos extraños de colores vivos, fotografías, recortes de revistas, dibujos, flores artificiales, bibelots; grandes letreros en la pared, proverbios y aleluyas que encomian el orden, la disciplina, la higiene; en un rincón, una vitrina con los instrumentos del *Blockfrisör* (el barbero autorizado), los cucharones para repartir la sopa y dos vergajos de goma, el lleno y el vacío, para mantener la misma disciplina. El otro local es el dormitorio; en él no hay más que ciento cuarenta y ocho literas de tres pisos, dispuestas apretadamente como las celdas de una colmena, de modo que se aprovechen todos los metros cúbicos del espacio, hasta el techo, y separadas por tres pasillos; aquí viven los *Häftlinge* [prisioneros] corrientes, doscientos o doscientos cincuenta por barracón, por consiguiente dos en una buena parte de cada una de las literas, que son tablas de madera movibles, provistas de un delgado saco de paja y de dos mantas cada una. Los pasillos de desahogo son tan estrechos que difícilmente pueden pasar dos personas; la superficie total del suelo es tan poca que los habitantes del mismo *Block* no pueden estar dentro a la vez si por lo menos la mitad no están echados en las literas. De ahí la prohibición de entrar en un *Block* al que no se pertenece» (Primo Levi, SEH, p. 54).

Block 11

«Desde el exterior, el Bloque 11 —que hasta 1941 llevó el número 13— presentaba el mismo aspecto de los demás barracones de ladrillo rojo repartidos en hileras por todo el recinto. Sin embargo, su función era diferente y ninguno de los presos lo ignoraba [...], ya que dicho edificio era una prisión dentro de otra prisión: un lugar dedicado a la tortura y el asesinato [...] Lo más frecuente era que quien subía los escalones de cemento del barracón para atravesar la puerta principal no volviese a salir de allí con vida. Los nazis empleaban toda una variedad de métodos espeluznantes para interrogar a quienes ingresaban a aquel edificio [...]: los azotaban a latigazos, los torturaban con agua, les ponían agujas bajo las uñas, los marcaban con un hierro al rojo o los empapaban con gasolina antes de prenderles fuego» (Rees, *Auschwitz*, pp. 65-67).

Brasse, Wilhelm (1917-2012)

Prisionero polaco y fotógrafo del Servicio de Identificación de Auschwitz, Wilhelm Brasse fue el autor de una de las más extraordinarias galerías de retratos del siglo XX: las *mugshot* o fotos policiales de los presos del campo. Con su manía de control, los nazis concedieron a los prisioneros, sin darse cuenta, la última oportunidad de sentirse humanos ante la cámara, antes de perderse para siempre en el torrente de brutalidad y muerte que les esperaba fuera del estudio. Como sucede con los retratos de la momias de El Fayum, lo que nos cohíbe y nos impone un silencio casi sagrado ante estos rostros (emaciados, golpeados, amoratados, con ojos de espanto, de

una intensidad insoportable) es la certeza de que nos miran desde el otro lado, allí desde donde (lo sabían ellos, que nos miran, y ahora también nosotros) no se retorna (Fuente: Yad Vashem). Nunca lo había contado hasta ahora; es tan abrumador y triste que me cuesta hablar de estas visiones de la cámara de gas. Podíamos encontrar gente con los ojos desorbitados por el esfuerzo que había hecho el organismo. Otros sangraban por todas partes, o se habían ensuciado con sus propios excrementos, o con los de los demás. Por los efectos del miedo y del gas sobre el organismo, las víctimas evacuaban a menudo todo lo que tenían en el cuerpo. Algunos cuerpos estaban muy rojos, otros muy pálidos, cada cual reaccionaba de un modo distinto. Pero todos habían sufrido en la muerte. Suele pensarse que el gas se arrojaba y ya está, la gente moría. ¡Pero qué muerte!... Les encontrábamos agarrados unos a otros, todos habían buscado desesperadamente un poco de aire. El gas tirado al suelo desprendía ácido por abajo, de modo que todo el mundo quería encontrar aire, aunque para ello fuera necesario trepar unos sobre otros hasta que el último muriera. A mi entender, no puedo estar seguro de ello, pero pienso que muchas personas morían antes incluso de que arrojaran el gas. Estaban tan apretados unos contra otros que los más pequeños, los más débiles, inevitablemente se asfixiaban. En cierto momento, bajo esa presión, esa angustia, te vuelves egoísta y sólo buscas una cosa: salvarte. Ése era el efecto del gas. La imagen que veíamos al abrir la puerta era atroz, ni siquiera puedes hacerte una idea de lo que podía ser.

Los primeros días, a pesar del hambre que me atenazaba, me costaba tocar el mendrugo de pan que recibíamos. El olor persistía en las manos, me sentía manchado por aquella muerte. Con el tiempo, poco a poco, fue necesario acostumbrarse a todo. Se convirtió en una especie de rutina en la que no había que pensar» (Shlomo Venezia, pp. 83-85).

«Ahora estoy junto a un grupo de unas diez o quince mujeres, y muy pronto todos sus cuerpos, todas sus vidas cabrán en una carretilla de cenizas. De quienes ahora están aquí no quedará el más mínimo rastro, todas ellas, que han ocupado ciudades enteras, que tenían un lugar en el mundo, serán borradas en breve, arrancadas de cuajo, como si nunca, como si jamás hubiesen nacido» (Gradowski, p. 143).

«Muertes naturales y violentas. La muerte por asfixia de Sara Kroner, de soltera Davidson, en la cámara de gas de Auschwitz camuflada de baño. Su bamboleo sin el sostén de la mano de Vera, en medio de un griterío cuyo sentido se le escapa, la impotencia de sus dedos para hacer pasar el botón por el ojal del vestido, por lo que se lo arranca una mano ajena, igual que acto seguido le arranca la ropa interior, hasta dejarla en cueros, sólo con la piel arrugada y flácida. Su vergüenza, su lamento que busca protección, que busca a su hijo que ha quedado en alguna parte, a Vera, que ha quedado atrás, su oración que no es más que un murmullo absurdo, porque ya no se agarra a nada, porque no tiene nada salvo un pedazo de jabón que le han puesto en la mano, que es un engaño, se da cuenta cuando los rostros

que la rodean se vuelven verdes, los ojos salen de las órbitas, y a ella misma la tos le sacude el pecho y la boca se le retuerce en vano buscando aire puro» (Tisma, p. 129).

Campos de concentración

«Fue mucho peor de lo que imaginábamos. Y estamos hablando del infierno. Lo que tienen de más terrible los resultados de las nuevas investigaciones sobre la red de guetos y campos que cubría como una telaraña el territorio del III Reich es que cuantifican en su real medida la escala de la atrocidad. Y los números superan con mucho lo que creíamos.

Hasta cierto punto resultaba tranquilizador pensar que el genocidio nazi, la negra guinda de la barbarie, se había concentrado en un número relativamente muy limitado de lugares generalmente apartados: Auschwitz-Birkenau, Treblinka, Majdanek, Chelmno, Belzec, Sobibor... La geografía de esa extrema maldad parecía reducirse a una serie de puntos muy localizados, de los que teníamos buena información. De alguna manera, como con los círculos del averno de Dante o la lista de los cinco ríos del Hades —Aqueronte, Cocito, Estigia, Lete y Flegetonte—, concentrar el espanto en nombres conocidos y números asumibles producía cierto alivio [...] Ahora todo eso salta por los aires. Es cierto que en el fondo sabíamos que había más. Pero realmente, los números espantan. Ha resultado que en la Europa de Hitler no existía la Comarca y todo era Mordor. La red era tan tupida que prácticamente, muy borgianamente, era el territorio. ¡42.500 guetos y campos! Como explica muy gráficamente uno de los autores de la investigación, uno no podía literalmente ir a

ningún lugar sin pasar por un campo de trabajo forzado, un campo de prisioneros, un campo de concentración... [...] Hemos de revisar nuestra imagen del infierno. Y desde luego, nadie puede decir que no supo de su existencia, porque estaba en todas partes» (Jacinto Antón, "Fue mucho peor", *El País*, 5-3-13).

Casa de muñecas

«Nos colocábamos delante de nuestra cortina y los soldados nos examinaban y elegían a la chica que preferían. La seleccionada entraba en el cuarto, se desnudaba y se entregaba. El primero que me visitó fue Handke. La celadora nos había advertido de que teníamos que ser amables con todos nuestros visitantes, satisfacer cualquiera de sus deseos, y que la muchacha que dejara descontento a un soldado sería castigada a morir a bastonazos» (Tisma, *Kapo*, p.238).

«Volví a ver el asfixiante *Block* de la cuarentena, y a Lotti y Gustine, las dos hermanitas holandesas, muy amables, que nunca me negaban la navaja y que me la pedían con exquisita educación cuando tardaba en devolvérsela [...]

—¿Sabías que se ha muerto Lotti, la holandesita? —dije por contarle mis noticias—. He visto a su hermana en el hospital y me temo que a ella le queda poco.

—¿Lotti, la del barracón de cuarentena? —inquirió Rosette con desconfianza—. ¿Quién te ha dicho que se ha muerto?

—Su hermana, esta misma mañana. ¿Qué pasa, te parece raro?

—Ay, querida mía —continuó Rosette, como si empeñara todo su honor en contradecirme—. ¡Qué va a estar muerta ésa! ¡Está mejor que nosotras! ¡Ya me gustaría a mí atiborrarme como ella! ¡La que se irá por la chimenea es la hermana, porque las putas siempre tienen suerte!» (Millu, p.151).

Castigo

«Yo misma fui testigo de un castigo. Las víctimas era dos hermanas, Lia y Cini, que habían llegado al campo procedentes de un gueto polaco; no tenían más de quince y dieciséis años, aún sin desarrollar, siempre asustadas […] Los prisioneros habían traído dos potros de madera, similares a los que se utilizan para saltar en las clases de gimnasia, sólo que sin revestimiento. La celadora llevó hasta allí a las dos muchachas. Iban cogidas de la mano, lloraban. Handke se les acercó y casi con ternura las separó. Luego, de repente, rasgó el vestido de una y después el de la otra, y las ató con fuerza a los potros, cada miembro amarrado por separado a una de las cuatro patas. Un soldado le tendió un bastón, quizá de un metro de largo, pero bastante grueso. Se puso detrás de Lia y con todas sus fuerzas la golpeó en una pierna por debajo de la rodilla. Ella gritó, no obstante se oyó como el hueso se fracturaba» (Tisma, *El uso*, 239).

Cifras

(Hilberg, p. 991):

«En la actualidad, se calcula que de un millón trescientas mil personas que fueron enviadas a Auschwitz, un millón cien mil murieron allí. Un millón de ellas eran judíos […] Es fundamental

recordar siempre que más del 90 por 100 de las personas que perdieron la vida en Auschwitz lo hicieron porque a ojos de los nazis habían cometido el "crimen" de nacer judíos.

Los judíos deportados desde Hungría durante la frenética operación del verano de 1944 constituyen el mayor número de judíos procedentes de una misma nación transportados a Auschwitz (438.000). Le siguen Polonia (300.000) y, a continuación, Francia (69.114), Holanda (60.085), Grecia (55.000), Checoslovaquia y Moravia (46.099), Eslovaquia (26.661), Bélgica (24.906), Alemania y Austria ((23.000), Yugoslavia (10.000) e Italia (7.422). Y, por supuesto, no debemos olvidar nunca a los muchos no judíos que fallecieron en el campo: los 70.000 prisioneros políticos polacos, los más de 20.000 gitanos, los 10.000 prisioneros de guerra soviéticos, los centenares de testigos de Jehová, las decenas de homosexuales; ni a ninguna de las demás personas que fueron encerradas allí por multitud de razones retorcidas (y a veces por ninguna razón en absoluto» (Rees, *Auschwitz*, p.410).

Colaboracionismo

«…se puede afirmar, casi con toda seguridad, que nada habría ocurrido de haber rehusado el gobierno [francés] colaborar en la entrega de los judíos "extranjeros". Ni siquiera tras la ocupación de todo el territorio francés, consumada en noviembre de 1942, impusieron los nazis violentas represalias cuando la renuencia de las autoridades del país les impidió lograr los objetivos que se habían planteado en lo tocante a las deportaciones» (Rees, *Auschwitz*, p.189).

«La gente del pueblo sabía que tenía escondidos a unos niños judíos, y empecé a escuchar amenazas y a tener dificultades por todas partes: que si debía entregar los niños a la Gestapo, que si iban a quemar el pueblo entero como represalia, que si iban a matar a todo el mundo, etc […] La tranquilidad no duró mucho. Los de la SS estaban siempre al acecho y de nuevo empezaron a oírse protestas, hasta que un día me dijeron que tenía que hacer desaparecer de este mundo a los niños, y urdieron un plan para llevarse a las criaturas al pajar y, una vez allí, cuando estuvieran durmiendo, cortarles la cabeza con un hacha» (Testimonio de Karolcia Sapetowa en: Gross, p.149).

«La policía había ordenado una nueva campaña de propaganda antijudía como parte de las preparaciones para una gran deportación de los judíos que quedaban desde el NDH [nuevo estado fascista croata bajo la órbita nazi nacido en mayo de 1941] a Auschwitz. La deportación se acordó en una reunión de la Dirección General el 16 de enero de 1943, en la que el representante nazi de la SS, Franz Abromeit, refrendó los detalles con los líderes de la policía del NDH referente a la colaboración de ambos servicios de policía para organizar y llevar a cabo la deportación» (Goldstein, p.73).

Crematorio

«Allí arriba, junto al montacargas, cuatro hombres esperan. A un lado dos arrastran los cuerpos al "depósito"; los otros dos están encargados de conducirlos directamente hacia los hornos. Los cuerpos son alineados de dos en dos ante cada una de las bocas del horno. Los niños pequeños están apilados a un lado y van siendo

arrojados a razón de uno por cada dos adultos. Se colocan los cuerpos sobre la "tabla de purificación" —una angarilla de hierro—, y entonces se abre la boca del horno y se empuja la angarilla hacia el interior. El fuego infernal extiende sus lenguas como brazos abiertos y atrapa el cuerpo de inmediato, como si fuera un tesoro. Lo primero en arder son los cabellos. La piel se llena de ampollas y en pocos segundos estalla. Los brazos y piernas comienzan a contorsionarse porque las arterias se encogen y ponen los miembros en movimiento. El cuerpo entero arde intensamente, estalla la piel y puede oírse el crepitar del fuego avivado por la grasa derramada. Ya no se ve un cuerpo, sino una sala en la que arde un fuego infernal que consume algo en su interior. El vientre estalla. Los intestinos y las entrañas brotan rápidamente de su interior y en pocos minutos no queda traza de ellos. La cabeza tarda más en arder. De las órbitas surgen unas llamitas azules que centellean, los ojos arden junto con los sesos ocultos que de este modo se manifiestan, mientras en la boca sigue calcinándose la lengua. El proceso dura en total cerca de veinte minutos, durante los que un cuerpo, un mundo se ve reducido a cenizas […]

Ahora disponen a tres más. Una criatura apretujada contra el pecho de su madre; cuánta dicha, cuánta satisfacción sintieron esa madre y su padre cuando el niño nació. Constituían un hogar, tejían un futuro, el mundo era para ellos un idilio, y en veinte minutos no quedará de ellos ni el más mínimo vestigio.

El montacargas sube y baja transportando incontables víctimas. Como en un gran matadero yacen aquí apilados los cadáveres, esperando en fila su turno y que se los lleven.

Treinta bocas infernales arden al unísono en los dos grandes edificios y engullen un sinnúmero de víctimas. No habrá de pasar mucho tiempo antes de que cinco mil personas, cinco mil mundos sean devorados por las llamas» (Gradowski, pp. 163-165).

«Nunca se sale realmente del Crematorio» (Shlomo Venezia).

Culpa

«Por instrucciones del Führer, informo de lo siguiente:

En los casos en que sea debatida en público la cuestión judía, se deberá abstenerse de toda discusión sobre una futura solución global (*Gesamtlösung*). En cambio se podrá mencionar que se lleva a los judíos por grupos, con propósitos laborales apropiados» (Circular de Bormann, Jefe de la Cancillería del Reich, a todos los Reischleiter, Gauletier y Jefes de Grupo, el 11-7-1943. En: *El Holocausto en documentos*, p. 376).

«Poco a poco, la sala fue quedándose vacía. Leinen seguía sentado. Collini guardó silencio un buen rato, y su abogado no quiso importunarlo. Al final, salió de su ensimismamiento.

—Lo mío no son las palabras, señor Leinen. Sólo quería decir que no creo que hayamos ganado. En mi país se dice que los muertos no desean venganza, que sólo los vivos la quieren. Me paso el día entero en la celda pensando en eso» (Schirach, p. 145).

«Por último, en un último esfuerzo, y ya sin mostrar lealtad alguna a personas o ideas, y con la única intención de salvarse a sí mismo, Rudolf argumentó que simplemente había estado ejecutando las órdenes de Himmler. Sin embargo, aquel argumento fue rápidamente desestimado por el tribunal, ya que una premisa fundamental de todos los juicios por crímenes contra la humanidad que se celebraron durante la posguerra era que los carceleros y oficiales de las SS no podían alegar que se habían limitado a cumplir órdenes» (Harding, p.282).

Deportaciones
 «Al día siguiente iban a iniciarse las deportaciones. La noche anterior llegó a mi casa Rafael, vistiendo una desesperanza vasta hecha de seda negra, con capucha» (Paul Celan, "Nochebuena").

Descanso
«El domingo era el día de franco en el campo, en la práctica, los encargados de las barracas se ocupaban de que los reclusos no "holgazanearan" mucho durante el descanso. Tenían que limpiar a fondo los dormitorios, sacar a ventilar los jergones de paja, desinfectar las literas —en la, desde el vamos perdida, eterna lucha contra los piojos— y trapear los pisos. Después de la limpieza de la barraca, seguía la higiene personal: ducha helada bajo los surtidores que a tal efecto se alineaban contiguos a cada alojamiento y lavado de la ropa.

Toda esta actividad nos demandaba a los presos la mayor parte del día y terminábamos agotados por tanto "descanso". Al final y como recompensa a tanto esfuerzo se adicionaban a la sopa de siempre, diez gramos de margarina y dos cigarrillos, los cuales yo me apresuraba a cambiar por un poco más de pan» (Klainman, p.93).

Después de Auschwitz

«Contra lo que pensaba Adorno, después de Auschwitz no es solo que la poesía haya dejado de tener sentido, es que la filosofía lo ha perdido por completo» (Félix de Azúa, "Avive el seso y despierte…", *El País*, 13-12-13).

Dieta

«La dieta básica de los prisioneros judíos era sopa de nabo aguada bebida de los recipientes, complementada con una cena de pan de serrín y un poco de margarina, "mermelada maloliente" o "embutido pútrido". Entre las dos comidas, los prisioneros intentaban lamer unas gotas de agua contaminada de algún grifo de un barracón de lavado» (Hilberg, p. 1008).

Economía

«En esencia, las confiscaciones eran una operación de barrido, pero también un modelo de conservación. Se recogía todo y no se malgastaba nada. ¿Cómo se podía ser tan concienzudo? La respuesta radica en la cadena de montaje, un método infalible […] Un corolario de la meticulosidad en las recogidas era el cuidado con el que se realizaba el inventario. Se contaba cada unidad monetaria. Se

clasificaban los relojes y se reparaban los valiosos. Se pesaban las prendas y los harapos inútiles. Se entregaban recibos unos a otros y todo se inventariaba. Todo esto se hacía de acuerdo con el deseo de "esmerada exactitud" (*die grösste Genauigkeit*) manifestado por Himmler. "No podemos ser lo suficientemente precisos"» (Hilberg, p. 1050).

«Yo estoy infinitamente persuadido de que si no quedasen más que dos hombres en el mundo, el más fuerte no vacilaría un minuto, al faltarle sebo con que frotar sus botas, en matar a su único compañero para disponer de su grasa» (Schopenhauer).

Educación

 «La exigencia de que Auschwitz no se repita es la primera de todas las que hay que replantear en la educación» (Theodor W. Adorno).

Eichmann, Adolf

«La mejor oportunidad para que Eichmann demostrara este lado positivo de su carácter, en Jerusalén, llegó cuando el joven oficial de policía encargado de su bienestar mental y psicológico le entregó *Lolita* para que se distrajera leyendo. Al cabo de dos días, Eichmann lo devolvió visiblemente indignado, diciendo: "Es un libro malsano por completo"» (Hannah Arendt, *Eichmann*, p. 78).

Emancipación

«Se os han dicho cosas sobre los judíos infinitamente exageradas y a menudo contrarias a la historia. ¿Cómo se les puede culpar de las

persecuciones que han sufrido entre diferentes pueblos? Se trata, por el contrario, de crímenes nacionales que deberíamos expiar, devolviéndoles derechos humanos imprescriptibles de los que ningún poder humano podía despojarles [...] Traigámoslos a la felicidad, a la patria, a la virtud, ofreciéndoles la dignidad de personas y de ciudadanos; esperemos que nunca pueda considerarse políticamente apropiado, se diga lo que se diga, condenar al envilecimiento y a la opresión a una multitud de hombres que viven entre nosotros» (Robespierre en la Asamblea Constituyente en 1789. En Zizek, *Robespierre. Virtud y terror*, Akal, 2011, p. 74).

«Mi deseo es hacer de los judíos de Francia ciudadanos útiles, conciliar sus creencias con su deber de franceses, y alejar los reproches que pudieron hacérseles. Quiero que todos los hombres que viven en Francia sean iguales y gocen del conjunto de nuestras leyes» (Napoleón en 1806)…

… «Napoleón no debe ignorar que las escrituras anuncian el juicio final para el día en que los judíos sean reconocidos como cuerpo de la nación» (El cardenal Joseph Fesch reprochando a Napoleón. Era además tío del emperador).

Enfermedad

«Los mecanismos mentales de los *Häftlinge* [prisioneros] eran distintos de los nuestros; curiosa, y paralelamente, era distinta también su fisiología y su patología. En el *Lager* se desconocían los

catarros y las gripes, pero se moría, a veces de repente, de enfermedades que los médicos nunca han tenido ocasión de estudiar. Se curaban (o desaparecían sus síntomas) las úlceras gástricas y las enfermedades mentales, pero todos padecíamos un malestar incesante que nos envenenaba el sueño y que no tenía nombre» (Primo Levi, HS, p. 543).

Error

«Ahora también reconozco que el exterminio de judíos constituía un error, un error total. Este aniquilamiento en masa ha despertado el odio del mundo entero contra Alemania. De nada sirvió a la causa antisemita; por el contrario, permitió a la judería acercarse a su objetivo final» (Rudolf Höss, p. 175).

España

«En la actualidad residen en España quizás menos de 20.000 personas de etnia judía, buena parte de ellas de nacionalidad española [hoy día, según la Federación de Comunidades Judías de España cuenta con 40.000] Algunas destacan en los campos del arte, la música, el periodismo, el mundo editorial o los negocios. Pero, en conjunto, son muy pocos los españoles que tengan conciencia de haber tratado con judíos. En la primera mitad del siglo XIX la comunidad hebrea en España era prácticamente inexistente. La que fue instalándose después nunca dejó de ser reducida. Por ello estudiar el fenómeno del antijudaismo en la España de los siglos contemporáneos supone hablar de un "antisemitismo sin judíos"» (Álvarez Chillida, p. 21).

«El edicto de expulsión de 1492 no es el último episodio de la trágica historia del judaísmo español. La mayor parte de los judeoconversos que conservaron el derecho de permanecer en su patria acabaron fundiéndose en la sociedad hispánica, pero fueron sometidos a la vigilancia de la Inquisición, respaldada por las delaciones, espontáneas o no, de la masa cristianovieja que seguía viendo en ellos unos enemigos natos del catolicismo romano» (Joseph Pérez, HT, p. 135).

«Los nazis mantuvieron en secreto la existencia de Auschwitz y de los campos de exterminio hasta 1944. Desde ese año la élite funcionarial, política y periodística de los países aliados empezó a conocer las primeras evidencias de que varios campos de concentración eran en realidad fábricas de muerte masiva. Sin embargo, la diplomacia española podrá siempre atribuirse que dio cuenta del crimen en una fecha anterior, en torno al verano de 1943, en un párrafo de un informe a su ministro del embajador en Berlín, Ginés Vidal» (Arcadi Espada, *En nombre de Franco*, Espasa, 2013, p. 64).

Esperanza de vida

«Sucumbir es lo más sencillo: basta cumplir órdenes que se reciben, no comer más que la ración, atenerse a la disciplina del trabajo y del campo. La experiencia ha demostrado que, de ese modo, sólo excepcionalmente se puede durar más de tres meses» (Primo Levi, SEH, p. 120).

Estrella amarilla

«¿Cómo se podía, pues, aislar mientras tanto a los judíos de la población alemana sin que perdieran toda oportunidad de ganarse la vida? Heydrich estaba a favor de que todos los definidos como judíos por las leyes de Nuremberg llevasen una insignia especial ("¡Un uniforme!", exclamó Göring. Heydrich repitió: "Una insignia"). Göring se mostraba escéptico: él mismo estaba a favor de establecer guetos a gran escala en las ciudades principales. Según Heydrich, los guetos se convertirían en "escondites para actividades criminales", incontrolables por la policía, mientras que una insignia permitiría la supervisión por parte de "los ojos vigilantes de la población"» (Friedländer, JTR, p. 387).

«Podemos considerar como un símbolo poderoso el hecho de que los dirigentes del boicot hayan dado orden para que una marca "con emblema amarillo sobre fondo negro" sea pegada en las tiendas boicoteadas. La intención de esta orden era estigmatizar y despreciar. La recogeremos y transformaremos en emblema de honor. Este sábado, muchos judíos vivieron una experiencia aplastante. De pronto, se revelaron judíos, no por una conciencia interior ni por lealtad hacia su propia comunidad, ni por orgullo por un pasado grande y sus contribuciones importantes a la humanidad, sino por lo impreso en un papel rojo con una letra amarilla» (Robert Weltsch, 1933. En: *El Holocausto en documentos*, p. 48).

«A partir del 1 de diciembre de 1939, todos los judíos y judías mayores de 10 años de edad que se encuentren dentro del Gobierno-General deberán llevar en la manga derecha de su ropa y abrigo, una banda blanca de por lo menos 10 cm. de ancho, con una estrella de David marcada en ella» (Reglamento para la identificación de judíos del Gobierno-General, 1939. En: *El Holocausto en documentos*, p. 195).

Experimentos médicos

«Todo aquel que tuviera una apariencia famélica, estuviera enfermo o quedara incapacitado para el trabajo era enviado a las cámaras de gas por los médicos alemanes. Los doctores alemanes Wirtz, Mengele, Rohde, Fischer, Thilo, Kitt, Köning y Klein, entre otros muchos, solían dedicarse a esos menesteres.

Por orden de Wirtz, jefe del Cuerpo médico del complejo de Auschwitz, los brotes epidémicos de tifus eran enfrentados con el exterminio de los barracones enteros donde se había detectado algún enfermo.

La comisión de medicina legal estableció que los médicos alemanes destinados en Auschwitz realizaron los siguientes experimentos sobre personas vivas:

1)   Biopsias de cuello de útero o histerectomías totales.

2)   Utilización de diversos compuestos para optimizar los resultados de las radiografías de útero y las trompas de Falopio.

3)   Esterilización de mujeres.

4)   Estudio de los efectos de diversos preparados químicos a requerimiento de empresas alemanas.

5)   Ensayos de esterilización masculina por medio de radiación.

6)	Aplicación de sustancias químicas corrosivas en la piel de las piernas para generar úlceras y tumores.

7)	Otros experimentos, como la inoculación de la malaria, la inseminación artificial, etc…»

(Grossman & Ehrenburg, pp. 1068-1069).

«Todos estos experimentos, que consumieron muchos cientos de víctimas, no condujeron a nada» (Hilberg, p. 1044).

Expiación

«El propósito de los campos es, por supuesto, la exterminación física, pero la realidad final del universo concentracionario va mucho más lejos. El SS no concibe a su adversario como un hombre normal. El enemigo, en la filosofía SS, representa la fuerza del Mal intelectual y físicamente manifestada. El comunista, el socialista, el liberal alemán, los revolucionarios, los resistentes extranjeros, son representaciones actuantes del Mal. Pero la existencia objetiva de ciertos pueblos y razas: los judíos, los polacos, los rusos, representa la expresión permanente del Mal. No es necesario para un judío, un polaco o un ruso actuar en contra del nacionalsocialismo; por nacimiento, por predestinación, son unos herejes no asimilables destinados al fuego apocalíptico. La muerte por sí misma no tiene pleno sentido. Únicamente la expiación puede ser satisfactoria, apaciguadora para los Señores. Los campos de concentración son una impresionante y compleja máquina de expiación. Los que deben morir van hacia la muerte con una lentitud calculada para que su degradación física y

moral, llevada a cabo gradualmente, les haga, al fin, conscientes de que son unos malditos, unas personificaciones del Mal, y no unos hombres. Y el sacerdote justiciero siente una especie de oculto placer, de íntima voluptuosidad, en aniquilar cuerpos» (David Rousset, p. 65).

Explicar Auschwitz

—No se puede:

«Nunca me he guiado por la necesidad de comprender. Cuando el prisionero Primo Levi preguntó "¿por qué?", un oficial SS le respondió: "Aquí no hay porqués". Ésa es la única verdad. La búsqueda de porqués es absolutamente obscena [...] Por supuesto que los historiadores reunirán sus cadenas de motivos —la crisis económica mundial, el desempleo, la derrota en la Primera Guerra Mundial, el bolchevismo, las experiencias de juventud de Hitler, etc. Las explicaciones terminan con el exterminio de los judíos casi como su conclusión armoniosa, lógica y racional. Aquí radica precisamente la obscenidad. Puede ser que ciertas condiciones sean necesarias para el surgimiento de un antisemitismo genocida, pero nunca serán suficientes. La crueldad de una muerte en la cámara de gas permanecerá incomprensible» (Lanzmann, ES).

«Hay cosas que no llegan a entenderse nunca, y casi es mejor que sea así, que su único sentido sea la absurdidad. Por ejemplo, un grupo de

personas se sienta alrededor de una mesa y toma la decisión de destruir todo un pueblo» (David Albahari).

—Sí se puede:

 «…dije que la frase era formalmente errónea, la frase de que "Auschwitz no tiene explicación", porque todo cuanto existe siempre tiene una explicación […] o sea que también esta frase desgraciada —"Auschwitz no tiene explicación"— es una explicación, y el autor explicaba con ella que debemos callar sobre Auschwitz, que Auschwitz no existe o, para ser más preciso, que no existió, ya que, como es lógico, sólo aquello que no existe o no existió carece de explicación. Con toda probabilidad dije que Auschwitz existió y luego existe, y que por tanto tiene una explicación y que lo único que no tiene explicación es que Auschwitz no haya existido, es decir, lo que no podría explicarse es que Auschwitz no hubiera existido, que no se hubiera hecho realidad, que el espíritu universal no se hubiera realizado en el hecho llamado "Auschwitz" [...], sí, lo que no tendría explicación sería precisamente la ausencia de Auschwitz, de lo que se deduce que Auschwitz está en el aire desde hace muchísimo tiempo, como un fruto oscuro que ha madurado bajo los rayos de innumerables infamias y espera el momento oportuno para caer por fin sobre la cabeza de los hombres. En resumen, que lo que existe, existe, y el hecho de que exista es necesario precisamente porque existe: la historia universal es el acto y la imagen de la razón (cita de

H.), porque ver el mundo como una sucesión arbitraria de azares sería, en definitiva, un modo de ver bastante indigno (cita mía) [...]

... y la explicación de Auschwitz, dije con toda probabilidad, por cuanto era mi opinión y, es más, sigue siéndolo, la explicación se encuentra en las vidas individuales y en ningún otro sitio. Auschwitz es, a mi juicio, el acto y la imagen de vidas individuales, visto bajo el signo de cierta organización [...]

... la naturaleza del poder que no es ni satánico, ni de una complejidad turbia y fascinante, ni terriblemente cautivador, no, sino común y corriente, ruin, asesino, estúpido e hipócrita y que incluso en los tiempos de sus logros más grandes sólo está bien organizado [...]

Y dejad de decir por fin, dije con toda probabilidad, que Auschwitz no tiene explicación, que Auschwitz es el producto de fuerzas irracionales, inconcebibles para la razón, porque el mal siempre tiene una explicación racional, es posible que el propio Satanás sea irracional, como lo es Yago, pero sus criaturas sí son racionales, todos sus actos se derivan de algo, igual que una fórmula matemática; se derivan de algún interés, del afán de lucro, de la pereza, del deseo de poder y de placer, de la cobardía, de la satisfacción de este o de aquel instinto, y si no, pues de alguna locura [...] porque prestad atención, porque lo verdaderamente irracional y lo que en verdad no tiene explicación no es el mal, sino lo contrario: el bien [...] y en vez de la vida de los dictadores hace tiempo que sólo me interesan las vidas de los santos, por cuanto las considero interesantes e inconcebibles y no les encuentro ninguna explicación racional» (Kertész, KHN, pp. 47-53).

«Los sabios, los sociólogos, criminalistas, psiquiatras, filósofos analizarán cómo pudo producirse todo esto. ¿Se trata de rasgos orgánicos, de atavismo, educación, medio, condiciones externas, predeterminación histórica, voluntad criminal de los dirigentes? ¿Qué es esto, cómo sucedió? Los rasgos embrionarios de racismo que se hallan en las exposiciones de toda clase de profesores charlatanes y de pobres teóricos provincianos alemanes del siglo pasado que parecían cómicos, el desprecio de los filisteos alemanes hacia el 'cerdo ruso', el 'bestia polaco', el 'hebreo apestoso', el 'pervertido francés', el 'mercachifle inglés', el 'hipócrita griego', el 'tonto del checo', toda esta farfolla barata de la supremacía del alemán sobre el resto de los pueblos de la tierra de la que se burlaron bonachonamente los publicistas y los humoristas; de pronto todo esto, en el lapso de algunos años, se transformó y pasó de tener unos rasgos 'infantiles' a convertirse en una amenaza mortal para la humanidad, la vida y la libertad, y llegó a ser origen de increíbles e inauditos sufrimientos, torrentes de sangre y crímenes. En esto hay materia para la reflexión» (Vasili Grossman, AG, p. 561).

Expolio

«La oficina de Rosenberg en Vilnius (*Einsatzab Reichsleiter Rosenberg*) complementaba de manera muy particular las actividades que realizaba la Gestapo. El objetivo de su trabajo era la localización y destrucción de todos los bienes culturales judíos. Los alemanes se habían propuesto borrar de la faz de la tierra los cinco siglos de impronta cultural judía en Vilnius […] El doctor Poll nos ordenó

agrupar todos los libros judíos en una suerte de gueto. Los cuarenta mil volúmenes de la biblioteca judía Strashun, una colección que gozaba de fama mundial, fue trasladada a la calle Universitétskaya, donde sus fondos se mezclaron con los libros traídos desde centenares de casas de oración repartidas por toda la ciudad. Poll envió a Alemania unos veinte mil que fueron previamente embalados.» (Grossman & Ehrenburg, pp. 584-585).

«El comportamiento de los nazis en Auschwitz mostró que no eran sólo sanguinarios asesinos de gente inocente. También se les vio comportarse como codiciosos buitres que se aprovechaban de sus víctimas. Millones de seres humanos traídos a Auschwitz fueron sometidos desde su arribo al campo al más descarado saqueo de sus bienes. Todos sus bienes —las maletas, los abrigos, la ropa de cama y hasta su ropa interior y zapatos— eran incautados por los SS, llevado a barracones especialmente concebidos para su colección y, por fin, enviados a Alemania» (Grossman & Ehrenburg, p. 1084).

Extranjero

«Habrá muchos, individuos o pueblos, que piensen, más o menos conscientemente, que "todo extranjero es un enemigo". En la mayoría de los casos esta convicción yace en el fondo de las almas como una infección latente; se manifiesta sólo en actos intermitentes e incoordinados, y no está en el origen de un sistema del pensamiento. Pero cuando éste llega, cuando el dogma inexpresado se convierte en la premisa mayor de un silogismo, entonces, al final de la cadena está

el *Lager*. Él es producto de un concepto del mundo llevado a sus últimas consecuencias con una coherencia rigurosa: mientras el concepto subsiste las consecuencias nos amenazan. La historia de los campos de destrucción debería ser entendida por todos como una siniestra señal de peligro» (Primo Levi, SEH, p. 27).

«Como a uno de vosotros tratarás al extranjero que habite entre vosotros, y lo amarás como a ti mismo, porque extranjeros fuisteis vosotros en la tierra de Egipto» (*Levítico* 19-34, traducción Valera-Reina).

Fábrica de cadáveres

«La definición del exterminio como una especie de producción en cadena (*am laufenden Band*) fue empleada por vez primera por un médico de las SS, F. Entress (Hilberg, p. 1032) y, desde entonces, se ha repetido, con todas la variantes que se quiera, en infinidad de ocasiones, no siempre de manera oportuna» (Giorgio Agamben, pp. 73-74).

Fe

«Desde muchos años atrás yo había sabido que era necesario meter en la misma bolsa a los católicos, los freudianos, los marxistas y los patriotas. Quiero decir: a cualquiera que tuviese fe, no importa en qué cosa; a cualquiera que opine, sepa o actúe repitiendo pensamientos aprendidos o heredados. Un hombre con fe es más peligroso que una bestia con hambre. La fe nos obliga a la acción, a la injusticia, al mal; es bueno escucharlos asintiendo, medir en silencio cauteloso y cortés

la intensidad de sus lepras y darles siempre la razón. Y la fe puede ser puesta y atizada en lo más desdeñable y subjetivo. En la turnante mujer amada, en un perro, en un equipo de fútbol, en un número de ruleta, en la vocación de toda una vida» (Juan Carlos Onetti, *Dejamos hablar al viento*, DeBolsillo, pp.17-18).

Felicidad

«Mi madre me estaría esperando y seguramente se pondría muy contenta al verme, la pobre. Me acordé de que ella quería que yo fuera arquitecto, médico o algo así. Seguramente así sería, como ella deseara, puesto que no existía ninguna cosa insensata que no pudiéramos vivir de manera natural, y en mi camino, ya lo sabía, me estaría esperando, como una inevitable trampa, la felicidad. Incluso allá, al lado de las chimeneas había habido, entre las torturas, en los intervalos de las torturas algo que se parecía a la felicidad Todos me preguntaban por las calamidades, por los "horrores", cuando para mí ésa había sido la experiencia que más recordaba. Claro, de eso, de la felicidad en los campos de concentración, debería hablarles la próxima vez que me pregunten. Si me preguntan. Y si todavía recuerdo» (Kertész, SD, pp. 262-263).

«Experimenté mis momentos más radicales de felicidad en el campo de concentración [...] Estar muy cerca de la muerte es también una especie de felicidad. Sólo sobrevivir se convierte en la mayor libertad de todas» (Kertész, EN).

Filosofía

«Se cierne ahora sobre el mundo una época implacable. Nosotros los forjamos, nosotros que ya somos su víctima. ¿Qué importa que Inglaterra sea el martillo y nosotros el yunque? Lo importante es que rija la violencia, no las serviles timideces cristianas. Si la victoria y la injusticia y la felicidad no son para Alemania, que sean para otras naciones. Que el cielo exista, aunque nuestro lugar sea el infierno» (Jorge Luis Borges, p. 92).

Franco

«...al privar a varios miles de sefardíes de la nacionalidad española a la cual tenían derecho y retrasar deliberadamente la repatriación de ciertos grupos en espera, judíos "repatriables" según los propios criterios del Reich, España fue responsable de haber abandonado a una suerte trágica a un gran número de judíos españoles que podían haber sido salvados» (Rozenberg, p. 248).

Fritzalarm

«Ese día fue decididamente ajetreado, porque después de la sirena de los *Fliegeralarm* [alarma de ataque aéreo], sonó otra, muy prolongada, la que en el campo llamábamos "la alarma de Fritz", la *Fritzalarm*, que servía para avisar a todos los puestos de guardia de que se había fugado un prisionero. Entonces los *Posten* [guardianes] salían con los perros policía, a la caza del hombre, y todo el campo quedaba un instante con el corazón en un puño" (Millu, p. 122).

Gestapo

«Soy el inspector Pick —dijo con pomposidad—, Si no ha oído hablar de mí, puede hallar consuelo en eso durante un breve momento. Jamás permito que un hombre salga de aquí, caminando o arrastrándose, sin antes haberle arrancado la verdad. Si no lo consigo, por lo general del prisionero no queda mucho que nos permita reconocerlo como a un ser humano. Se lo aseguro: después de algunas de nuestras caricias, usted pensará que la muerte es un lujo. No le suplico una confesión. Me trae sin cuidado lo que usted haga» (Karski, p. 223).

Gitanos

«El III Reich exigió a los gitanos cumplir un requisito que duplicaba el exigido a los judíos para clasificarlos como no arios: si solo dos de sus bisabuelos eran parcialmente gitanos, no podrían salvarse. A día de hoy, las cifras del Holocausto gitano —*Porrajmos*, la devoración, en caló— siguen siendo aproximativas, aunque según escribió Simon Wiesenthal a Elie Wiesel en 1984, "los gitanos fueron asesinados (en una proporción) similar a la de los judíos; en torno al 80% (murieron) en el área de países ocupados por los nazis"» (Miguel Mora, "Gitanos, el presagio de otras infamias", *El País*, 2-11-13).

Goebbels, Joseph

«Es un tipo ridículo; con su gabardinita y su pata torcida, se ha pasado diez años siendo el hazmerreir de los periodistas liberales [...] Es de esa estirpe dura de los sectarios, de los hombres votados a un ideal con el cual fusilan a su padre si se les pone por delante. En

España no ha habido así más que algunos curas carlistas, hace ya muchos años» (Manuel Chaves Nogales, pp. 128-129).

Gueto

«La primera medida preliminar para lograr el objetivo final es la concentración de los judíos del campo en las grandes ciudades. Debe llevarse a la práctica con rapidez» (Orden de Heydrich en septiembre de 1939 para los judíos alemanes. Goldhagen, p. 194).

«Cruzar ese muro era entrar en un mundo nuevo, completamente diferente a cuanto se haya podido imaginar jamás. Toda la población del gueto parecía vivir en la calle. Apenas si había un metro cuadrado de espacio vacío. Mientras íbamos con cuidado a través del fango y los escombros, las sombras de lo que alguna vez habían sido hombres y mujeres revoloteaban cerca de nosotros en busca de algo o de alguien; sus ojos fulguraban con un hambre o avidez insanas. Todo, hombres y cosas, parecía vibrar con una intensidad antinatural, como si estuviese en constante movimiento, envuelto en una bruma de enfermedad y de muerte» (Karski, p. 441).

Häftlinge (Prisioneros)

«Hemos aprendido bien pronto que los huéspedes del *Lager* se dividen en tres categorías: los criminales, los políticos y los judíos. Todos van vestidos a rayas, todos son *Häftlinge*, pero los criminales llevan junto al número, cosido en la chaqueta, un triángulo verde, los políticos un triángulo rojo; los judíos, que son la mayoría, llevan la

estrella hebraica, roja y amarilla. Hay SS, pero pocos y fuera del campo, y se ven relativamente poco: nuestros verdaderos dueños son los triángulos verdes, que tienen plena potestad sobre nosotros, y además aquéllos de las otras dos categorías que se prestan a secundarles: y que no son pocos» (Primo Levi, SEH, p. 55).

Hambre

«Un anciano de Auschwitz cambió una bolsa de diamantes que había introducido de contrabando por tres patatas crudas, que se comió inmediatamente» (Hilberg, p. 1009, en nota).

Himmler, Heinrich

«La mayoría de vosotros sabéis lo que significa cuando hay tendidos cien cadáveres, o quinientos o mil. Haber pasado por eso y —salvo excepciones producidas por la debilidad humana— haber seguido siendo decentes, es lo que nos ha endurecido. Ésa es una página de gloria en nuestra historia que nunca se ha escrito y que nunca se escribirá… Deseo mencionar aquí con la mayor claridad un capítulo particularmente difícil. Entre nosotros debe ser mencionado una sola vez, con mucha claridad, pero en público nunca hablaremos de ello. Al igual que dudamos poco el 30 de junio de 1934 [*Noche de los cuchillos largos*, en que se descabezó de manera sangrienta a las SA], a la hora de cumplir con nuestro deber y mandar al paredón a los camaradas que habían actuado mal, poco hemos hablado de ello ni tampoco lo haremos jamás. En nosotros había, gracias a Dios, un don innato de tacto, de forma tal que nunca hemos conversado sobre ese asunto, nunca hemos hablado acerca de él. Todos nosotros nos

horrorizamos pero también todos supimos que volveríamos a hacerlo de nuevo si así se nos ordenara y si fuera necesario. Me estoy refiriendo a la evacuación de los judíos, al exterminio del pueblo judío. "El pueblo judío será exterminado", dice cada camarada del partido. "Está claro, está en nuestro programa. Eliminación de los judíos, exterminio y lo llevaremos a cabo"» (Discurso pronunciado por Himmler ante mandos de las SS el 4 de octubre de 1943 en Posen, citado en: César Vidal, *El Holocausto*, Alianza, 2005, pp. 213-214).

«En un discurso que pronunció ante jefes de la SS el 24 de abril de 1943, Himmler hizo el siguiente balance:
Somos los primeros que hemos hecho realidad la cuestión de la sangre. Naturalmente, no entendemos por cuestión de la sangre el antisemitismo. Es lo mismo que despiojarse: cualquiera lo hace en cuanto puede. Pero eliminar los piojos no es una cuestión cosmovisional, sino un asunto de limpieza. De manera exactamente igual, el antisemitismo es un asunto de limpieza, del que pronto habremos salido. Falta poco para que estemos despiojados, nos quedan 20.000 piojos, tras lo cual habremos terminado en toda Alemania» (Himmler, p. 272).

«Días atrás, en el vestíbulo del hotel Pohjanhovi, justo delante del ascensor, había un grupo de oficiales alemanes. De pie frente al ascensor se encontraba un hombre de estatura media con uniforme hitleriano y cierto aire a Stravinski. Era un hombre de rostro mongólico, pómulos prominentes y ojos miopes, semejantes a los de un pez, encerrados detrás de dos lentes gruesas como los cristales de

un acuario. Tenía una cara extraña y una expresión cruel y abstracta»
(Malaparte, p. 401).

Hitler

«…el necio más sustancioso que, desde que estamos en el mundo,
hemos tenido el gusto de conocer» (Eugenio Xammar, *HS*).

«Lo primero, por encima de todas las cosas, es deshacerse de los
judíos…» (Hitler, citado en: John Toland).

Höss, Rudolf [comandante de Auschwitz]

«Nacido en 1900, Höss tenía una formación académica
moderadamente buena (seis cursos de *Gymnasium* [enseñanza
secundaria]). Fue educado en un hogar católico muy estricto y su
padre había esperado que se ordenara sacerdote. "Tenía que rezar e ir
a la iglesia interminablemente, hacer penitencia por la más ligera
falta, recordaba él. Durante la primera Guerra Mundial se presentó
voluntario a los quince años […] Herido tres veces y enfermo de
malaria, recibió la Cruz de Hierro de Segunda Clase y la Media Luna
de Hierro. De 1919 a 1921 luchó con el Cuerpo Libre del Ejército
[*Freikorps*] en el área del Báltico, en Silesia y en el Ruhr. Durante la
ocupación del Ruhr por las tropas francesas, un terrorista alemán, Leo
Schlageter, fue delatado a los franceses por un maestro de escuela,
Walter Kadow. Höss mató al maestro. Como consecuencia de este
acto, fue sentenciado a diez años de cárcel (de los que cumplió cinco).
Ya un tanto distinguido, se unió a las SS en 1933 sin rango alguno. De
1934 en adelante sirvió en campos de concentración, ascendiendo en

la jerarquía hasta convertirse en comandante en Auschwitz y en *Obersturmbannführer* [teniente coronel]. El *SS-Gruppenführer* von Herff lo consideraba marcial, buen comandante, buen agricultor, callado y sencillo, práctico y seguro de sí mismo. En palabras de Herff, "no se hace mucha propaganda, sino que deja que sus actos hablen por él". Comparado con los intelectuales de los *Einsatzgruppen* [grupo de operaciones, encargado del exterminio de judíos en los territorios conquistados a la URSS] y con los pagadores de WVHA, el hombre estaba casi hecho a la medida para el puesto. En cierto sentido se había aburguesado un poco. Aunque mandaba una empresa en la que se mató a un millón de personas, Höss no cometió personalmente otro homicidio» (Hilberg, pp. 998-999).

«Yo era una inconsciente ruedecilla en la inmensa máquina del Tercer Reich. La máquina se rompió, el motor desapareció y yo debería hacer otro tanto. El mundo así lo pide» (Rudolf Höss, p. 178).

«…un canalla estúpido, verboso, basto, engreído y, por momentos, manifiestamente falaz» (Primo Levi en la Introducción a: Rudolf Höss, p. 7).

Homosexuales

«Creían que la presencia de este grupo en la sociedad ponía en peligro la natalidad alemana y la salud física y espiritual del "cuerpo del pueblo". Destacamentos de la SA efectuaban redadas en sus lugares de encuentro, restoranes [sic] y domicilios particulares, y la

policía hacía todo cuanto estaba a su alcance para vejarlos [...] El número de juicios contra los homosexuales aumentó considerablemente, alcanzando su punto máximo entre los años 1937-1939. Alrededor de 100.000 hombres entre alemanes y austríacos, fueron arrestados y juzgados. Entre 10.000 y 15.000 homosexuales fueron internados en campos de concentración, donde se les obligaba a llevar un triángulo de color rosado. Se les sometía a tratamientos especialmente brutales por parte de los guardias de las SS y de otros prisioneros, lo que condujo a la muerte de ellos. El número exacto de homosexuales fallecidos en los campos no está totalmente aclarado, pero existe información acerca de que el 60 por ciento de ellos murió» (Stéphane Bruchfeld, *De esto contaréis a vuestros hijos*, 1998, p. 14).

Humor

«Porque si se quiere entender cualquier cuestión, lo más práctico es saber cómo se bromea sobre ella» (Rabí Najmán de Breslov, «El rey modesto»).

«El mundo está lleno de sorpresas y si éstas fueran sólo agradables, la Creación sería la mejor ocurrencia del Señor. Lamentablemente no siempre es así y nuestro mundo —que Dios me perdone— tiene demasiados poros y grietas, aunque ni los polacos ni los rusos han intervenido directamente en su aleación. Una sorpresa desagradable, como un poro diminuto en la perfección del Universo, apareció mientras empujábamos el carrito atestado de difuntos. A nuestras espaldas escuchamos una voz que gritaba en alemán [...] Era una ley

del campo de concentración obedecer ciegamente a toda orden pronunciada en alemán por quien fuera. Otra regla a la que hacía tiempo estábamos acostumbrados y que se había convertido de nuestra naturaleza era mirar a las botas de los jefes y nunca a la cara: un privilegio humano del que nosotros estábamos privados por causa de las sospechas de los antropólogos respecto a nuestra integridad racial e incluso a nuestra pertenencia a la especie del *Homo sapiens*. —¡Tú! —dijeron las botas—. ¡Mírame!» (Wagenstein, pp. 224-225).

Hurbinek

«Hurbinek no era nadie, un hijo de la muerte, un hijo de Auschwitz. Parecía tener unos tres años, nadie sabía nada de él, no sabía hablar y no tenía nombre: aquel curioso nombre de Hurbinek se lo habíamos dado nosotros, puede que hubiera sido una de las mujeres que había interpretado con aquellas sílabas alguno de los sonidos inarticulados que el pequeño emitía de vez en cuando. Estaba paralítico de medio cuerpo y tenía las piernas atrofiadas, delgadas como hilos; pero los ojos, perdidos en la cara triangular y hundida, asaeteaban atrozmente a los vivos, llenos de preguntas, de afirmaciones, del deseo de desencadenarse, de romper la tumba de su mutismo. La palabra que le faltaba y que nadie se había preocupado de enseñarle, la necesidad de la palabra, apremiaba desde su mirada con una urgencia explosiva: era una mirada salvaje y humana a la vez, una mirada madura que nos juzgaba y que ninguno de nosotros se atrevía a afrontar, de tan cargada como estaba de fuerza y de dolor.

Ninguno, excepto Henek: era mi vecino de cama, un muchacho húngaro robusto y florido, de quince años. Henek se pasaba junto a la

cuna de Hurbinek la mitad del día. Era maternal más que paternal: es bastante probable que, si aquella convivencia precaria que teníamos hubiese durado más de un mes, Henek hubiese enseñado a hablar a Hurbinek; seguro que mejor que las muchachas polacas, demasiado tiernas y demasiado vanas, que lo mareaban con caricias y besos pero que rehuían su intimidad.

Henek, tranquilo y testarudo, se sentaba junto a la pequeña esfinge, inmune al triste poder que emanaba; le llevaba de comer, le arreglaba las manta, lo limpiaba con hábiles manos que no sentían repugnancia; y le hablaba, naturalmente en húngaro, con voz lenta y paciente. Una semana más tarde, Henek anunció con seriedad, pero sin sombra de presunción, que Hurbinek "había dicho una palabra". ¿Qué palabra? No lo sabía, una palabra difícil, que no era húngara: algo parecido a "mass-klo", "matisklo". En la noche aguzamos el oído: era verdad, desde el rincón de Hurbinek nos llegaba de vez en cuando un sonido, una palabra. No siempre era exactamente igual, en realidad, pero era una palabra articulada con toda seguridad; o, mejor dicho, palabras articuladas ligeramente diferentes entre sí, variaciones experimentales en torno a un tema, a una raíz, tal vez a un nombre.

Hurbinek siguió con sus experimentos obstinados mientras tuvo vida. En los días siguientes todos los escuchamos en silencio, ansiosos por comprenderlo, entre nosotros había gente que hablaba todas las lenguas de Europa: pero la palabra de Hurbinek se quedó en el secreto. No, no era un mensaje, no era una revelación. Puede que fuese su nombre, si alguna vez le había tocado uno en suerte; puede (según nuestras hipótesis) que quisiese decir "comer", o "pan"; o tal

vez "carne" en bohemio, como sostenía con buenos argumentos uno de nosotros que conocía esa lengua.

Hurbinek, que tenía tres años y probablemente había nacido en Auschwitz, y nunca había visto un árbol; Hurbinek, que había luchado como un hombre, hasta el último suspiro, por conquistar su entrada en el mundo de los hombres, del cual un poder bestial lo había exiliado; Hurbinek, el sinnombre, cuyo minúsculo antebrazo había sido firmado con el tatuaje de Auschwitz; Hurbinek murió en los primeros días de marzo de 1945, libre pero no redimido. Nada queda de él: el testimonio de su existencia son estas palabras mías» (Primo Levi, T, pp. 263-264).

Idioma

«La mayor parte de los prisioneros que no conocían el alemán, es decir, casi todos los italianos, murieron en los primeros diez o quince días después de la llegada: a primera vista de hambre, frío, enfermedad, en un examen más cuidadoso, por falta de información. Si hubiesen podido hablar con los compañeros más antiguos habrían podido orientarse mejor: habrían aprendido a procurarse ropas, calzado, comida ilegal; a descargarse del trabajo más duro y a evitar los enfrentamientos con frecuencia mortales con las SS; a sobrellevar sin errores fatales sus inevitables enfermedades. No pretendo decir que no habrían muerto, pero habrían vivido más y habrían tenido más posibilidades de recuperar el terreno perdido» (Primo Levi, HS, pp. 550-551).

I.G. Farben.

«La primera empresa en trasladarse a gran escala [a un campo de concentración] fue la I.G. Farben […] La I.G. Farben era un verdadero imperio industrial. Tenía más factorías (cincuenta y seis) que campos de concentración poseía Pohl, y su producción abarcaba todo el espectro químico […] En este contexto, la presencia de la I.G. en Auschwitz no se puede achacar al deseo de matar judíos ni de hacerlos trabajar hasta la muerte, sino a un complicado proceso de fabricación: la producción de caucho sintético (Buna) […] Lejos de disfrutar de protección alguna por el hecho de trabajar en Buna, a los reclusos se les hacía trabajar hasta la muerte […]

En qué medida la mentalidad de las SS había arraigado hasta en los consejeros de la I.G. Farben es algo que se ilustra en la siguiente anécdota. Un día, dos reclusos de Buna, el Dr. Raymond van den Straaten y el Dr. Fritz Löhner-Beda, estaban trabajando cuando una partida de directivos visitantes de la I.G. Farben pasaron por allí. Uno de los consejeros señaló al Dr. Löhner-Beda y le dijo a su compañero de las SS, "este cerdo judío podría trabajar un poco más rápido". Enseguida otro consejero comentó por casualidad, "si no pueden trabajar, que perezcan en la cámara de gas". Una vez terminada la inspección, el Dr. Löhner-Beda fue retirado de la partida de trabajo y lo golpearon y patearon hasta que, moribundo, lo dejaron en brazos de su amigo prisionero, para terminar su vida en la I.G. Auschwitz.

Aproximadamente 35.000 prisioneros pasaron por Buna. Al menos 25.000 murieron. La esperanza de vida de un prisionero judío en la I.G. de Auschwitz era de tres a cuatro meses, mientras que en las

minas de carbón de la periferia era de aproximadamente un mes. La I.G., como las SS, había olvidado cómo mantener vivos a sus presos» (Hilberg, pp. 1021-1029).

Iglesias cristianas

«La Iglesia protestante alemana reaccionó de manera diferente: se dividió. Quienes apoyaban a los nazis, denominados "Cristianos alemanes", estaban dispuestos a acatar sus órdenes a cualquier precio. Los opositores a los nazis se escindieron, fundando la denominada Iglesia Confesional. Los miembros de esta nueva corriente se opusieron vehementemente al régimen nazi [...]

En general la actitud de la Iglesia Católica con respecto a la persecución de los judíos fue ambivalente. El acuerdo oficial celebrado entre el Vaticano y el Reich a mediados de 1933, hacía imposible que grupos significativos de católicos alemanes se unieran para protestar contra los nazis. La Iglesia estaba más interesada en protegerse a sí misma y a sus miembros que en salvar judíos.

Las Iglesias Reformadas (calvinistas) en Francia, Suiza, Holanda y Hungría fueron más solidarias con las víctimas judías» (*Enciclopedia del Holocausto*, pp. 296-297).

Ignorancia

«No culpo a las personas que no actuaron, pero decir que no sabían lo que estaba pasando es una completa estupidez: en la escuela, en la universidad sabía… no exactamente lo que pasaba, pero sí que los

judíos habían desaparecido. Nosotros pensamos lo peor porque mi marido dijo: "Si aún estuvieran vivos, sabríamos algo de ellos". Pero el hecho es que habían desaparecido, simplemente ya no estaban» (Inga Haag, alemana de la resistencia, en: Lyn Smith, *las voces olvidadas del Holocausto*, Galaxia Gutenberg, 2006, p. 379).

Igualdad

«Para nosotros, judío o no judío es la misma mierda, decían los soviéticos, y los judíos los escuchaban encantados, porque nunca antes habían experimentado tal igualdad» (Henryk Grynberg, p. 29).

Impunidad

«De los altos oficiales del campo [de tránsito de Danica, en Croacia, donde murieron cientos de prisioneros a manos de los fascistas ustachas] solo Stjepan Pizeta consiguió huir a Austria en 1945 y después vía Italia a España, donde fue activo en el círculo de exiliados ustachas y también colaboró en la programación croata de Radio Madrid» (Goldstein, p. 52).

Indiferencia

«El odio fue lo que construyó el camino hacia Auschwitz, y la indiferencia lo que lo pavimentó» (Ian Kershaw).

Intolerancia

«Es la creencia en que el demonio está en «los otros» —que, según los tiempos y lugares, se denominan papistas, abolicionistas, burgueses o no arios— lo que despierta en la esencia misma de los seres humanos

al demonio en persona, su esencia y sus obras» (Karen Blixen, *Cartas desde Dinamarca,* Nórdica, 2012, p. 230).

Judío

«Soy un judío. ¿Es que un judío no tiene ojos? ¿Es que un judío no tiene manos, órganos, proporciones, sentidos, afectos, pasiones? ¿Es que no está nutrido de los mismos alimentos, herido por las mismas armas, sujeto a las mismas enfermedades, curado por los mismos medios, calentado y enfriado por el mismo verano y por el mismo invierno que un cristiano? Si nos pincháis, ¿no sangramos? Si nos cosquilleáis, ¿no nos reímos? Si nos envenenáis, ¿no nos morimos? Y si nos ultrajáis, ¿no nos vengaremos?» (Shakespeare, *El mercader de Venecia*, Acto III, escena 1ª, trad. de Luis Astrana Marín).

Justos

«Según ella, el mundo descansa sobre treinta y seis Justos, los *Lamed-Waf*, a quienes nada distingue de los sencillos mortales; a menudo ellos mismos se desconocen. Pero si faltase uno solo, el sufrimiento de los hombres envenenaría hasta el alma de los niños pequeños, y la humanidad se ahogaría en un grito. Porque los *Lamed-Waf* son el corazón multiplicado del mundo, y en ellos se vierten todos nuestros dolores como en un receptáculo [...] Un antiquísimo texto de la Haggadah refiere que los más dignos de compasión son los *Lamed-Waf* desconocidos de sí mismos. Para ellos, el espectáculo del mundo es un indecible infierno» (André Schwarz-Bart, p. 12).

«Un hombre justo es un no judío que ha arriesgado su vida al acudir en ayuda de judíos» (Ley judía de 1953, citado en: Gabriele Nissim, p.162).

Kapo

«La burocracia de los presos se dividía en dos partes: una encargada de los alojamientos y la otra de las partidas de trabajo. En los alojamientos, la jerarquía era *Lagerältester* ("superior del campo"), *Blockältester* ("encargado de bloque") y *Stubendienst* ("encargado de barracones"). En las partidas de trabajo era *Oberkapo*, *Kapo* y *Vorarbeiter*. En Auschwitz y Lublin, los escalones superiores de la burocracia de los internos estaban ocupados por prisioneros alemanes. Había, por consiguiente, una dirección de presos, pero respondía ante la comandancia del campo y a menudo se mostraba receptiva a ella.

Los prisioneros alemanes no sólo ocupaban los puestos más importantes de la burocracia de presos, sino que también disfrutaban de los privilegios más amplios dentro del marco de la vida en el campo de concentración, tales como el derecho a recibir paquetes, raciones de comida suplementarias, menor hacinamiento en los barracones y ropa de cama en los hospitales del campo. Mucho menos privilegiados y en una situación mucho peor estaban los polacos, los checos y otros eslavos. En el escalón inferior estaban los judíos. Entre los prisioneros judíos y los alemanes existía un abismo insalvable. Los alemanes tenían derecho a vivir; tenían al menos un

mínimo de privilegios para luchar por la vida. Los judíos estaban condenados» (Hilberg, p. 1011).

«Pero el poder del que disponían los funcionarios de quienes hablamos, aun los de baja graduación como los *Kapos* de las escuadras de trabajo, era sobre todo ilimitado; o, por decirlo mejor, a su violencia se le imponía un límite por abajo, ya que eran castigados o destituidos si no se mostraban suficientemente duros, pero ningún límite por arriba. Dicho de otra manera, tenían libertad para cometer las peores atrocidades contra sus subordinados, a título de castigo, por cualquier desacato o incluso sin ningún motivo: hasta 1943 no era nada raro que un prisionero fuese muerto a patadas por un *Kapo* sin que éste tuviese que temer ninguna sanción. Sólo más tarde, cuando la necesidad de mano de obra fue más imperiosa, se introdujeron algunas limitaciones: los malos tratos que los *Kapos* podían infligir a los prisioneros no podían reducir completamente la capacidad de trabajo de éstos; pero como ya se había propagado la mala costumbre, no siempre se respetaba la norma [...]

¿Quién llegaba a *Kapo*? Hay que hacer, otra vez, ciertas distinciones. En primer lugar, aquellos a quienes se les ofrecía tal posibilidad, es decir, los individuos en los cuales el comandante del *Lager* o sus delegados (que solían ser buenos psicólogos) entreveían la posibilidad de que fueran colaboradores: reos comunes sacados de las cárceles, a quienes la carrera de esbirros ofrecía una excelente alternativa a la detención; prisioneros políticos debilitados por cinco o diez años de sufrimientos o, en muchos casos, moralmente

debilitados; más tarde, también judíos que veían en la partícula de autoridad que les era ofrecida el único modo de poder escapar de la "solución final". Pero muchos, como hemos dicho, aspiraban al poder espontáneamente: lo buscaban los sádicos, es verdad que no en gran número, pero eran muy temidos ya que para ellos la posición de privilegio coincidía con la posibilidad infligir, a quienes les estaban sometidos, sufrimientos y humillaciones. Los buscaban los frustrados, y éste es también un rasgo que reproduce, en el microcosmos del *Lager*, el macrocosmos de la sociedad totalitaria: en ambos, por encima de la capacidad y del mérito, el poder se otorga generosamente a quien esté dispuesto a rendir homenaje a la autoridad jerárquica y de ese modo consigue una promoción social que en cualquier otro caso no hubiese alcanzado nunca. Lo buscaban, por fin, aquellos que, entre los oprimidos, sufrían el contagio de los opresores e inconscientemente tendían a identificarse con ellos" (Primo Levi, HS, pp. 508-509).

Kaputt

«Al cabo de un rato, dio la impresión de haberse adormecido. El resto del día lo pasó tranquilo; la cara se le fue poniendo cada vez más pálida y las ojeras más profundas, a tal punto que las muchachas empezaron a apostar si llegaría o no al campo, y la mayoría consideró que acabaría *kaputt* por el camino» (Millu, p. 141).

Kértesz, Imre

«Pues ¿qué judío es aquel que no recibió una educación religiosa, que no habla hebreo, que apenas conoce, en el fondo, las fuentes de la

cultura judía y que no vive en Israel, sino en Europa? En cambio, sí puedo decir que soy el escritor de una forma de vida anacrónica, la forma de vida de los judíos asimilados, portador y descriptor de esta forma de vida, mensajero de su inevitable ocaso. En este sentido, la "solución final" desempeña un papel decisivo: alguien para quien Auschwitz es la identidad principal y quizá única no puede calificarse de judío en cierto sentido. Es el "judío no judío" del que habla Isaac Deutscher, la variante europea desarraigada que apenas puede establecer una relación interior con la condición de judío que le ha sido impuesta» (Kertész, LE, pp. 120-121).

«Jamás pensé que fuera judío salvo en los momentos de amenaza. En tales casos, lo judío tampoco aparece como algo "interior", sino siempre como negatividad, como restricción, como determinación exterior […] Por mi ser judío, sin embargo, he vivido algo: concretamente, la experiencia universal de la vida humana que se encuentra a merced del totalitarismo. Cuando digo, pues, que soy judío, digo que soy negación, negación de la soberbia humana, negación de la seguridad, negación de las noches tranquilas, negación de la vida psíquica pacífica, del conformismo, de la elección libre, de la gloria nacional…» (Kertész, DG, p. 50).

«No tengo "problemas de identidad". Ser "húngaro" no es menos absurdo que ser "judío"; y ser "judío" no es más absurdo que existir» (Kertész, DG, p. 222).

«Os lo revelaré: sólo poseo una identidad, la identidad del escribir» (Kertész, YO, p. 63).

Kommando

«Todos los reclusos empleados estaban organizados en las partidas de trabajadores (*Kommandos*) y se situaban bajo la supervisión de presos (*Oberkapos, Kapos* y *Vorarbeiter*). Había dos tipos de *Kommando* de mantenimiento, que reflejaban el doble propósito del centro de exterminio: los encargados de tareas ordinarias de mantenimiento (personal de cocina, los encargados de atender a los enfermos, limpiadores de letrinas, electricistas, fontaneros, etc.) y los implicados en las operaciones de exterminio (los *Transportkommandos*, que limpiaban los vagones después de la descarga; los *Kommandos* de la *Effektenkammer*, que clasificaban los objetos valiosos; y, más importante, los *Sonderkommandos*, que trabajaban en los crematorios)…

Los presos judíos que trabajaban para sus empleadores de las SS no duraban mucho. Las SS insistían en el ritmo acelerado. Las patatas había que descargarlas a la carrera, y las carretillas había que llenarlas de grava y empujarlas al trote cuesta arriba por fuertes pendientes. Aquellos que no podían seguir el ritmo no tenían más opción que una muerte rápida» (Hilberg, pp. 1019-1021).

Krematorium

«Se construyeron pues cuatro grandes instalaciones… para agrupar la acción de ejecución y eliminación de los cadáveres (cámaras de gas y hornos crematorios) en una sola y misma estructura llamada

Krematorium. Los *Krematorien II, III, IV* y *V* se activaron entre el 14 de marzo y el 25 de junio de 1943. Esos edificios se convirtieron en las mayores estructuras complejas de ejecución que el hombre haya elaborado nunca… » (Venezia, p. 201).

Lager

«El *lager* significaba odio. A los alemanes no se les podía hacer nada, así que se odiaban unos a otros. Hay quien ha descrito a personas conmovedoramente nobles, pero yo no vi a ninguna» (Henryk Grynberg, p. 51).

«La desventaja era que tenía que enterarme de todo sobre la marcha, aprender por ejemplo que estábamos en un *Konzentrationslager* o, lo que es lo mismo, un "campo de concentración". Estos campos no eran todos iguales, según nos explicaron. El nuestro era un *Vernichtungslager*, o sea, un "campo de exterminio". Otra cosa totalmente distinta era un *Arbeitslager*, un "campo de trabajo": allí la vida es fácil, las circunstancias y la alimentación son incomparablemente mejores, claro, es natural, puesto que aquellos campos están destinados a otros fines» (Kértesz, SD, p. 117).

Lagerjargon

«Es obvia la observación de que donde se violenta al hombre se violenta también el lenguaje […] Pero en el archipiélago del *Lager* alemán se había delineado un lenguaje sectorial, una jerga, el *Lagerjargon*, dividido en las subjergas características de todo *Lager*, y

estrechamente emparentado a las viejas jergas de los cuarteles prusianos y al reciente alemán de las SS […]

A todos los *Lager* era común el término *Muselmann*, "musulmán", atribuido al prisionero irreversiblemente exhausto, extenuado, próximo a la muerte. Se han propuesto dos explicaciones, ambas poco convincentes: el fatalismo y los vendajes de la cabeza que podían asemejarse a un turbante […] También *Prominent* es un término común a todas las subjergas. De los "prominentes", los prisioneros que habían hecho carrera, he hablado extensamente en *Si esto es un hombre* […]

En Auschwitz, "comer" se decía *fressen*, que en buen alemán se aplica sólo a los animales. Para decir "vete" se usaba la expresión *hau'ab*, imperativo del verbo *Abhauen* que, en sentido correcto, significa "cortar, truncar", pero que en la jerga del *Lager* equivalía a "irse al infierno, irse a hacer puñetas" […]

El *Lagerjargon*, como es lógico, estaba muy influido por las demás lenguas que se hablaban en el *Lager* y en sus alrededores: el polaco, el yiddish, el dialecto eslesiano, más tarde el húngaro […]

El yiddish era en realidad la segunda lengua del campo (sustituida más tarde por el húngaro).No sólo no la entendía sino que tenía únicamente vagas noticias de su existencia por ciertas citas o anécdotas oídas a mi padre, que habían trabajado en Hungría durante algunos años. Los judíos polacos, rusos o húngaros estaban asombrados de que los italianos no lo hablásemos: éramos judíos sospechosos de quienes no podían fiarse…» (Primo Levi, HS, pp. 554-557).

Laval

Pierre Laval, primer ministro del gobierno colaboracionista francés, del mariscal Pétain, responsable último de la muerte de miles de niños judíos franceses en Auschwitz:

«En un encuentro celebrado dos días después entre el primer ministro francés, Pierre Laval y Dannecker, aquél se mostró dispuesto —según este último— a que "en la evacuación de familias judías de la zona no ocupada, se incluyera también a los niños de menos de dieciséis años. Por lo que respecta a los menores judíos de la zona ocupada, la cuestión no le interesaba lo más mínimo". Para los historiadores la propuesta de Laval lo hace merecedor de su "eterno descrédito", y no falta quien afirme que este momento debería "escribirse con tinta indeleble en la historia de Francia". Y lo cierto es que resulta imposible no estar de acuerdo con ellos, sobre todo si se tiene en cuenta el terrible sufrimiento que estaba a punto de sobrevenir a todos estos niños, así como que buena parte de él les sería infligido por el pueblo francés, en suelo francés y a consecuencia de la proposición expresada por un político francés» (Rees, *Auschwitz*, pp. 175-176).

Levi, Primo

«El escritor Primo Levi dijo: "ni es realmente fácil, ni es agradable, el excavar en ese abismo de maldad. Se está tentado a volver la espalda con una mueca y negarse a ver o a escuchar: es una tentación que debemos vencer. Se puede desear que este tema no existiera, es

amargo y odioso. Pero después de lo sucedido, el Holocausto ha sido y será una parte de la herencia de Europa"» (Bruchfeld, op. cit., p. 77).

Liberación

«El soldado ruso que liberó el campo de Brinnlitz, donde se encontraba la famosa fábrica de Oskar Schindler, era judío y en yiddish, les comunicó a los prisioneros que ya no quedaban judíos en Polonia.

"Entonces, díganos", le preguntó uno de ellos, "según usted, ¿dónde deberíamos ir?".

Y el soldado contestó: "No vayáis hacia el este, porque allí no os quieren. Tampoco vayáis hacia el oeste, porque no os quieren. Es mejor que sepáis que a los judíos no los quieren en ninguna parte» (Gabriele Nissim, p. 89).

Literatura Holocausto

«No se tardará en reconocer que las obras más radicales de nuestra literatura surgieron de los objetivos menos literarios: todas esas informaciones, cartas, diarios íntimos nacidos en las grandes cacerías humanas, emboscadas y desolladeros de nuestro tiempo» (Ernst Jünger).

«No se puede escribir directamente acerca del horror de la persecución en sus formas más extremas, porque resulta imposible mirar de frente estos hechos sin perder la cordura. De modo que es preciso aproximarse de manera tangencial, dándole a entender al lector que estos temas son una compañía constante: su presencia

arroja su sombra sobre cada inflexión de cada una de las frases que uno escribe» (W.G. Sebald, EG).

«Podría contar con los dedos de las manos a los escritores que crearon una literatura verdaderamente importante a partir de la experiencia del holocausto. Un Paul Celan, un Tadeusz Borowski, un Primo Levi, un Jean Améry, una Ruth Klüger, un Claude Lanzmann o un Miklós Radnóti son fenómenos sumamente escasos. Con mucha más frecuencia ocurre que se sustrae el holocausto a los encargados de su custodia y se producen productos baratos a partir de él» (Kertész, IS, p. 89).

«Sin embargo, cuantos más vivos eran mis recuerdos, más lamentables parecían sobre el papel. Mientras recordaba no podía escribir la novela; cuando empecé a escribir, en cambio, desaparecieron los recuerdos. No es que se perdieran de golpe, sino que se convirtieron en otra cosa. Se transformaron en contenidos de diversos cajones, donde rebuscaba cuando lo creía necesario para extraer alguna moneda convertible. Los elegía: necesitaba este y no aquel. Los hechos de mi vida, la llamada "materia de mi experiencia", ya sólo molestaban, dificultaban y limitaban mi trabajo, la creación de la novela a la que, en un principio, servían de base existencial. De ellos se nutrió la novela hasta el final. Mi trabajo —esto es, escribir la novela— sólo consistía, en efecto, en el consumo consecuente de mis experiencias, en interés de una fórmula artificial —o, si se quiere, artística— que yo podía considerar adecuada a mis experiencias sobre

el papel, única y exclusivamente sobre el papel. No obstante, para escribirla, había de contemplar mi novela como cualquier novela, es decir, como un objeto artístico, como una estructura consistente en signos abstractos. Sin percatarme, había tomado carrera y dado un gran salto; así, de un único salto, fui a parar de lo individual a lo objetivo y general, y entonces miré alrededor, asombrado. […] Sin embargo, no tuve en cuenta un detalle, quizá de forma del todo natural: jamás puede uno comunicarse a sí mismo. A mí el tren de mi novela no me llevó a Auschwitz: fue el tren de verdad» (Kertész, F, pp. 78-79).

«De hecho, ¿qué escritor de hoy en día no es un escritor del Holocausto? No se tiene que elegir necesariamente el tema directo del Holocausto para percibir la voz rota que domina el arte contemporáneo europeo desde hace décadas» (Kertész, LE, p. 155).

Mann, Franceska

«Aquí está la mujer del *transporte* de Byalistock que, enloquecida porque un miembro del comando especial le había desvelado la verdad, corre, azorada, despeinada, de grupo en grupo para amotinar a sus compañeros que están desvistiéndose; aquí está la bailarina de Varsovia, del "convoy paraguayo", que se desnuda en un lento striptease ante el SS Schilinger encargado por el contrario de acelerar toda la operación del desvestirse, hela aquí que avanza hacia él contoneándose del más provocador de los modos y que en un instante fulgurante le clava en el ojo derecho el tacón de aguja de un

zapato, se apodera de su revólver y lo mata, al igual que al otro guardia, el SS Emerich. Porque Müller [Filip Müller, miembro del *sonderkommando* de Auschwitz cuyo testimonio aparece en la película *Shoah* y también en unas memorias tituladas *Tres años en una cámara de gas de Auschwitz*, no publicadas al castellano] pone en su sitio esa leyenda que sostiene que todos los judíos entraron en las cámaras de gas sin corazonadas ni violencia, que sostiene que fue dulce» (Lanzmann, TSN, p. 410).

[El 23 de octubre de 1943, Franceska Mann, una bailarina polaca judía de 26 años, en la antesala de la cámara de gas donde debían desvestirse arrebató el arma al SS Josef Schillinger y lo mató de dos tiros. Posteriormente hirió de un nuevo disparo a otro SS. Tropas de refuerzo acudieron de inmediato y abatieron a todas las mujeres que esperaban el gas.

El caso de Franceska Mann es uno de los muy contados de rebeliones en el mismo umbral de la cámara de gas, cuando ya se sabía todo perdido].

Marchas de la muerte

«En invierno nos evacuaron a M. Un gélido soplo de aire de las montañas barría el camino a las canteras. Ya no recuerdo si entonces me di cuenta de que provenía de los Alpes. Jaro ya no decía que saldría de ésta, sino que el hombre era como una mosca y cualquier zapato podía aplastarlo. Sabíamos que eran las últimas semanas, los

últimos días. De noche el resplandor de la batalla llenaba el cielo y la tierra temblaba.

Nos expulsaron, a nosotros, un puñado de musulmanes, de noche, en medio del caos, de disparos y gemidos de los que agonizaban. Nos llevaron por el bosque, sin caminos, y nadie tenía dudas de que era nuestro último trayecto» (Fink, *Huellas*, p. 112).

Masas de acoso

«La masa de acoso se constituye teniendo como finalidad la consecución rápida de un objetivo. Éste le es conocido y está señalado con precisión; se encuentra, además, próximo. La masa sale a matar y sabe a quién quiere matar. Con decisión incomparable avanza hacia esa meta, y es imposible escamoteársela. Basta con dársela a conocer, basta con comunicar quién debe morir para que se forme la masa. La determinación de matar es de índole muy particular y no hay ninguna que la supere en intensidad. Todos quieren participar, todos golpean. Para poder asestar su golpe, cada cual se abre paso para poder llegar al lado mismo de la víctima. Si no puede golpear, quiere ver cómo golpean los demás. Todos los brazos salen como de una misma criatura. Pero los brazos que *golpean* tienen más valor y más peso. El objetivo lo es todo. La víctima es el objetivo, pero también es el punto de máxima intensidad: concentra en sí misma las acciones de todos. Objetivo y densidad coinciden.

Una razón importante del rápido crecimiento de la masa de acoso es la ausencia de peligro. No hay peligro porque la superioridad de la masa es enorme. La víctima nada puede contra ella. O huye o queda atrapada. No puede golpear; en su indefensión es sólo víctima. Pero

ha sido entregada para que la aniquilen. Ése es su destino, y nadie deberá temer sanción alguna por su muerte. Este crimen permitido sustituye a todos los crímenes de los que debe uno abstenerse y por cuya ejecución cabría temer duras penas. Para la gran mayoría de los hombres, un asesinato sin riesgo, tolerado, estimulado y compartido con muchos otros resulta irresistible. Conviene añadir que la amenaza de muerte que pende sobre todos los hombres y que bajo diferentes disfraces está siempre presente, hace necesaria una *desviación* de la muerte hacia los otros. La formación de masas de acoso sale al paso de esta necesidad» (Elias Canetti, *Masa y poder*, Alianza, 2013, pp. 47-48).

Memoria

«No tengo derecho a hablar en su nombre, porque no sé si murieron odiando o perdonando a sus verdugos. Y ya nadie nunca lo sabrá. Pero tengo la obligación de velar por que su memoria no se desvanezca. Sé que es necesario recordar a aquellas mujeres, a aquellos niños, a aquellos viejos y jóvenes que se perdieron en la nada, asesinados sin sentido y sin motivo. Sé que es necesario guardar su memoria» (Marek Edelman).

«Europa no se ha contentado con repudiar el antisemitismo, se ha aligerado de sí misma pasando de un humanismo *admirativo* a un humanismo *revulsivo*, todo ello contenido en las dos palabras de esta promesa: "¡Nunca más!" Nunca más la política de poder. Nunca más el imperio. Nunca más el belicismo. Nunca más el nacionalismo. Nunca más Auschwitz. Con el tiempo, el recuerdo de Auschwitz no

ha sufrido ninguna erosión; al contrario, se ha *incrustado*» (Finkielkraut, p. 10).

«El peor crimen, al tiempo moral y artístico, que puede cometerse cuando se trata de de realizar una obra dedicada al Holocausto es considerar éste como *pasado*. El Holocausto es o bien leyenda, o bien presente, en modo alguno pertenece al recuerdo» (Lanzmann, TSN, p. 404).

«Jamás me hubiera atrevido a dar unos martillazos semejantes a los que da Spielberg al final de *La lista de Schindler*. Con esa tumba de Schindler en Israel, con su cruz y sus pequeñas piedras judías, con el color, que llega para insinuar la posibilidad de un *happy ending*… No, Israel no es la redención del Holocausto. Esos seis millones de judíos no murieron para que Israel existiera. La última imagen de *Shoah* no es esa, sino un tren que pasa, de forma interminable, para decir que el Holocausto no tiene final» (Lanzmann, TSN, p. 424).

«Las faltas a la hora de representar la Shoah pueden ser enormes, y en ellas incurren muchas obras mejor o peor intencionadas: la manipulación sentimental del sufrimiento, la exhibición obscena de la violencia, la explotación del siniestro "glamour" del Lager… De la oscuridad del Lager procede un extraño brillo aurático del que muchos creadores parecen querer apropiarse, como si ubicar allí una ficción diese a ésta un prestigio mayor, una importancia suplementaria» (Mayorga, *Himmelweg*, p. 195).

«La mera lectura de estas cosas es terriblemente dura. Pero que el lector me crea: no es menos duro escribirlas. Es posible que alguien pregunte: "¿Para qué escribir, para qué recordar todo esto?" El deber del escritor es el de contar la espantosa verdad, y el deber ciudadano del lector es conocerla. Todo aquel que vuelve la cabeza, que cierra los ojos y pasa de largo ofende la memoria de los caídos» (Grossman, p. 215).

Milagro económico nazi

«En tiempos de guerra –y aquí rebaso el año 1937— el dinero fluye siempre a raudales, y pronto hubo en Colonia mucho que reparar. Las guerras solucionan también los problemas del paro, a veces se olvida o se oculta cuando se habla de ese milagro económico hitleriano...» (Heinrich Böll, *Opiniones de un payaso*, Seix barral, 1990, p. 71).

Moll, Otto (1915-1946)

«En la bibliografía de los supervivientes se menciona bastante a menudo a otro personaje de Auschwitz, el *Oberscharführer* Moll, encargado de los crematorios [de Birkenau] [...] Entre otras cosas, se dice que en una ocasión escogió de un transporte recientemente llegado a veinte de las mujeres más hermosas. Las puso de pie en fila, completamente desnudas, y practicó con ellas el tiro al blanco. Algunas de las mujeres recibieron varios impactos antes de morir» (Hilberg, p. 1003).

«Este hombre es, según el relato de algunos de los supervivientes del *Sonderkommando*, uno de los peores criminales de la historia del campo» (Shlomo Venezia, p. 208).

Moral nazi

«Eberl [primer comandante de Treblinka] había entendido mal lo que querían sus jefes: había logrado un número excepcional de muertes, pero no había sabido organizarlas "correctamente". De hecho, uno de los aspectos más destacables de este episodio es el comentario que hizo Globocnik cuando mencionó la idea de llevar su caso ante un tribunal policial. Para la moralidad pervertida de los altos mandos de las SS, el comandante merecía ser juzgado por no haber regulado de un modo eficaz el asesinato masivo de hombres, mujeres y niños. Visto desde el punto de vista actual, parece que, para sus superiores, el crimen de Eberl consistía en no haber cometido como cabía esperar el crimen de genocidio que le habían encomendado» (Rees, *Auswichtz*, p. 224).

«El comandante de Auschwitz, Liebehenschel, intentó contener los robos [por parte del personal]. El 16 de noviembre de 1943 emitió una orden en la que establecía que todas las pertenencias de los reclusos, ya fueran prendas de vestir, joyas, comida u otros objetos, eran propiedad estatal, y que sólo el Estado podía decidir acerca de su utilización. "Quien toque la propiedad estatal —seguía la orden— se califica a sí mismo de delincuente y se excluye a sí mismo automáticamente de las filas de las SS"» (Hilberg, p. 1051).

Mujer

«Hasta en Auschwitz trataban a los hombres algo mejor que a las mujeres; esta constatación acababa siempre por ofendernos. "¡Ah, los hombres!", decíamos con tono de envidioso desprecio, pero la *kapo* cortó en seco los suspiros y las recriminaciones» (Millu, p. 165).

«Nadie quería aquel sitio porque el jergón de paja estaba podrido y algunas de las que habían dormido allí habían acabado siempre por arreglárselas mejor.

—¿Cómo es la otra? —pregunté.

La muchacha gorda hizo una mueca golpeándose la frente para indicarme que la tercera compañera estaba un poco chalada y, como si quisiera justificarla, añadió:

—Es vieja, llegó con la hija a punto de parir, así que la mandaron enseguida al crematorio. Ella consiguió pasar; se ve que entonces estaba bien, pero ahora está *Kaputt*» (Millu, p. 51).

«Julia trabaja como contable en la fábrica de mermelada, colecciona pequeñas tazas de café que inmediatamente regala a los amigos, colecciona cerámica de colores, botones y seda para coser. Dispone de un buen muestrariode botones. Hace visitas a los alrededores, camina por las colinas verdes, viaja a la ciudad derruida para ver las iglesias derruidas de la isla sobre el río y numerosos puentes. Con el silencio selló su propio pasado. Hace de madre de los jóvenes, los jóvenes la quieren. La llaman tía.

—Cuando me levanté después del tifus me dije: "Una cosa u otra…". Como ves, estoy viva. Y eso obliga» (Fink, *Huellas*, p. 86).

Música

«Probablemente, la más curiosa de todas las estrategias de pacificación que ideó Rudolf [Höss] fue la *Lagerorchester*, la orquesta del campo [...] formada por músicos tanto profesionales como aficionados. A los miembros de la orquesta se les entregaron los instrumentos robados a otros prisioneros, y fueron reubicados en un Módulo de Música destinado al efecto, donde vivían juntos judíos y no judíos [...] De pie ante la entrada principal del campo, Rudolf supervisaba cómo se conducía a los prisioneros en pulcras columnas de a cinco hasta la fábrica de IG Farben, y en dirección contraria por las tardes, cuando regresaban al campo, con la cabeza gacha y casi incapaces de tenerse en pie. Junto a él se encontraba la orquesta» (Harding, p. 157-158).

«Terminamos el trabajo y permanecemos un rato esperando en nuestros puestos, porque el lugar está ocupado por hombres desnudos que son empujados hacia las cámaras de gas. Corren a través de una fila de asesinos que los azotan y golpean desde ambos lados. Los judíos corren con los brazos en alto y los dedos separados, y gritan sin cesar: "*Shemá Israel*" Con estas palabras en los labios son empujados hacia la muerte» (Rajchman, pp. 52-53).

«Nos enteramos por algunos prisioneros del campo 1 de que cuando ha llegado el transporte con los judíos búlgaros han sido recibidos al son de la orquesta. Los judíos estaban convencidos de que no les ocurriría absolutamente nada malo» (Rajchman, p. 118).

Musulmanes

«En la jerga del campo, a aquellos prisioneros, reducidos al límite extremo de sus fuerzas y que ya sólo tenían la piel y los huesos, se les llamaba "musulmanes". Pienso que la palabra procede de la posición que adoptaban al caer agotados durante las interminables listas; lo intentaban todo para no caer al suelo y reunían sus últimas fuerzas para mantenerse en pie, pero cuando acababan perdiendo las fuerzas, sus rodillas se doblaban por el peso del cuerpo y la cabeza, demasiado pesada, caía hacia delante. Se encontraban en el suelo, en la posición de los musulmanes orando. Cuando el *kapo* no los remataba allí mismo, tomaba su número para la siguiente selección» (Venezia, pp. 96-97).

«He vivido en mi propio cuerpo la forma de vida más atroz del *Lager*; el horror de la condición de musulmán. Fui uno de los primeros musulmanes, erraba por el campo como un perro vagabundo, todo me era indiferente con tal de poder sobrevivir un día más […] El musulmán era despreciado por todos, hasta por los compañeros… Sus sentidos se embotan, y todo lo que le rodea se le hace completamente indiferente. No se puede hablar de nada y ni siquiera rezar, ya no cree en el cielo ni en el infierno. Ya no piensa en su casa, en la familia, en los compañeros de campo. Casi todos los

musulmanes murieron en el *campo*, sólo un pequeño porcentaje logró salir de esta situación […] Los demás internados evitaban a los musulmanes: no había ningún tema de conversación común con ellos, porque los musulmanes desvariaban y no hablaban más que de comida. Los musulmanes no querían a los prisioneros "mejores", a no ser que pudieran conseguir de ellos algo de comer. Preferían la compañía de los suyos, porque así podían intercambiar fácilmente pan, queso o salchicha por un cigarrillo u otros alimentos. Tenían miedo de ir a la enfermería, jamás se declaraban enfermos y de ordinario se derrumbaban de improviso durante el trabajo» (Bronislaw Goscinski, en Agamben, pp. 176-180).

«Pero a los "musulmanes", a los hombres que se desmoronan, no vale la pena dirigirles la palabra, porque ya se sabe que se lamentarán y contarán lo que comían en su casa. Vale menos aún la pena hacerse amigo suyo, porque no tienen en el campo amistades ilustres, no comen nunca raciones extra, no trabajan en *Kommandos* ventajosos y no conocen ningún modo de organizarse. Y, finalmente, se sabe que están aquí de paso y que dentro de una semanas no quedará de ellos más que un puñado de cenizas en cualquier campo no lejano y, en un registro, un número de matrícula vencido. Aunque englobados y arrastrados sin descanso por la muchedumbre innumerable de sus semejantes, sufren y se arrastran en una opaca soledad íntima, y en soledad mueren o desaparecen, sin dejar rastros en la memoria de nadie […]

Todos los "musulmanes" que van al gas tienen la misma historia o, mejor dicho, no tienen historia; han seguido por la pendiente hasta el fondo, naturalmente, debido a su esencial incapacidad, o por desgracia, o por culpa de cualquier incidente trivial, se han visto arrollados antes de haber podido adaptarse; han sido vencidos antes de empezar, no se ponen a aprender alemán ni a discernir nada en el infernal enredo de leyes y de prohibiciones, sino cuando su cuerpo es una ruina, y nada podría salvarlos de la selección o de la muerte por agotamiento. Su vida es breve pero su número es desmesurado; son ellos, los *Muselmänner*, los hundidos, los cimientos del campo, ellos, la masa anónima, continuamente renovada y siempre idéntica, de no hombres que marchan y trabajan en silencio, apagada en ellos la llama divina, demasiado vacíos ya para sufrir verdaderamente. Se duda en llamarlos vivos: se duda en llamar muerte a su muerte, ante la que no temen porque están demasiado cansados para comprenderla.

Son los que pueblan mi memoria con su presencia sin rostro, y si pudiese encerrar todo el mal de nuestro tiempo en una imagen, escogería esta imagen, que me resulta familiar: un hombre demacrado, con la cabeza inclinada y las espaldas encorvadas, en cuya cara y en cuyos ojos no se puede leer ni una huella de pensamiento» (Primo Levi, SEH, pp. 119-121).

Niños

«Los niños judíos no llegaron a medianoche, como nosotros, llegaron bajo la luz gris de la tarde.

Era el último invierno de aquella guerra, el invierno más frío de esta guerra cuya suerte se decidió en medio del frío y de la nieve. Los alemanes habían sido expulsados de sus posiciones por una gran ofensiva soviética que se desplegaba a través de Polonia, y evacuaban, cuando tenían tiempo, a los deportados que habían reunido en los campos de Polonia. Nosotros, cerca de Weimar, en el bosque de Hayas por encima de Weimar, veíamos llegar, durante días y semanas, aquellos convoyes de evacuados. Los árboles estaban cubiertos de nieve, cubiertas de nieve las carreteras, y en el campo de cuarentena nos hundíamos en la nieve hasta la rodilla. Los judíos de Polonia llegaban apiñados en vagones de mercancías, cerca de doscientos por vagón, y habían viajado durante días y días sin comer ni beber, en el frío de este invierno que fue el más frío de aquella guerra. En la estación del campo, cuando se abrían las puertas correderas, nada se movía, la mayoría de los judíos había muerto de pie, muertos de frío, muertos de hambre, y era preciso descargar los vagones como si hubiesen transportado leña, por ejemplo, y los cadáveres caían, rígidos, en el andén de la estación, donde los apilaban para llevarlos después, por camiones enteros, directamente al crematorio. Pese a todo, había supervivientes, había judíos todavía vivos, moribundos en medio de aquel amontonamiento de cadáveres helados en los vagones. Un día, en uno de aquellos vagones en los que había supervivientes, al apartar un montón de cadáveres congelados, pegados a menudo unos a otros por sus ropas rígidas y heladas, se descubrió a un grupo entero de niños judíos. De repente, en el andén de la estación, sobre la nieve y entre los árboles cubiertos

de nieve, apareció un grupo de niños judíos, unos quince más o menos, mirando a su alrededor con cara asombrada, mirando los cadáveres apilados como troncos de árboles ya podados y amontonados al borde de las carreteras, esperando ser transportados a otro lugar, mirando los árboles y la nieve sobre los árboles, mirando como sólo miran los niños. Y los de las SS al principio parecían molestos, como si no supieran qué hacer con aquellos niños de ocho a doce años, poco más o menos, aunque algunos, por su extrema delgadez y la expresión de su mirada, parecieran ancianos. Se hubiera dicho que, en primer lugar, los de las SS no supieron qué hacer con estos niños y los reunieron en un rincón, tal vez para tener tiempo de pedir instrucciones, mientras escoltaban por la gran avenida las escasas decenas de adultos supervivientes de aquel convoy. Y una parte de aquellos supervivientes todavía tendrá tiempo para morir, antes de llegar a la puerta de entrada del campo, pues recuerdo que se veía a algunos de estos supervivientes derrumbarse en el camino, como si su vida latente en medio del amontonamiento de los cadáveres helados de los vagones se apagara de repente, algunos caían de repente, muy rectos, como árboles fulminados, de bruces sobre la nieve sucia y en ocasiones fangosa de la avenida, en medio de la nieve inmaculada sobre las altas hayas estremecidas, otros cayendo de rodillas primero, haciendo esfuerzos para levantarse, para arrastrarse todavía unos metros más, quedando finalmente tendidos, con los brazos estirados hacia delante, con las manos descarnadas arañando la nieve, se hubiera dicho como en una última tentativa de arrastrase unos centímetros más hacia aquella puerta de

allá abajo, como si aquella puerta estuviera al final de la nieve y del invierno y de la muerte. Pero al final, sólo quedó en el andén esta quincena de niños judíos. Las SS regresaron en tromba, entonces, como si hubieran recibido instrucciones precisas, o tal vez les hubieran dado carta blanca, quizás ya les habían permitido improvisar la manera en que iban a matar a aquellos niños. De todas formas, volvieron en tromba, con perros, se reían estrepitosamente, se gritaban bromas que les hacían estallar en carcajadas. Se desplegaron en arco de círculo y empujaron ante ellos, por la gran avenida, a aquellos quince niños judíos. Lo recuerdo, los chavales miraban a su alrededor, miraban a los de las SS, debían de creer al principio que les escoltaban sencillamente hacia el campo, como habían visto hacer con sus mayores unos momentos antes. Pero los de las SS soltaron los perros y empezaron a golpear con las porras a los niños, para obligarlos a correr, para hacer arrancar esta montería por la gran avenida, esta caza que habían inventado o que les habían ordenado organizar, y los niños judíos, bajo los porrazos, maltratados por los perros que saltaban a su alrededor, mordiéndoles en las piernas, sin ladrar ni gruñir, pues eran perros amaestrados, los niños judíos echaron a correr por la gran avenida hacia la puerta del campo. Quizás, en aquel momento, no comprendieron todavía lo que les esperaba, quizás pensaran que se trataba solamente de una última vejación, antes de dejarles entrar en el campo. Y los niños corrían, con sus enormes gorras de larga visera hundidas hasta las orejas, y sus piernas se movían de manera torpe, a la vez lenta y sincopada, como cuando en el cine se proyectan viejas películas mudas, o como en las

pesadillas en las que se corre con todas las fuerzas sin llegar a avanzar un solo paso, y lo que nos persigue está a punto de alcanzarnos, nos alcanza ya, y nos despertamos en medio de sudores fríos, y aquello, aquella jauría de perros y de miembros de las SS que corría detrás de los niños judíos, bien pronto devoró a los más débiles de entre ellos, a los que sólo tenían ocho años, quizás, a los que pronto perdieron las fuerzas para moverse, y que eran derribados, pisoteados, apaleados por el suelo, y que quedaban tendidos a lo largo de la avenida, jalonando con sus cuerpos flacos, dislocados, la progresión de aquella montería, de esta jauría que se arrojaba sobre ellos. Pronto no quedaron más que dos, uno mayor y otro pequeño, que habían perdido sus gorros en la carrera desesperada y cuyos ojos brillaban como reflejos de hielo en sus rostros grises, y el más pequeño comenzaba ya a perder terreno, los de las SS aullaban detrás de ellos, y los perros también comenzaron a aullar, pues el olor de la sangre les volvía locos, y entonces el mayor de los niños aminoró la marcha para coger de la mano al más pequeño, que ya iba tropezando, y recorrieron juntos unos cuantos metros más, la mano derecha del mayor apretando la mano izquierda del pequeño, rectos, hasta que los porrazos les derribaron junto.s, con la cara sobre la tierra y las manos unidas ya para siempre. Los de las SS reunieron a los perros, que gruñían, y rehicieron el camino al revés, disparando a bocajarro una bala en la cabeza de cada uno de los niños, caídos en la gran avenida, bajo la mirada vacía de las águilas hitlerianas» (Jorge Semprún, *El largo viaje*, pp. 165-169).

«El genocidio judío fue el único en que se intentó exterminar a un grupo en su totalidad, incluidos los niños. Se trataba de individuos cuyo carácter dañino era biológico y podía detectarse hasta en sus abuelos, por lo que no cabían excepciones ni reeducaciones. Para todos los que han visitado el Museo de Auschwitz, la visión más insoportable es sin duda la de la larga vitrina donde se amontonan zapatos, juguetes y jarritos de los niños. En las empresas genocidas con móviles más estrictamente políticos, en cambio, existieron posibilidades de sobrevivir» (Bernard Bruneteau, *El siglo de los genocidios*, Alianza, 2009, pp. 237-238).

«Los niños, que no tenían hueso que no se les trasluciese a través de la tirante piel, jugaban en bullentes grupos.

—Juegan antes de morir —fue el comentario de mi compañero, cuya voz se quebró por la emoción.

Sin pensar —las palabras escaparon antes de que se cristalizase el pensamiento—, dije:

—Pero estos niños no juegan; sólo hacen como si jugasen» (Karski, p. 442).

«—Los judíos son una raza enferma, en plena decadencia —dijo Frank—, son todos unos degenerados. No saben criar ni cuidar de sus niños, no como en Alemania.

—Alemania es un país de alta *Kultur* —dije yo.

—*Ja, natürlich*, en cuestión de higiene infantil Alemania anda a la cabeza del mundo —dijo Frank—. ¿Se ha dado cuenta de la enorme diferencia que hay entre los niños alemanes y los judíos?

—Los niños del gueto no son niños —respondí.

(Los niños judíos no son niños, pensaba mientras recorría las calles de los guetos de Varsovia, de Cracovia, de Czestochowa. Los niños alemanes están limpios. Los niños judíos están *schmutzig*. Los niños alemanes están bien alimentados, bien calzados, bien vestidos. Los niños judíos pasan hambre, van medio desnudos, caminan descalzos por las nieve…» (Malaparte, pp. 126-127).

Noche

«Me volví

y miré hacia arriba, hacia la ventana vacía, la tardía vela

del pensador,

que meditaba, meditaba, y jamás se libró de su pregunta,

y hacia la lamparilla velada del enfermo que, por supuesto,

no estudió

la forma en que habría de morir.

Bajo los arcos del puente

Dos esqueletos horribles se pegaban por el oro.

Yo alcé mi pobreza como un escudo gris ante mi rostro

Y seguí mi camino sin ser molestada»

(Gertrud Kolmar, «En la oscuridad», p. 39).

Nuevo antisemitismo

«Yo, que he sido y aún soy víctima de los nazis, como preso político y judío, no puedo callar, cuando bajo el estandarte del antisionismo se atreve a salir de su cubil el viejo y miserable antisemitismo [...] El antisemitismo tiene un estructura profundamente arraigada en la psicología colectiva y como último análisis se remontaría a sentimientos y resentimientos religiosos reprimidos. Puede volver a cobrar actualidad en cualquier momento: y, sin duda, me he asustado sobremanera, pero no me ha sorprendido realmente cuando me he enterado de que durante una manifestación a favor de los palestinos en una gran ciudad alemana no sólo se ha condenado el azote universal del "sionismo" (como quiera entenderse ese concepto político), sino que los jóvenes antifascistas, con los ánimos encendidos, han coreado la consigna: "Muerte al pueblo judío"» (Jean Améry, p. 44).

«Está pasando con el antisemitismo como con la tuberculosis: pensábamos que era una enfermedad de un pasado miserable y vemos con estupefacción que brota ahora de nuevo en el seno de una sociedad bien modernizada» (Reyes Mate, HO).

«Tengo la impresión de que el antisemitismo, que durante muchos años ha sido tenido a raya, emerge del pantano del subconsciente como si fuese una erupción de lava con olor a azufre» (Kertész, LE, p. 130).

Organigrama

«En noviembre de 1943, Höss fue reemplazado por el *Obersturmbannführer* Liebehenschel, y el campo se dividió simultáneamente en tres partes. Se llamó Auschwitz I al *Stammlager* (campo viejo); Auschwitz II, en los bosques de Birkenau, al campo de exterminio; Auschwitz III, también denominado Monowitz, al campo industrial» (Hilberg, p. 998).

«… el imperio concentracionario de Auschwitz no estaba formado por un solo *Lager*, sino por unos cuarenta: el campo de Auschwitz propiamente dicho se alzaba en la periferia de la pequeña ciudad del mismo nombre (Oswiecim, en polaco), tenía capacidad para unos veinte mil prisioneros y, por así decir, era la capital administrativa del conjunto; además estaba el *Lager* (o más exactamente el grupo de *Lager*: según la época) de Birkenau, que llegó a contener sesenta mil prisioneros, de los cuales cuarenta mil eran mujeres y en los que funcionaban las cámaras de gas y los hornos crematorios; y finalmente un número continuamente variable de campos de trabajo, alejados de la "capital" hasta cientos de kilómetros: mi campo, llamado Monowitz, era el más grande de éstos y había llegado a tener doce mil prisioneros. Estaba a unos siete kilómetros de Auschwitz» (Primo Levi, HS, p. 226).

Papa

«El papa… no ha permitido que lo empujen a una censura manifiesta de la deportación de los judíos de Roma», [informe del embajador nazi en Roma] (Robert Katz, *La batalla de Roma*).

Pasado

«El exterminio del pasado —por designio, por indiferencia, por buena intención— es lo que caracteriza a la historia de nuestro tiempo» (Tony Judt).

Pasividad

«En situaciones extremas, la pasividad es un crimen [...] Durante la guerra el mundo entero se mantuvo pasivo. No sólo Europa. También Gran Bretaña y Estados Unidos, y eso que no tenían por qué tener miedo. Roosevelt consideró el Holocausto el precio de la guerra pagado por los judíos   [...] Dijo que en cuanto se acabase la guerra, dejarían de matar judíos» (Marek Edelman).

Patria

«Los judíos orientales en sitio alguno tienen patria, pero sí, en cambio, tumbas en cada cementerio» (Joseph Roth).

Pérdidas

«Y ¡cosa asombrosa! Las bestias lo utilizaban todo; el cuero, el papel, los tejidos, todo lo que sirve al hombre era necesario y útil para las bestias; únicamente el valor más grande que existe en el mundo, la vida, era pisoteado. ¡Y cuántos grandes talentos, cuántas almas honradas, cuántos ojos hermosos de niños, cuántos tiernos rostros de viejecitas, cuántas cabezas espléndidamente hermosas de muchachas en cuya formación la naturaleza trabajó durante montones de siglos se precipitaban en el abismo de la nada formando un enorme torrente

silencioso! Bastaban unos segundos para destruir la vida que el mundo y la naturaleza habían creado con enorme y penoso esfuerzo» (Vasili Grossman, AG, p. 530).

Pijama de rayas

«La peluquería del campo era una gran barraca, dentro, no menos diez presos oficiaban de peluqueros munidos de máquinas eléctricas. El estilo era el mismo para todos: rapaban las cabezas dejándonos el pelo de un largo de un centímetro, luego hacían una pasada final con la máquina a cero, dejando una franja todo a lo largo de la cabeza que sarcásticamente llamaban "calle de los piojos". Después de esto fuimos enviados a las duchas y nos ordenaron tirar los harapos que vestíamos que, luego, fueron incinerados. Pasamos a un gran depósito donde se nos entregó el uniforme del campo: pijama de algodón grueso a rayas celestes y grises con gorra haciendo juego, zuecos de madera con tiras de cuero para sujetarlos, dos camisetas, dos calzoncillos y dos pares de medias, una camisa y el equipo clásico de cuchara de madera, jarro de latón, toalla de trapo y frazada» (Klainman, p. 104).

Pintura

«Dibujar para pasar el rato, dibujar para plasmar lo que estaba ocurriendo, para dar testimonio, para salvar la vida. Porque saber dibujar, al igual que saber tocar un instrumento musical se convirtió, aunque fuera solo de manera momentánea, en una forma de prolongar la vida. Así, muchos pintores que cayeron presa de los nazis y fueron encerrados en los campos, fueron utilizados en

ocasiones para desarrollar trabajos particulares para los altos mandos nacionalsocialistas. Este puede ser el caso de Bruno Schulz (1892-1942), que acabó su vida siendo víctima de un disparo tras una disputa de dos SS. Otros, como Joseph Bau (1920- 2002) porque era útil a ojos de los nazis: trazaba mapas, rótulos y señales para la oficina de construcciones» («Dibujar el horror. El Holocausto a través del trazo»).

Racismo

«… el concepto de raza, en el sentido actual de la palabra, surge en 1853-1855 con el *Ensayo sobre la desigualdad de las razas humanas* de Arthur de Gobineau. El antisemitismo moderno es un poco posterior. Aparece en 1873 cuando el periodista alemán Wilhelm Marr utiliza la palabra *antisemitismo* en el sentido actual, como descalificación de un grupo étnico, concretamente el judío. Antes, lo que había no era racismo ni antisemitismo, sino antijudaísmo de signo religioso, conforme al cual los judíos forman un pueblo maldito por haber dado muerte a Cristo —es la tesis del pueblo deicida— y por negarse a admitir que Cristo era el Mesías y que, por lo tanto, le ley de Moisés había caducado […] A mediados del siglo XIX, el antisemitismo racista supone un planteamiento distinto: antes, se censuraban las falsas creencias religiosas; ahora, se denuncia la raza; uno puede cambiar de creencia: es el caso de los conversos que se han hecho cristianos al recibir el bautismo; pero nadie puede cambiar de raza […] El antisemitismo recoge, pues, algunos rasgos del antijudaísmo tradicional —definición de los judíos como pueblo maldito,

cosmopolita, traidor a la patria en que vive— pero les añade un carácter racial y por ende indeleble» (Joseph Pérez, JE, p. 293).

Rebelión

«En los campos para prisioneros políticos, o donde éstos prevalecían, la experiencia conspiradora de éstos demostró ser preciosa, y a menudo se llegó, más que a rebeliones abiertas, a actividades de defensa bastante eficientes […] En los campos en los que los judíos eran mayoría, como los de la zona de Auschwitz, una defensa activa o pasiva era particularmente difícil. Aquí los prisioneros, en general, carecían de casi toda experiencia organizativa o militar; provenían de todos los países de Europa, hablaban lenguas diferentes, y por ello no se entendían entre sí: sobre todo, tenían más hambre, estaban más débiles y cansados que los demás, porque sus condiciones de vida eran más duras y porque tenían frecuentemente tras de sí un largo historial de hambre, persecuciones y humillaciones en los *ghettos*. Por ende, la duración de su estancia en el *Lager* era trágicamente breve, constituían en definitiva una población fluctuante, continuamente disminuida por la muerte y renovada por las incesantes llegadas de nuevos cargamentos. Es comprensible que en un tejido humano tan deteriorado e inestable no prendiese fácilmente el germen de la rebelión.

Podríamos preguntarnos por qué no se rebelaban los prisioneros no bien bajaban del tren, que esperaban horas (¡a veces días!) antes de entrar a las cámaras de gas. Además de todo lo que he dicho, debo agregar que los alemanes habían perfeccionado, en esta empresa de muerte colectiva, una estrategia diabólicamente astuta y versátil. En

la mayor parte de los casos, los recién llegados no sabían qué se les tenía preparado: se los recibía con fría eficiencia pero sin brutalidad, se los invitaba a desnudarse "para la ducha", a veces se les entregaba una toalla y jabón, y se les prometía un café para después del baño. Las cámaras de gas, en efecto, estaban camufladas como salas de ducha, con tuberías, grifos, vestuarios, perchas, bancos, etcétera. Cuando por el contrario un prisionero daba la menor muestra de saber o sospechar su destino inminente, las SS y sus colaboradores actuaban por sorpresa, intervenían con extremada brutalidad, gritando, amenazando, pateando, disparando y azuzando —contra esa gente perpleja y desesperada, marinada por cinco o diez días de viaje en vagones sellados— a sus perros adiestrados para despedazar hombres.

Siendo así las cosas, parece absurda y ofensiva la afirmación a veces formulada según la cual los judíos no se rebelaron por cobardía. Nadie se rebelaba. Baste recordar que las cámaras de gas de Auschwitz fueron puestas a prueba con un grupo de trescientos prisioneros de guerra rusos, jóvenes, con entrenamiento militar, preparados políticamente y sin el freno que representan mujeres y niños; tampoco ellos se rebelaron» (Primo Levi, SEH, 224-225).

Resistencia

«¡Adelante pues! Éste va a ser un momento doloroso, casi insuperable para mí: entregar mi ánimo cohibido a un insignificante trozo de papel lineado. A veces los pensamientos están perfectamente organizados y claros en la cabeza y los sentimientos son muy

profundos, pero escribirlos es imposible [...] En lo intelectual estoy tan bien dotada que logro captarlo todo, que logro definirlo todo con fórmulas claras. Parece que soy muy superior en muchos aspectos de la vida pero, sin embargo, ahí, muy en el fondo, hay una garra aterida, hay algo que me tiene presa y a veces no soy nada más que una miedosa desgraciada, a pesar de mi mente lúcida» (Hillesum).

«Todo el corredor del edificio con tres cámaras pequeñas estaba repleto de cadáveres. El piso estaba lleno de sangre coagulada que llegaba hasta los tobillos. Nos enteramos de lo que había pasado por los ucranianos. Un grupo de unos veinte hombres que era empujado hacia las cámaras de gas no había querido entrar. Habían opuesto resistencia y desnudos como estaban se habían defendido con los puños, impidiendo que los empujaran dentro de las cabinas. Entonces la gente de las SS había abierto fuego con sus metralletas en el corredor, liquidándolos en el acto» (Rajchman, p. 90).

Revuelta

«Los miembros del *Sonderkommando* intentaron varias veces organizar una revuelta colectiva para poner fin al exterminio [...] Sus acciones de resistencia tuvieron que limitarse a tentativas de evasión que, por lo general, fracasaron [...] A pesar de todo, pudo organizarse una revuelta. Estalló el 7 de octubre de 1944 en condiciones desesperadas, consiguiendo de todos modos poner fuera de uso el *Krematorium IV*. La revuelta acabó con la eliminación de casi la totalidad de las personas que habían participado en ella: en dos días, murieron 452 miembros del *Sonderkommando*» (Venezia, p. 211).

«El hombre que va a morir hoy entre nosotros ha tomado parte de algún modo en la revuelta [del *Sonderkommando* de Birkenau]. Se dice que mantenía relaciones con los insurrectos de Birkenau, que ha llevado armas de nuestro campo, que estaba tramando un amotinamiento simultáneo también entre nosotros. Morirá hoy bajo nuestras miradas: y quizás los alemanes no comprendan que la muerte solitaria, la muerte de hombre que le ha sido reservada, le servirá de gloria y no de infamia.

Cuando terminó el discurso del alemán, que nadie pudo entender, de nuevo se elevó la primera voz ronca: "*Habt ihr verstanden?*" (¿Lo habéis entendido?).

¿Quién respondió "*Jawohl*"? Todos y ninguno: fue como si nuestra maldita resignación tomase cuerpo de por sí, se hiciese voz colectivamente por encima de nuestras cabezas. Pero todos oyeron el grito del moribundo, éste traspasó las gruesas y antiguas barreras de inercia y de sumisión, golpeó el centro vivo del hombre en cada uno de nosotros:

—*Kamaraden, ich bin der Letze!* (¡Compañeros, yo soy el último!)

Me gustaría poder contar que entre nosotros, rebaño abyecto, se hubiese levantado una voz. Un murmullo, un signo de asentimiento. Pero no sucedió nada. Hemos continuado en pie, encorvados y grises, con la cabeza inclinada, y no nos hemos descubierto la cabeza más que cuando el alemán nos lo ha ordenado. El escotillón se ha abierto, el cuerpo se ha deslizado atrozmente; la banda ha vuelto a tocar, y

nosotros, de nuevo formados en columna, hemos desfilado ante los últimos temblores del moribundo» (Primo Levi, SEH, p. 186).

Sefardíes

«¿Qué representan los sefardíes en el mundo de hoy? […] Las comunidades sefardíes del norte de África, de los Balcanes y del antiguo Imperio otomano están en vías de desaparición. En Grecia vivían 80.000 sefardíes en 1940; unos 50.000 perecieron en los campos nazis; sólo quedan unos mil sefardíes; de los 70.000 de Yugoslavia, 55.000 han muerto; en Bulgaria, los sefardíes no pasan de 10.000, en Turquía de 15.000 […] En el norte de África es la descolonización la que ha acarreado la casi total desaparición de los sefardíes. De los 150.000 que había en Argelia, en 1962, la inmensa mayoría (135.000) se estableció en Francia; unos 15.000 se fueron a Israel. En Marruecos se produjo un fenómeno parecido: los sefardíes marcharon o a Quebec —tierra francófona— o a Israel […] En la actualidad [2005], unos 20.000 judíos residen en España, casi todos ciudadanos españoles, pero no está claro que todos sean de origen sefardí» (Joseph Pérez, JE, p. 339).

Selección

«El *Tagesraum* es un cuarto de siete metros por cuatro: cuando la caza ha terminado, dentro del *Tagesraum* está comprimida una masa humana caliente y compacta que invade y rellena perfectamente todos los rincones y ejerce en las paredes de madera una presión que las hace crujir.

Ahora estamos todos en el *Tagesraum* y además de no haber tiempo, ni siquiera hay espacio para tener miedo. La sensación de la carne caliente que oprime por todo alrededor de uno es singular y no es desagradable. Hay que procurar tener la nariz en alto para encontrar aire, y no arrugar o perder la ficha que tenemos en la mano.

El *Blockältester* ha cerrado la puerta del *Tagesraum* que da al dormitorio y ha abierto las otras dos que, del *Tagesraum* y del dormitorio, dan al exterior. Aquí, delante de las dos puertas, está el árbitro de nuestro destino, que es un suboficial de las SS. Tiene a la derecha al *Blockältester*, a la izquierda al furriel de la barraca. Cada uno de nosotros, saliendo desnudos del *Tagesraum* al frío aire de octubre, debe dar corriendo los pocos pasos que hay entre las puertas delante de los tres, entregar la ficha al SS y entrar por la puerta del dormitorio. El SS, en la fracción de segundo entre las dos pasadas sucesivas, con una mirada de frente y de espaldas, decide la suerte de cada uno y entrega a su vez la ficha al hombre que está a su derecha o al hombre que está a su izquierda, y esto es la vida o la muerte de cada uno de nosotros. En tres o cuatro minutos, una barraca de doscientos hombres está "terminada" y, durante la tarde, el campo entero de doce mil hombres.

Yo, inmovilizado en la carnicería del *Tagesraum*, he sentido gradualmente disminuir la presión humana en torno a mí, y pronto me ha tocado el turno. Como todos, he pasado con paso enérgico y elástico, procurando llevar la cabeza alta, el pecho fuera y los músculos contraídos y marcados. Con el rabillo del ojo, he procurado ver a mi espalda y me ha parecido que mi ficha ha ido a la derecha.

Conforme íbamos volviendo al dormitorio, podíamos vestirnos. Nadie conoce ahora con seguridad el propio destino, hay que saber primero con seguridad si las fichas condenadas son las pasadas a la derecha o a la izquierda. Ahora no es el caso de tener consideraciones los unos con los otros ni de tener escrúpulos supersticiosos. Todos se amontonan en torno a los más viejos, a los más desnutridos, a los más "musulmanes"; si sus fichas han ido a la izquierda, la izquierda es con toda seguridad el lado de los condenados» (Primo Levi, SEH, pp. 162-163).

«Vi dos grupos que estaban formados más adelante: a mi derecha había un grupo mixto grande, y a mi izquierda, otro, más pequeño y más atractivo, con algunos de nuestros muchachos. Enseguida supe que estos últimos debían de ser los considerados aptos para trabajar, Yo avanzaba cada vez más deprisa, hacia un punto que parecía fijo en medio del bullicio y del caos, donde podía verse un uniforme impecable, con el típico gorro alto y arqueado de los alemanes; me sorprendió que me tocase tan pronto mi turno.

El examen propiamente dicho duró sólo dos o tres segundos […] A mí el médico me examinó con más detenimiento, dirigiéndome miradas reflexivas, serias y atentas. Me erguí para enseñarle el pecho y —me acuerdo— sonreí ligeramente para paliar lo de Moskovics. Sentí confianza en aquel hombre, puesto que tenía buen aspecto y una cara simpática, alargada y bien afeitada, con labios finos y ojos azules o grises, en todo caso, claros y bondadosos. Pude fijarme bien en él, mientras apoyaba sus manos enguantadas en mis mejillas y me

apartaba la piel de debajo de los ojos, con el típico gesto rutinario de los médicos. Al mismo tiempo, en una voz baja pero clara, característica de los hombres cultos, me preguntó, como sin darle importancia: *"Wieviele Jahre bist du alt?"* [¿Cuántos años tienes?]. *"Sechzehn"* [dieciséis], le respondí. Asintió con la cabeza, como aceptando la respuesta correcta, no la verdad, por lo menos ésa fue mi impresión. Tuve la sensación —quizás equivocada— de que estaba contento o aliviado, de que yo le caía bien. Entonces, moviéndome la cara hacia un lado e indicándome la dirección con la otra mano, me mandó al otro lado, donde estaban los aptos para el trabajo. Los muchachos ya me estaban esperando, sonriendo, contentos y victoriosos. Viendo sus caras relucientes comprendí la diferencia que había entre el otro grupo y el nuestro: era la victoria, si lo interpreté bien […] Todo se movía, todo funcionaba, todos estaban en su sitio, cumpliendo con su trabajo, con puntualidad, serenidad y automatismo. Había sonrisas en muchas caras, unas humildes y otras más seguras, unas dubitativas, otras que parecían prever los resultados, pero al fin y al cabo todas eran sonrisas, como la que yo tenía en el rostro» (Kértesz, SD, pp. 89-91).

Sexualidad

«La desnutrición, además de provocar la desmesurada preocupación por la comida, quizá explique también la ausencia de deseo sexual durante la vida en el *Lager*. La hambruna y los efectos del *schock* inicial parecen ser las únicas causas que den razón de un fenómeno observado en el campo y ciertamente llamativo para un psicólogo: la perversión sexual era mínima, muy por debajo de lo previsible en

cualquier establecimiento estrictamente masculino (por ejemplo, un cuartel). Incluso en los sueños desaparecía el deseo sexual, un dato que representa una dura descalificación del psicoanálisis, pues según sus postulados, y en esas circunstancias, "los deseos inhibidos" debían presentarse de forma muy especial en los sueños» (Viktor Frankl, p. 60).

Shoah

«De modo que en el transcurso de los doce años en los que trabajé en su realización, no tuve título para la película. Holocausto, aparte de su connotación sacrificial y religiosa, era inadmisible; además de que ya lo habían utilizado. Pero, por motivos administrativos, una película ha de tener un título. Probé con muchos, todos insatisfactorios. La verdad es que no había nombre para aquello que ni siquiera me atrevía a llamar "el Acontecimiento". Para mí, y como en secreto, decía "la Cosa". Era un modo de nombrar lo innombrable. ¿Cómo podía existir un nombre para algo que carecía por completo de precedente en la historia de la humanidad? Si hubiera podido no darle un título a mi película, lo hubiera hecho. La palabra *shoah* ganó la partida muy al final porque, al no entender el hebreo, no comprendía su significado, lo que era un modo de no nombrar. Pero para aquellos que hablan hebreo, *shoah* es también inadecuada» (Lanzmann, TSN, p. 386).

Singularidad del Holocausto

«Podemos decir que hay un consenso generalizado sobre la singularidad histórica de Auschwitz por las siguientes razones:

a) El genocidio judío no es un medio sino un fin. No se les mataba por razones políticas (genocidio armenio o ukraniano), ni como resultado de una explotación económica (la mayoría no conoció el universo concentracionario pues moría el mismo día de su llegada), sino por el hecho de haber nacido judío. Los nazis deciden "quienes tienen derecho a vivir en la tierra así como el lugar y el plazo del exterminio". Ahí se toca un extremo que, según Arendt, "sólo se ha alcanzado una vez en la historia moderna: por los nazis".

b) Primera vez que un Estado decide eliminar a un grupo humano en su totalidad poniendo a disposición todos los medios técnicos.

c) Por más que la barbarie nazi se inscriba en la violencia del siglo XX, hay un punto de desmesura no alcanzado hasta ese momento. El historiador Raul Hilberg sintetiza ese punto de culminación en la entrevista que le hace Lanzamnn en *Shoah* de la siguiente manera: "en el siglo IV y en el V y en el VI los misioneros cristianos decían a los judíos *no podéis vivir entre nosotros como judíos*; en la Edad Media, el brazo secular que les sucedió les mandaba el siguiente recado: *no podéis vivir con nosotros*. Y los nazis decretaron: *no podéis vivir*". Hay pues una vieja historia de antisemitismo que alcanza un punto desconocido con los nazis, de ahí que se pueda hablar de singularidad.

d) El historiador Vidal-Naquet aporta otro argumento fundamental. Dice este historiador que no hay que buscar la singularidad en la industrialización de la muerte, es decir, en el empleo de técnicas industriales para matar, pues esas técnicas eran muy elementales. "Lo esencial, dice él, no está ahí. Lo esencial es la negación del crimen

dentro del crimen mismo". Esto tiene dos sentidos: en primer lugar, no dejar rastro. Organizar el crimen de suerte que no hubiera ni testigos para certificar su existencia, ni restos materiales que pudieran servir para reconstruirlo. Levi ha subrayado bien este aspecto del holocausto en *Los hundidos y los salvados*. El segundo, una organización tan burocratizada en la que no hubiera culpables, en la que la responsabilidad quedara diluida. El sistema, bien analizado por Baumann, tomaba decisiones parciales cuyo ejecutor material era el *Sonderkomando*, es decir, el propio judío. Esto llevaba a un abogado de los nazis, Hans Laternser, durante el juicio de Auschwitz (1963-1965), a plantear la tesis de que en esa cadena de muerte quienes *seleccionaban*, es decir, a los que decidían quienes iban a trabajar —y, por tanto, quienes iban al horno crematorio—, que eran SS, había que considerarles como auténticos salvadores de los judíos, pues ellos lo que directamente decidían era quienes iban a trabajar, por eso buscaban a los más aptos, desentendiéndose de los demás, que no eran asunto suyo» (Reyes Mate, SH).

Solución final

«Porque esto se revela necesario, porque ya no oímos más el griterío del mundo y, porque, en resumidas cuentas, ningún poder en el mundo podrá detenernos, nosotros tenemos que llevar ahora la cuestión judía hacia su solución total. El programa es claro. Es: ¡la eliminación total, la separación completa! ¿Qué significa esto? No significa, solamente, la eliminación de los judíos de la economía nacional alemana, una situación que ellos mismos provocaron, con sus ataques destructores y sus incitaciones a la guerra y al crimen.

¡Significa mucho más!» (*SS Das Schwarze Korps*, 47, 1938. En "El Holocausto en documentos", p. 134).

«Le encargo, además, se someta con rapidez el plan global de las medidas prácticas materiales y de organización, para la ejecución de la deseada solución final (*Endlösung*) de la cuestión judía» (Carta de Göring a Heydrich, 31-7-1941. En *El Holocausto en documentos*, p. 257).

«Durante la solución final, se deberá conducir a los judíos al servicio del trabajo al Este. En grandes columnas de trabajo y separados por sexos, se trasladará a esas zonas a los judíos capaces de trabajar, para que construyan carreteras; no hay duda alguna de que se perderá a una gran proporción de ellos como consecuencia de una selección natural. Los que queden necesitarán un tratamiento adecuado, porque sin duda alguna representan la parte [físicamente] más resistente y con su liberación, se podría transformar en el germen de una resurrección judía (pruebas de ello las da la historia). Durante la ejecución de la solución final, Europa será revisada a fondo» (Protocolo de la Conferencia de Wannsee, 20-1-1942. En *El Holocausto en documentos*, p. 282).

«Fue en el verano de 1941 (no recuerdo ya la fecha exacta) cuando, por sorpresa, recibí la llamada de un ayudante de campo de Himmler para citarme ante el *Reichsführer* en Berlín. A diferencia de lo acostumbrado, me recibió a solas y me dijo lo siguiente:

"El *Führer* ha dado orden de proceder a la 'solución final' del problema judío. Nosotros, los SS, seremos los encargados de cumplir esa orden.

"Los centros de exterminio ya existentes en la zona oriental no se hallan en condiciones de llevar a cabo las grandes acciones proyectadas. Con este objeto he elegido Auschwitz, primero por su situación favorable desde el punto de vista de las comunicaciones y, después, porque el emplazamiento destinado a esta acción puede ser fácilmente aislado y camuflado en esta región. Al principio había pensado confiar esta tarea a un oficial SS de rango superior; pero renuncié a ello para evitar discusiones sobre distribución de competencias. Por lo tanto, será usted quien de ahora en adelante se encargue de la tarea. El trabajo que le espera es arduo y penoso: conságrese a él en cuerpo y alma y haga abstracción de las dificultades que se le presentarán. El *Sturmbannführer* Eichmann, de la RSHA, irá a verlo próximamente y le comunicará todos los detalles […]

"Los judíos son los enemigos eternos del pueblo alemán y deben ser exterminados. A partir de ahora, y mientras dure la guerra, todos los judíos a los que podamos echar mano deben ser aniquilados, sin excepción alguna. Si no logramos destruir ahora las bases biológicas de la judería, serán los propios judíos quienes, después, aniquilarán al pueblo alemán"» (Rudol Höss, pp. 181-182).

Sonderkomanndo

«Con manos temblorosas nuestros hermanos hacían girar los tornillos y descorrían cuatro cerrojos. Se abren las puertas de las dos

grandes tumbas. Una ola de muerte atroz sopla su aliento. Todos se han quedado rígidos por el horror, no pueden creer lo que ven sus ojos. ¿Cuánto tiempo? ¿Cuánto tiempo habían tardado? Ante nuestros ojos aún flotaba la imagen de los cuerpos trémulos de esos hombres y mujeres, en nuestros oídos aún resonaba el último eco de su palabra. Nos perseguían todavía las miradas profundas de sus ojos llenos de lágrimas.

¿Y de repente qué es lo que ha quedado de ellos? Las miles, miles de vidas burbujeantes, sonoras, cantoras estaban echadas ahora ya rígidas por la muerte. No se oía en ese momento ni un sonido, ninguna palabra, sus bocas habían enmudecido para siempre. Sus miradas estaban fijas, vitrificadas, sus cuerpos permanecían inmóviles. En el silencio helado de la muerte apenas si se escuchaba el murmullo de humores líquidos, la humedad que entonces se deslizaba surgía de los diversos orificios de los cuerpos muertos. Era el único movimiento de vida en el vasto mundo de la muerte.

Nuestros ojos se clavaban fijamente, hipnotizados ante ese mar de cuerpos desnudos que se nos revelaba. Acabábamos de descubrir un mundo de desnudez. Yacían caídos, entreverados, enredados los unos con los otros, anudados como en un ovillo, como si el demonio antes de su muerte, se hubiera entretenido especialmente en practicar con ellos un juego diabólico para dejarlos en esa pose. Ahí había uno que yacía completamente extendido por encima de otros cadáveres. Allá había un cuerpo que abrazaba a otro y ambos estaban sentados apoyándose contra un muro. Allí sólo sobresalía una parte de la espalda mientras que la cabeza y una pierna estaban aprisionadas por

otros cuerpos. Aquí sólo veías que emergía una mano, una pierna apuntando hacia lo alto, mientras que el resto del cuerpo estaba hundido en el profundo mar de desnudos. Sólo veías trozos de cuerpos humanos en la superficie de ese mundo desnudo.

En el inmenso mar desnudo flotaban las cabezas. Se mantenían en la superficie de las olas desnudas. Daba la impresión de que estuviesen nadando en ese inmenso y profundo mar y que sólo sus cabezas emergían del profundo abismo de desnudez.

Las cabezas negras, rubias, castañas, eran las únicas partes que destacaban en medio de la generalizada desnudez» (Gradowski, pp. 161-162).

SS

«Iniciales en alemán de *Schutzstaffel*, que significa "escalón de protección". Al principio era la guardia personal de Hitler, una especie de policía privada para él y el partido nazi. Tras acceder al poder, el grupo creció, sin que jamás fuera muy numeroso, unos 250.000 hombres. Habían sido completamente adoctrinados y eran violentamente antisemitas. Poco a poco, bajo la dirección del más fiel compañero de Hitler, Heinrich Himmler, constituyeron una especie de Estado dentro del Estado, y se les encomendó sobre todo el control de los campos de concentración y la eliminación de los judíos» (Wieviorka, p. 35).

Suicidio

«En la actualidad pienso a menudo que el holocausto no sólo alcanzó a sus víctimas elegidas en los campos de concentración, sino también

décadas más tarde. Como si la disolución de los campos sólo hubiera aplazado la sentencia que luego los elegidos para morir ejecutaron quitándose ellos mismos la vida: se suicidaron Paul Celan, Tadeusz Borowski, Jean Améry y hasta Primo Levi, el cual se enfrentó en sus escritos polémicos al radicalismo existencial de Améry» (Kertész, IS, p. 81).

«Creo que precisamente a este volverse atrás para mirar "las aguas peligrosas" se hayan debido los muchos casos de suicidio posteriores (a veces inmediatamente posteriores) a la liberación. Se trataba siempre de un momento crítico que coincidía con una oleada de reflexión y de depresión. Como contraste, todos los historiadores del *Lager*, también de los soviéticos, están de acuerdo en observar que los casos de suicidio durante la prisión fueron raros. A este hecho se le han buscado varias explicaciones pero por mi parte no propongo sino tres, que no se excluyen unas a otras.

Primero: el suicidio es cosa humana y no de animales, es decir, es un acto meditado, una elección no instintiva, no natural, y en el *Lager* había pocas ocasiones de elegir, se vivía precisamente como los animales domesticados, que a veces se dejan morir pero no se matan. Segunda: "había otras cosas en que pensar", como suele decirse. La jornada estaba completa: había que pensar en satisfacer el hambre, en sustraerse de algún modo al cansancio y al frío, en evitar los golpes; precisamente por la inminencia constante de la muerte faltaba tiempo para pensar en la muerte […] Tercero: en la mayoría de los casos el suicidio nace de un sentimiento de culpabilidad (si existe el castigo se

debe haber cometido una falta) que ningún castigo ha podido atenuar; ahora bien, la dureza de la prisión era percibida como un castigo, y el sentimiento de culpa se relegaba a un segundo plano para emerger de nuevo después de la liberación: es decir, no necesitábamos castigarnos con el suicidio por una (verdadera o presunta) culpa que estábamos ya expiando con nuestros sufrimientos diarios» (Primo Levi, HS, p. 534).

«Me parece que la noche dura un año y finalmente se oye un grito: "¡Levantaos!" La gente se despierta y todos tratan de ponerse lo más cerca de la puerta, que todavía está cerrada. Veo que enfrente de mí cuelga alguien que se ha ahorcado. Se lo señalo a mi vecino y él me indica con la mano que un poco más lejos cuelga otro hombre. Eso allí no es ninguna novedad. Hoy se han ahorcado menos que de costumbre. Me cuenta que todos los días arrojan varios ahorcados a la fosa y nadie presta atención alguna a semejante nimiedad» (Rajchman, pp. 69-70).

Superviviente

«Nos hemos convertido en los cementerios andantes de nuestros amigos asesinados […] Debo hablar de él como si fuera el último en conocerlo. Y, en efecto, soy uno de los últimos, uno de los ataúdes andantes de un mundo exterminado" (Manès Sperber, en: Tony Judt, p. 80).

Superviviente, Enfermedad de los

«Me reconforta saber que no hablo en el vacío, pues dar testimonio representa un sacrificio enorme. Despierta un lacerante sufrimiento que nunca me abandona. Todo va bien y, de pronto, me siento desesperado. En cuanto experimento cierta alegría, algo se bloquea inmediatamente en mí. Es como una tara interior; lo llamo la "enfermedad de los supervivientes". No es el tifus, ni la tuberculosis o las demás enfermedades que pudimos contraer. Es una enfermedad que nos corroe desde el interior y que destruye cualquier sentimiento de alegría. La arrastro desde aquel tiempo de sufrimiento en el campo. Esta enfermedad no me permite nunca un instante de alegría o de despreocupación, es un malhumor que erosiona permanentemente mis fuerzas» (Shlomo Venezia, pp. 175-176).

«No hay manera de curarse de Auschwitz, nadie se recupera jamás de la enfermedad que es Auschwitz» (Kertész, KHN, p. 96).

Tatuaje

«Todo ocurría de un modo muy organizado, como un trabajo en cadena del que nosotros fuéramos los productos. A medida que avanzábamos, otros ocupaban nuestro lugar. Siempre desnudo y mojado, seguí la cadena hasta la sala de tatuaje. Había una larga mesa en la que se habían situado varios prisioneros, encargados de tatuarnos en el brazo nuestro número de matrícula. Utilizaban para ello una especie de bolígrafo con una punta que atravesaba la piel y hacía penetrar la tinta bajo la epidermis. Era preciso hacer pequeños puntos hasta que el número apareciera en el brazo. Era

extremadamente doloroso. Cuando por fin el hombre que me tatuaba me soltó el brazo, froté inmediatamente mi antebrazo con la mano para atenuar el dolor. Cuando miré para ver lo que me habían hecho, no pude ver nada por la mezcla de sangre y tinta. Sentí miedo pensando que se había borrado el número. Con un poco de saliva, limpié mi brazo y vi cómo reaparecía el número que había siso correctamente "inyectado": 182727, mi matrícula» (Venezia, *Sonderkommando*, p.58).

«La operación era poco dolorosa y no duraba más de un minuto, pero era traumática. Su significado simbólico estaba claro para todos: es un signo indeleble, no saldréis nunca de aquí. Es la marca que se imprime a los esclavos y a las bestias destinadas al matadero, y es en lo que os habéis convertido. Ya no tenéis nombre: éste es vuestro nombre. La violencia del tatuaje era gratuita, era un fin en sí misma, era un mero ultraje. ¿No eran suficientes los tres números cosidos a los pantalones, a la chaqueta y al abrigo de invierno? No, no eran suficientes: se necesitaba uno más, un mensaje no verbal para que el inocente sintiese escrita su condena sobre la carne. Era también una vuelta a la barbarie mucho más perturbadora para los judíos ortodoxos; precisamente hecha para distinguir a los judíos de los "bárbaros", el tatuaje está prohibido por la ley mosaica (Levítico, 19-28).

Cuarenta años después, mi tatuaje forma parte de mi cuerpo. No me vanaglorio de él ni me avergüenzo, no lo exhibo ni lo escondo. Lo enseño de mala gana a quien me pide verlo por pura curiosidad; lo

hago enseguida y con ira a quien se declara incrédulo. Muchas veces los jóvenes me preguntan por qué no me lo borro, y es una cosa que me crispa: ¿por qué iba a borrármelo? No somos muchos en el mundo los que somos portadores de tal testimonio» (Primo Levi, HS, 574).

Testigos de Jehová

[Perseguidos por negarse a prestar servicio militar y reconocer la autoridad suprema de Hitler]

«No todas las Testigos de Jehová fueron asignadas al servicio doméstico en hogares de los SS. "Después de haber estado tres meses en el campo de Ravensbrück, llegué con un transporte de unas cien hermanas más a Auschwitz en junio de 1942. El viaje había durado dos días por tren" […] El morir de tifus o "irse por la chimenea" se consideraba una muerte más misericordiosa que el ser comido por las ratas. Hiela la sangre el siquiera pensar en ello, pero algunas de las testigos de Jehová estaban tan débiles que no podían ni defenderse, y fueron mordidas hasta morir por las ratas. Para hacerlo aún peor, estas Testigos fieles que fueron comidas vivas por las ratas eran pobres mujeres indefensas» (Sylvie Graffard & Léo Tristan, p. 180).

«Ahora son las diez, y seré ejecutado a las once y media; pero estoy muy calmado. Mi vida futura la dejo en manos de Jehová y de su Amado Hijo, Jesucristo, el Rey, quienes nunca olvidarán a los que los aman con sinceridad. También sé que pronto habrá una resurrección de los que han muerto o, más bien, de los que se han dormido en Cristo. También quisiera mencionar que te deseo las más abundantes bendiciones de Jehová por el amor que me has mostrado. Por favor,

dales a papá y a mamá un beso de parte mía, y a Annus también. Que no se preocupen por mí; pronto estaremos juntos de nuevo. Mi mano está calmada ahora, y me iré a descansar hasta que Jehová me llame de nuevo. Aún en estas circunstancias voy a cumplir el voto que le hice» (Última carta de Berthold Szabo a su hermana antes de ser fusilado, 2-3-1945. En:

www.memoriadeuntestimonio.org/DocCartasSentenciados.htm).

Tortura

«Quien ha sufrido la tortura, ya no puede sentir el mundo como su hogar. La ignominia de la destrucción no se puede cancelar. La confianza en el mundo que ya en parte se tambalea con el primer golpe, pero que con la tortura se desmorona en su totalidad, ya no volverá a restablecerse. En el torturado se acumula el terror de haber experimentado al prójimo como enemigo: sobre esta base nadie puede otear un mundo donde reine el principio de la esperanza. La víctima del martirio queda inerme a merced de la angustia. Será *ella* quien de aquí en adelante reine sobre él» (Améry, p. 107).

Totalitarismo

«Se ha de inculcar en todos los ciudadanos la sensación de que pueden ser detenidos y fusilados en cualquier momento y por cualquier motivo» (Félix Dzerzhinski, fundador de la Cheka, policía secreta bolchevique:

http://es.wikipedia.org/wiki/F%C3%A9lix_Dzerzhinski#cite_ref-3).

Trauma

«A mi juicio, no ofendemos ni disminuimos la tragedia del pueblo judío si hoy, más de cinco décadas después de que ocurriera, consideramos el Holocausto una experiencia universal y un trauma europeo. Al fin y al cabo, Auschwitz no se produjo en el vacío, sino en el marco de la cultura occidental, de la civilización occidental, y esta civilización es una superviviente de Auschwitz, igual que esas pocas decenas o centenares de miles de hombres y mujeres esparcidos por el mundo que aún vieron las llamas de los crematorios e inhalaron el olor de la carne humana que ardía. En ese fuego se destruyó todo cuanto hasta entonces respetábamos como valores europeos; y en este punto cero de la ética, en la oscuridad moral y espiritual se presenta como único punto de partida aquello que creó tales tinieblas: el Holocausto [...]

Sigo pensando que el Holocausto es el trauma de la civilización europea y que la pregunta existencial de esta civilización consistirá en si este trauma continúa en forma de cultura o de neurosis, de creación o de destrucción en la sociedad europea» (Kertész, LE, pp. 100-107).

«Auschwitz, y lo que forma parte de ello (¿y qué no forma parte de ello hoy en día?), es el trauma más grande del hombre europeo desde la cruz, aunque quizá se tarde décadas o siglos en reconocerlo» (Kertész, DG, p. 32).

Tren

«La norma militar estipula que un furgón cargue ocho caballos o cuarenta soldados. Sin nada de equipaje, era posible apiñar en un

furgón a un máximo de cien pasajeros, de pie y apretados unos contra otros. Los alemanes, simplemente, habían dado orden de que en cada furgón entrasen entre ciento veinte y ciento treinta judíos. Y dicha orden se estaba llevando a la práctica en ese momento. Ya blandiendo los rifles, ya disparando, los policías metían todavía más gente en los dos furgones, rebosantes. Volvieron a oírse tiros desde atrás, y la multitud se lanzó en tropel hacia delante, ejerciendo una irresistible presión contra quienes se encontraban más cerca del tren. Estos desgraciados, enloquecidos por lo que habían pasado, golpeados por los policías y empujados hacia delante por la pululante muchedumbre, comenzaron a trepar por las cabezas y los hombros de quienes ya se encontraban en el tren» (Karski, p. 464).

«Si te encerraran en un vagón de ganado en el que hay otras cuarenta y cinco personas y tuvieras que pasar en él cinco días enteros de viaje, y escucharas de día y de noche el llanto de un niño de pecho al que su madre no puede amamantar ni callar y tuvieras que lamer el hielo que se forma en los intersticios de los tablones del vagón, porque en los cinco días no se reparte alimento ni agua, y cuando por fin se abre la puerta en una noche helada ves a la luz de los reflectores el nombre de una estación que no has visto ni escuchado nunca y no te sugiere nada, sólo una forma aguda de terror, *Auschwitz*» (Muñoz Molina, *S*).

Umschlagplatz
«Lugar de transbordo conexo a los guetos, a menudo una plaza o un espacio abierto más grande. En los guetos más pequeños se

empleaban estos lugares para la selección en la que se decidía quienes serían transportados para ser ejecutados y quienes todavía eran "utilizables" para el trabajo. En los guetos más grandes estos lugares estaban situados cerca de las vías férreas [para facilitar las deportaciones]» (Bruchfeld, p.36).

Verdugos

«Es oportuno señalar que estos individuos [los SS] no eran ejecutores mecánicos de una voluntad extraña. Todos los testigos señalan un rasgo que les era común: la afición a los razonamientos teóricos, a filosofar. Todos ellos tenían la debilidad de pronunciar discursos a los condenados, de jactarse ante ellos, de exponer el profundo sentido y la importancia para el futuro de lo que sucedía en Treblinka. Explicaban de manera detallada la supremacía de su raza sobre las demás, declamaban grandes parrafadas sobre la sangre alemana, el carácter alemán y la misión de los alemanes» (Vasili Grossman, AG, p. 551).

«Un estudio del perfil histórico y sociológico de los guardias de Auschwitz, basado en datos estadísticos, determinó que "la dotación de la SS al cargo de los campos de concentración no destacaba en lo tocante a estructura ocupacional o nivel de educación. El personal de los recintos no divergía demasiado de la sociedad a la que pertenecía"» (Rees, *Asuchwitz*, pp. 199-200).

«Buena parte de los altos cargos y del personal [de los campos de exterminio] habían crecido en hogares bastantes estables. Los padres

de estos individuos habían sido trabajadores, oficinistas o funcionarios de bajo rango, y ellos mismos se habían formado para desempeñar estas ocupaciones modestas» (Hilberg, p. 995).

Vergüenza

«… muchos (y yo mismo) han experimentado "vergüenza", es decir, sentido de culpa, durante la prisión y después, es un hecho cierto y confirmado por numerosos testimonios. Puede parecer absurdo, pero es así […]

A la salida de la oscuridad se sufría por la conciencia recobrada de haber sido envilecidos. Habíamos estado viviendo durante meses y años de aquella manera animal, no por propia voluntad, ni por indolencia ni por nuestra culpa […] Nos habíamos olvidado no sólo de nuestro país y de nuestra cultura sino también de nuestra familia, del pasado, del futuro que habíamos esperado, porque, como animales, estábamos reducidos al momento presente. […]

¿Qué culpa? En resumidas cuentas, emergía la conciencia de no haber hecho nada, o lo suficiente, contra el sistema por el que estábamos absorbidos […] [E]n el plano racional, no se podría encontrar nada de qué avergonzarse, pero a pesar de ello se sentía la vergüenza, y especialmente ante los pocos y lúcidos ejemplos de quienes habían tenido la fuerza y la posibilidad de resistir […] Es un pensamiento que entonces sólo nos insinuábamos, pero que ha vuelto después: "también tú habrías podido, habrías debido" […]

Más realista es la autoacusación, o la acusación, de haber fallado en el plano de la solidaridad humana. Pocos sobrevivientes se sienten

culpables de haber perjudicado, robado o golpeado deliberadamente a un compañero: quien lo ha hecho rechaza el recuerdo; por el contrario, casi todos se sienten culpables de omisión de socorro. La presencia a tu lado de un compañero más débil, o más indefenso, o más viejo, o demasiado joven, que te obsesiona con sus peticiones de ayuda, o con su simple "estar", que ya en sí es una súplica, es una constante en la vida del *Lager*. La necesidad de solidaridad, de una voz humana, de un consejo, incluso sólo de alguien que escuchase, era permanente y universal, pero se satisfacía raramente. Faltaba tiempo, espacio, condiciones para la confidencia, paciencia, fuerza; en la mayoría de los casos aquel a quien uno se dirigía estaba también él en estado de necesidad, de apremio» (Primo Levi, HS, pp. 533-536).

Víctimas

«Los "salvados" de Auschwitz no eran los mejores, los predestinados al bien, los portadores de un mensaje; cuanto yo había visto y vivido me demostraba precisamente lo contrario. Preferentemente sobrevivían los peores, los egoístas, los violentos, los insensibles, los colaboradores de la "zona gris", los espías. No era un regla segura (no había, ni hay, en las cosas humanas reglas seguras), pero era una regla. Yo me sentía inocente, pero enrolado entre los salvados, y por lo mismo en busca permanente de una justificación, ante mí y ante los demás. Sobrevivían los peores, es decir, los más aptos; los mejores han muerto todos.

Murió Chajim, el relojero de Cracovia, judío piadoso que, a despecho de las dificultades de la lengua, se había esforzado por entenderme y hacerse entender, y por explicarme a mí, extranjero, las

reglas fundamentales de supervivencia en los primeros y cruciales días del cautiverio; murió Szabó, el taciturno campesino húngaro que medía casi dos metros y por ello tenía más hambre que nadie y que, sin embargo, mientras tuvo fuerza, nunca dudó en ayudar a los compañeros más débiles a tener fuerza y a empujar; y Robert, profesor de la Soborna, que emanaba fe y valor, hablaba cinco lenguas, se desgastaba registrando todo en su memoria prodigiosa y, si hubiese vivido, habría encontrado las respuestas que yo no he sabido encontrar; y murió Baruch, estibador del puerto de Liorna, inmediatamente, el primer día, porque había contestado a puñetazos al primer puñetazo que había recibido y fue asesinado por tres *Kapos* coaligados. Ellos, e incontables otros, murieron no a pesar de su valor, sino precisamente por su valor» (Primo Levi, HS, pp. 540-541).

Vivir

«Armados con pesadas mazas de abedul machacaban sobre una placa de hormigón los fémures, tibias, los huesos más duros, que el fuego no había consumido del todo: lo hacían cantando durante todo el día, bajo el blanco cielo de Birkenau: "*Mama, son tanto felice*". Filip Müller me dijo: "Quería vivir, vivir con todas mis fuerzas, un minuto más, un día más, un mes más. ¿Comprende usted?, vivir". Pero es Salmen Lewental, ese admirable Froissart del comando especial, quien con gran estilo literario mejor respondió a la pregunta obscena: "La verdad —escribió— es que queríamos vivir a cualquier precio, queremos vivir porque se vive, porque todo el mundo vive. No hay nada más que la vida…"» (Lanzmann, TSN, p. 413).

Weltanschauung [Cosmovisión]

«Ha pasado una época, y una determinada actitud humana parece irrecuperable, como una edad de la vida, como la juventud. ¿En qué consistía esa actitud? En el asombro del hombre ante la creación; admiración y fervor ante el hecho de que la materia transitoria —el cuerpo humano— viviera y tuviera alma; ha pasado la admiración ante la existencia del mundo y con ella han desaparecido también el respeto a la vida, la devoción, la alegría, el amor. El asesinato que ha venido a ocupar el lugar de aquella época antigua —no como una mala costumbre ni como exceso ni como "caso", sino como forma de vida, como actitud "natural" adquirida y utilizada frente a la vida y a los otros seres vivos—, el asesinato como cosmovisión, el asesinato como norma de comportamiento, supone, sin duda, un cambio radical, síntoma de una época o de una forma terminal, lo mismo da. Podría objetarse que exterminar a personas no es precisamente un invento nuevo. Sin embargo, el exterminio continuo, practicado de forma sistemática durante años, durante décadas, y convertido por tanto en sistema, mientras a su lado transcurre la llamada vida normal, cotidiana, con la educación de los hijos, con paseos de los enamorados, las consultas al médico, la aspiración a hacer carrera y otros anhelos, con los sentimientos de dicha o desdicha, los deseos civiles, las melancolías crepusculares, el crecimiento, el éxito o la falta de éxito, etcétera, etcétera, todo esto, con la costumbre, la costumbre del miedo, la resignación, la aquiescencia e incluso el aburrimiento, es un descubrimiento nuevo, novísimo. Porque —he aquí la novedad—

está aceptado. Se ha demostrado que la forma de vida del asesinato es una forma de vida vivible y posible y, por consiguiente, institucionalizable» (Kertész, DG, pp. 236-237).

Yad Vashem

«Autoridad de Recordación de los Mártires y Héroes del Holocausto. Institución nacional en Israel dedicada a la recordación del Holocausto. El nombre *Yad Vashem* proviene del libro de Isaías 56:5, y se refiere a un monumento eterno [...] Fue creado oficialmente por la *Knéset* (Parlamento de Israel) en 1953, en base a la Ley de Recordación de los Mártires y Héroes como institución encargada de conmemorar a los seis millones de judíos asesinados por los nazis y sus colaboradores; a las comunidades judías que fueron destruidas en Europa; y al heroísmo de los soldados, combatientes clandestinos de la resistencia, partisanos y prisioneros de los guetos, así como a los Justos de Las Naciones» (*Enciclopedia del Holocausto*, p. 515).

Zyklon B

«El cianuro de hidrógeno, o Zyklon, era un potente agente letal; la dosis mortal era de un miligramo por kilogramo de masa corporal. Presentado en recipientes, se usaba simplemente abriendo el recipiente y arrojando las bolas al interior de la cámara; enseguida, el material sólido se sublimaba. El Zyklon sólo tenía un inconveniente: a los tres meses se deterioraba en el recipiente y, por consiguiente, no se podía almacenar. Dado que Auschwitz era una estación receptora, siempre dependiente de la demanda, debía disponer de un suministro de gas fiable.

Las SS no fabricaban el Zyklon, así que necesitaban comprar el gas a empresas privadas. Las empresas que lo suministraban pertenecían a la industria química. Se habían especializado en "combatir parásitos" (*Schädlingsbekämpfung*) mediante gases tóxicos. El Zyklon era uno de los ocho productos fabricados por estas empresas, que se encargaban de la fumigación a gran escala de edificios, barracones y barcos; desinfectaban prendas de vestir en cámaras de gas especialmente construidas (*Entlausungsanlagen*); y despiojaban a seres humanos, protegidos con máscaras antigás. En resumen, esta industria usaba gases muy potentes para exterminar roedores e insectos en espacios cerrados. Que ahora se viera involucrada en una operación de exterminio de cientos de miles de judíos no es mero accidente. En la propaganda alemana, a los judíos se los había tachado frecuentemente de insectos. Frank y Himmler había declarado repetidamente que eran parásitos a los que había que exterminar como alimañas, y con la introducción del Zyklon en Auschwitz esa idea se hizo realidad» (Hilberg, pp. 983-984).

«La manera elegida para la exterminación (al cabo de minuciosos experimentos) era ostensiblemente simbólica. Había que usar, y se usó, el mismo gas venenoso que se usaba para desinfectar las estibas de los barcos y los locales infestados de chinches o piojos. A lo largo de los siglos se inventaron muertes más atormentadoras, pero ninguna tan cargada de vilipendio y desdén» (Primo Levi, SEH, p. 239).

EPÍLOGO: Y HOY ¿DEBE EXISTIR AUSCHWITZ?

No hace mucho, un artículo en *El País* resaltaba que el Memorial y Museo de Auschwitz-Birkenau blindaba su mantenimiento gracias a un fondo internacional con aportaciones de diversos países, encabezados por Alemania, Estados Unidos y Polonia; mientras que España, no obstante su inicial disposición favorable, no aporta nada hasta el momento[209]. Quizás aquí se piensa que Auschwitz nos queda lejos. Lejos física, temporal y emocionalmente. Es un error porque Auschwitz es un aviso histórico para el presente, un recuerdo mundial sin exclusiones. No hay fronteras para la memoria, como tampoco las hay para el totalitarismo, el antisemitismo, el fanatismo o la intolerancia al diferente.

Auschwitz pasó de ser el símbolo del horror hitleriano a un incómodo testigo de las atrocidades del régimen nazi. Incómodo por la magnitud de los restos que se conservaban, 200 hectáreas donde entraban decenas de edificios, barracones, ruinas, kilómetros de vallas alambradas y miles de enseres como zapatos, maletas, gafas, prótesis y diversos utensilios de las víctimas. Las espectaculares cifras de los restos conservados reflejan a las claras las también espectaculares cifras del horror vivido entre 1940 y 1945: aproximadamente 1.100.000 personas asesinadas (la longitud del número de siete dígitos se representa mejor numéricamente que en letras). De ellos el 90% fueron judíos, un millón.

---

[209] El País, 16/11/2014 (última consulta: 20/06/2016):

http://cultura.elpais.com/cultura/2014/11/15/actualidad/1416075007_940407.html

Desde 1947 se acordó que Auschwitz debía ser un museo del horror, el auténtico y real museo de los horrores, gratuito y universal. Pero claro, el paso del tiempo deteriora el centro, se necesita personal que atienda las instalaciones, guías para los grupos, expertos que estudien todas las dimensiones del fenómeno Auschwitz. En definitiva, se necesitan unos recursos que el gobierno polaco en solitario no puede garantizar y por eso es tan importante que el Memorial y Museo de Auschwitz sea costeado por un fondo internacional, creado en enero de 2009. Asistimos a otro fenómeno que, unido a las dimensiones del campo, hace necesario aumentar el presupuesto: la cantidad de visitantes anuales, que en la actualidad se cuentan por decenas de miles.

Casi todo lo que rodea a Auschwitz genera polémica. La primera y principal es el respeto a la memoria de las víctimas y el estatus del museo como antiguo campo de exterminio y máxima muestra del horror genocida del nazismo. Esta finalidad ejemplarizante se ve reñida con los miles de turistas que acuden al campo; como el escritor y superviviente Boris Pahor relataba a propósito del campo de Natzweiler-Struthhof en los Vosgos, en su novela *Necrópolis*, la gran mayoría de visitantes tiene a Auschwitz como un punto de itinerario más entre Cracovia y Varsovia, donde después de haber respirado el horror, se va a comer alguna hamburguesa al McDonalds más cercano o, lo que es peor, se visionan las fotos tomadas in situ, los barracones donde tantos dieron la vida, mientras se intercambian chispeantes mensajes de móvil con el amigo que se ha quedado trabajando. La fiebre por fotografiar todo y a todos hacen que, sin

darnos cuenta, los límites de lo decente queden lejos, como les sucedió a aquellas estudiantes israelíes que tuvieron que quitar de Facebook selfies y fotos hechos en el campo durante una visita de junio de 2014, en los que aparecían bromeando.

Los responsables del Museo alegan que son precisamente esos miles de visitantes los que hacen que aquél permanezca abierto y operativo. No es argumento despreciable. Ahora se busca más financiación en los diversos países, dedicando barracones a las víctimas de diferentes nacionalidades. No obstante, la realidad dista de las necesidades de financiación. Los barracones eran compartidos por prisioneros de todas las nacionalidades, judíos principalmente, sin distinción alguna para los verdugos. ¿Es legítimo entonces dividir los barracones por países? Aun más: ¿es ético retocar las fotografías de la época que muestran los horrores experimentados para hacerlas más visibles en la actualidad? El historiador y filósofo George Didi-Huberman muestra en su libro *Cortezas* su estupefacción durante una visita a Auschwitz, cuando observa que una de las dos fotos existentes tomadas por presos del crematorio, aún a riesgo de sus vidas, atestiguando entre humo la incineración de cientos de asesinados —una foto torcida y sin enfocar—, ha sido retocada para darle más visibilidad en el transcurso de la visita al recinto. Pero ¿no nos dice más la foto real que la retocada actual por mucho que se viese peor?

Además, ¿se pueden recrear las partes que están en ruinas tras su destrucción por parte de los propios nazis? ¿Es lícito reparar con nuevos materiales aquellas zonas que se van deteriorando por el paso del tiempo? Ni todos los expertos, museólogos, historiadores,

filósofos ni, por supuesto, tampoco todos los supervivientes de Auschwitz, lo tienen tan claro. Cualquier retoque o actuación en Auschwitz va acompañada de discusión, defensores y detractores. Es también la evidencia de hasta qué punto sigue siendo una herida abierta en el corazón de la Europa civilizada, culta, moderna. Algo que no es una cuestión del pasado, sino del presente, sumamente delicado de manejar. Preservar para no olvidar, aunque sea, como diría Kertész, para conocer el lugar donde se puso fin a una cultura de dos mil años[210] o permitir la elocuencia de las ruinas. Por poco menos se hacen muchas películas.

Auschwitz nos trae siempre lo más negro y polémico de la memoria. También existen las campañas de desinformación en medios, literatura y cine, donde el campo de exterminio aparece como lugar de muerte de diversos colectivos. En absoluto era su finalidad abarcar a todo el mundo. El objetivo principal era y siguió siendo acabar con los judíos. En 1987 se hizo una colecta en Bélgica para ampliar un convento de monjas carmelitas en Auschwitz. Las religiosas alegaban que entre sus oraciones tenían en cuenta al más del millón de asesinados en el campo de exterminio, pero pronto surgieron voces discordantes en las comunidades judías quejándose, con razón, de que no tenían derecho a una apropiación intolerable. Se decidió entonces llevar el convento a otra parte más alejada del recinto y una furiosa campaña de antisemitismo estalló en varios

---

[210]   http://cultura.elpais.com/cultura/2013/07/16/actualidad/1373986219_5 92216.html (última consulta: 05/09/2018).

medios de Europa, que sin embargo apenas recordaron el papel ambiguo de la Iglesia Católica durante el Holocausto. En aquellos momentos, Claude Lanzmann, en una entrevista sobre el particular, daba en la diana de lo que fue Auschwitz, ni más ni menos que la fábrica de muerte más elaborada de la llamada solución final al problema judío, como se vio obligado a recordar:

El exterminio de los judíos fue algo por completo singular y específico. La muerte mediante gas fue administrada sólo a los judíos y únicamente a los judíos. Una excepción: algunas decenas de millares de gitanos en 1944, en el crematorio V de Auschwitz. No hubo polacos gaseados. Eso no existió[211].

---

[211] Claude Lanzmann, «Los judíos han perdido la batalla del Carmelo de Auschwitz». En: *La tumba del sublime nadador*, Almería, Confluencias, 2014, p. 416.

LA MUJER Y EL TERCER REICH[212]

---

[212] En 2012, con motivo del Día Internacional de la Mujer (8 de marzo), realizamos este trabajo que reivindica el papel de la mujer durante el III Reich y el Holocausto, no siempre suficientemente valorado. Víctimas y verdugos, resistentes, autoras y pensadoras, su papel es esencial para entender esta época. Desde la Fundación Violeta Friedman, una de esas mujeres de coraje, superviviente y que pleiteó durante años en los tribunales españoles contra el negacionista y nazi Leon Degrelle, tuvimos la suerte de que su hija Patricia Weisz nos hablase de la experiencia de Violeta en el campo de exterminio. Fue en la Biblioteca Pública Municipal de Conde Duque en enero de 2012. Se acompañó de una muestra fotográfica sobre Auschwitz-Birkenau, también cortesía de la Fundación Violeta Friedman.

INTRODUCCIÓN: WEIMAR

El Día Internacional de la Mujer, celebrado un 8 de marzo, tuvo su primera convocatoria en 1911 en Alemania —en un principio el 19 de marzo— y reivindicaba la igualdad con el hombre, derecho al voto y al trabajo y, en definitiva, el fin de la discriminación. Fue en 1914 cuando por primera vez se reconoció oficialmente esta celebración tanto en Suecia y Rusia como también en Alemania.

Sería igualmente un alemán, Friedrich Engels (1820-1895), uno de los primeros ideólogos masculinos en defender desde su pensamiento revolucionario la emancipación y total liberación de la mujer de la servidumbre del hombre.

La República de Weimar (1918-1933), el régimen surgido en Alemania de las ruinas de la Primera Guerra Mundial, consiguió para la mujer muchas de las metas de justicia que perseguían y su pionera Constitución las equiparaba a los hombres. Pocos años más tarde sería, sin embargo, en esa misma Alemania donde la mujer volvería a encontrarse arrinconada en el papel de madre y fiel esposa. Rosenberg, el ideólogo del nazismo, utilizará un burdo juego de palabras para hablar de la necesidad de emancipar a las mujeres de la emancipación de la mujer. Con la subida al poder de Adolf Hitler en enero de 1933, el destino de la mujer será unívoco: la madre y esposa como modelo, el adoctrinamiento más rancio como educación, la exclusión total de la política. Si en el último parlamento de la república de Weimar había 37 mujeres entre los 577 escaños (una cifra

modesta pero significativa), en noviembre de 1933, con los nazis recién instalados en el poder, el número se reduce a cero.

Se trató de una regresión en toda regla, puesto que, poco antes, en Weimar las mujeres habían alcanzado un estatus muy similar al hombre. Debido a la necesidad de mano de obra, durante la Gran Guerra, habían tenido que ocuparse de labores hasta entonces reservadas a los hombres, fundamentalmente en la industria, el comercio y los servicios. El déficit de población masculina tras la conflagración hizo que muchas mujeres siguieran conservando su trabajo, consiguiendo recursos por sí mismas, aun percibiendo sueldos más bajos por el mismo empleo (entre un 10 y un 25 % menos con el pretexto de que, al saber coser, lavar y cocinar, tenían menores gastos de hogar).

La nueva Constitución de Weimar les conferió también derecho al voto y acceso pleno a la educación. Parecía cumplirse paulatinamente el objetivo de la igualdad, salvo en algunas zonas rurales y católicas del sur como Baviera —la cuna del nazismo—, donde la mujer seguía supeditada al padre, hermano o marido.

Una nueva clase mujer, que repudiaba el tradicional papel de ama de casa, surgió en Weimar: trabajadoras, intelectuales, liberales, artistas de renombre internacional, mujeres desinhibidas, a la moda del momento y, que por vez primera, se atreven a fumar en público. En los cabarés berlineses de los años 20 se exhibe en su faceta más libre y provocadora, mostrándose dueña de su sexualidad y de una visión irónica sobre el macho en canciones rebosantes de un humor mordaz.

Incluso aparecen lo nunca visto durante el antiguo régimen prusiano: mujeres comprometidas, que sobresalen en política, como la activista Rosa Luxemburg (1871-1919), asesinada precisamente por aquellos que no toleraban sus dos condiciones: mujer y comunista.

KINDER, KÜCHE, KIRCHE

Niños, cocina e iglesia eran las tres K que la sociedad conservadora alemana reservaba a la mujer. Papel que Hitler y su movimiento harán suyos —al menos los dos primeros— como reacción a la libertad y emancipación de Weimar. El nazismo será un pensamiento eminentemente masculino y misógino, pero explotará a la perfección la imagen de una mujer entregada a su ideal, englobando en su organización —sin ningún poder decisorio— a muchas de ellas, seducidas por la verborrea de sus líderes.

«Las respetamos demasiado para mantenerles en contacto con las miasmas de la democracia parlamentaria», dirá el flamante Ministro de Propaganda, Joseph Goebbels. Para los gerifaltes del partido, el prototipo ideal de mujer aria será rubio, de ojos azules, sin apenas maquillaje y con anchas caderas, promesa de una fecunda descendencia. No debía fumar para no perjudicar a sus hijos, pues ante todo su deber era el de ser madre. La mujer liberada de Weimar se convirtió con los nazis en «antisocial»; la sexualidad quedó restringida al matrimonio y la reproducción; el aborto, perseguido

severamente. El 12 de agosto se oficializa como Día de la Maternidad y se premian a las familias numerosas que permiten, en palabras del Fürher, «la permanencia de nuestra raza».

La mujer sale del mercado laboral y vuelve a ser confinada en el hogar familiar, donde su educación se limitará a labores domésticas como el bordado, la cocina, la limpieza, la administración y control de la casa, etc... La inmensa mayoría de los puestos directivos y de responsabilidad le estaba vedada. No sólo en la política o en la administración a cualquier nivel, sino también en el derecho, la medicina y hasta la teología. De la enseñanza, en especial universitaria, las mujeres desaparecerán casi por completo (se fijó en un 10% el numerus clausus de estudiantes femeninas) o les estará prohibida la docencia; y en la enseñanza secundaria se segregó un programa de estudios exclusivamente femenino, en el que las asignaturas que posibilitaban el acceso a la universidad fueron sustituidas por otras materias de labores del hogar. Por el contrario, las mujeres «arias» se encuadran masivamente en organizaciones como la Liga de Jóvenes Alemanas (equivalente femenino de las Juventudes Hitlerianas, dos millones de afiliadas en 1938), la Unión de Mujeres Nacionalsocialistas y la Liga de Mujeres de Alemania, estas dos últimas asociaciones controladas por Gertrud Scholtz-Klink, un remedo de las peores brujas o amas de llaves de cualquier película de terror gótico.

No obstante, esta discriminación no nos debe hacer olvidar el hecho de que las mujeres alemanas, en un abrumador porcentaje, fueron uno de los más firmes pilares del régimen hitleriano. Basta ver

cualquier filmación de apariciones públicas de Hitler y el entusiasmo delirante de sus admiradoras, para constatar que lograr la adhesión del mundo femenino fue la última de sus preocupaciones. Defenderlas, como han intentado algunas feministas, arguyendo que las mujeres alemanas eran víctimas del nazismo antes que sus cómplices, significa negarles cualquier capacidad de decisión y autonomía —exactamente la misma posición sustentada por los propios nazis—, para reducirlas al papel de débiles mentales o menores de edad. Las mujeres alemanas, que apoyaron masivamente el nazismo, no fueron sólo seguidoras pasivas, sino soportes muy activos del régimen y, cuando se les dio la oportunidad, perpetradoras tan crueles como los hombres de las peores atrocidades. Pensar que el mero hecho de ser mujeres las preservaría de implicarse en el crimen contiene un prejuicio humillante para cualquier mujer, digno del machista más recalcitrante, por más que lo sostenga una feminista. Precisamente porque estuvieron a la altura de los hombres también a la hora de la barbarie, las mujeres nazis demostraron que no había ningún motivo para discriminarlas, ni siquiera a la hora de enviarlas a la horca, como entendieron los tribunales de guerra.

Los cargos directivos nazis ocupados por mujeres repetían en su mayor parte el perfil arribista de los masculinos: extracción modesta (hijas de obreros o pequeños empleados), bajo nivel cultural, fanatismo ideológico… Inge Viermetz, responsable de Lebensborn («Fuente de vida»), el organismo encargado de implementar las medidas de eugenesia positiva, es decir, de estimular la reproducción

de los más aptos, era una simple secretaria. La primera dirigente de la Liga de Jóvenes Alemanas (el equivalente femenino de las Juventudes Hitlerianas), Trude Mohr, era una antigua cartera sin estudios secundarios. La todopoderosa y avinagrada Gertrud Scholtz-Klink, la Führer de las mujeres arias, era maestra. Mujeres brillantes en el nazismo como Leni Riefenstahl o Hanna Reitsch fueron pocas, exóticas y sirvieron ante todo para confirmar la regla.

En cuanto a la organización del ocio, para estar entretenida en el amplio tiempo libre que le quedaba tras atender a su familia y ordenar la casa, se fomentó la colaboración de la mujer en tareas sociales, visitas a la iglesia o la lectura de la revista NS Frauen-Warte, única publicación periódica femenina permitida por el régimen, donde, como es de suponer, se ensalza a la esposa y madre virtuosa.

La guerra —tras los primeros reveses nazis desde 1941— hizo que las mujeres volvieran a cobrar cierto protagonismo en tareas auxiliares, como había ocurrido en 1914-1918. Carteras, camareras, secretarias e incluso obreras de fábricas de armamento suplirán la mano de obra que marchó al frente o que no alcanzaba a cubrir la mano de obra esclava. No obstante, la propaganda siempre mantuvo a la mujer en la creencia de que vivía en el mejor de los mundos posibles, abnegada frente al «sufrimiento» del hombre e incluso siendo más fanáticas que los propios nazis, como se demuestra en los casos extremos de guardianas de campos de exterminio o en los últimos meses de la conflagración, donde las mujeres contribuyeron muchas veces a mantener alta una moral ya tocada de muerte.

NAZIS EN FEMENINO

Desde el inicio del nuevo régimen, las esposas de los jerarcas nazis se convirtieron en espejos de las virtudes de la mujer aria: devoción, amor incondicional al esposo, papel subalterno y fanática adhesión a los principios del nacionalsocialismo. En palabras de Heinrich Himmler: «Una mujer es amada por un hombre de tres maneras. Como niña querida a la que hay que reñir y quizá también castigar por su sinrazón [...] Luego como esposa leal y comprensiva, que comparte la vida con uno luchando [...] Y como diosa a la que se le deben besar los pies».

La ordenanza Lebensborn de 1936 prescribía que todos los miembros de las SS debían ser padres de cuatro hijos al menos, dentro o fuera del matrimonio. Se protegían a los descendientes bastardos y a sus madres, y el propio Himmler llegó a adoptar a un niño de un oficial SS fallecido.

Dejando aparte el caso de Hitler, cuyas complicadas relaciones con el sexo femenino son pasto de psiquiatras, las mujeres de los mandatarios nazis y otras muy apegadas al régimen se convertirían en iconos de la propaganda nazi, lo cual no obsta para que, como escribiera Goebbels, para los nazis «la mujer es compañera sexual y de trabajo del hombre» y nada más. He aquí algunas de las más conspicuas mujeres nazis:

Margarete Himmler (1893-1967)

En 1928 Heinrich Himmler se casó con «Marga» (Siegroth por su primer matrimonio, Boden de soltera), una enfermera de treinta y cinco años —siete más que el marido—, divorciada y protestante. Por todas estas razones la muy católica familia de Himmler rechazó la unión, algo por otra parte sensato dado el estado mental de Marga —una mujer huraña, propensa a las depresiones y los ataques violentos—. El matrimonio tuvo sólo una hija, Gudrun (Puppi), tres descendientes por debajo de la ratio impuesta en sus propias SS, aunque también adoptó a un huérfano de cinco años de un oficial SS. Cuando Himmler asuma la jefatura del aparato ejecutor y represivo del Estado dejará prácticamente de ver a Marga, tomando como amante a su secretaria, Hedwig Potthast, una angelical jovencita con la que tendrá dos bastardos. Marga será voluntaria de la Cruz Roja alemana y trabajará en Polonia, de cuya población dirá: «la mayoría de esa chusma judía, los polacones, ni siquiera tiene aspecto de seres humanos». El reciente descubrimiento de correspondencia inédita entre los esposos Himmler[213] muestra un matrimonio de lo más convencional, nada atormentado por la matanza en marcha a gran escala y que compartían hasta el antisemitismo. Cuando ella se quejó a su «Heini» de los «miserables judíos» en 1929, él la tranquilizó con un premonitorio: «No te irrites con los judíos, buena mujer, que yo puedo ayudarte». Según testimonios de algunos nazis, en presencia

---

[213]

http://www.telegraphindia.com/1140128/jsp/foreign/story_17871626.jsp#.V0VtGPC_v9I (última consulta: 05/09/2018).

de su mujer Himmler se convertía en un calzonazos. Las mujeres de los otros altos cargos la odiaban y procuraban evitarla debido a su mal carácter. Madre e hija fueron liberadas en 1946 por los americanos, que calificaron a la primera de mujer de mentalidad pueblerina. Tras diversos procesos, en 1953 sería al fin condenada a… 30 días de trabajos comunitarios y la pérdida de la pensión y el derecho a voto; leve castigo para esta Lady Macbeth, que jamás mostró pesar o arrepentimiento por el genocidio dirigido por su marido, ni jamás abdicó del credo nazi y del antisemitismo, al igual que su hija Gudrun. Pasó sus últimos años viviendo con una hermana en Munich, mientras que la hija casó con un político de extrema derecha y se dedicó a prestar apoyo legal a antiguos nazis perseguidos.

Magda Goebbels (1901-1945)

La ambiciosa y adinerada —por su primer matrimonio con el industrial Günther Quandt— Magda se convirtió en una ferviente nacionalsocialista y admiradora de Hitler —a pesar de tener un padre judío, al que dejó morir en Buchenwald—. En 1931 se casó con Joseph Goebbels, al que algunos consideran la segunda opción después del inalcanzable Führer. Magda encarnará el ideal de mujer y esposa nacionalsocialista, pese a que pronto no soportará a su marido, cuyas frecuentes aventuras con otras mujeres son vox populi. El matrimonio tendrá seis hijos, puntualmente envenados por la madre en la Cancillería de Berlín durante los últimos días de la guerra, antes de que marido y mujer se suicidaran, convencidos de que «el mundo que

vendrá detrás del Führer y el nacionalsocialismo no merece la pena ser vivido». El reciente descubrimiento de su sangre judía por parte de padre, la convierte en otro interesante caso de «autoodio judío».

Emmy Göring (1893-1973)

El obeso y morfinómano Hermann Göring se casó con esta actriz de segunda que ya entraba en su decadencia profesional a los cuarenta y dos años. Por su aspecto de mujer germánica ideal y su afabilidad fue considerada —hasta la llegada de Magda Goebbels— como la «primera dama del Reich». La jornada de la boda de ambos, el 10 de abril de 1935, fue declarada festiva en Berlín. Parece que Emmy intercedió por algunos artistas judíos durante la persecución. Esta señora Millonetis del nazismo salió bien parada al finalizar la guerra: cumplió sólo un año de cárcel y fue exonerada de culpa; sólo su patrimonio —fruto del expolio sistemático a las víctimas por parte de Göring— le fue arrebatado. Durante el resto de su vida defendería la memoria del gordo mariscal, publicando en 1972 un laudatorio Mi vida con Goering. Vivió en un pisito con su hija Edda, notoria militante neonazi.

Gerda Bormann (1909-1946)

Si hubo alguna vez durante el Tercer Reich una persona digna no se sabe si de desprecio o lástima, esa fue Gerda, la mujer de Martin Bormann, el depravado, borracho y manipulador jefe de la cancillería del Reich, secretario particular de Hitler. Gerda era hija de Walter Buch, un jerarca nazi que se suicidó tras la guerra. Ante el trato brutal de su marido, que la humillaba obligándola a acoger a sus numerosas

amantes o la mandaba a cientos de kilómetros a por ropa después de alguna orgía, Gerda siempre transigía e incluso le ayudaba a tomar sus decisiones políticas y amatorias, llegando a aconsejar a Bormann que tuviera hijos en años alternos con ella y sus amantes. Al respecto escribió: «Sería bueno que al final de la guerra se aprobara una ley que permitiera a los hombres sanos y válidos el derecho a tener dos mujeres. Habrá tan pocos hombres valiosos que sobrevivan a esta azarosa lucha, tantas mujeres valiosas condenadas a no tener hijos...» Murió de cáncer con treinta y siete años, en 1946, en una localidad del norte de Italia, adonde había huido con nueve de sus diez hijos. Esta fanática nazi ha quedado como muestra de hasta qué extremos de autoanulación podía llegar una mujer durante el régimen hitleriano.

Lina Heydrich (1911-1985)

Fanática nacionalsocialista y esposa del temible «arquitecto» de la Solución Final, Reinhardt Heydrich. Fue ella de hecho —que pertenecía al partido desde 1929— la que instó a su marido a entrar en las SS. Parece ser que Lina le fue infiel con otro oficial SS, Walter Schellenberg, al que Heydrich amenazó mientras que él mismo frecuentaba burdeles. Después del asesinato de Heydrich en Praga el 27 de mayo de 1942, Lina vivió fastuosamente como viuda de un «héroe» del Reich. Tras la derrota nazi, no sólo nadie le tocó un pelo, sino que, en calidad de viuda de un general muerto en acción, recibió una generosa pensión. Después de la guerra se desmarcó de las decisiones genocidas de su marido, pero nunca de la ideología nacionalsocialista; a ambos los defendió tan tarde como 1976,

escribiendo un opúsculo laudatorio titulado Viviendo con un criminal de guerra.

Gertrud Scholtz-Klink (1902-1999)

Nombrada por Hitler *Reichführerin* de la Unión de Mujeres Nacionalsocialistas (fühereresa o máxima autoridad de las mujeres), esta maestra de escuela fue una de las principales caras femeninas del régimen con su aspecto severo y virtuoso, cumplidora y al mismo tiempo garante de los ideales de la mujer. Su divisa era: «La mujer alemana tiene que trabajar y trabajar, física y mentalmente, y debe renunciar a lujos y placeres». En sus discursos insistía en la función procreadora, de la que ella misma dio cumplido ejemplo pariendo once veces con tres diferentes procreadores, tipos heroicos sin duda. Tras la guerra, los soviéticos la encerraron en un campo de concentración, pero logró escapar junto a su tercer marido (un alto cargo SS), hasta que en 1948 volvieron a ser detenidos, esta vez por los norteamericanos, y condenados a penas de cárcel. Liberada en 1953 y protegida por una aristócrata que la acogió en su castillo, Gertrud vivió holgadamente el resto de su vida, dándole tiempo a escribir un panfleto falsamente idílico y pronazi en 1978: La mujer en el Tercer Reich. Como tantos otros nazis, jamás renegó de sus creencias. Basta contemplar cualquier fotograma de Rebecca, rodada en 1940, para saber en quién se inspiró Hitchcock (hasta en el peinado) para el siniestro personaje del ama de llaves.

Leni Riefenstahl (1902-2003)

Esta mujer emancipada, salida directamente de la república de Weimar, compró su libertad e independencia entre los fascistas al precio de proyectar en sus grandilocuentes filmes la imagen de una mujer florero. Se convirtió en la directora de cine predilecta de los nazis, o al menos de Hitler, porque Goebbels la aborrecía. Fue autora de los primeros documentales propagandísticos del régimen —*Victoria de fe* (1933), *El triunfo de la voluntad* (1935) y *Olympia* (1938)—, y una brillante creadora del uso de la imagen como medio de manipulación de las masas. Poco a poco, sin embargo, fue distanciándose del poder, lo cual no fue óbice para ser enjuiciada tras la guerra en los procesos de desnazificación, que la condenaron al ostracismo y a ciertas estrecheces económicas. A partir de los años setenta, la Riefenstahl volvió a emerger con algunos reportajes fotográficos de interés, en especial el dedicado a los nuba, tribu de Sudán. Posiblemente ella y Hugo Boss (el sastre de las SS) sean los dos únicos artistas nazis que han dejado una huella perdurable en el arte posterior.

Hanna Reitsch (1912-1979)

En la película El hundimiento, que relata los últimos días de un Hitler enfermo, decrépito y demente en el búnker de la cancillería, aparece una aviadora, tan heroica como fanática, que burla el asedio soviético para rendir la última pleitesía a su Führer. Esa menuda mujer era Hanna Reitsch, temeraria piloto de pruebas —fue la única mujer en recibir la cruz de hierro de primera clase por algunas de sus osadas acciones—, y una convencida nacionalsocialista, aunque nunca se

afiliara al partido. En 1944 presentó a Hitler un proyecto de pilotos kamikazes que frustró la derrota alemana. El suicidio era cosa de familia: ante el temor a ser repatriados a la zona soviética, de la que provenían, el padre de Hanna Reitsch asesinó a toda la familia (madre, otra hija y tres nietos) antes de suicidarse él mismo. Tras la guerra, la Reitsch fue encarcelada por los Aliados. Una vez liberada, se nacionalizó austriaca porque entendía que en Alemania se la discriminaba por sus ideas políticas y, ante la prohibición de vuelo convencional, retomó su primera afición: el vuelo sin motor. Ganó medallas y batió récords de vuelo sin motor, Kennedy la recibió en la Casa Blanca y terminó trabajando como instructora de vuelo en Ghana, para un dictador africano comunista, Kwame Nkrumah, con el que mantuvo una relación, según algunos, más que íntima, que le hizo cambiar sus ideas racistas. Algunas de ellas al menos, porque en 1970, en su última entrevista concedida, manifestaba creer aún en el nacionalsocialismo y declaraba que la única culpa que sentía con respecto a la guerra era haberla perdido. Algunos rumores especulan con que Reitsch pudo suicidarse con la misma cápsula de cianuro que le diera Hitler en los últimos días del búnker de Berlín, treinta y cuatro años antes.

Junto a Lenni Riefenstahl, se convirtió en una de las muy escasas mujeres que logró hacer carrera en la misógina época nazi en una profesión de hombres. Los nazis guardaban a estos exóticos ejemplares como curiosidad propagandística, una especie de «varones honorarios», el equivalente exacto de los judíos con los que,

en vista de sus méritos, se hizo una excepción, nombrándolos «arios honorarios».

Kitty Schmidt (1882-1954)

Katharina Zammit, alias Kitty Schmidt, hija de un carnicero, fue madama del Salón Kitty, el burdel de Berlín que en 1939 pasó a formar parte del sistema de información de la Gestapo, que lo llenó de micrófonos ocultos y adiestró a sus fulanas para sonsacar información a los clientes: diplomáticos, políticos y gente de la alta sociedad, además de los jerarcas nazis, entre los que se incluía el propio Goebbels. Veinte prostitutas estaban entrenadas en técnicas de escucha y espionaje bajo el mando de Kitty. El local fue destruido durante un bombardeo en 1942 y el espionaje se abandonó tras la obligada mudanza de sede. Tras la guerra no sólo no fue encausada por su relación con el nazismo, sino que según algunos, siguió regentando el burdel.

Zarah Leander (1907-1981)

Esta discreta actriz y cantante sueca, que tuvo que marchar a Viena para darse a conocer, se convirtió en los años treinta en la más famosa estrella de la Alemania nazi. Fue utilizada por Goebbels para tratar de contrarrestar la figura incomparable de Marlene Dietrich. La imagen y voz de Leander estuvo presente en todos los hogares alemanes durante años, aunque nunca se afilió al partido nazi. En 1943, tras ser bombardeada su lujosa villa —sede de fastuosas fiestas en la época de esplendor—, abandonó precipitadamente Alemania y regesó a Suecia, donde el público le volvió la espalda por su

implicación con los verdugos. Ya nunca volvería a recuperar su estrellato y aunque siempre negó cualquier simpatía por el nazismo, nadie le perdonó que su fama y dinero procedieran de las manos de los asesinos, que la utilizaron muy convenientemente en su propaganda. Tras la guerra volvió a cantar en Austria y Alemania ante un público nostálgico, compuesto en buena parte de antiguos nazis malamente reconvertidos. Ni siquiera una sueca puede hacerse la sueca en medio de genocidas.

Otras figuras femeninas menores fueron:

Carin Göring (1888-1931)

Primera mujer de Hermann Göring, de origen sueco y que durante tiempo simbolizó el ideal de mujer nórdica. Fue una convencida nacionalsocialista desde antes de la llegada de los nazis al poder: «Pongo toda mi esperanza en Hitler», llegó a declarar por entonces. Murió de un ataque cardiaco poco después de hacerlo su madre de tuberculosis.

Olga Chéjova (1897-1980)

Actriz rusa de origen alemán que frecuentaba los círculos nazis, donde era muy admirada, tanto por Goebbels como por Hitler, que apreciaban su porte aristocrástico. La Chéjova era sobrina de la mujer del escritor Antón Chéjov, y se casó además con un sobrino de este último, el también actor Mijaíl Chéjov. Tras la guerra se especuló sobre su condición más que probable de espía para la Rusia soviética, lo que parece confirmar su residencia en el Berlín soviético. En 1949

se hartó de sus amigos comunistas y escapó a Munich, donde montó una empresa de cosméticos y continuó apareciendo en pequeños papelitos de cine. Nunca hubiera podido imaginar su tío, el escritor ruso, que esta delicada belleza, escapada de una de sus obras (de La gaviota acaso), terminaría convertida en icono de los nuevos bárbaros.

Marika Rökk (1913-2004)

Actriz de origen húngaro que se convirtió en una de las primeras estrellas de cine de la Alemania nazi, casi al nivel de Zarah Leander. Goebbels la lanzó como la réplica alemana a las estrellas del cine musical de Hollywood. La Rökk se especializó en ligeras comedias musicales. Como anécdota, protagonizó la primera película alemana en color: Las mujeres son mejores diplomáticas.

Henriette Von Schirach (1913-1992)

Hija del fotógrafo personal de Hitler, Heinrich Hoffmann, y esposa de Baldur Von Schirach, líder de las Juventudes Hitlerianas, Henriette no podía por menos, con esos antecedentes, de ser una nacionalsocialista acérrima desde que el Führer visitase y conociese a sus padres en los años veinte, siendo ella una niña. En 1980 publicó un libro de memorias titulado Mujeres en torno a Hitler, donde definía al Führer como un «amable austriaco» que «pretendía hacer un poco más feliz a los demás y a sí mismo», una curiosa manera de describir al mayor genocida de la historia que podría llevar a confundirlo con Mozart. Henriette fue uno de los pocos alemanes que nunca ocultó su conocimiento del plan de deportación y exterminio

de los judíos, lo cual no le impidió vivir una larga y placentera existencia, alejada de los tribunales.

Unity Mitford (1914-1948)

Prima de la esposa de Churchill, Unity (pronúnciese 'yúniti') fue la díscola de una familia de la alta sociedad británica. Las seis hermanas Mitford son el antecedente británico y refinado de las horteras Kardashian: una fratría que ha dado mucho que hablar y escribir. En la botica de las Mitford había de todo: una novelista (Nancy, la mayor), una granjera (Pamela), una fascista (Diana), la nazi Unity, una comunista (Jessica, que compartía dormitorio con Unity) y una duquesa (la benjamín Deborah); por no hablar del único varón, Thomas, otro zángano fascista, que se redimió cayendo en combate en Birmania. Los antecedentes de Unity son de los que inclinan al fatalismo: fue concebida en un pueblo canadiense llamado Swastica, donde la familia tenía minas de oro, y su abuelo paterno fue traductor y admirador de Houston Stweart Chamberlain, uno de los mayores ideólogos antisemitas. Unity no era de las que se rebelan contra el destino: fue ferviente admiradora de Hitler («más nazi que los nazis», según un informe del servicio secreto británico) y, dirigente junto con su cuñado, Oswald Mosley, de la organización Unión Británica de Fascistas. Afiliada al partido nazi, posiblemente se enamoró del Führer —criticaba continuamente a Eva Braun—, que la utilizó para tratar de ganar adeptos en Gran Bretaña. Con el inicio de la guerra y la confrontación entre ingleses y alemanes, Unity sufrió una crisis de lealtades y se intentó suicidar disparándose en la cabeza. Es algo que

debiera haber encargado a su mayordomo; ella era una inútil y no acertó. Sobrevivió con graves secuelas, a consecuencia de las cuales fallecería nueve años más tarde.

LAS MUJERES DE HITLER

Más de uno se preguntará hoy cómo ninguna mujer alemana podía quedar cautivada por un individuo que perdía fácilmente los estribos, recordaba en sus muecas espasmódicas a un títere de guiñol y se hallaba en las antípodas de cualquier ideal nórdico de belleza. Y, sin embargo, son numerosos los testimonios que hablan del gran poder de seducción del ridículo cabo entre las mujeres, atraídas quizás por su carácter histriónico y exageradas maneras. Si veían en él a una encarnación del guerrero romántico, no podían andar más equivocadas, pues lo cierto es que Hitler fue no sólo un acérrimo misógino, sino de una frialdad afectiva y una falta de empatía que ya quisiera para sí cualquier asesino en serie de nuestros días. Sus dificultades para relacionarse con el sexo opuesto son bien conocidas, por no hablar de los interminables debates sobre su sexualidad problemática, o acaso inexistente, que él sublimaba en público afirmando estar casado ya con la patria.

En casi todas las manifestaciones de adhesión al régimen se veía una inmensa mayoría de mujeres extasiadas ante el paso del Führer, llegando en algunos casos a regalarle objetos de valor —como Helene

Bechstein, que le compraría una limusina de lujo por valor de 26.000 marcos—, mientras Hitler las utilizaba de manera propagandística. El déspota opinaba que «una mujer que se mete en política me parece un espanto» o «mala cosa cuando una mujer empieza a pensar en las cuestiones existenciales». Hitler llegó a equiparar en privado a las mujeres con retrasados mentales necesitados de corrección, protección y ayuda.

No obstante, muchas fueron las mujeres que influyeron en el comportamiento del dictador, empezando por su propia madre y terminando por su esposa —al menos por un día— Eva Braun, junto a la que terminaría suicidándose. Estas son algunas de esas mujeres de Hitler:

Klara Hitler (1860-1907)

La protectora y cariñosa madre del dictador era el contrapeso a la rigidez del padre, Alois Hitler. Ello significó que, a la muerte de éste en 1903, consintiera todas las veleidades del entonces joven Adolf: el abandono de sus estudios y sufragarle los pagos de su viaje a Viena con la excusa de aprender pintura. La enfermedad y muerte por cáncer de Klara traumatizó a Hitler, que conservaría siempre un tierno recuerdo de la madre, quizás el único sentimiento de afecto sincero hacia una mujer.

Paula Hitler (1896-1960)

La única hermana de sangre de Adolf —otros cuatro niños del matrimonio Hitler morirían antes de llegar a la mayoría de edad— nunca gozó del aprecio de este. Desde la muerte de Klara en 1907,

prácticamente no se verían más e incluso Hitler le sugirió que se cambiase el nombre a Wolf. Paula nunca estuvo afiliada al partido nazi, pero recibió ayudas económicas de su hermano. Al finalizar la guerra fue desposeída de sus bienes y tuvo que vivir de la caridad de sus amistades. No se casó nunca. No obstante, ante las tropas norteamericanas declaró: «El destino final de mi hermano me afectó muchísimo. Él fue mi hermano, no importa qué haya ocurrido. Su final me trajo una indescriptible tristeza como hermana».

Angela Hitler (1883-1949)

Medio hermana de Hitler (hija de Alois Hitler y su segunda esposa Franziska Matzelsberger) al que llevaba seis años, cuando aquél fue confinado en 1924 en Lansberg por el fallido putsch de Munich, Angela le visitó asiduamente y reanudó relaciones con el hermanastro al que no veía desde antes de la primera guerra. Posteriormente sería guardesa del Berghof, la residencia favorita del líder nazi, situada en el Obersalzberg, los Alpes bávaros. Enemiga de Eva Braun, finalmente fue trasladada a Dresde, donde transcurrió casi toda la guerra. Angela era el único miembro de su familia con quien Hitler mantenía alguna relación. En 1945 la envió a Berchtesgaden para destruir documentos junto a su secretaria personal. A pesar de que Hitler la considerase a ella y a su hermana Paula como unas «gansas estúpidas», Angela siempre defendió la inocencia de su hermanastro Adolf en el Holocausto, confirmando de paso la descripción que de ella hizo el Führer.

Geli Raubal (1908-1931)

Una de las víctimas del carácter cruel de Hitler fue su sobrina Geli, hija de su hermanastra Angela, a quien Hitler nombrara su gobernanta o ama de llaves en 1925. Con Geli, a pesar de que se llevaban 19 años de diferencia, mantuvo una relación íntima (aún se discute hasta qué punto) que terminó con el suicidio de la joven a los veintitrés años; Hitler profundizó entonces aún más en sus sentimientos misóginos. De carácter agradable y alegre, la depresión de Geli llegó a su cenit cuando tomó como amante a Emil Maurice, chófer de Hitler, «judío honorario» por cierto y uno de los fundadores de las SS. Enloquecido de celos, Hitler despidió a Emil y encerró prácticamente las veinticuatro horas del día a Geli, que no pudo soportar la vida en una jaula de oro. Se disparó en el apartamento muniqués de Hitler donde vivía, al día siguiente de una discusión con su tío y amante. Los afectos del Führer eran de talla única: ya amara u odiase, terminaba siempre aniquilando al destinatario de sus sentimientos.

Winifred Wagner (1897-1980)

Tras un matrimonio de conveniencia a los diecisiete años con el hijo gay de Richard Wagner, Siegfried, que era casi treinta años mayor que ella, la inglesa Winifred Lindworth cumplió con la función reproductora que le habían asignado y tuvo cuatro hijos. El marido Siegfried Wagner, por su parte, era la refutación viviente de la eugenesia: nieto de Franz Liszt e hijo de Richard Wagner, nada de todo ese tesoro genético le sirvió para evitar convertirse en un compositor mediocre. En 1930 Winifred enviudó y obtuvo la

compensación de hacerse cargo del festival de Bayreuth. Durante un tiempo se pensó que la sufrida Winifred (quince años casada con un homosexual activo y músico del montón) sería la esposa ideal de Hitler, al que idolatraba. Le envió paquetes cuando estuvo encarcelado e incluso trabajó para él de traductora. Fueron amigos íntimos hasta el final de la guerra, y todavía hoy se especula acerca del grado de intimidad. Winifred convirtió durante años el Festival de Bayreuth, que dirigió hasta el final de la guerra, en una fiesta del nazismo y un acto de propaganda política. Tras la contienda fue enjuiciada como colaboradora de Hitler, del que nunca se desmarcó, declarando orgullosa: «Era él, no el partido, lo que me atraía». Como prueba de su contumacia, Winifred llegó a ser anfitriona de un círculo de antiguos nazis, igual de poco arrepentidos que ella.

Christa Schroeder (1908-1984)

Frau Schroeder fue la secretaria personal de Hitler de 1933 a 1945, hasta pocos días antes del suicidio del Führer. Fue escogida por el propio Hitler en un proceso de selección entre otras muchas candidatas. Su compromiso con un diplomático yugoslavo fue cortado de raíz también por el Führer en persona, al que no gustaba el pretendiente. En abril de 1945 Hitler la envió a Berchtesgaden para destruir documentación, pero fue interceptada y detenida por las tropas norteamericanas. Fue puesta en libertad en 1948 y siguió trabajando de secretaria, como si nada hubiera sucedido. La Schroeder puede servir de resumen para el resto de las secretarias personales de Hitler (Johanna Wolf, Traudl Junge, Gerda Christian,

etc.), cortadas por idéntico patrón y que acompañaron a su jefe hasta el último momento: origen familiar de clase media, nazismo ortodoxo, devoción inquebrantable al Führer, incluso después de la guerra, negación de que Hitler fuera el responsable de las atrocidades nazis o que ellas supieran algo, carencia de remordimiento (con la excepción, acaso, de Traudl Junge), impunidad tras la guerra. Pero ya es hora de decirlo: estas mosquitas muertas son tan responsables como las guardianas SS de los campos de concentración, y sus máquinas de escribir hicieron tanto daño como el látigo y las botas de las otras. La burocracia es el alma de las modernas dictaduras, y si el totalitarismo se caracteriza por convertir al torturador en un funcionario, de manera correlativa hace de cualquier oficinista un engranaje de la máquina de exterminio.

Traudl Junge (1920-2002)

Perteneciente a la Liga de Jóvenes Alemanas, de filiación nazi, desde 1942 fue secretaria de Hitler. Estuvo en el búnker de la cancillería de Berlín, donde fue testigo de los últimos momentos del régimen, incluyendo los suicidios de los Goebbels, Hitler y Eva Braun. Capturada por los soviéticos, fue traspasada a los norteamericanos y liberada en 1947. En 1981 escribió sus memorias, parte de las cuales se usaron para el guión de la película El hundimiento, sobre los últimos días de Hitler.

Eva Braun (1912-1945)

La pareja y esposa por un día de Hitler lo conoció en 1929, en el estudio de Heinrich Hoffman, fotógrafo personal del Führer, cuando

trabajaba como asistente y era una simpática adolescente de diecisiete años. Tras la muerte de su sobrina Geli Raubal, Hitler se fue acercando a Eva Braun, a pesar de la oposición de su familia. Superficial, risueña y de carácter despreocupado, el del bigotín la ocultó en sus apariciones públicas en Berlín, Munich o el Berghof, mientras la dejaba hacer en sus reuniones privadas. Se la puede ver en algunas grabaciones familiares junto a Hitler y sus colaboradores inmediatos, aunque en general era desdichada por la falta de atención del poco romántico Führer, además de tener que arrostrar la enemistad de personajes como Martin Bormann, Magda Goebbels o la hermanastra de Hitler, Angela Hitler. La hermana menor de Eva, Gretl, fue también admitida al círculo íntimo del dictador nazi y terminó casada con el ayudante personal de Himmler, Hermann Fegelein, que le fue infiel y terminó fusilado por deserción pocos días antes del final de la guerra. El 29 de abril de 1945, con el búnker de Berlín a punto de ser tomado por las fuerzas soviéticas, Hitler y Eva Braun se casaron ante notario y un día después se suicidaron juntos, siendo sus cuerpos parcialmente incinerados con gasolina por un ayudante. Demasiada épica para una hortera.

UN EXTREMO: FANÁTICAS

El lado propagandístico del papel de la mujer en la sociedad nazi lo ejercieron, como hemos visto, las esposas y familiares de los jerarcas,

empezando por Hitler y acabando por cualquier oficial SS anhelante de esa familia modelo custodiada por la mujer-madre.

Como ocurre en otros órdenes de la vida, toda posición ideológica, incluidas las ya de por sí radicales, tienen sus propios extremos, y el nazismo no fue ajeno a ello. Hablar del extremo del nazismo puede resultar chocante, pero las Eva Braun, Magda Goebbels o Emma Göring eran las caras públicas, vistosas y civilizadas del régimen. En otro estadio social se hallaban las clases medias y bajas, convencidas de mejorar su estatus con la llegada al poder de Hitler, fanáticamente contrarias a izquierdistas y judíos, y fervientes nacionalistas. Algunas de las mujeres pertenecientes a este segmento pasarán a engrosar las filas de las SS —aquí sí aceptadas...— para realizar el trabajo más sucio posible: el de la vigilancia y exterminio de sus semejantes.

Se calcula que más de 3.000 mujeres se incorporaron desde 1942 al cuerpo de guardianas en Auschwitz, Majdanek y principalmente Ravensbrück, campo de concentración reservado en su mayoría a las mujeres. Muchas de estas guardianas desempeñaron su labor con extremada crueldad e inquina, rivalizando en ello con sus homólogos masculinos. A diferencia de los hombres, sin embargo, las guardianas eran en su mayor parte voluntarias reclutadas mediante anuncios en la prensa. La formación para desempeñar semejante labor resultaba sumaria: duraba un mes aproximadamente y se dividía en cuatro bloques: instrucción física; ideario nacionalsocialista y denigración de la historia de Weimar; tratamiento y castigo a prisioneros (lindando el sadismo en ocasiones); técnicas para prevenir sabotajes y boicots de producción.

Con la derrota de Alemania muchas fueron capturadas y juzgadas por los Aliados, pero un porcentaje aún más alto consiguió escapar y esconder su pasado. Los testimonios de los juicios las convirtieron en pasto del sensacionalismo más barato de la prensa, que las bautizó con vistosos apodos («la bestia de Auschwitz», «la perra de Buchenwald», «el ángel de la muerte»…), que disfrazaban inmerecidamente de genios del mal a estas vulgares carceleras. En realidad, detrás de todo ese malditismo no se ocultaba —como en el caso de los hombres— más que tipos humanos mezquinos, de procedencia pequeño burguesa o proletaria en su mayor parte (nada de bajos fondos), impulsados por una codicia primaria y una crueldad infantil. Casi ninguna era lo que hoy se entiende por psicópata; posiblemente, sin la impunidad de la guerra y el nazismo, hubieran llevado una existencia anodina, con los trabajos que tenían antes de la contienda: cocinera, secretaria, enfermera, obrera de fábrica, trabajadora sin cualificar… Como en el caso de la inmesa mayoría de criminales nazis, es su exceso de normalidad, y no la anormalidad, lo que nos repele y nos lleva a preguntarnos cuántas de las personas «normales» con las que nos cruzamos a diario no ocultan un monstruo parecido en su interior, aguardando su oportunidad. Algunas de las 3.700 guardianas que alcanzaron triste fama por su comportamiento delirante fueron:

María Mandel (1912-1948)

Se calcula que esta austriaca, hija de zapatero, y funcionaria de prisiones desde el Anchluss, envió a la muerte a más de medio millón

de mujeres. La llamada «bestia de Auschwitz» prescribía crueles castigos y se dedicaba a asesinar por placer. Algunos testigos la describen esperando en el portón del campo de Birkenau, donde la prisionera que osara mirarla era liquidada sin más. Otras eran usadas como mascotas antes de ser enviadas a la cámara de gas. Mandel fue la encargada de crear la macabra orquesta de Auschwitz que acompañaba con su música la vida de los presos. Capturada tras la guerra, fue juzgada y ejecutada en Polonia en 1948 por crímenes contra la humanidad. Dicen que al final solicitó clemencia.

Dorothea Binz (1920-1947)

Trabajaba en la lavandería de Ravensbrück, donde se hizo tristemente famosa por sus torturas y la crueldad de sus métodos, llegando en un éxtasis homicida a matar a hachazos a mujeres embarazadas. Capturada y juzgada tras la guerra, fue ejecutada en 1947. Su perfil se ajusta al patrón común entre carceleras nazis, herederas de las tricoteuses de la Revolución francesa que asistían a las ejecuciones de la guillotina haciendo calceta: procedencia modesta, escasa cultura, entusiasmo nazi de primera hora, truculencia primaria, propia del acomplejado que se desquita, gusto por el look amazona (botas y látigo) con el que disfrazar una vulgaridad galopante…

Ilse Koch (1906-1967)

La «perra de Buchenwald» era la esposa de Karl Koch, comandante sucesivo de los campos de exterminio de Buchenwald y Majdanek. Fue conocida por su afición a coleccionar los tatuajes de los asesinados, con los que confeccionaba objetos de decoración para el

hogar, en esa mezcla de brutalidad y cursilería tan propia del nazismo. Ella misma torturaba en ocasiones a los presos de forma sádica. Capturada por los norteamericanos, se la juzgó y condenó a cadena perpetua. En 1967, en la cárcel de Aichach, se suicidó ahorcándose con unas sábanas. Como en casi todos los casos citados, su procedencia y crianza son de lo más normales: hija de un capataz de fábrica, estudió para contable y trabajó de secretaria. En nadie como en estas ménades se observa mejor el origen profundamente pequeñoburgués y hortera del nazismo.

Irma Grese (1923-1945)

La «bella bestia» o el «ángel de la muerte», y otros apodos sensacionalistas, era una joven supervisora de varios campos de exterminio conocida por su brutalidad. Su padre, furibundo antinazi, la expulsó de casa cuando supo que se había enrolado en las SS femeninas. Abusos sexuales, palizas hasta la muerte, incitar a los perros a devorar a presas vivas y asesinato de niños la llevaron finalmente a la horca, tras ser juzgada en 1945. Irma fue también conocida por mantener diversas relaciones tanto con hombres —Mengele entre ellos— como con mujeres de los campos donde estuvo. Su apariencia agraciada, tan diferente de las habituales caras de perro de presa de sus compañeras, ha generado mucha mala literatura, pero no debería hacernos olvidar la mediocridad humana que comparte con todas ellas: de extracción modesta (su padre trabajó de lechero), escasa instrucción (fue mala estudiante hasta los catorce), enfermera frustrada, nazi furibunda y carcelera voluntaria, tenía

proyectos de dedicarse al cine tras la guerra. La ahorcaron con veintidós años. Su última pabra fue «Schnell», «Rápido».

Juana o Johanna Bormann (1893-1945)

Supervisora de campos de exterminio «para ganar dinero», según declaró en el juicio posterior, Juana o «la mujer de los perros», como la llamaban sus aterradas víctimas, tenía un tratamiento implacable con las presas, a las que torturaba o asesinaba personalmente soltando su enorme perro lobo. Fue juzgada y ejecutada en 1945. Antes de ser ahorcada, las últimas palabras de esta insignificante mujer fueron: «Yo también tengo sentimientos». Pura gazmoñería nazi.

Elisabeth Völkenrath (1919-1945)

Supervisora de campo asignada finalmente a Auschwitz, fue una de las guardianas que más se destacó a la hora de seleccionar a las víctimas para las cámaras de gas. También se documentaron tres ahorcamientos ordenados directamente por ella, así como diversas torturas. Se presentó como voluntaria para guardiana de campo de concentración y pasó de ser una trabajadora sin cualificación a Oberaufseherin, supervisora, uno de los más altos cargos en el lager. En 1945, tras intentar huir fue detenida por los británicos, juzgada y ejecutada junto a Joseph Kramer —comandante de Bergen-Belsen— e Irma Grese.

Johanna Langefeld (1900-1974)

Hija de un herrero, obtuvo su primer empleo (maestra de economía doméstica en una escuela) a los treinta y cuatro. Después de trabajar en un reformatorio para mujeres, en 1937 Johanna se afilió al partido nazi y se presentó voluntaria como guardiana de campo de concentración, siendo enviada a Ravensbrück y posteriormente a Auschwitz. Aquí seleccionaría a las víctimas, mujeres y niños, para las cámaras de gas. La prisionera y escritora Margarete Buber-Neumann fue su asistenta, y cuenta cómo Langefeld fue destituida por mostrar excesiva simpatía con las prisioneras polacas. Su compasión nunca alcanzó, en cambio, a las judías, a quienes enviaba sin inmutarse a la cámara de gas. Tras perder su puesto, entró a trabajar en la BMW de Múnich. Después de la guerra, fue extraditada a Polonia y allí, ayudada a escapar en pago por su trato favorable a las polacas. A pesar de tener abierta una orden de detención, vivió en la capital bávara junto a su hermana y sin ser jamás molestada, hasta edad provecta.

Herta Bothe (1921-)

Herta era hija de un pequeño comerciante de maderas y trabajó de enfermera antes de la guerra. Esta mujer de 1,91 cm., destacaba en los deportes y fue reclutada en 1942 como guardiana del campo de Stutthof, donde sería conocida como «la sádica»; posteriormente en Bergen-Belsen supervisaría las llamadas marchas de la muerte. Se quejó de dolor de espalda y miedo a contraer el tifus cuando fue obligada, junto a otras guardianas, a acarrear centenares de cadáveres por parte de los Aliados. Pese a los testimonios que la implicaban en

diversos asesinatos de presos a sangre fría, fue condenada tan sólo a 10 años tras la guerra y liberada en 1951, después de lo cual cambió su nombre por el de Herta Lange. En 2008 fue entrevistada por una televisión y, lejos de mostrarse arrepentida, se reafirmó en su pasado: «¿Cometí un error? no. El error fue el campo de concentración, pero yo tenía que hacerlo». Aún sigue viviendo en Alemania.

Hermine Braunsteiner (1919-1999)

Esta convencional mujer, que parece una ilustración de la perfecta ama de casa de la época, fustigaba hasta la muerte a las prisioneras con su látigo, las asesinaba a patadas (de ahí el apodo «la yegua que cocea») o arrojaba a los niños al camión que los llevaría a la cámara de gas aferrándolos por el pelo. Así actuó en Majdanek y también en Ravensbrück. Como otras guardias femeninas, tanto voluntarias como reclutadas a la fuerza, Braunsteiner no era especialmente fanática, sólo buscaba los mejores sueldos de las SS. En su caso pasó a ganar cuatro veces más que en su anterior trabajo en la fábrica Heinkel de aviones. Una vez dentro de los campos, sin embargo, estas jóvenes, ni especialmente sádicas ni especialmente fanáticas, sufrían una transformación. A la motivación económica se le unía la borrachera de un poder omnívodo (el mayor posible, el de la vida y la muerte sobre unas víctimas indefensas) con que se encontraban unas mujeres que provenían de las posiciones subalternas de la sociedad (Braunsteiner fue empleada del hogar, su padre transportista). En el campo, las don nadie se desquitaban de todas sus humillaciones anteriores y daban rienda suelta a sus fantasías de revancha.

Pese a sus antecedentes, en 1950, después de una pena mínima de tres años, Hermine ya se hallaba en libertad y trabajando de camarera de hotel, hasta que emigró a Estados Unidos como esposa de un norteamericano. Durante años encarnó al personaje de la foto: una encantadora ama de casa de manual, señora de un trabajador de la construcción. Tanto es así, que cuando el cazanazis Simon Wiesenthal dio con ella, el iluso marido clamó que su esposa era incapaz de matar a una mosca y que se trataba de la persona más decente del mundo. Por suerte, todavía quedaban supervivientes para testimoniar en su contra y, tras ser extraditada a Alemania, fue juzgada en 1975 y condenada a cadena perpetua.

Otro tipo de fanatismo fue el de los colonos alemanes reasentados en propiedades robadas a sus legítimos propietarios, en especial en el Este, considerado por los nazis su «espacio vital». Pocos de estos colonos se plantearon la justicia y el precio que otros habían pagado para que ellos tuvieran su propiedad. Baste como ejemplo la escalofriante entrevista que Claude Lanzmann realiza a Martha Michelsohn[214], esposa de un maestro alemán nazi reasentado cerca de Chelmno (Kulmhof en alemán) y que asistió con toda la normalidad del mundo a las deportaciones de judíos para ser asesinados o veía a éstos encadenados —niños y mujeres— y trabajando como esclavos de sus supuestos amos alemanes. Martha cuenta en la entrevista cómo todos los aldeanos estaban al tanto de la matanza diaria de judíos; y

---

[214] Puede verse la entrevista en alemán, junto con una transcripción de la misma en inglés, en la web del Museo del Holocausto de Washington (última consulta: 05/09/2018): https://www.ushmm.org/online/film/display/detail.php?file_num=5134

no sólo eso, sino que los polacos de la zona se mostraban encantados con el exterminio. Recuerda el mal olor constante de la cremación de cadáveres y el griterío de hombres, mujeres y niños encerrados en la iglesia de la aldea para desnudarlos, como paso previo a la matanza. Sus lamentos durante la conversación suenan retóricos, a lección bien aprendida, y se parecen sospechosamente a las protestas de algún vecino al que le toca sufrir una industria molesta en el barrio. Resulta con todo un valioso testimonio que demuestra cómo el genocidio era menos secreto de lo que muchos pretenden y cómo un considerable sector de la población civil alemana tenía noticias de primera mano. Martha Michelsohn narra, en efecto, que en sus visitas a Alemania durante la guerra contaba a parientes y gente de confianza las matanzas de las que ella y su marido habían sido testigos, y que todo el que la oía se negaba a creerla.

OTRO EXTREMO: VÍCTIMAS Y DISIDENTES

La cara opuesta al ideal de mujer nazi lo constituyeron aquellas que no encajaban en dicho canon. Una ideología como la nacionalsocialista necesitaba la imagen de un enemigo permanente que justificara su radicalismo, segregación y, en suma, su demencia. La visión sobre la mujer tampoco será ajena a la demonización, para la que se habilitará dos categorías de bestias negras que debían ser perseguidas sin tregua: las racialmente inferiores o infrahumanas:

judías, gitanas, eslavas, etc… y las racialmente toleradas pero que por disidencia política o ideológica eran contrarias al régimen: izquierdistas, religiosas de diversas confesiones o simplemente antinazis. En el primer caso, las leyes de Núremberg de 1935 se encargaron de prohibir los matrimonios mixtos, la contratación de doncellas alemanas menores de 45 años por parte de judíos, o las cohabitaciones y relaciones entre judíos y arios; para lo cual se creó el delito específico de *Rassenschande* («corrupción racial»), castigado con fuertes multas, cárcel y hasta la pena de muerte en caso de reincidencia.

En cuanto a la segunda categoría —aquellas mujeres que representaban una amenaza social no por la impureza de su sangre, sino por sus ideas o comportamientos—, abarcaba una extensa gama de «inadaptadas sociales» que, además de la disidencia política, incluía a prostitutas, enfermas mentales o lesbianas, una parte de las cuales acabarían engrosando las víctimas del programa de eutanasia nazi (llamado en clave Aktion T4). En su libro Una sola vida: ocho historias de la guerra[215], Tom Lampert nos relata el caso real de una joven judía perfectamente normal pero socialmente inadaptada, que acabó siendo asesinada en dicho programa.

Con el estallido de la guerra, la actitud de los nazis hacia las poblaciones vencidas será en su mayoría de absoluta inhumanidad. Las mujeres pasarán a ser consideradas el eslabón más bajo de los conquistados, sobre todo en el Este, aptas únicamente para trabajar para sus conquistadores, prostituirse y al final ser asesinadas. En esa

---

[215] Tom Lampert, *Una sola vida*, Barcelona, Destino, 2004, pp. 9-39.

extraordinaria anticipación del nuevo periodismo que es Kaputt, una recopilación de relatos como corresponsal de guerra en el frente del Este, Curzio Malaparte nos habla de las redadas que hacían los soldados alemanes en los pueblos, para surtirse de jóvenes con destino al burdel. Explotadas hasta la extenuación durante algunas semanas, eran liquidadas sin más por inservibles y reemplazadas en una nueva redada. Mientras, las mujeres de los alemanes vivían a todo lujo, en especial en el Gobierno General de Polonia, donde en sus palacetes recreaban sus Camelots entre la miseria y muerte del resto de la población.

En los campos de exterminio las mujeres y los niños eran los primeros en ser conducidos a las cámaras de gas por la simple razón de que no podían trabajar al nivel de hombres y al mismo tiempo «acarreaban» a niños pequeños y ancianos, todo un estorbo en la mentalidad criminal nazi. Los testimonios son innumerables para desgracia de negacionistas. En el campo de los salvadores, las mujeres fueron mayoritarias en las filas de los Justos entre las Naciones, la distinción otorgada por Israel a los gentiles que se distinguieron en su labor salvadora de judíos durante el Holocausto.

Hemos oído hablar de campos de exterminio nazis en donde se asesinaba por igual a hombres y mujeres: Auschwitz-Birkenau, Treblinka, Majdanek, Chelmno, Bergen-Belsen y un desgraciado etcétera. Ravensbrück, en cambio, abierto en 1939, era un campo de exterminio más, pero con la peculiaridad de que sus verdugos y víctimas eran mayoritariamente femeninos. Aunque la idea inicial era hacer de Ravensbrück un centro para mujeres llevado por mujeres,

los comandantes del campo siempre fueron mandos masculinos de las SS. Se hallaba a 90 kilómetros al norte de Berlín y se calcula que llegó a acoger a unas 150.000 personas, de ellas 132.000 mujeres (un 20% de judías, además de prisioneras políticas y asociales, entre las que se incluían desde prostitutas a lesbianas o gitanas). Un campo pensado originalmente para albergar 3.000 prisioneros, llegó a contener en enero de 1945 más de 50.000. En barracones construidos para 250 mujeres, se hacinaban hasta 2.000, muchas de ellas durmiendo en el suelo. A finales de 1944 se construyeron las cámaras de gas.

Ravensbrück funcionaba también como campo de entrenamiento o academia de torturadores para las nuevas hornadas de guardias. En total perecieron allí asesinadas o víctimas de las brutales condiciones más de 90.000 prisioneros, en su mayoría mujeres. Sólo 15.000 sobrevivieron. Como en otros campos, la única abundancia de la que podían disfrutar los presos era de formas de morir: trabajando hasta la extenuación, por hambre, enfermedades múltiples, disparos, inyección letal, víctimas de experimentos médicos, a mordiscos de perros, torturadas a bastonazos o de cualquier otra forma, enviadas a centros de eutanasia y, durante los últimos meses, también en su propia cámara de gas, en la que sucumbieron 6.000 internas.

Dentro del campo, la empresa Siemens tenía un taller que fabricaba componentes de las bombas V-2 donde trabajaba mano de obra esclava, que era la que sustentaba el sistema de producción nazi. Finalmente el 30 de abril de 1945 el campo fue liberado por los soviéticos.

Algunas de las disidentes más conocidas que se opusieron al nazismo o ayudaron a salvarse a los perseguidos fueron:

Margarete Buber-Neumann (1901-1989)

La historia de esta superviviente no parece pertenecer a la realidad. Comunista y casada en primeras nupcias con el judío alemán Rafael Buber, hijo del célebre filósofo Martin Buber, y posteriormente con el dirigente comunista Heinz Neumann, marchó, junto a este último, a Moscú huyendo de la persecución nazi. La Gran Purga de Stalin acabó en 1937 con su marido, y la propia Margarete fue detenida y enviada a Siberia. El pacto nazi-soviético de 1939 hizo que la deportaran a manos de la Gestapo, al campo de Ravensbrück, donde consiguió sobrevivir trabajando como esclava para Siemens y la supervisora Johanna Langefeld. Sufrió, pues, ocho interminables años de cautiverio y conoció los campos de concentración comunistas y nazis. Y vivió para contarlo en un libro de memorias y hasta para volverse una conservadora votante de la Unión Demócrata Cristiana alemana, un partido plagado de antiguos nazis después de la guerra. Paradojas de la historia.

Sophie Scholl (1921-1943)

Joven disidente alemana perteneciente a La Rosa Blanca, uno de los escasos movimientos de resistencia interior al nazismo (la lista de alemanes resistentes al nazismo de Wikipedia[216] contabiliza tan sólo

---

[216] https://en.wikipedia.org/wiki/List_of_Germans_who_resisted_Nazism (última consulta: 05/09/2018).

532 entradas individuales para una población de casi 70 millones, es decir, un 0,00076 % de la población de 1939). La Scholl acabó siendo detenida y guillotinada junto a su hermano tras realizar propaganda en contra del régimen y la guerra. Su actitud heroica durante la farsa de juicio conmovió incluso a sus verdugos, que no dudaron sin embargo en asesinarla. Un ejemplo de lucha por la dignidad humana alejada del militarismo y los intereses personales de la operación Valkiria que, un año después de ser ejecutada Sophie, presentó a fascistas y antisemitas como Stauffenberg y sus coaligados como auténticos héroes.

Hilde Meisel (1914-1945)

Poetisa, escritora y periodista judía alemana de tendencia socialista. Cuando Hitler llegó al poder se encontraba en Inglaterra, desde donde hizo una trabajada campaña contra el nazismo. En 1944 decidió retornar a Alemania para seguir su labor de oposición clandestina en un grupo antinazi. Cuando volvía a cruzar la frontera hacia Suiza fue tiroteada por una patrulla de las SS y murió desangrada a las mismas puertas del país helvético y a menos de un mes del fin de la guerra.

Erika Mann (1905-1969)

Hija del escritor Thomas Mann y de la judía Katia Pringsheim, ella misma fue escritora y actriz. Su homosexualidad y sus tendencias izquierdistas la convirtieron en una de las principales indeseables para el nazismo. Todavía en 1933 contribuyó a abrir en Munich el cabaret El molinillo de pimienta, donde compuso números musicales

y humorísticos antifascistas. Obligada a exiliarse junto a toda su familia, se casó con el poeta inglés W.H. Auden en un matrimonio de conveniencia, con objeto de obtener la nacionalidad británica. Aunque no convivían juntos, colaboraron combatiendo la ideología nazi a través de diferentes obras y conferencias. En 1949 su hermano Klaus, deprimido ante el panorama de una Alemania falsamente desnazificada y donde todos le ignoraban, se suicidó en Cannes; Erika quedó traumatizada y dedicó el resto de su vida a ayudar a su padre, desde Zurich, a publicar su monumental obra.

Elisabeth Von Thadden (1890-1944)

Otro caso digno de admiración fue el de esta comprometida opositora al régimen nazi, tanto más insólito cuanto que ella misma provenía de la rancia y conservadora aristocracia prusiana. Thadden fue una pedagoga progresista, que fundó su propia escuela con objeto de educar mujeres emancipadas y de pensamiento independiente. Sus problemas con las autoridades nazis comenzaron enseguida; su escuela continuaba admitiendo chicas judías en las aulas a pesar de las prohibiciones y ni siquiera colgaba el retrato del Führer. En 1941 se le arrebató la dirección y la escuela fue nacionalizada. Thadden trabajó entonces en la Cruz Roja y prosiguió su lucha contra el régimen de Hitler en distintas organizaciones. La Gestapo le clausuró por actividades antinazis la escuela que fundara, pero Elisabeth se unió al movimiento Círculo de Solf, hasta ser finalmente delatada, arrestada y deportada a Ravensbrück. Tras meses de torturas, se le enjuició y ejecutó en Berlín en septiembre de 1944, bajo la falsa

acusación de estar implicada en el fallido atentado contra Hitler del 20 de julio anterior.

Hanna Solf (1887-1954)

Perteneciente a la burguesía industrial alemana, Hanna Solf fue una convencida antinazi que fundó un movimiento clandestino de resistencia, compuesto por miembros de la más alta sociedad en torno a su casa de Berlín, con el que consiguieron evitar deportaciones y esconder a numerosos judíos y opositores. En una reunión en septiembre de 1943 el Círculo de Solf fue delatado por un agente de la Gestapo infiltrado. Ejecutaron a todo el movimiento, excepto a Hanna y a su hija, que lograron huir, aunque más tarde fueron detenidas y llevadas a Ravensbrück. Ambas morirían prematuramente tras la guerra como consecuencia de los maltratos allí padecidos, aunque no antes de que Hanna Solf tuviera tiempo de testificar contra los jerarcas nazis en los juicios de Núremberg.

Liselotte «Lilo» Herrmann (1909-1938)

Joven comunista, estudiante de química y biología. En enero de 1933, ante el ascenso de Hitler al poder, escribió una Llamada para la defensa de los derechos democráticos y las libertades y trabajó en un movimiento clandestino antinazi en la universidad de Berlín y la ciudad de Stturgart. En 1935 fue arrestada por la Gestapo y condenada a muerte por «traición y conspiración», sentencia que se cumplió el 20 de junio de 1938, junto con la ejecución de otros jóvenes opositores.

Edith Stein (1891-1942)

Intelectual y filósofa judía alemana que se convirtió al catolicismo y tomó los hábitos teresianos en 1922. Fue discípula del filósofo Husserl y escribió sobre la condición de la mujer, la pedagogía y la filosofía de Santo Tomás de Aquino. Con la llegada al poder de los nazis y ante el temor a las represalias, fue enviada a Holanda por sus superiores, pero la medida no pudo impedir que Stein fuera detenida en represalia por una pastoral de los obispos holandeses contrarios a la deportación de los judíos. En el verano de 1942 fue deportada y asesinada en Auschwitz. La Iglesia la beatificó en 1987 con el nombre de Santa Teresa Benedicta de la Cruz, después de permitir que la asesinaran sin mover un dedo.

Johanna Kirchner (1889-1944)

Miembro del Partido Socialdemócrata alemán, trabajó por el reconocimiento de los derechos de las mujeres desde joven. A la llegada al poder de Hitler se exilió a Francia, donde continuó su labor opositora al régimen nazi en el ya prohibido SPD alemán en el exilio, a través de panfletos y propaganda. Ayudó a escapar a muchos opositores y judíos del Reich, pero finalmente fue entregada por el gobierno de Vichy a la Gestapo y encarcelada en Cottbus. Desde la cárcel se sumó al movimiento clandestino Orquesta Roja. Condenada en principio a diez años de trabajos forzados, su caso fue revisado en 1944 por el tribunal popular del siniestro juez Roland Freisler (un tipo al que despreciaban los propios nazis), que la condenó a muerte por decapitación. Dejó escrito a su hijo el día de su ejecución: «Recuerda

las palabras de Goethe: "Muere y culmina". No llores por mí. Para ti habrá un futuro mejor».

Libertas Schulze-Boysen (1913-1942)

De familia aristocrática, Libertas se afilió al partido nazi en 1933, poco antes de conocer al que sería su marido, Harro Schulze-Boysen, un oficial de la Luftwaffe que trabajaba activamente en la resistencia. En 1937 Libertas abandona la militancia nazi y empieza a trabajar en el Ministerio de Propaganda, extrayendo de allí información para el movimiento clandestino antinazi Orquesta Roja. La Gestapo detuvo a su marido y sonsacó información a Libertas, sumida en una profunda depresión. Finalmente ambos fueron ejecutados días antes de la Navidad de 1942. Recientemente, la anatomista e investigadora Sabine Hildebrandt ha demostrado que, quince minutos después de su ejecución, el cuerpo fue llevado al laboratorio del macabro anatomista nazi Hermann Stieve para hacer experimentos.

Eva-Marie Buch (1921-1943)

Joven miembro del grupo antinazi Orquesta Roja, trabajaba en una librería cuando fue arrestada en el invierno de 1942, siendo ejecutada en agosto de 1943, con sólo veintidós años. La prueba principal para el juez del tribunal popular que la condenó consistió en un panfleto antinazi que era evidente que ella no había escrito, pero que valientemente se lo atribuyó para proteger al resto de compañeros del movimiento clandestino. Sus padres apelaron directamente a Hitler, quien, siguiendo su costumbre, desestimó el indulto.

Mildred Fish-Harnack (1902-1943)

Historiadora y escritora norteamericana que, junto a su marido Arvid Harnack, un economista al que conoció mientras estudiaba en Estados Unidos, formó parte del movimiento antinazi Orquesta Roja. En 1941 avisaron a los soviéticos del proyecto de invasión nazi, conocido en clave como Operación Barbarroja, aunque no les prestaron casi oídos. En julio de 1942, la inteligencia nazi logró descifrar los mensajes del grupo y la Gestapo llevó a cabo una redada masiva, en la que Mildred y su marido Arvid fueron arrestados. Él fue inmediatamente ejecutado y Mildred sentenciada a seis años de prisión. Hitler personalmente cambió la condena a prisión por la de muerte, y Fish-Hartnack fue ejecutada en febrero de 1943, unas semanas después de su marido. Como en el caso de otras ejecutadas en la prisión berlinesa de Plötzensee, su cadáver fue utilizado por el macabro doctor Hermann Stieve para investigar la influencia del stress sobre los ciclos menstruales, su especialidad científica. El insigne doctor necesitó 182 ejecuciones para confirmar la perogrullada (que cualquier mujer sabe por experiencia) de que los disgustos e impresiones fuertes pueden alterar el ciclo menstrual. Tras la guerra, no sólo no fue juzgado, sino que alcanzó las más altas distinciones académicas en su país.

Gertrud Seele (1917-1945)

Enfermera berlinesa que, estando al servicio del auxilio social nazi, ayudó a salvarse de la deportación a muchos judíos. Finalmente descubierta, en 1944 fue arrestada por la Gestapo. Acusada de

derrotista y minar la moral del pueblo, un tribunal nazi la condenó a muerte en enero de 1945. Es considerada Justa entre las Naciones.

Irena Sendler (1910-2008)

Enfermera católica polaca conocida como el Ángel del Gueto de Varsovia. Se calcula que ayudó a salvarse a más de 2.500 niños judíos de morir asesinados por los nazis ya que tenía salvoconducto para entrar y salir del gueto. Reconocida como Justa entre las Naciones y candidata al Premio Nobel de la Paz en 2007 (lo ganó Al Gore...). En octubre de 1943 fue detenida y torturada por la Gestapo, la Resistencia consiguió liberarla de una muerte segura. «Fui educada en la creencia de que una persona necesitada debe ser ayudada de corazón, sin mirar su religión o su nacionalidad».

Marlene Dietrich (1901-1992)

Si alguien fastidió a los nazis por abandonar Alemania y renegar del nacionalsocialismo fue Marlene Dietrich, genuina representante de la mujer sofisticada y fatal alemana, que se exilió a Estados Unidos y adquirió la nacionalidad estadounidense. Antinazi convencida, ayudó con sus declaraciones e iniciativas a combatir el régimen de Hitler. Llegó a cantar para las tropas aliadas y es célebre su *Lili Marleen*, que Goebbels trató en vano de censurar en Alemania.

DESPUÉS DEL REICH: REPRESIÓN Y MEMORIA

La mujer alemana, por encima de ancianos y niños, fue la parte de la sociedad que más sufrió con la derrota del Reich ante los Aliados y especialmente los soviéticos desde el Este. Los nuevos «liberadores» soviéticos, llenos de rabia y odio ante las atrocidades cometidas por los alemanes anteriormente, tuvieron una sistemática política de violaciones y también de asesinatos de mujeres como eje de su actuación, la mayor parte de las veces aceptados por los superiores, impotentes para impedir semejantes prácticas. Las riadas de desplazados del frente, mujeres, ancianos, niños, soldados derrotados, contemplaban con pánico la llegada de los rusos y trataban de pasar a la zona controlada por los Aliados. Algunos hablan de dos millones de mujeres violadas, unas 100.000 sólo en Berlín; y de 240.000 muertes a consecuencia de las violaciones. Las víctimas podían ser mujeres de ocho a ochenta años, y ni siquiera se respetaron a las propias rusas empleadas por los nazis como fuerza esclava de trabajo, ni tampoco a las liberadas de los campos de concentración. Las violaciones no acabaron con la guerra: en la zona soviética de Alemania continuaron produciéndose hasta que, finalmente, en el invierno de 1947-48 las tropas invasoras fueron acuarteladas. Tampoco se limitaron a las tropas soviéticas; aunque en el caso de los rusos los abusos sexuales sobrepasaron toda medida, no se deben olvidar los abundantes casos de violaciones por parte de las tropas americanas en Francia y Alemania (se calculan unas 14.000 violaciones), de los japoneses en Nanking y otros lugares, de las

tropas marroquíes de los franceses tras la conquista de Monte Casino (las asociaciones de víctimas italianas hablan de 60.000 violaciones y centenares de asesinatos) o las incontables llevadas a cabo por los propios soldados alemanes en los territorios conquistados.

Con la definitiva finalización del conflicto, las minorías de población alemana en otros países como Polonia, Rumanía, Ucrania o Checoslovaquia sufrieron el hostigamiento de la mayoría, con muchas cuentas pendientes que saldar, previo a la limpieza étnica. De nuevo las mujeres serán las víctimas preferidas de los exaltados. De manera parecida sucederá en el caso de las colaboracionistas: ante los ojos de la sociedad, las mujeres que congeniaron con los nazis eran culpables y sufrieron las consecuencias en forma de ejecución o humillaciones públicas (como las de raparles el pelo al cero y expulsarlas de sus casas en Francia). Sin embargo, estas represalias fueron injustas para aquellas mujeres que habían tenido que convivir con los alemanes por una mera cuestión de supervivencia.

También tenemos el recuerdo. Miles de mujeres supervivientes del horror nazi quedaron permanentemente traumatizadas tras la experiencia vivida. Sus relatos nos han llegado en forma de biografías, memorias, investigaciones o documentales. Muchas tuvieron que reiniciar su vida tras haber perdido a toda su familia (padres, maridos, hijos…); otras sufrieron las secuelas de los maltratos recibidos y jamás se recuperarían. Algunas no podrían ser madres nunca, debido a los atroces experimentos efectuados, políticas de esterilización o las torturas recibidas. Aún se descubren o reeditan diarios y escritos de víctimas. El más famoso de ellos el diario de una

joven judía asesinada en Bergen-Belsen: Ana Frank (1929-1945), cuya emotividad y recreación de una vida escondida de la persecución ha llegado a los corazones de todos.

Hubo también mujeres que se dedicaron a reflexionar sobre aquellos acontecimientos e incluso fueron una autoridad importante a la hora de investigar y comprender la magnitud de lo que supuso el Holocausto, sus consecuencias y el carácter de víctimas y verdugos. Tal es el caso especialmente de Hannah Arendt. (1906-1975), que fue y continúa siendo una de las pensadoras más influyentes de nuestro tiempo. Nacida en Alemania, en 1906, en el seno de una familia judía asimilada, se vio obligada a exiliarse a París en 1933, ante la llegada de los nazis. En 1940 fue internada por las autoridades de Vichy en el campo de internamiento de Gurs, de donde lograría escapar para emprender una azarosa huida hasta Nueva York, vía Lisboa. Ya en Estados Unidos desarrollaría una brillante carrera académica en diversas universidades.

MÚSICA «DEGENERADA»[217]

---

[217] Una de las historias más conmovedoras que hay en las instituciones culturales del Ayuntamiento de Madrid es el concierto de piano que ofreció en la Biblioteca Musical un superviviente judío polaco, inmediatamente después de la guerra, camino a Argentina. A raíz de esta historia y con motivo del Día de la Música (21 de junio), en 2013 decidimos redactar este trabajo que, al igual que en otros aspectos, recoge lo mejor y lo peor, víctimas y verdugos, en cuanto a la música en la época de la guerra y el Holocausto. Trabajo actualizado posteriormente.

Hoy todos somos nazis. La idea nazi ha triunfado. Hoy todo el mundo tiene en su cabeza la idea de la tiranía. Hay algo de brutalidad en nuestros pensamientos. En alguno de mis poemas digo que los nazis vencieron. Es cierto que los derrotamos, pero la idea nazi del monolito, la idea totalitaria de que todos debemos ser como ellos, hoy la hallamos al lado de los liberales, de los comunistas, de las revoluciones. Encuentras este tipo de intolerancia, de supresión.

(Leonard Cohen)[218]

INTRODUCCIÓN

Cuando la guerra todavía seguía abierta y se sabía poco de la dimensión del exterminio, cuando todavía no se había acuñado el término Holocausto, llegó a la Biblioteca Musical del Ayuntamiento de Madrid un joven polaco rumbo a Argentina huyendo de la persecución. Nunca quiso hablar sobre lo que había presenciado, pero era pianista y se le autorizó a que tocara en una de las cabinas que se habían habilitado a tal efecto, junto al préstamo de instrumentos, desde 1932.

Juana Espinós, hija del fundador de la Biblioteca Musical (1919), es también quien nos describe la escena. La emotividad y sentimiento con que tocaba a Chopin este joven pianista polaco que huía de la barbarie hizo estremecer a todos los presentes. El músico prosiguió su

[218] Entrevista de André de Bruyn, 1976. En: Alberto Manzano, *Leonard Cohen: Conversaciones con un superviviente*, Caldes de Malavella (Girona), Lenoir Libros, 2006, p. 65.

camino a Argentina; poco tiempo después se descubriría la magnitud del horror[219].

La música fue y sigue siendo un vehículo poco utilizado para el conocimiento de una época terrible que nunca debemos olvidar. ¿Qué mejor que la música para explicar con sentimientos lo que la razón no alcanza? ¿No fue el arte acaso algo presente de manera continua, desde lo ideológico a lo grotesco, en todo el proceso de marginación o aniquilamiento de millones de seres humanos? Esta síntesis del tema trata de resumir ese proceso y sumar a la amplia bibliografía que existe sobre el Holocausto un componente añadido: lo sonoro, lo musical.

No hace mucho se conmemoró por todo lo alto el bicentenario del nacimiento de Richard Wagner, tan genial músico como furibundo antisemita, tan adorado por Hitler como rechazado por sus perseguidos, y uno de esos casos paradigmáticos, junto con el Céline, en el que el genio artístico se demuestra perfectamente compatible con la vileza moral. Como resumía el crítico George Steiner:

… la sensibilidad y la producción artísticas no representan un obstáculo para la barbarie. Está comprobado […] que un hombre puede tocar las obras de Bach por la tarde, y tocarlas bien, o leer y entender perfectamente a Pushkin, y a la mañana siguiente ir a cumplir sus obligaciones en Auschwitz y en los sótanos de la policía […] La habilidad para interpretar y amar a Bach puede

---

[219] Juana Espinós, *La creación de la Biblioteca Musical*, Madrid, Artes Gráficas Municipales, 1984, pp. 40-41.

coexistir con la decisión de exterminar un ghetto o arrojar napalm sobre una aldea[220].

La música en el Tercer Reich da para un estudio muy voluminoso: la exclusión de compositores por el hecho de ser judíos o disidentes; la prohibición de tocar piezas como las de Mendelssohn, aún siendo uno de los vértices de la composición musical alemana; la intransigencia frente a la vanguardia, el jazz o el cabaret; el servilismo de otros músicos que medraron aun a costa de aceptar un régimen asesino. Y el Holocausto siempre presente.

Un Holocausto que en lo musical supone el nacimiento de un género propio desde los guetos, desde los campos de exterminio, desde la resistencia y más tarde desde el recuerdo. Hay que resaltar la cantidad de músicos que se vieron devorados por esta sinrazón —sin contar aquellos a los que la muerte imposibilitó demostrar el genio en ciernes—. Es imposible evitar el estremecimiento cuando contemplamos imágenes de esas bandas de presos, afanándose por tocar con dignidad cuando el mundo a su alrededor se desmorona: en Theresienstadt, ante una comunidad famélica; en Auschwitz, mientras los esclavos salen a trabajar, quizás por última vez; en Birkenau, al tiempo que ahorcan a un desesperado que trataba de huir.

Melómanos fueron Hitler, Goebbels o Heydrich, el «nazi perfecto», al igual que miles de personas que, sin saberlo, fueron marcadas para su asesinato. De todos ellos tratan las siguientes páginas.

---

[220] George Steiner, *Extraterritorial*, Madrid, Siruela, 2002, pp. 49, 59.

DE WEIMAR A LA «MÚSICA DEGENERADA»

Tras el cataclismo de la Primera Guerra Mundial, una explosión de creatividad se adueñó de las artes rompiendo todo tipo de moldes. Las audacias se multiplicaron, también en la música. Durante los años 20 y 30, la música culta se entregó a temerarios experimentos y rupturas con la tradición, mientras el jazz se convertía en la nueva música popular del continente. Todo ello en medio de una turbulencia social caracterizada por una economía enloquecida, el auge de los extremismos y la violencia callejera. Los «locos años 20» no significaron sólo un estilo de vida decadente, cabarets y clubs de jazz, sino también la exploración de nuevos caminos en el arte, de los cuales aún estamos viviendo.

El Berlín de la república de Weimar se convirtió en uno de los focos de esta renovación estética. Los más brillantes literatos, pintores, cineastas y músicos de Centroeuropa se daban cita en la capital alemana. El expresionismo, el dadaísmo y la Nueva Objetividad se disputaban los círculos artísticos.

También en música convivían corrientes contrapuestas. Junto a grandes nombres de la generación anterior que aún seguían componiendo, como **Richard Strauss (1864-1949)**, la música clásica se dividía en dos tendencias dominantes: compositores que continuaban la gran tradición clásica alemana, innovándola radicalmente; y aquellos otros que buscaban nuevos caminos fuera de dicha tradición.

Arnold Schönberg (1874-1951) fue la gran figura de la primera tendencia y el jefe de filas de la música atonal. Muy sucintamente: la atonalidad o música atonal renunciaba a la forma de organizar las composiciones que había prevalecido hasta el siglo XX en torno a un tono fundamental, llamado tónica, hacia el que la composición, después de múltiples revueltas y desvíos, terminaba regresando al final. El prescindir de esta forma de jerarquía es lo que da a las obras atonales esa apariencia flotante, de perpetua deriva sonora, incapaz de anclar en ningún sitio. Para el oyente acostumbrado a obras clásicas y románticas, la sensación —inquietante— es de disonancia y movimiento perpetuo, de imposibilidad de tocar pie en medio de la corriente sonora que lo arrastra. **Alban Berg (1885-1935)**, cuya ópera Wozzek se estrenó en Berlín, en 1924, con gran éxito, y **Anton Webern (1883-1945)**, fueron los dos discípulos más renombrados de la atonalidad, que se conocería también como Segunda Escuela de Viena (siendo la primera la de Haydn, Mozart y Beethoven). Se suele situar en torno a 1908, tras una etapa de posrromanticismo bajo la influencia de Wagner, el nacimiento de las primeras composiciones atonales de Schönberg. La atonalidad introdujo una libertad salvaje en la tradición que el muy conservador en el fondo Schönberg trató durante años de someter a disciplina. En 1921, por fin, le confesó a un amigo: «Hoy he realizado un descubrimiento que asegurará la supremacía de la música alemana durante los próximos cien años». Se trataba del dodecafonismo, un riguroso método de composición que reconducía la libertad conquistada por nuevos cauces de lo más severos. Reducido a su esencia, el método dodecafónico consistía en

la aplicación de un orden o sucesión determinada a la escala cromática de doce tonos (es decir, la que incluye todos los semitonos de una escala), de tal manera que ninguna nota de las doce pueda repetirse en tanto no hayan sonado las otras once. De este modo se evitaba la predominancia o jerarquía de unas notas sobre otras. A esta sucesión de notas o «serie» original (de ahí el nombre de «serialismo» que posteriormente recibiría esta escuela) se la somete a un conjunto de procedimientos de permuta (invirtiendo la sucesión, haciendo descendente el orden ascendente de las notas y viceversa, etc) que determina el desarrollo de la composición de una forma estricta. El serialismo, aún más que la atonalidad, ganó enseguida una fama de música imposible, sólo para entendidos. El oyente medio, que se muestra incapaz de reconocer la estructura serial que subyace y, por tanto, de organizar lo que escucha, reacciona con hostilidad ante lo que considera una invasión caótica de sonidos, carente de cualquier sentimiento, como no sea el de desasosiego. Sin embargo, como sucede tantas veces en la historia del arte en que un movimiento termina creando a su propio público, el serialismo ha ido introduciéndose de matute en nuestros oídos a través de las bandas sonoras de las películas de terror, de tal modo que cualquiera está hoy día mucho más preparado de lo que piensa para estas músicas rompedoras, desmintiendo así a los que opinan que el oído humano sólo tolera la tonalidad.

La otra tendencia dominante de comienzos del XX —formada en buena parte también por discípulos de Schönberg— buscaba renovar la música acudiendo a otras fuentes distintas del romanticismo

alemán: el barroco y la música francesa, en el caso de Paul Hindemith (1895-1963), uno de los músicos más influyentes en el neoclasicismo del periodo; tradiciones más arcaicas en el caso de **Carl Orff (1895-1982)**, influido por el primitivismo de Stravinsky y autor del Carmina Burana, que encandiló a los nazis; o el jazz y la música de cabaret, en el caso de los compositores que pretendían acercar los logros de la música atonal al oyente de la calle.

Esta última corriente dio lugar a un nuevo subgénero, la *Zeitoper* («Ópera del momento»), caracterizado por una ambientación moderna (los decorados podían ser una fábrica, un transatlántico o una ciudad americana) y la mezcla de jazz y música culta. Jonny spielt auf (Jonny empieza a tocar, 1927) fue el primer éxito de este género. Era obra de **Ernst Krenek (1900-1991)**, que provenía de la música atonal, a la que retornaría tras este paréntesis posteriormente. Krenek hace oír el «sonido de la calle» en su obra: ruidos de tráfico, trenes, sirenas… Pero el gran éxito de estas músicas fronterizas entre lo clásico y lo popular fue La ópera de cuatro cuartos (*Die Dreigroschenoper*, en alemán), con música de **Kurt Weill (1900-1950)** y libreto de **Bertolt Brecht (1898-1956)**, que reflejaba la atracción de la Alemania de Weimar por los ambientes turbios y criminales. La popularidad de la obra aún perdura: su número estrella —La balada de Mackie Messer— se ha convertido en uno de los más famosos standards de todos los tiempos en su versión inglesa, *Mack the Knife* (nuestro *Mackie Navaja*). Hasta en su vida personal representó Kurt Weill esta fusión entre lo clásico y lo canalla al emparejarse a la protagonista de su obra, la célebre cabaretera Lotte Lenya.

De los nombres citados anteriormente, un número mayoritario sería proscrito por los nazis. Al poco de llegar Hitler al poder, en enero de 1933, el Ministerio de Propaganda, dirigido por Goebbels, estableció un férreo control de las actividades culturales en Alemania. El organismo encargado, la Cámara de Cultura del Reich (Reichskulturkammer), contaba con un departamento para la música denominado Cámara de Música del Reich (Reichsmusikkammer), cuyo primer director fue el músico Richard Strauss. Tenía por misión preservar la pureza de la música germana del contagio del modernismo y era de adscripción obligatoria para cualquier músico alemán. Los músicos judíos, no importa su calidad o importancia, fueron vetados de inmediato, excluidos de todos los estamentos de enseñanza e imposibilitados de desarrollar cualquier actividad musical, salvo en el interior de la propia comunidad judía. Para el resto de músicos, los nazis se preciaron de permitir una tolerancia muy relativa y vigilada, que Goebbels bautizó pomposamente como «autoadministración bajo supervisión estatal». «Al contrario que Stalin», señala Alex Ross en su imprescindible El ruido eterno, «que exigió que el arte soviético reflejara la ideología del régimen, Hitler deseaba dar la impresión de que en las artes seguía reinando la autonomía [...] Los grandes músicos [no judíos] ocupaban una categoría especial y sus errores ideológicos solían pasarse por alto o disculparse»[221].

Buena parte de los jerarcas nazis, comenzando por el propio Hitler, y sin excluir a los más siniestros, como Heydrich, Mengele o Hans

---

[221] Alex Ross, *El ruido eterno*, Barcelona, Seix Barral, 2009, pp. 394, 396.

Frank, eran apasionados melómanos. La música jugaba un papel estelar en la propaganda nazi. Beethoven, Wagner o Bruckner sonaban en los grandes mítines del partido. Músicos eminentes como **Wilhelm Fürtwangler** (director favorito del Führer), Karajan o Richard Strauss, prosperaron bajo el nazismo. **Szymon Laks**, director de la orquesta de Auschwitz, escribió en sus memorias: «¿Cómo podía aquella gente que amaba la música hasta ese extremo, que incluso lloraba al escucharla, ser capaces al mismo tiempo de cometer tantas atrocidades contra el resto de la humanidad?». Como declarase Thomas Mann: «El gran arte estuvo aliado con el gran mal durante la Alemania de Hitler».

El efecto propagandístico que los nazis asignaban a la música se multiplicó con el uso de los nuevos medios: la radio y los discos y fonógrafos. En una prefiguración de los megalómanos DJ, el propio Hitler castigaba a su círculo íntimo con sesiones de fonógrafo, haciéndoles escuchar su música favorita, a la que encima anteponía su propia apreciación crítica. La radio, por su parte, se convirtió en la Alemania nazi en el más poderoso medio de difusión y propaganda. Tras las primeras emisiones experimentales en los años 1919-20, se produjo una meteórica expansión de la radiodifusión. En 1931, casi la mitad de los hogares de Berlín poseían un aparato de radio. Goebbels fomentó la adquisición de radios por las familias alemanas.

En mayo de 1938, y siguiendo el modelo de la exposición «Arte degenerado» de 1937 en Múnich, se celebró en Düsseldorf otra dedicada especialmente a la música, denominada Entartete Musik (pronúnciese 'ent ártete musík', Música degenerada), donde

se mostraron todas aquellas músicas que los nazis condenaban. En ella se incluyeron las corrientes más avanzadas, como la música atonal, los compositores judíos de cualquier especie, la Zeitoper, los compositores de izquierda, la música de jazz («música de negros y judíos» para los nazis), la proveniente de América y la gitana. Entre los músicos «degenerados» figuraban, junto a nombres del pasado de ascendencia judía como Meyerbeer o Mendelssohn, algunos de los compositores clave del siglo XX: Mahler, Bártok (que no era judío, pero pidió expresamente ser incluido como un honor), Stravinsky, Milhaud, Schönberg, Krenek, Weill, Goldschmidt, Eisler, Webern (quien paradójicamente se hizo nazi), Hindemith, Berg y Korngold, entre muchos otros menos conocidos.

El destino de todo músico vetado por la Cámara de Música del Reich se volvió precario. Los más afortunados emprendieron el camino del exilio, lo cual no resultaba fácil, dado que muchos países sólo aceptaban a aquellos que pudieran demostrar autosuficiencia económica o tuvieran contactos en el país de acogida que garantizaran su subsistencia.

Como tantos otros artistas judíos centroeuropeos, una gran parte de los músicos degenerados se refugió en Estados Unidos. Fue una avalancha de compositores, directores e instrumentistas de primera fila que elevaron automáticamente el nivel de la vida musical americana. Arnold Schönberg, Kurt Weill, Hans Eisler, Erich Korngold, Miklós Rósza, Franz Waxman… terminaron en California, donde ya se encontraba el otro padre del modernismo musical, Stravinsky. Algunos como Schönberg o Bartók tuvieron dificultades

para integrarse, pero otros se acomodaron y prosperaron rápidamente. Fue el caso de Kurt Weill, que triunfó en Broadway con diversas producciones. O el de los compositores para cine Korngold (Robin de los bosques, El lobo de mar), Rósza (Recuerda, Perdición, Ben-Hur) y Waxman (Rebeca, Sospecha, Un lugar en el sol), que crearon para Hollywood algunas de las bandas sonoras más famosas de la historia del cine, convirtiendo la música para la pantalla en un arte respetado, lleno de obras maestras.

En ciertos casos, como el de **Hanns Eisler (1898-1962)**, judío y comunista, el billete sería de idea y vuelta. Eisler fue uno de los primeros discípulos de Schönberg en utilizar el método dodecafónico del que, unos años después, abominaría a favor de una música comprometida, aunque esporádicamente regresara a la composición serial. Durante sus años en Estados Unidos compuso algunas bandas sonoras, como la de *Hangmen Also Die*! (1943, *Los verdugos también mueren*, hoy nos parece increíble que hubiese una época en Hollywood capaz de reunir en una misma película a Fritz Lang, Brecht y Eisler). En 1948, en plena caza de brujas, fue deportado de Estados Unidos y se refugió en la República Democrática de Alemania, donde se reuniría y continuaría colaborando con su amigo Bertold Brecht.

Directores geniales como los judíos **Otto Klemperer (1885-1973)** y **Bruno Walter (1876-1962)** o el «ario» y antinazi **Fritz Busch (1890-1951)**, encontrarían en América admiración y brazos abiertos, lo que les permitiría continuar una carrera internacional. También algunos reputados compositores no judíos, como Ernst Krenek y Paul

Hindemith, acusados de «bolchevismo cultural», se vieron obligados a emigrar a América, donde obtuvieron buenos puestos en las universidades. Otros no tuvieron tanta suerte. El vanguardista **Wilhelm Grosz (1894-1939)** terminó en Inglaterra componiendo melosas baladas bajo el pseudónimo de Hugh Williams, que acabarían en las voces de Elvis, los Platters o Frank Sinatra. **Alexander von Zemlinsky (1871-1942)**, de madre judía, murió en el olvido en su exilio neoyorkino, mientras su colega y cuñado Schönberg medraba en California. Sólo unos años más tarde, en 1945, moriría igualmente ignorado el húngaro Béla Bartók. **Berthold Goldschmidt (1903-1996)**, que perdió veintidós parientes en el Holocausto, estaba considerado ante del nazismo uno de los compositores más prometedores de Alemania. Hitler lo obligó a huir a Inglaterra, donde se vio rodeado de incomprensión e indiferencia, y terminó por renunciar a componer. Hubo que esperar hasta los años 80 para que su música volviera a ser apreciada e interpretada, en especial su obra maestra, la ópera *Die gewaltihe hahnrai* (*El cornudo magnífico*), de 1930, cuyo estreno en Berlín impidió el ascenso del nazismo.

Muy pocos de los que se exiliaron retornarían a Alemania tras la guerra. La pérdida de generaciones enteras de músicos brillantes fue irreparable y la cultura alemana —y la centroeuropea en general— aún no se ha recuperado. ¿Alguien que no sea especialista recuerda el nombre de un solo compositor alemán o austriaco de los últimos 70 años?

Para los músicos judíos que no emigraron, que fueron la mayoría, se creó la Unión Cultural Judía (Jüdischer Kulturbund), que los nazis permitieron como un medio de dar salida a la ingente lista de artistas judíos enviados al paro. A los nazis les servía como artículo de propaganda acerca de lo bien que trataban a los judíos. Para los propios músicos, que habían perdido su forma de ganarse la vida, era el último recurso contra la miseria. Alquilaron un teatro en Berlín y organizaron todo tipo de actos culturales y artísticos (conciertos, conferencias, exposiciones, representaciones teatrales y operísticas...). Se autofinanciaban con las aportaciones de la depauperada comunidad judía. Puede dar una idea de la importancia concedida a la cultura entre los judíos alemanes, incluso en medio de estas circunstancias apretadas, el hecho de que hacia 1934 el Jüdischer Kulturbund contara con 20.000 miembros, nada menos que un 10% de la comunidad. En 1941 fue oficialmente disuelta por las autoridades: no iban a necesitar más cultura allí donde se les enviaba.

En cuanto al destino de los músicos arios «degenerados» que decidieron permanecer en Alemania, aunque su vida por lo general no corrió peligro, se sumieron en un oscuro exilio interior. Algunos de ellos, que no hubieran tenido dificultades «estéticas» con los nazis, optaron por volverles la espalda por dignidad. Fue el caso de **Karl Amadeus Hartmann (1905-1963)**, nacido en Munich, de ideología comunista, un músico ecléctico que, como otros compositores de Weimar, incorporó a la tradición las sonoridades del jazz y, en algunas de sus obras vocales, textos comunistas. Hartmann se negó a publicar o a interpretar su música durante el Tercer Reich,

limitándose a programarla en festivales internacionales (Praga, Londres, Bélgica o Suiza). En sus composiciones de aquellos años deslizaba mensajes en clave para entendidos: podía ser una melodía judía simulada, un texto subversivo o una dedicatoria políticamente incorrecta… Escribir entre líneas se convirtió, al igual que en la España franquista, en un procedimiento habitual, plagado de guiños cómplices, a veces tan sutiles que pasaban inadvertidos no sólo para el censor, sino para el público afín. En la posguerra Hartmann ayudó a reconstruir el panorama musical de su país y se convirtió en promotor musical de las series de conciertos Música Viva, de Munich, donde dio cabida a los compositores prohibidos por los nazis junto a otros de las nuevas corrientes musicales.

Walter Braunfels (1882-1954), pianista y compositor, convertido al catolicismo tras la Primera Guerra Mundial, fue otro de los compositores condenados al ostracismo por razones extramusicales, puesto que, musicalmente, era un conservador, admirador del también muy tradicionalista Hans Pfitzner. De hecho, su ópera *Die Vögel* (*Los pájaros*), en la tradición tardorromántica alemana, estrenada en 1920, gustó tanto al joven Hitler que, ignorando que el compositor era medio judío, le solicitó en 1923 que compusiera el himno del partido nazi. Braunfels rechazó tajante el ofrecimiento, lo que determinó su posterior inclusión entre los «degenerados». Perdió además su puesto de director de la Academia Musical de Colonia, que recuperaría tras la guerra, en que fue otro de los escasos músicos incontaminados que contribuyeron a rehacer el panorama musical alemán sobre nuevas bases. El ostracismo nazi se prolongó después

de 1945, esta vez por parte de unos medios musicales dominados por una vanguardia rupturista con el pasado, y sólo muy recientemente sus composiciones, en especial su ópera, han comenzado a ser revalorizadas.

Hubo otros músicos que llevaron su compromiso más lejos y participaron en la resistencia. Fue el caso del joven y valiente pianista «ario» **Helmut Roloff (1912-2001)**, que trabajó con el grupo berlinés clandestino de la Orquesta Roja (Die Rote Kapelle), nombre en clave dado por la Gestapo, no por la profesión de algún integrante, sino porque los operadores de radio clandestina eran conocidos por la policía como «pianistas». El grupo, también denominado Schulze-Boysen/Harnack por sus dos dirigentes, pasaba información a los aliados, repartía panfletos antinazis y ayudaba a escapar a perseguidos proporcionándoles refugio y papeles falsos. Cuando la red fue desmantelada en 1943, Roloff fue detenido y torturado junto con los otros integrantes, pero a diferencia de estos, ejecutados en su mayor parte, logró ser liberado por falta de pruebas. Sus camaradas aguantaron la tortura sin delatarle y el pianista adujo que se limitaba a tocar el piano en las reuniones y que desconocía la actividad clandestina del grupo.

Leo Borchard (1899-1945), que llegó a dirigir la Filarmónica de Berlín, también fue condenado al ostracismo por los nazis en 1935 por no ser políticamente fiable. Después de la Kristallnacht se enroló en la resistencia y ayudó a ocultarse y a escapar a numerosos judíos. A la caída de los nazis, fue nombrado por los soviéticos director de la Filarmónica de Berlín, a la que dirigió en su primer concierto tras la

liberación, con un programa que incluía música de compositores prohibidos como Mendelssohn y Tchaikovsky. Borchard murió de forma absurda en agosto de 1945, cuando su coche fue tiroteado por confusión en un control americano.

Algún músico incluso no necesitó implicarse en la resistencia para perder la vida, como le sucedió a **Karlrobert Kreiten, (1916-1943)**, pianista alemán de padre holandés y alumno de Claudio Arrau, a quien Furtwängler considerara una de las grandes promesas del piano alemán. Un simple comentario crítico contra Hitler, denunciado por uno de tantos chivatos como pululaban en la época (para su desgracia ha sobrevivido su nombre: Ellen Ott-Monecke), bastó para que el siniestro juez Roland Freisler del Tribunal del Pueblo (Volksgerichtshof) —a quien hasta los nazis despreciaban— le condenara a muerte. Kreiten tenía veintisiete años cuando lo ahorcaron en la prisión berlinesa de Plötzensee.

Aparte de la música clásica u orquestal, otros géneros habían triunfado en Alemania durante la República de Weimar, en especial los provenientes de Estados Unidos como el jazz o el swing. Característico de las grandes ciudades como Berlín eran sus clubes (hot clubs) y las casas cabarets, donde se conjugaba la diversión con composiciones musicales de carácter satírico o erótico. Rápidamente el régimen nazi prohibió este tipo de música y clausuró locales bajo la premisa de que la música no era genuinamente germánica; no obstante siempre fueron respetados algunos garitos —en ocasiones cafés pequeños o verdaderos tugurios— en donde los jerarcas nazis se permitían disfrutar lo que prohibían al resto. Y además abundaron las

fiestas privadas donde se seguía escuchando swing o jazz. La prohibición oficial del jazz chocó siempre contra la demanda del público, empezando por los propios soldados del frente, ante la que finalmente y a desgana, hubo de ceder y admitir cierta tolerancia.

El jazz representaba para los nazis un producto de la cultura negra norteamericana (*Negermusik*), propio de judíos y africanos, una música acusada de introducir obscenidades en la elevada cultura germánica y de pervertir a las jóvenes. Se cerraron gran número de locales y también se prohibió en 1935 la radiodifusión del jazz. A todas estas prohibiciones, se añadió en 1943 la de componerla. Los músicos de jazz, como el trompetista Hans Berry, que encima tenía un abuelo judío, fueron forzados a exiliarse a otros países. Alguno acabaría suicidándose, como Mitja Nikisch, hijo del célebre director Arthur Nikisch, y que compatibilizaba los conciertos de piano con Furtwängler y la Filarmónica de Berlín con la dirección de su banda de swing; y muchos más terminarían sus días en los campos de concentración, donde algunos como los Ghetto Swingers de Terezin continuarían tocando jazz.

No conviene olvidar al valeroso movimiento de los Swing-Jugend [«Jóvenes del Swing»] compuesto sobre todo por jóvenes alemanes de Berlín y Hamburgo que se reunían para escuchar y bailar swing como forma de protesta contra el régimen. En su mayor parte se trataba de estudiantes de secundaria, de clase media y acomodada, que despreciaban el nazismo y en especial a los robóticos miembros de las Juventudes Hitlerianas. No sólo era la música; los jóvenes swing adoraban al mismo tiempo todo lo que representaba: una moda

diferente («a la inglesa»), sexualidad libre, democracia, american way of life... Eran tan poco nacionalistas que preferían hablar entre ellos en inglés y tan poco racistas que los judíos eran bien recibidos. Lo que en principio no fue sino un movimiento hedonista de pijos dandis terminó convirtiéndose, debido a la intolerancia nazi, en un desafío político. Cuando con la guerra arreció la persecución, los chicos del swing pasaron de los clubs a la clandestinidad de las fiestas privadas. «Salta a la vista una actitud de clara oposición a la guerra», señalaba un informe policial de 1944 a propósito del movimiento swing. La respuesta fue contundente por parte de los nazis: redadas, internamientos en campos de concentración, envíos al frente... A veces bastaba la simple posesión de discos de jazz para acabar en el lager. Los Swing Jugend tuvieron su réplica en otros países europeos, especialmente en la Francia ocupada, donde se denominaron zazous, que también fueron perseguidos por el gobierno colaboracionista de Vichy por antipatriotas y degenerados.

En ocasiones lo siniestro lindaba con lo grotesco. El régimen nazi prohibió y persiguió la música swing y jazz, pero por otro lado se atrevió a esponsorizar a su propio grupo, *Charlie y su orquesta*, que pronto acabó conociéndose como la *Orquesta de Jazz Dr. Goebbels*. La finalidad de la banda, sin un solo negro entre sus componentes, era hacer propaganda de los ideales nazis entre el público anglosajón mediante emisiones de radio. Para ello se reemplazaba las letras originales de lo standards por textos propagandísticos nazis, concebidos para desmoralizar al enemigo a través de su propia música. Las estrofas amorosas del *You're Driving Me Crazy* (*Me vuelves*

loco), por ejemplo, daban paso de improviso al «Ahí va la última jeremíada de Winston Churchill: Sí, los alemanes me vuelven loco / Creí que teníamos opciones / Pero me derriban todos mis aviones…». Las emisiones de radio llegaron a ser tan populares en Inglaterra que entre su público de oyentes se contaba el propio Winston Churchill, que se divertía con las letras en las que se ridiculizaba a los ingleses y a él mismo.

Charlie and his Orchestra fue creada en 1940 con algunos de los mejores músicos de jazz alemanes, capitaneados por el cantante Karl «Charlie» Schwedler y, entre 1941 y 1943, llegaron a grabar más de noventa discos patrocinados por el Propagandaministerium. Tras la guerra, siguieron tocando para las fuerzas de ocupación, y algunos emigraron a otros países o desarrollaron una respetada carrera en el jazz europeo. Para el batería de la orquesta de Goebbels, Freddie Brocksieper, que era de madre judía, su participación en la banda constituyó su salvoconducto a través de todo el periodo nazi.

El cabaret alemán o Kabarett fue otro de los fenómenos musicales que gozaban de mayor éxito en Alemania cuando Hitler accedió al poder. Proveniente de Francia, su feroz sátira política y sus números cómicos o picantes arrasaban en las abarrotadas salas donde se representaba. Berlín era una de las ciudades europeas donde mejor cabaret podía encontrarse, con locales legendarios como el Katakombe (definido por Sebastian Haffner como el «único lugar público de Alemania en el que se oponía una especie de resistencia» al nazismo) y estrellas como Werner Finck, Karl Valentin (admirado por Brecht), Fritz Grünbaum, Karl Farkas, la cantante satírica Claire

7Waldoff… Con el levantamiento de la estricta censura tras la Primera Guerra Mundial, el Kabarett conoció du edad de oro durante la década de los 20 y comienzo de los 30. Los sobrentendidos, sarcasmos y dobles sentidos permitían al maestro de ceremonias (conférencier) dejar caer sus comentarios sardónicos sobre la política, incluso bajo el nazismo, sin que la censura pudiera prohibirlos. Un cabaretero como Finck podía encararse en plena función con un secreta de la Gestapo que tomaba notas y dejarle en ridículo preguntándole con inocencia: «¿Voy demasiado deprisa para usted? ¿Puede seguirme o tendré que seguirle yo?». Pero el único humor que consentían los nazis eran las sangrientas burlas antisemitas y, tras un primer periodo de tolerancia, la censura acabó con los cabareteros y sus sátiras, por solapadas que fueran. Todos ellos fueron obligados a abandonar Alemania, deportados a campos de concentración o asesinados: Werner Finck terminó en el ejército, después de pasar por un campo de concentración; Hermann Leopoldi, estrella del cabaret de Viena, fue a parar a Buchenwald, donde compondría la célebre *Canción de Buchenwald*; Karl Valentin fue prohibido y murió en la miseria tras la guerra; Fritz Grünbaum, judío, pereció en Dachau; Karl Farkas y Max Hansen (que en 1932 parodiaba a un Hitler gay cantando «¿Alguna vez te has enamorado de mí?») marcharon al exilio; Karel Švenk, estrella del cabaret de Praga, internado en Theresienstadt, moriría con veintiocho años en las marchas de la muerte del final de la guerra; y Kurt Tucholsky, un periodista de prestigio que escribió para el Kabarett, se suicidó en Suecia en 1935. Al finalizar la guerra se recuperaría el género como representación de

las locuras homicidas del nazismo y su represión de la libertad en general, pero ya nunca sería lo mismo.

Con todo, las canciones del cabaret alemán nunca llegaron a perderse, ni siquiera durante los peores momentos de la guerra y del control férreo del régimen. El carácter romántico o erótico, melancólico y alegre, de muchas de ellas, hicieron que los soldados llevasen discos de cabaret entre sus pertenencias y que en los momentos de descanso los escuchasen, no obstante la prohibición del alto mando. Paradigmático fue el caso de la celebérrima *Lili Marleen*, prohibida rotundamente por el Ministerio de Propaganda de Goebbels por su contenido «derrotista», pero tolerada en la práctica por su éxito no solamente entre la tropa alemana, sino en otros muchos países.

Cuando el soldado Hans Leip escribió en 1915 un poema titulado *Lili Marleen*, no adivinaba que su adaptación musical en 1937 se haría mundialmente célebre y se convertiría en sinónimo de amor y hermandad entre los pueblos. Desde 1940 era escuchada y cantada por todo el ejército alemán, pero pronto también la entonarían los soldados aliados ante la sorpresa de sus enemigos. Los intentos de censura de Goebbels, que la tachaba de derrotista y melancólica (la letra habla de un soldado nada heroico, que prefiere caer en los brazos de Lili antes que en la batalla), se estrellaron contra la protesta de los soldados alemanes del frente, que hicieron prevalecer la última voluntad del que va a morir.

Tras la guerra la canción quedaría asociada para siempre a los últimos restos de humanidad en medio de la barbarie del

totalitarismo y de la guerra. Aparecieron múltiples versiones en diversos idiomas, con interpretaciones tan memorables como la de la voz profunda de Marlene Dietrich, auténtica imagen de Lili Marleen[222].

LOS MÚSICOS DEL TERCER REICH

Hitler y el partido nazi explotaron a conciencia la música como parte de su ideario y medio de propaganda. Creían que era una de las expresiones más útiles para imbuir de identidad mesiánica a la nueva Alemania y ensalzar la comunidad nacional. Si por un lado rechazaban movimientos musicales avanzados, y prohibían el trabajo de compositores y músicos de origen judío o contrarios al nazismo; por otro, potenciaban a aquellos otros afines que ensalzaban el ideal germánico de patria. Pronto cada obra o representación debía pasar una censura que valorase no tanto su creatividad, como el enaltecimiento de las virtudes del pueblo alemán.

Aunque el panteón musical nazi incluía la gran tradición clásica y romántica alemana (Bach, Mozart, Haydn, Brahms…), Adolf Hitler, guiado por sus propios gustos y los consejos de Joseph Goebbels y su Ministerio de Educación Popular y Propaganda, decretó que los tres compositores que mejor representaban a la «buena» música alemana

---

[222] Rosa Sala Rose, *Lili Marleen, canción de amor y de guerra*, Barcelona, Global Rhythm Press, 2008.

eran Ludwig van Beethoven, Anton Bruckner y sobre todo Richard Wagner. El primero, en palabras del propio Hitler, por «la fuerza de la moral en un hombre que destacó sobre el resto». Su *Novena Sinfonía* era un fijo en casi todas las grandes quedadas del régimen, incluyendo la inauguración de las Olimpiadas de 1936. Pero sería en especial Richard Wagner el compositor favorito del Führer por ser intensamente alemán, cultivador de la mitología germánica en su tetralogía *El anillo del Nibelungo*, además de un antisemita redomado en *El judaísmo y la música* (1850), un indigesto panfleto que argumentaba la incompatibilidad entre lo alemán y lo judío. El gusto por Anton Bruckner vendría a ser como una secuela de este último, al tratarse del discípulo alemán más aventajado de Wagner.

Según el vitriólico Sebastian Haffner, Wagner satisfacía como ningún otro el gusto por lo teatral del muy kitsch cabo austriaco. Uno de los objetivos que perseguía este artista fracasado sería, precisamente, «Representar escenas de las óperas de Wagner y las pinturas al estilo de Makart, en los que Hitler sea el protagonista principal»[223]. Haffner localizaba en esta «tendencia a lo teatral» uno de los rasgos en los que el pueblo alemán se identificaba con su líder: «La mentalidad y la concepción vital de Hitler fueron anticipadas por Wagner y sus seguidores [...] El exhibicionismo político de Hitler, su afición a las escenificaciones teatrales, los efectos fatuos, los desfiles, los festejos impresionantes y los edificios monumentales son repulsivos a ojos de la minoría antiwagneriana, mientras que fascinan

---

[223] Sebastian Haffner, *Alemania: Jekyll y Hyde*, Barcelona, Destino, 2005, p. 31.

a los adeptos a Wagner, que son mayoría en Alemania»[224]. El ensayista alemán llegaba a equiparar de manera abusiva la música wagneriana pura y simplemente con el nazismo: «De hecho, la polémica en torno a Wagner, que no ha cesado en el último siglo, no es otra cosa a nuestro parecer que la lucha entre los nazis y sus adversarios». La música de Wagner, sin embargo, ha resistido a su compositor, a la identificación con los nazis e incluso a los chistes de Woody Allen («Cuando escucho a Wagner me entran ganas de invadir Polonia»), demostrando una vez más que, a pesar de Platón, la belleza artística no va necesariamente aparejada con la bondad moral. De hecho, algunos de los mejores valedores de la música del antisemita Wagner han sido y siguen siendo judíos (en nuestros días, por ejemplo, Daniel Barenboim).

El canon nazi de la música clásica se completaba con música de procedencia no alemana, siempre y cuando sus valores coincidieran con un clasicismo académico (nada del rijoso Stravinsky) y los compositores estuvieran limpios de orígenes o contactos judíos (como el decadente Debussy, casado encima con una judía, y amante del jazz). Se admitirá a Liszt, a Chopin se le pretenderá hacer pasar por alemán y no polaco, Tchaikovsky será tolerado antes de la invasión alemana de la URSS en 1941 —pero después será prohibido—, y los italianos Rossini o Verdi, aliados, sonarán sin problemas en las salas de concierto alemanas. Como suele suceder con las religiones, también aquí el infierno terminaba resultando más atractivo que cualquier *Valhalla*.

---

[224] *Ibid.*, p. 38.

Durante el III Reich otros músicos compondrían a mayor gloria del régimen, pero nunca reemplazarían en el altar doméstico de Hitler su devoción por los tres grandes mitos: Beethoven, Wagner y Bruckner. Mientras desaparecían de las salas de concierto los judíos Mendelssohn, Offenbach, Meyerbeer o Mahler (pero no los Johann Strauss, padre e hijo, cuyos orígenes judíos se prefirió obviar en honor a la popularidad de sus valses y operetas), los compositores que aceptaban el modelo oficial de música basado en la épica wagneriana eran ensalzados: el ya citado Carl Orff, por ejemplo, cuyo *Carmina Burana*, estrenada en 1937, se convirtió en un éxito clamoroso en la Alemania nazi. Con él competía **Werner Egk (1901-1983)**, quien durante el periodo nazi atenuó sus modernismos e introdujo citas folklóricas para adaptarse al gusto imperante, y que compuso música para los Juegos Olímpicos de 1936 y una ópera, *Peer Gynt* (1938), que encantó a Hitler y a Goebbels. Y disfrutó por ello de cargos oficiales, entre otros el de director de la Ópera Estatal de Berlín. Como sucedió en la España de la transición, tanto Egk como Carl Orff (que se negó a interceder por su amigo Kurt Huber, miembro del grupo clandestino La Rosa Blanca, enseguida ajusticiado) se inventaron un pasado fantasma de resistentes para consumo de los comités de desnazificación y continuaron su carrera sin problemas en la nueva Alemania.

El austriaco **Franz Lehár (1870-1948)** fue otro de los que adoptó una pose de «a mí que me registren» tras la guerra. El popular autor de valses y operetas como *La viuda alegre* era un católico casado con una judía, que fue nombrada «aria honoraria» en gracia a la afición de

Hitler por la música de su marido. Lehár recibió de manos del Führer diversos galardones y le regaló, a su vez, al dictador como presente de cumpleaños (en 1938, pocas semanas después del Anschluss), una edición de *La viuda alegre* lujosamente encuadernada. Su música, por otro lado, se interpretó repetidamente con fines propagandísticos en los países conquistados. Algunos —para los que el standard de cómplice empieza a partir de la conducción de un Panzer— todavía consideran todo ello insuficiente para acusarle de colaboracionista. Lehár murió en su cama sin ser molestado.

En el caso de otros músicos la relación con los nazis fue más conflictiva, pese a la docilidad inicial manifestada. Le sucedió al compositor transilvano **Rudolf Wagner-Régeny (1903-1969)**, nacionalizado alemán en 1930, a quien los nazis ampararon a pesar de estar casado con una medio judía, pero que cayó en desgracia tras el estreno en Viena en 1941 de su ópera *Johanna Balk*, cuyas audacias, provenientes de Kurt Weill y Hans Eisler, no gustaron nada a Goebbels, que lo envió al ejército. Tras la guerra Wagner-Régeny se adaptó sin problemas a la Alemania comunista e incluso colaboró con Brecht.

De políticamente despistado califican algunos historiadores benevolentes al compositor y pedagogo **Franz Schmidt (1874-1939)**, alumno de Bruckner. Pese a ser celebrado por los nazis como el más grande compositor austriaco vivo y a que le encargaron una cantata con texto nazi que no llegó a completar (*La resurrección alemana*), poco después de su muerte, en 1942, quienes tanto lo apreciaban enviaron

a su primera esposa, ingresada en el psiquiátrico de Viena desde 1919, a la muerte dentro del programa nazi de eutanasia en 1942.

Hans Pfitzner (1869-1949), que se autodenominaba a sí mismo «un genio alemán», es otra muestra de la dificultad de utilizar sólo blancos y negros a la hora de dibujar la actitud de ciertos músicos durante el nazismo. Mientras Carl Orff, mucho menos simpatizante de los nazis, aceptó sumiso el encargo de suministrar música incidental para el *Sueño de una noche de verano*, a fin de poder reemplazar la del judío Mendelssohn, Pfitzner irritó a los nazis argumentando que la que había ya era insuperable y no podía sustituirse. Si es cierto que fue amigo del siniestro jerarca nazi Hans Frank, también lo fue del director judío Bruno Walter, que tuvo en alta estima su música hasta el último día. Mantuvo contacto toda su vida con músicos judíos, pero también con virulentos antisemitas. Fue un tipo patético y contradictorio, siempre corriendo servilmente en procura de honores tras los toscos nazis, al tiempo que se los enajenaba con sus salidas de tono. Pensó durante años que Hitler le apreciaba, cuando, en realidad, tras un único encuentro habido en 1923 en el que se atrevió a llevarle la contraria, el dictador lo motejaba en privado de «rabino judío» y no movió nunca un dedo por ayudarle. No sólo no obtuvo los honores y cargos que creía merecer su muy wagneriana música, sino que fue reiteradamente ninguneado por las autoridades del régimen, que sospechaban sin razón que era medio judío. En 1934 lo jubilaron con 65 años y le concedieron una mísera pensión. Su antisemitismo, como el de tantos otros alemanes de la época, era selectivo: pensaba que había judíos «peligrosos» y

judíos que habían hecho grandes contribuciones a la cultura alemana y a los que convenía preservar; una idea que no le ayudó precisamente con los jerarcas nazis. Tampoco le benefició interceder por un amigo de infancia judío, el periodista Paul Cossman, que sería liberado gracias a sus presiones en 1934, pero sólo para terminar siendo enviado a Theresienstadt, donde moriría de enfermedad. De hecho, Heydrich —cuyo padre había cantado en el estreno de una ópera de Pfitzner— encargó una investigación sobre el compositor a raíz de este incidente. Hacia el final de la guerra, se convirtió en el pupas y recibió palos de ambos lados: los aliados destruyeron su hogar de Munich en un bombardeo, en tanto los nazis le expulsaban de la Academia de Música por echar pestes del nazismo, condenándolo a la indigencia. Murió rehabilitado pero olvidado en 1949 con 80 años, en un hogar para ancianos. Pfitzner fue toda su vida en lo estético un conservador antimodernista. Su música, en especial su ópera *Palestrina*, de un espeso romanticismo wagneriano, ha empezado a reivindicarse recientemente.

Anton Webern (1883-1945), que no sólo era «racialmente intachable» sino un entusiasta admirador de Hitler, fue otro caso paradójico. Hans Severus Ziegler, el organizador y comisario de la exposición Música Degenerada de 1938, decretó que la música dodecafónica como la que Webern componía era «producto de judíos» y «bolchevismo cultural», en lo cual no podía andar más errado. Ni Webern ni el otro discípulo favorito de Schönberg, Alban Berg, eran judíos, por no mencionar a otros conocidos músicos atonales como el catalán Roberto Gerhard, o lo austriacos Ernst

Krenek, Hans Erich Apostel o Hanns Jelinek, que tampoco lo eran. En cuanto a la acusación de «bolchevismo cultural», sin duda debió de hacer reír a Stalin, que perseguía a los vanguardistas musicales de cualquier tipo tanto o más que los nazis, y a quien el nazismo de Webern le confirmaría en su idea de que el dodecafonismo no era sino la fase terminal del capitalismo en la música. En realidad, Hitler y Stalin compartían unos gustos pequeñoburgueses muy parecidos.

De nada le sirvió a Webern ser un simpatizante nazi: su música se vio proscrita durante el nazismo y él condenado a un oscuro exilio interior en medio de estrecheces. Al otro gran discípulo de Schönberg, Alban Berg, le dio tiempo de contemplar lo que se avecinaba antes de morir prematuramente en 1935. El estreno de su ópera *Lulú* fue prohibido en Berlín y, aunque hubo una premier parcial de los dos primeros actos completados en Zurich en 1937, habría que esperar hasta 1979 para poder asistir a la primera representación completa de este clásico contemporáneo. La prohibición de una viuda resentida se revelaría más eficaz aun que la de los nazis.

Los dos discípulos más brillantes de Schönberg tuvieron muertes de lo más atonales: Berg por una picadura de insecto infectada; Webern, diez años más tarde, a causa de un disparo de un soldado americano, recibido durante una redada en la casa de su yerno, mercachifle del mercado negro.

Con todo y pese a la rotunda condena de Hans Severus Ziegler, cierta música atonal y dodecafónica fue tolerada durante el régimen nazi si quien la componía era «racialmente intachable». No sólo se

compuso y se interpretó en este estilo, sino que algunas de estas obras fueron encargadas por organizaciones nazis para sus solemnes saraos. Un tal Herbert Gerigk, un crítico musical a las órdenes de Alfred Rosenberg, el mediocre supervisor de la cultura durante el nazismo, se atrevió incluso a proclamar con ocasión del sesenta aniversario de Schönberg, en 1934, que en las manos adecuadas el método atonal podía resultar aceptable[225].

Las dos estrellas más brillantes del panorama musical alemán del momento, sin ser nazis, pactaron por interés con el diablo y nunca terminaron de quitarse la peste a azufre. El mayor de los dos era el compositor y director **Richard Strauss (1864-1949)**, dueño de una aclamada obra y de un prestigio intocable a la llegada de los nazis, y nombrado por estos primer presidente del *Reichsmusikkammer* (Cámara de Música del Reich). Sin ser un simpatizante nazi ni siquiera un antisemita, Strauss se dejó tentar por los honores ofrecidos y por la debilidad propia de los sedicentes apolíticos hacia los regímenes autoritarios, que Strauss pretendía capitalizar a favor de sus reformas musicales. Su escasa docilidad irritó enseguida a las autoridades nazis y en especial a Goebbels. Herr Strauss no sólo se empeñó en seguir interpretando a compositores judíos como Mendelssohn y Mahler, sino que encargó a un escritor judío como Stefan Zweig el libreto de su próxima ópera, *La mujer silenciosa*. Los preliminares del estreno coincidieron con la prohibición nazi de

---

[225]

http://orelfoundation.org/index.php/journal/journalArticle/defining_82 20degenerate_music8221_in_nazi_germany/ (última consulta: 05/09/2018).

representar obras de autores no arios en los teatros alemanes. Strauss insistió en incluir el nombre de su libretista en los créditos y Hitler, en consideración al músico, autorizó excepcionalmente el estreno de la ópera en Dresde en 1935, aunque, eso sí, tras un par de representaciones fue prohibida. La venganza llegaría enseguida: Richard Strauss, que tenía parientes judíos, fue finalmente obligado a dimitir de su cargo, poco después de que la Gestapo interceptara una carta dirigida a Stefan Zweig, en el exilio desde 1934, en la que se despachaba a gusto contra el chauvinismo nazi: «¿Cree usted que estoy guiado en todas mis acciones por el pensamiento constante de que soy "alemán"? ¿Acaso Mozart era conscientemente "ario" cada vez que componía? Sólo reconozco dos tipos de personas: las que tienen talento y las que no».

Desde entonces, Strauss se convirtió en un rehén del régimen nazi. El músico tuvo que interceder repetidas veces ante Goebbles por su nuera judía, que fue detenida durante la Noche de los Cristales Rotos, y sus nietos *mischlinge*, que fueron humillados y golpeados por las SA. Cuando la abuela de su nuera Alice fue internada en el campo de Theresienstadt, Strauss se presentó allí con el ánimo de liberarla, pero fue echado sin contemplaciones. Finalmente, la anciana sería asesinada junto con otros veinticinco parientes de la nuera, a la que Strauss logró preservar, al igual que a sus nietos, acogiéndola en su residencia bávara de Garmisch.

Demasiado tarde, el músico descubrió con quiénes había estado coqueteando. En una anotación de diario al término de la guerra escribió: «Llega a su final el más terrible periodo de la historia

humana, doce años de reinado de la brutalidad, la ignorancia y la anticultura a las órdenes de los mayores criminales, durante los cuales los dos mil años de evolución cultural de Alemania se encaminaron a su perdición». Ni estas altisonantes palabras ni lo sublime de su música deben hacernos olvidar la miseria moral de este oportunista: cuando el 20 de marzo de 1933, poco después de la subida al poder de los nazis, el director judío Bruno Walter fue acosado para que no dirigiera un concierto con la Filarmónica de Berlín, Richard Strauss, solícito esquirol, se mostró dispuesto a sustituirlo. Como señaló su colaborador Zweig, que lo conocía bien: «Debido a su egoísmo de artista, que él reconocía siempre con franqueza y frialdad, en el fondo cualquier régimen le era indiferente». Para los nazis, en cambio, que apenas contaban con artistas de prestigio que les apoyaran, su colaboracionismo no era moco de pavo: «Poder tener a su lado al músico más famoso de Alemania en un momento tan crítico, aunque fuera como simple figura decorativa, significaba para Goebbels y Hitler un logro incalculable»[226].

A la caída de Reich, el «Yo soy Richard Strauss, el compositor del *Caballero de la Rosa*», que no le valió de nada en Theresienstadt, fue suficiente, en cambio, para pararle los pies a los soldados norteamericanos que acudían a detenerle. Se le perdonó su colaboracionismo, que otros menos implicados pagaron con creces, y aún sobreviviría cuatro años, en los que compuso algunas de sus más destacadas obras (*Metamorfosis*, *Cuatro últimas canciones*).

---

[226] Stefan Zweig, *El mundo de ayer*, Barcelona, Acantilado, 2002, pp. 469-470.

El otro gran icono y oportunista musical del nazismo fue el director Wilhelm Furtwängler, vicepresidente de la Cámara de Música, con cuyo presidente, Richard Strauss, mantenía tensas relaciones. Furtwängler dirigía desde 1922 la Orquesta Filarmónica de Berlín, que se convertiría en la «Orquesta del Reich» y primera embajadora cultural del régimen nazi. Desde su ascenso al poder, Hitler financió íntegra y generosamente una formación que antes se debatía entre dificultades crónicas. Sus miembros fueron mimados con numerosos privilegios: a diferencia de los de otras orquestas, estaban exentos del ejército y la guerra, contaban con mejores pagas y viviendas, y hasta podían permitirse hacer giras por el extranjero (España y Portugal) en plena contienda. Realmente, se requieren dosis enormes de ingenuidad o desfachatez, o de ambas juntas, para ser mantenido a cuerpo de rey por los asesinos y pretender no tener nada que ver con ellos, como alegaron los componentes de la orquesta (del director al utillero) al término de la guerra.

Como en el caso de Strauss, Furtwängler, que no era nazi y mantenía cordiales relaciones con los judíos (su secretaria personal lo era hasta que le obligaron a reemplazarla por una «aria»), no le hizo ascos, sin embargo, a los honores que los hitlerianos le prodigaron en calidad de director más célebre de Alemania y favorito del Führer, aceptando a cambio convertirse en la máscara culta del ogro. Si en un principio se opuso vigorosamente a la exclusión de los músicos judíos, terminó condescendiendo con ella y asistió en primera fila y con cara de póker a la depuración de los judíos de su orquesta y a su reemplazo por otros afiliados al partido nazi. A pesar de que en 1934

renunció a sus cargos estatales (entre ellos, la vicepresidencia de la Cámara de Música y el puesto de director permanente de la Filarmónica) en protesta por la prohibición de interpretar a Paul Hindemith, considerado por los nazis un «músico degenerado», posteriormente regresó al podio de la orquesta depurada y dirigió diversos conciertos ante Hitler y otros jerarcas nazis, hasta que en enero de 1945 huyó por fin a Suiza. Otro célebre director no judío, Erich Kleiber, mostraría en una situación muy parecida en qué consistía una actitud ejemplar: cuando la música de Alban Berg fue declarada por los nazis «degenerada» y prohibida su ejecución, Kleiber dimitió de la dirección de la Ópera de Berlín y optó por el exilio.

Pese a sus constantes desafíos (ni siquiera en presencia de Hitler realizaba el saludo oficial y se negaba a interpretar himnos nazis), a la ayuda prestada a músicos judíos (hay hasta ochenta casos documentados) y a su negativa a comprometerse en labores de propaganda (cuenta una nieta de Wagner cómo Hitler le amenazó en una ocasión por este motivo con el campo de concetración y Furtwängler le respondió: «En ese caso estaré en buena compañía»), la conclusión final es la que el combativo Toscanini le espetó a Furtwängler durante un tormentoso encuentro en el festival de Salzburgo de 1937: «¡Todo el que dirige en el Tercer Reich es un nazi!», o la que el escritor Thomas Mann le reprochó en una carta: «No es permisible tocar a Beethoven en la Alemania de Himmler».

Los casos de Strauss y Furtwängler son emblemáticos de tantos artistas que menosprecian la política como un mundo ajeno al

sublime del arte en el que habitan y que, por ello mismo, se muestran acomodaticios en cualquier régimen en el que prosperen. Al igual que otros presuntos apolíticos, no era tanto el autoritarismo —en ambos muy desarrollado— lo que repudiaban de los nazis, cuanto la falta de maneras, lo kitsch y plebeyo, la brutalidad desaforada incapaz de hacer distingos entre el buen y mal judío, el buen y el mal arte moderno... Al altanero «Sólo reconozco dos tipos de personas: las que tienen talento y las que no» de Strauss, hacía eco el «Sólo reconozco una línea divisoria: la que existe entre el buen y el mal arte» de Furtwängler. En la misma carta a Goebbels de la que proviene la cita anterior, sin embargo, Furtwängler se avenía a un «moderado» antisemitismo, el habitual entre los alemanes de su época, diferenciando entre judíos «perseguibles» y judíos «valiosos»:

Si la lucha contra la judería se concentra en aquellos artistas destructivos y sin raíces, los que buscan el éxito fácil mediante lo kitsch y el virtuosismo vacío, entonces bienvenida sea; nunca será bastante el vigor y el empeño que se ponga en el combate contra semejantes individuos y la actitud que encarnan. Pero si este ataque se dirige, en cambio, contra genuinos artistas, deja de trabajar a favor de los intereses de la vida cultural alemana [...] Debe afirmarse, por tanto, con toda claridad que a hombres como Walter, Klemperer, Reinhardt, etc, se les debería permitir en el futuro ejercer su talento en Alemania, al igual que a Kreisler, Huberman, Schnabel y otros grandes instrumentistas de raza judía[227].

---

[227]

http://orelfoundation.org/index.php/journal/journalArticle/the_furtw228ngl er_case/ (última consulta: 05/09/2018).

Después de la guerra declaró a un periodista inglés: «La simple ejecución de una obra maestra alemana es un desmentido más fulminante al espíritu de Buchenwald o de Auschwitz que todos los discursos. Un artista no puede ser totalmente apolítico, debe tener convicciones. Pero como músico, soy más que ciudadano, soy alemán en el sentido eterno»[228].

En estas pocas frases se resumen todos los extravíos que llevaron a la perdición de Alemania y que Furtwängler y tantos alemanes con él, aún seguían sosteniendo tiempo después del desastre: en primer lugar, la creencia de que el arte es una barrera contra la barbarie, «un desmentido de Buchenwald y Auschwitz»; el propio Furtwängler demostró que la mejor música era perfectamente compatible con Buchenwald y Auschwitz interpretándola ante los extasiados matarifes, que después de su escucha continuaron asesinando sin remordimientos. En segundo lugar, incluso muchos de los alemanes que se opusieron a Hitler compartían con él el nacionalismo furibundo que les llevaba a situar lo alemán por encima de cualquier otra realidad (fundamento último del racismo nazi y justificación final de todos sus crímenes), o, como expresaba el músico, a pensar que ser «alemán en el sentido eterno» era ser «más que ciudadano», es decir, más que lo que cualquier ser humano es por el mero hecho de haber nacido.

---

[228] Citado en: Audrey Roncigli, *Musicien sous le IIIᵉ Reich*, p. 458: http://www.furtwangler.net/doc/AR_M1_editionSWF.pdf (última consulta: 05/09/2018).

Finalmente, en enero de 1945 (cuando Speer le advierte que van a por él debido a sus conexiones con algunos participantes en el complot del julio anterior contra Hitler), Furtwängler huye a tiempo a Suiza, algo que hubiera podido hacer perfectamente mucho antes de que los nazis explotaran a conciencia su prestigiosa figura. Tras la guerra, salió indemne de un proceso de desnazificación, gracias en parte a los testimonios de músicos judíos que le debían su salvación. Lo cual no impidió que se formase un frente de rechazo contra su figura compuesto por renombrados músicos (Toscanini, Horowitz, Rubinstein, Isaac Stern y otros), que no podían perdonarle el haberse dejado utilizar por los asesinos. Pese a las protestas, una vez rehabilitado Furtwängler retomó su carrera de director con el mismo prestigio que antes de la guerra.

La primacía del inmanejable Furtwängler se veía amenazada a partir de 1938 cuando el círculo de Goering comenzó a buscarle un sustituto más dócil, promocionando a un joven director que era miembro del partido. **Herbert von Karajan**, un pijo de Salzburgo cuyo padre alquiló toda una orquesta para el debut de su hijo en la dirección, provenía de la inagotable cantera nazi de Austria que tantos cuadros proporcionaría a las SS, empezando por el propio Eichmann. Mientras que el porcentaje de afiliación al partido nazi en la Filarmónica de Berlín era del 20%, en la de Viena alcanzaba el 49% (entre ellos dos SS). De los trece maestros judíos expulsados de la orquesta tras la anexión nazi de Austria, siete perecerían durante el Holocausto, la cifra más alta en cualquier orquesta, salvo las de los campos de concentración.

En el caso de Karajan, su afiliación en 1933 al partido nacionalsocialista parecía responder más bien a razones de oportunismo y ambición desmesurada antes que al fanatismo. Lo cual no obsta para que el director —que cuando tomó el mando del festival de Salzburgo en la posguerra anunció sin tapujos: «Seré un dictador»— sintiera una nada disimulada afinidad con el autoritarismo y chauvinismo nazi, rasgo que compartió por otra parte con la mayoría de los músicos germanos de su época, descontando a los judíos y a los que tuvieron que exiliarse.

Karajan no hacía ascos a dirigir en los países conquistados, empezando por París. Su meteórico ascenso durante el nazismo se detuvo en seco en 1941, en parte por la contraofensiva de Furtwängler, que no dudó en comerse su orgullo para lloriquearle al propio Goebbels, y también debido a su matrimonio en 1942 con una rica heredera con un cuarto de sangre judía. El propio Führer, que prefería a su competidor Furtwängler, no le tenía excesiva estima desde que se equivocara dirigiendo a Wagner durante un concierto de gala en 1939. Karajan, que dirigía «de oído» y sin partitura, tuvo un lapsus y la orquesta se detuvo.

Tras la guerra las autoridades soviéticas en Austria le prohibieron dirigir a la Filarmónica de Viena por su relación con el nazismo. Se le ofreció entonces la dirección de la Philarmonia de Londres, la orquesta que fundó en 1945 el mítico productor de la EMI Walter Legge, y con la que Karajan inició su dominio en el mundo de las grabaciones.

En 1947, ya estaba exonerado de todos los cargos y con permiso renovado para dirigir, aunque Furtwängler —que siempre le llamó «el señor K», como si fuera un personaje de Kafka— continuara vetándole en Salzburgo y Viena hasta su propia muerte en 1954. Con su competidor enterrado, Karajan ocupó su puesto en la Filarmónica berlinesa y regresó a la de Viena. Sin embargo, su pasado nunca le abandonó y músicos judíos como Stern o Perlman se negaron a tocar con él. Uno de los testigos de la comisión de desnazificación que lo absolvió dejó de él este retrato implacable: «Karajan es un personaje arrogante y ambicioso, muy pagado de sí mismo, no muy simpático, pero es imposible que sea un ferviente nazi o ni siquiera un simpatizante. Su adhesión al NSDAP es únicamente profesional»[229]. Él mismo comparó cínicamente su afiliación al partido nazi a «inscribirse en un club de esquí alpino». Su egoísmo e insensibilidad alcanzaba cotas escandalosas, como cuando se lamentaba del trato que recibió en la posguerra, al tiempo que mantenía un silencio nunca roto sobre las verdaderas víctimas: «"Fuimos transportados en camiones, como bestias", se quejaba, no habiendo pronunciado jamás una palabra de compasión por los millones de personas que formaban los convoyes de la muerte»[230]

---

[229] Citado en: Audrey Roncigli, *Musicien sous le IIIᵉ Reich*, p. 49 http://www.furtwangler.net/doc/AR_M1_editionSWF.pdf (última consulta: 05/09/2018).

[230] Norman Lebrecht, *¿Quién mató a la música clásica?*, Madrid, Acento Editorial, 1998, p. 291.

Su única ideología era la de adquirir la mayor gloria personal sin reparar en los medios, una meta en la que, según algunos biógrafos, tomó como modelo al propio Hitler, a quien secretamente admiraba. Su propósito de convertirse en el Führer del negocio de la música clásica, algo que en buena medida consiguió por medio de un poder omnívodo en las principales salas de concierto, festivales de música y casas de discos, se erigió a su vez en el modelo de codicia sin freno que predominó posteriormente en la música culta. Algún crítico influyente ha llevado el paralelismo con Hitler aún más lejos: según Norman Lebrecht, Karajan dejó a su muerte la música clásica tan arruinada como Hitler a Alemania: con unos cachés disparatados, unas entradas prohibitivas financiadas en buena medida con el dinero estatal, un público elitista y envejecido, un repertorio rancio y conservador y una relevancia cada vez más marginal en la cultura de todos:

Cuando Karajan murió [en 1989], el lento y continuado efecto de sus trapicheos había logrado que las mediocridades reclamasen 10.000 marcos por dirigir un concierto en cualquier lugar de Alemania y que las orquestas se sintieran asfixiadas por sus demandas. El juego de Karajan se fundaba en la presunción de que siempre habría alguna entidad pública en algún sitio a la que pudiera persuadirse de pagar para cubrir la necesidad de escuchar buena música. Ni él ni nadie de su círculo previeron que llegaría un tiempo en que la riqueza pública se vería severamente reducida y que los conciertos dependerían de limosnas[231].

---

[231] *Ibid.*, p. 204.

La lista de músicos cuyo compromiso con el nazismo fue más inequívoco que los de Furtwängler y Strauss no se agota en Karajan y es asombrosamenter nutrida. La música alemana fue el arte más nazi con diferencia, mucho más que la literatura o las bellas artes, con la excepción quizá de la arquitectura. Ya fueran adictos al ideario nazi o simples oportunistas, todos ellos hicieron gala de altas dosis de servilismo ante los genocidas, sin apenas consecuencias tras la guerra. Algunos notorios colaboracionistas de la batuta que prosperaron bajo el III Reich fueron **Karl Böhm** (que, con motivo del 50 aniversario del Führer escribió: «El sendero de la música de hoy en la esfera de las obras sinfónicas ha sido trazado y pavimentado por la concepción nacionalsocialista...»), **Clemens Krauss** (bastardo de un aristócrata de cuarenta y dos años y una bailarina de quince, siempre presto a sustituir a directores depurados como Kleiber o Fritz Busch), el holandés **Willem Mengelberg** (amigo y valedor en Holanda de la música de Mahler, al tiempo que simpatizante de los nazis que declararon a aquel «degenerado»), Paul van Kempen (también holandés, que dirigió ante la Wehrmacht), o el austriaco **Oswald Kabasta** (uno de los directores más alabados de su tiempo, tan nazi que firmaba sus cartas con un Heil Hitler!, aunque tras la guerra alegó que en su interior era antinazi)...

Tampoco faltaron los cómplices entre los instrumentistas. La pianista **Elly Ney (1882-1968)** y la clavecinista **Li Stadelmann (1900-1993)** fueron miembros del partido nazi y convencidas antisemitas; el pianista **Walter Gieseking (1895-1956)** no tuvo empacho en actuar ante las autoridades nazis y en países ocupados, y llegó a declarar

que ansiaba más que nada interpretar ante el Führer. Y entre las voces a las que no les importó hacer carrera gracias a los asesinos baste citar a las muy célebres del bajo-barítono **Hans Hotter (1909-2003)**, que no fue miembro del partido nazi, o a la soprano **Elizabeth Schwarzkopf (1915-2006)**, que sí lo fue desde 1940, pese a que durante años lo negara[232].

Salvo muy contados casos (Mengelberg murió en 1951, poco antes de que se cumpliera la prohibición de seis años de dirigir; Kabasta, más impaciente, se suicidó en 1946), ninguno de ellos sufrió apenas tras la guerra. Böhm y Krauss, al igual que Furtwängler o Karajan, ya estaban dirigiendo en 1947, y completaron triunfantes carreras internacionales. Ney fue vetada en Bonn, pero no en el resto de Alemania donde prosiguió dando conciertos; cuando las aguas se calmaron, la otra antisemita del teclado, Li Stadelmann, reanudó las clases y los conciertos. Algunos como Gieseking, Furtwängler o Karajan, sufrieron boicots en Estados Unidos a comienzos de los 50, pero a finales de esa misma década ya tenían abiertos todos los escenarios del mundo y, leyendo sus entrevistas, donde se presentaban como víctimas antes que cómplices, uno se pregunta con Jardiel Poncela si alguna hubo vez once mil nazis.

Otra música, aparte de la clásica wagneriana, fue considerada puramente germánica y pasó a ponerse de moda en la Alemania de Hitler. Se trata de la música militar a la que tan aficionados serán los

---

[232] http://www.nytimes.com/1983/03/17/arts/germans-explore-ties-of-musicians-of-nazis.html?pagewanted=all (última consulta: 05/09/2018).

nazis, en especial en grandes acontecimientos como alocuciones de jerarcas, manifestaciones de afecto al régimen y desfiles. Nunca fue más verdad que en aquella época la reflexión de Groucho Marx: «La justicia militar es a la justicia lo que la música militar es a la música». No hay que menospreciar, sin embargo, la importancia que, para un pueblo que ama cantar a coro con cualquier pretexto, tuvo esta herramienta de propaganda. Haffner nos muestra en propia carne la eficacia de este método de aleccionamiento mediante himnos y marchas. Los opositores que como él preparaban el ingreso a la profesión jurídica fueron convocados por sorpresa, poco después del ascenso de los nazis, a un campamento pseudomilitar, donde los futuros jueces y abogados, convenientemente infantilizados, confraternizaban y eran adoctrinados. El propio Haffner reconocía la astucia de este adoctrinamiento, que adoptaba una forma práctica, es decir, no por medio de la amenaza y las charlas ideológicas, sino mediante la trampa de la camaradería y el calor del rebaño. En esta estrategia de seducción los cantos tribales jugaban un papel preponderante. Haffner describe como nadie este proceso en páginas no carentes de un humor negro:

…marchábamos, desfilábamos durante una, dos, tres e incluso cuatro horas por la zona, sin que aquellas marchas tuviesen destino alguno ni objeto determinado. Mientras tanto cantábamos. Había tres tipos de canciones que aprendíamos por las tardes en las clases de canto y entonábamos por las mañanas durante las marchas. El primer tipo eran canciones de las SA, composiciones literarias al estilo de las que en ocasiones envían mancebos con ambiciones poéticas a la sección cultural de pequeños periódicos de

provincias; en ellas se amenazaba principalmente a los judíos y además se decían cosas como:

«El sol dorado del ocaso
envió su último fulgor» etc.

Después había canciones militares de la última guerra, productos absurdos y sentimentaloides, provistos casi todos de abundantes versiones indecorosas, mas no exentas del encanto de la copla callejera. Finalmente estaban las «canciones del lansquenete», en las que asegurábamos algo así como que pertenecíamos a la cuadrilla negra de Geyer e íbamos a plantar el gallo rojo en el tejado del monasterio (Florian Geyer fue una figura de la Guerra de los campesinos de 1525). Estas canciones gozaban de la máxima popularidad y se cantaban con más brío y contundencia que el resto. Estoy convencido de que al menos la mitad de aquellos pasantes alemanes y futuros jueces sentía que realmente pertenecía a la cudrilla negra de Geyer [...]

Por cierto, yo también cantaba. Todos lo hacíamos. En eso consistió la «formación ideológica»[233].

Junto a marchas militares tradicionales y canciones patrióticas como *¿Ves cómo amanece por el Este?* o *Las landas de la marca de Brandenburgo*, entre un variado repertorio, el himno del Partido Nacionalsocialista *Horst Wessel Lied* (*Canción de Horst Wessel*) se convirtió en el canto oficial e ineludible. Solía interpretarse antes de los conciertos y en todas las ocasiones solemnes, y es una muestra más de cómo una canción hecha para un colectivo concreto —el Partido Nazi— se

---

[233] Sebastian Haffner, *Historia de un alemán*, Barcelona, Destino, 2001, pp. 286-287.

convierte por el arte de la propaganda en una composición de todo el país.

El mismo proceso pero a la inversa —una canción de todos pervertida por una ideología— lo apreciamos en el famoso himno nacional alemán. *El Das Deutschlandlied* (*La Canción de Alemania*) fue compuesto en 1841 por August Heinrich Hoffman aprovechando una melodía de Haydn. La primera estrofa «Deutschland, Deutschland über alles» («Alemania, Alemania sobre todo»), a pesar de que aludía al anhelo de unidad nacional alemán por encima de divisiones territoriales, quedaría tras 1870 asociada al imperialismo germano. El Tercer Reich volvió a cambiar el himno para glorificar una grandeza expansionista pangermánica. Entre 1933 y 1945 se cantaba sólo la primera estrofa y luego se pasaba al *Horst Wessel Lied* nazi, con lo cual la confusión programada entre uno y otro himno resultaba más que evidente.

LA MÚSICA DE LAS VÍCTIMAS

Nunca dejó de sonar la música durante el Holocausto, ni en los peores momentos. Se escuchaba, se interpretaba y se creaba en los guetos, en los campos de trabajo y de exterminio, en los bosques donde se escondía la resistencia. Música antigua y recién compuesta, popular o culta, entre las víctimas y entre los verdugos.

En un tiempo en que parecían predominar el grito y el silencio, esta persistencia de la música se explica por diversos factores: en primer lugar por su propia naturaleza primigenia: la música fue probablemente el primer arte en nacer (algunos piensan que el hombre aprendió a cantar antes que a hablar, y desde luego es el primero que llega a un recién nacido) y es el último en desaparecer. Cuando deja de escucharse música, podemos prever que el fin está muy cerca.

También por la propia cultura judía, un pueblo eminentemente musical (y literario) antes que plástico, por ser la música una expresión artística más «transportable» y, por ende, adecuada a la diáspora y a las precarias condiciones históricas en que se desenvolvieron los judíos durante siglos.

Una última razón estriba en que se trataba del único arte que los verdugos toleraban sin problemas en los lugares de encierro de sus víctimas, e incluso fomentaban como un medio de mantenerlas apaciguadas hasta el exterminio.

Aquella música fue un arma de sometimiento pero, también y con mayor frecuencia, de liberación y consuelo. Podían ser canciones de antes de la guerra, que ayudaban al atribulado a olvidar por unos minutos el terrible presente, refugiándolo en el pasado; pero también obras donde se expresaba en tiempo real, en riguroso directo como diríamos ahora, toda la angustia y el dolor de la tragedia.

En ocasiones, como en el campo de Theresienstadt, donde los nazis encerraron a músicos de primera fila, alcanzaba un altísimo nivel. Pero ya fuera el interno famélico que canturreaba sin aliento

como la gran orquesta de presos interpretando un solemne réquiem, en todos ellos la música conquistó su máximo valor: pues quien canta o interpreta aún no ha perdido del todo su humanidad ni su esperanza.

Los principales guetos del este de Europa (Varsovia, Lodz y Vilna) disfrutaron de una rica vida musical hasta su destrucción. El de Varsovia, por ejemplo, contaba con una orquesta sinfónica (de 80 músicos), cinco teatros, grupos de cámara, coros y numerosos cantantes e instrumentistas de cafés. En los cinco teatros, además de obras serias, se representaban también variedades, revistas y comedias musicales. Todos los géneros estaban presentes, desde los conciertos religiosos en las sinagogas hasta la música de jazz en cabarets.

Se cantaba mucho en los guetos de Polonia, principalmente en yiddish. Las canciones servían como escape de la realidad, al tiempo que como medio de protesta y de consuelo. Algunas eran simples baladas sentimentales, en tanto que otras hablaban de la dura vida diaria del gueto: el hambre, la corrupción de los Consejos judíos, la esperanza de la liberación o la llamada a resistir. Había cantantes callejeros que actuaban por unas monedas. A veces eran niños mendigos quienes las cantaban. Szpilman, el célebre pianista del gueto de Varsovia, cuenta de ellos en su libro: «Se quedaban de pie junto a las farolas, los muros de los edificios o en la calle, con la cabeza levantada y repitiendo entre gimoteos que tenían hambre. Los más dotados cantaban. Con vocecilla débil entonaban la balada del

joven soldado herido en combate; abandonado por todos en el campo de batalla, grita "¡Madre!" en el momento de morir»[234].

También había cafés en los guetos, con una intensa vida musical. Cuenta de nuevo Szpilman: «…me trasladé a otro café, el Sztuka (Arte), en la calle Lezsno. Era el mayor café del gueto y tenía aspiraciones artísticas. En su sala de conciertos se ofrecían a menudo actuaciones musicales […] Tanto la sala de conciertos como el bar estaban casi siempre llenos»[235].

La historia de **Wladek Szpilman (1911-2000)** fue mundialmente conocida cuando Polanski adaptó en 2002 a la gran pantalla sus memorias. En 1939 era un joven y prestigioso compositor y colaborador de Radio Polaca. Con la entrada de los nazis en Varsovia comenzó su calvario y el de su familia: jamás vería a ninguno de sus hermanos ni padres después de ser deportados todos a Treblinka. Szpilman huyó del gueto y se escondió en la parte aria de la ciudad asistido por algunos amigos. Un oficial alemán, Wilm Hosenfeld, le ayudaría a sobrevivir en los últimos momentos de la guerra. Una vez acabada esta, volvió a la Radio Polaca como director musical, componiendo además del *Quinteto de Piano de Varsovia*, canciones, sinfonías y música de cámara.

La película de Polanski rescató la historia de Szpilman y nos enseñó cómo la música puede ayudar a mitigar los efectos de la más cruel de las desdichas. Frente a la burda aplicación al Holocausto del mito del

---

234 Wladyslaw Szpilman, *El pianista del gueto de* Varsovia, Madrid, Turpial/Amaranto, 2001, p. 23.

235 *Ibid.*, p. 18.

emprendedor, efectuada por Spielberg en La lista de Schindler, Polanski mostró en su film cómo la supervivencia era producto del más puro azar, sin relación alguna con el mérito.

Hubo también música en la vasta red de campos de concentración nazis. Los guardianes se ocuparon de formar orquestas y bandas que cumplían una doble función: por un lado apaciguar, humillar y disciplinar a los presos; por otro, servir de esparcimiento a los propios nazis, grandes amantes de la música.

La música ocupaba, pues, una posición ambivalente. Para quien la oía, llegaba a veces a constituir una refinada tortura, una especie de siniestro hilo musical que sonaba mientras se marchaba hacia el brutal trabajo o hacia el suplicio. «En el lager», escribe Primo Levi, «la música arrastraba hacia el fondo».

Para quien la hacía, en cambio, representaba una posibilidad más de supervivencia, en primer lugar física. «La música sostenía la 'moral' (o más bien el cuerpo) únicamente [...] de los músicos, que no estaban por ello obligados a cumplir tareas penosas y se podían alimentar mejor», en palabras de Szymon Laks, que fue director de la orquesta de Auschwitz. A un nivel más profundo, también servía para reforzar la moral: «la música daba coraje y fuerzas extraordinarias para sobrevivir», apunta Kazimierz Gwizdka, otro preso de Auschwitz.

Auschwitz contaba con 6 orquestas, una compuesta por hasta 120 músicos (una banda de viento) y otra sinfónica de 80 músicos, así como diversos coros. El repertorio incluía marchas, himnos del campo de concentración, música de salón, música ligera y de baile, canciones populares, melodías de cine y de operetas, fragmentos de

ópera y obras clásicas como la quinta sinfonía de Beethoven. Había también bandas de cinco músicos que tocaban marchas —a la ida y a la vuelta— para hacer marcar el paso a los prisioneros que hacían trabajos forzados, para confundir a los recién llegados durante las selecciones, o como acompañamiento de los que se dirigían a la horca o a las cámaras de gas. Los músicos gozaban de un estatus especial, más protegido: comían y vestían mejor, tenían trabajos menos duros y eran tratados con menor brutalidad. Todo ello aumentaba las posibilidades de supervivencia, pero también el rencor de otros presos y la conciencia de culpa de los propios beneficiados. El suicidio entre los músicos era más frecuente que entre los demás internos del campo, salvo en el caso del Sonderkommando (los encargados de incinerar a las víctimas de las cámaras de gas). Aunque no siempre la profesión de músico suponía una garantía de supervivencia. Uno de los más prestigiosos compositores de entreguerras, el judío de Praga **Erwin Schulhoff (1894-1942)**, un músico de vanguardia influido por la música de jazz y el dadaísmo, y amigo de Alban Berg, fue deportado a Wülzburg, fortaleza cercana a Núremberg, donde murió de tuberculosis a los 48 años, dejando una de las obras más eclécticas de la primera mitad del siglo XX. En su intensa carrera, Schulhoff transitó de la vanguardia más rabiosa al realismo socialista, pasando por la atonalidad y el jazz. Judío, compositor de música «degenerada» y comunista (suya es una versión musical del *Manifiesto comunista*), es difícil pensar en alguien que reuniera más requisitos para convertirse en víctima de los nazis. El hecho de que fuese detenido en calidad de ciudadano soviético

(cuya nacionalidad adquirió poco antes) en lugar de judío, determinó un destino diferente al de Theresienstadt, donde se reunieron otros músicos y artistas checos de su generación, y donde fue enviado y murió su propio padre.

En cuanto instrumento de disciplina y humillación, los presos se veían obligados a cantar canciones nazis mientras marchaban o trabajaban, e incluso durante los castigos. «Aquellos que no sabían la canción eran golpeados», cuenta Eberhard Schmidt, un preso del campo de Sachsenhausen. «Aquellos que cantaban demasiado bajo eran golpeados. Aquellos que cantaban demasiado alto eran golpeados. Los SS daban salvajes palizas».

En algunos campos como Dachau, los altavoces vomitaban a todas horas marchas militares y música alemana (en especial Wagner) para reeducar a los internos. A veces la música no tenía otra función (como durante la dictadura argentina) que camuflar el sonido de las torturas y las ejecuciones.

Las bandas y orquestas tocaban también en conciertos dominicales para esparcimiento de los SS y, a veces, de los internos, y en las fiestas y orgías privadas de sus verdugos. Cada campo, por otra parte, se preciaba de tener su himno y los prisioneros estaban obligados a cantarlo en numerosas ocasiones. Algunos se hicieron célebres, como el *Moorsoldatenlied* (*Canción de los soldados de la turbera*), que se convertiría en una canción de la resistencia, o *Dachaulied* (*Canción de Dachau*), compuesta por un alumno de Ravel y Richard Strauss, Herbert Zipper, y que utilizaba irónicamente el lema de los campos («El trabajo os hará libres», «Arbeit Macht Frei»):

Lejos queda la alegría,

Lejos el hogar y las esposas

Cuando al amanecer y en silencio

Marchamos por miles al trabajo.

Pero hemos aprendido el lema de Dachau

Y fuerte somos como el acero:

Sé un hombre, compañero,

Todo un hombre

Y afánate sin descanso

Porque el trabajo te hará libre.

En el campo de Buchenwald, su comandante llegó incluso a convocar un concurso de canciones entre los presos. Los ganadores del certamen exhibían un impresionante currículum. Hermann Leopoldi, autor de la música, era una de las grandes estrellas del cabaret de Viena, mientras que su letrista, Fritz Löhner-Beda, era un libretista vienés responsable de algunas de las operetas más conocidas de Franz Lehar, quien al parecer intercedió en vano por él ante el mismo Hitler. El tema ganador, la *Canción de Buchenwald* (*Buchenwaldlied*), alentaba tras su aparente conformismo un anhelo de libertad de lo más subversivo. Como recordaba Leopoldi después la guerra: «en su estupidez, el comandante no se percató de cuán revolucionaria era en el fondo la letra». El estribillo decía así:

Oh Buchenwald, no puedo olvidarte,

porque eres mi destino.

¡Sólo el que te abandona llega

a saborear la maravillosa libertad!

Oh Buchenwald, fuera llantos y lamentos,

cualquiera sea nuestro porvenir,

sabremos decir siempre sí a la vida,

porque llegará el día en que seamos libres.

La suerte de los autores de la canción fue dispar: la mujer de Leopoldi compró su libertad desde Estados Unidos, donde el preso pudo reunirse poco después con ella y desarrollar una exitosa carrera. Fritz Löhner-Beda, en cambio, fue deportado en octubre de 1942 a Monowitz, también conocido como Auschwitz III, donde la vida media de los presos, explotados como mano de obra esclava en el complejo industrial de la I.G. Farben, no sobrepasaba los tres o cuatro meses. La de Beda no llegó ni a dos. Raul Hilberg nos cuenta cuál fue el final de uno de los más famosos libretistas del periodo, entonces de 59 años[236]:

Un día, dos reclusos de la Buna [la fábrica de caucho sintético de Auschwitz-Monowitz, donde también trabajó Primo Levi], el Dr. Raymond van den Straaten y el Dr. Fritz Löhner-Beda, estaban trabajando cuando una partida de directivos visitantes de la I.G. Farben pasaron por allí. Uno de los consejeros señaló al Dr. Löhner-Beda y le dijo a su compañero de las SS, «este cerdo judío podría trabajar un poco más rápido». Enseguida otro consejero comentó por casualidad, «si no pueden trabajar, que perezcan en la cámara de gas». Una vez terminada la inspección, el Dr. Löhner-Beda fue retirado de la partida de trabajo y lo golpearon y patearon hasta que,

---

[236] Raul Hilberg, *La destrucción de los judíos europeos*, Madrid, Akal, 2005, p. 1028.

moribundo, lo dejaron en brazos de su amigo prisionero, para terminar su vida en la I.G. Auschwitz.

Junto a la música forzada, existía otra hecha por y para los presos. Era un medio de supervivencia y de resistencia contra el terror diario. Se interpretaba en los barracones, al final de la dura jornada o el domingo. Boris Pahor, en su novela Necrópolis, nos habla de un viaje en tren a Dachau, en 1944, donde los presos y guardianes son acompañados de tres músicos: trompeta, violín y acordeón. Estos mismos músicos «de veras tocaban como locos y no se cansaban nunca». En Dachau tocaban en su barracón, aparte de la orquesta «oficial» del campo, y «si por casualidad justo en aquel momento bajaba las escaleras [al crematorio] alguna camilla, el difunto esquelético recibía algunos compases de Mozart como acompañamiento en su descenso»[237].

Si la primera, la música forzada, estaba pensada para deshumanizar, esta otra preservaba los últimos restos de humanidad en medio del hambre, las enfermedades, la tortura física y psicológica y el constante miedo a la muerte.

Existió también, a partir de la primavera de 1943, una orquesta femenina en Birkenau (Auschwitz II). Contaba con una dirección de lujo: **Alma Rosé**, sobrina de Gustav Mahler y virtuosa del violín, que se dedicó a la orquesta con una dedicación rayana en el fanatismo. Son varios los testimonios de supervivientes que hablan de la estricta disciplina y los exigentes ensayos a que estaban sometidas las

---

[237] Boris Pahor, *Necrópolis*, Barcelona, Anagrama, 2010, p. 94.

músicas, pero al tiempo de la lucha incansable de la directora por mejorar sus condiciones de vida. Alma Rosé se ganó el respeto de los SS, hasta el punto de que cuando murió de enfermedad en 1944, las autoridades del campo permitieron dedicarle un solemne funeral, el único del que se tenga noticia entre los judíos de Auschwitz.

Uno de los miembros de la orquesta fue **Fania Fénelon**, cantante y autora de un célebre y polémico libro de memorias —contestado en algunos detalles por otras supervivientes— titulado *Tregua para la orquesta* (*Playing for time*). «En Birkenau», cuenta Fenelon, «la música es la mejor y la peor de las cosas. La mejor porque devora el tiempo, nos proporciona el olvido actuando lo mismo que una droga; nos deja embrutecidos, con el cerebro lavado... Y es la peor porque nuestro público son ellos, los asesinos, y son ellas, las víctimas... Y entre las manos de los asesinos, ¿no nos convertimos en verdugos a nuestra vez?»[238].

Anita Laskker-Wallfisch, otra superviviente que tocaba el cello en la orquesta, también dejó su testimonio: «Que yo sobreviviera durante casi un año en Auschwitz se debe, sin ninguna duda, al hecho de que entrara a formar parte de la orquesta. Como quiera que los alemanes deseaban una orquesta, hubiera sido contraproducente exterminarnos. Nuestra tarea consistía en tocar mañana y tarde en la entrada del campo para que las brigadas de trabajo marcaran el paso, a la salida y al regreso, al son de las marchas que interpretábamos. Teníamos también que estar disponibles en todo momento para hacer música a requerimiento de cualquier SS que entrara en nuestro

---

[238] Fania Fénelon, *Tregua para la orquesta*, Barcelona, Noguer, 1981, p. 181.

barracón y pidiera escuchar música, después de haber enviado a miles de presos a la muerte».

El gueto de Theresienstadt (pronúnciese 'teréisienchstat'; en checo Terezin, pronunciado 'teresín') en Checoeslovaquia, fue un caso especial, puesto que se constituyó como un recinto «modelo» de reasentamiento con fines puramente propagandísticos. Se trataba de engañar al mundo sobre las verdaderas intenciones de Hitler con respecto a los judíos. Allí fueron a parar todos aquellos cuya desaparición fuera susceptible de provocar un escándalo en el exterior: ancianos, veteranos de guerra judíos, toda suerte de judíos notables, incluyendo un elevado número de intelectuales y artistas, entre ellos músicos de primera categoría. En consecuencia, la actividad artística en Theresienstadt —fomentada por los propios nazis para camuflar el inminente exterminio programado, tanto ante la opinión internacional como ante los propios internos— fue muy intensa, y en especial la vida musical alcanzó una asombrosa riqueza, hasta el punto de que cuando se habla de música del Holocausto, enseguida se piensa en Theresienstadt.

Los internos fueron autorizados a poseer instrumentos musicales y los mejores músicos estaban exentos del trabajo más duro y eran asignados a la «División de entretenimiento» (Freizeitgestaltung), donde contaban con mejores alojamientos y raciones extra de comida. Y hasta el otoño de 1944 fueron preservados de la deportación a Auschwitz, que ya afectaba al resto. De la importancia que poseía la música dentre de la «División de entretenimiento» da cuenta su organización, que incluía hasta cuatro departamentos: Ópera y

música vocal, Música instrumental, Música de café y Administración de instrumentos.

Una pléyade de músicos de primera fila organizaba conciertos de música clásica y popular, representaciones de ópera, actuaciones de música de cámara y de coros, cabaret y jazz (en la cafetería podía escucharse música popular y swing), amén de hojas de crítica musical y clases de música. **Martin Roman**, un pianista que había tocado con Louis Armstrong, Sidney Bechet, Coleman Hawkins y Django Reinhardt, pasó a comandar la célebre banda de jazz, los *Ghetto Swingers*, a su llegada al campo en enero de 1944. Los *Swingers* incluían tres violines, tres saxofones, cuatro trompetas, guitarra, acordeón, contrabajo y batería, y tocaban de manera incansable tanto en el quiosco de música como en el café, en un cabaret llamado Karussell, dirigido por la antigua estrella del cine Kurt Gerron. Sólo una parte de los Ghetto Swingers, incluyendo a Martin Roman, sobreviviría a Auschwitz.

La excelsa orquesta de cuerda contaba con un director de primera fila, **Karel Ančerl**, checo de origen judío que perdería a su mujer y a su hijo (nacido en Terezin) en Auschwitz, pero sobreviviría para desarrollar una gloriosa carrera musical en la posguerra. Las piezas eran a veces expresamente compuestas para la ocasión y algunas se han conservado y demuestran el alto nivel alcanzado en medio de la incertidumbre y el miedo. Eran composiciones que trataban de expresar la zozobra en que se vivía y, a veces, combatirla con dosis de esperanza. Sus autores son presencias habituales hoy día en los programas de concierto. Citemos a los cuatro más relevantes.

Viktor Ullmann (1898-1944), educado en Viena, fue uno de los alumnos favoritos de Arnold Schoenberg, y contaba ya con una importante y reconocida obra antes de la guerra. Director de prestigio, se encargó de la organización de las actividades musicales de Theresienstadt. Además de esta función organizativa, escribió críticas musicales (aparte de poemas, aforismos y un diario), dictó conferencias y compuso una abundante obra durante su estancia en el gueto (tres sonatas para piano, un cuarteto de cuerda, series de lieder, diversas obras orquestales), incluida la estremecedora ópera de cámara *El emperador de la Atlántida*. En su ensayo *Goethe y el gueto*, escrito en Terezin, anotó: «Hay que destacar que Theresienstadt sirvió para mejorar, no para obstaculizar, mis actividades musicales, que no nos sentamos en ningún caso a lamentarnos junto a los ríos de Babilonia y que nuestro deseo de cultura se adecuó a nuestro deseo de vida». Justo antes del estreno de su ópera, fue deportado a Auschwitz, donde pereció, y hubo que esperar hasta 1975 para la premier. Ullmann está considerado el músico más relevante de cuantos pasaron por Theresienstadt.

Pavel Haas (1899-1944), judío de la morava Brno, compuso canciones y música de cámara en la estela de Leoš Janáček, su profesor durante un tiempo. En Theresienstadt, adonde fue deportado en 1941, tras divorciarse de su mujer aria a fin de que ni ella ni su hija sufrieran el mismo destino, escribió ocho composiciones, la más conocida de las cuales es el *Estudio para orquesta de cuerdas*, estrenada en el gueto por Ančerl. Cuenta éste como, poco después, en octubre del 44, ambos comparecían en

Auschwitz ante el doctor Mengele y el matarife, tras vacilar un momento, decidió en última instancia enviar al más debilitado Haas, que tosía, a la cámara de gas y librar al otro.

El también moravo **Gideon Klein (1919-1945)**, al que asesinaron con tan sólo veintiséis años, fue un prometedor pianista y compositor deportado en 1941. Como casi toda la música que salió del gueto, la suya está cargada con la intensidad de las últimas palabras, doblada en su caso por una energía juvenil que lucha por desbordar todas las restricciones. Klein fue enviado a Auschwitz con el resto de los músicos en los convoyes de octubre de 1944 y de allí a la mina de carbón de Fürstengrube, donde sucumbió en enero de 1945 en la liquidación del campo, a la que sólo sobrevivieron veinte presos. En pocos casos como en el suyo ha estado más claro el enorme talento que se malogró con su pérdida. Karel Ančerl escribió de él tras la guerra: «Se podría decir con certeza que habría estado entre los mejores y que habría alcanzado la perfección suprema en el arte, en el piano, en la composición y en la dirección de orquestas».

Hans Krása (1899-1944), nacido en Praga, fue discípulo de Zemlinsky y, como todos los anteriores, estuvo influido por Schönberg. Sus composiciones incluyen ciclos de canciones, una sinfonía, un cuarteto de cuerda, una cantata y una ópera. Pese a su modernidad y a su gusto por lo grotesco, conserva el sentido de la belleza melódica. Tal vez su obra más conocida sea la pequeña y deliciosa ópera infantil *Brundibar*, representada en el campo en cincuenta y cinco ocaciones por un coro de niños, una de ellas en junio de 1944 ante la Cruz Roja, poco antes de que todos los

intérpretes, incluido Krasa, terminaran en Auschwitz. El éxito de la anterior obra acaso haya oscurecido el resto de sus brillantes composiciones, entre las que cabe citar una ópera basada en un relato de Dostoievsky, *Verlobung im Traum* (*Esponsales en sueños*) o una genial *Passacaglia y fuga para trío de cuerdas*, compuesta en Terezín el mismo año de su muerte.

Tanta o más importancia que la música culta tuvieron en Theresienstadt la música popular y, sobre todo, las canciones. Las había desgarradoras, como las de **Ilse Weber**, que acompañó voluntariamente a los niños que cuidaba hasta el interior de la cámara de gas cantándoles una nana. Weber escribió y musicó en Terezín numerosos poemas de despedida de una desolación casi insoportable[239]:

> Adiós, camarada,
> Aquí se dividen nuestros caminos,
> Mañana debo partir.
> Te abandono,
> Me llevan de aquí,
> Salgo en el convoi para Polonia.
> :::
> No te desanimes,
> Te sentí tan cerca,
> No nos veremos jamás.

---

[239] Véase el folleto del CD: *Terezín/Theresienstadt*, Anne Sofie von Otter et al., Deutsche Grammophon, 2008. Traducción propia.

De **Carlo Sigmund Taube**, gaseado con su mujer y su hijo, un músico que fue alumno de Ferrucio Busoni y compuso hasta una sinfonía, sólo se conserva… una nana, pero esta minúscula pieza vale por las obras colosales de otros compositores:

> Como cualquier niño dicen que eres,
> De los que habitan por el vasto mundo,
> Igual que tus camaradas de juego
> Y, sin embargo, mi niño, tan diferente.
>
> Eres un niño sin patria
> Y en toda ciudad extranjero.
> Pero mientras no escuches la palabra
> «patria», libre se mueve tu alma.

Del límite extremo de la tristeza se pasaba al de la despreocupación más delirante, una alegría kamikaze que nos recuerda a los crucificados que, al final de *La vida de Brian*, cantan music-hall en la cruz:

> Sí, aquí en Terezín
> Nos tomamos la vida a la ligera
> Y amamos a nuestro pequeño Terezín.
> …
> Con buena voluntad todo marcha,
> Unamos nuestras manos,
> Y sobre las ruinas del gueto
> Un día reiremos.

Los optimistas estribillos anteriores pertenecen a dos de las canciones más populares del gueto: *Terezín-Lied* (*La canción de Terezín*) y *Všechno jde!* (*¡Todo marcha!*). La primera es anónima y la segunda la escribió alguien que murió con veintiocho años de agotamiento durante las marchas de la muerte. Su autor, **Karel Švenk**, fue uno de los primeros 324 deportados a Terezín que se encargarían de acondicionar el gueto para los millares que vendrían. Antes había sido cantante, compositor y animador del cabaret de vanguardia de Praga (el «Club de los talentos echados a perder») y continuó siéndolo en el cabaret de Theresienstadt, donde le llamaron el Charlot del gueto. Todos los testimonios hablan de lo hilarantes y reconstituyentes que resultaban sus cabarets. Una de sus últimas revistas, titulada El último ciclista, se basaba en el popular chiste de los ciclistas y los judíos (uno le dice a otro: «La culpa de todo la tienen los ciclistas y los judíos», y el otro le pregunta: «¿Por qué los ciclistas?»). En la disparatada farsa una pandilla de locos fugados de un manicomio se hace con el poder y se dedica a perseguir y asesinar a todos los ciclistas y a cualquiera que se relacione con ellos. El último ciclista vivo consigue encerrar de chiripa a todos los lunáticos en un cohete y enviarlos a su lugar natural en la Luna. Al final, el superviviente se dirigía al público y les animaba: «¡Marchaos a casa! ¡Sois libres!», pero su novia le advertía: «Los finales felices sólo existen en el escenario. Ahí fuera, donde estáis vosotros, siguen los

problemas». Las alusiones eran tan transparentes que el propio Consejo de Ancianos judío, asustado, prohibió la representación[240].

Pese a su modélica fachada, y a contar con su propia policía y consejo judío y cierto grado de autonomía en su organización, Theresienstadt no era ningún paraíso. No hay que olvidar que, además de escaparate, su función era la de estación de tránsito hacia el exterminio. El hacinamiento, el hambre, las enfermedades y las deportaciones impedían hacerse excesivas ilusiones sobre el futuro. La enorme vida cultural y musical no representaba más que una mínima parte de la vida del campo. Al margen de las actividades artísticas, 33.500 internos murieron de hambre, enfermedad o agotamiento, sin contar los numerosos suicidios. Otros 88.000 fueron deportados a Auschwitz en diferentes oleadas. De un total de 141.000 que pasaron por Theresienstadt, sólo 16.832 alcanzarían a ver el final de la guerra, un 12% [241].

En diciembre de 1943 fue ordenado un «embellecimiento de la ciudad»; con jardines, parque infantil, huertos y una sala de conciertos. Su objetivo era presentar Theresienstadt al mundo como un modelo de asentamiento judío adonde, según los nazis, se estaba enviando a los judíos europeos. Para evitar la impresión de hacinamiento, se deportó a más de 7.000 internos. Se creó una escenografía minuciosamente preparada, digna de Hollywood, con

---

[240] http://www.thelastcyclist.com/about-the-play/ (última consulta: 05/09/2018).

[241] Raul Hilberg, *La destrucción de los judíos europeos*, Tres Cantos (Madrid), Akal, 2005, p. 478.

calles asfaltadas, fachadas recién pintadas, viviendas remodeladas y judíos elegantemente vestidos paseando por las calles. Como si se tratara de una obra de teatro, un grupo de judíos, bajo la amenazadora supervisión de las SS, ensayaron una y otra vez sus papeles: los niños hacían como que jugaban, las parejas intercambiaban falsos arrumacos, un falso cartero repartía correspondencia y en un quiosco de música, recién construido, una banda tocaba ante un público extasiado. En el verano de 1944, una comisión de la Cruz Roja visitó admirada este falso edén y cayó de manera cándida, o tal vez cómplice, en el engaño. En honor de los visitantes, los internos interpretaron en aquella ocasión el *Réquiem* de Verdi y representaron la ópera infantil *Brundibar*, compuesta en el gueto por Hans Krása, uno de los internos.

Por esas mismas fechas (septiembre de 1944), se rodó un documental con idénticos propósitos propagandísticos. Se titula *Theresienstadt. Ein Dokumentarfilm aus dem jüdischen Siedlungsgebiet* (*Un documental sobre el área de asentamiento judío*), también conocido como *Der Führer schenkt den Juden eine Stadt* (*El Führer regala una ciudad a los judíos*), y de él se conservan unos veinte minutos de los noventa rodados. En ellos se puede ver a los niños cantantes de Brundibar, a Karel Ančerl dirigiendo por última vez a la orquesta de cuerda de Terezin en una obra de Pavel Haas (el Estudio para orquesta de cuerdas) y al propio Haas saludando al público (entre el que se encuentra Hans Krása) al final del concierto, pocos días antes de ser enviados todos ellos a Auschwitz, junto con los últimos 18.000 deportados. Su visión resulta hoy estremecedora, sabedores del destino inminente que aguardaba a

todos los que aparecen y se esfuerzan dolorosamente por aparentar normalidad. Por expreso deseo de las autoridades nazis, la banda sonora del documental incluía una extensa selección de música degenerada, como no era posible escuchar en ningún otro lugar (Mendelssohn, Offenbach, Krása, Haas, Max Bruch, música jazz...); lo que hacía paradójicamente de Terezin uno de los lugares más libres, artísticamente hablando, de la Europa nazi.

EL RECUERDO MUSICAL DEL HOLOCAUSTO

Mientras una parte de los músicos «degenerados» lograron mal que bien proseguir o rehacer su carrera, sobre todo en Estados Unidos y en el mundo del cine y del espectáculo, otros muchos, exiliados o asesinados en los campos de exterminio, fueron olvidados. Toda una brillante generación de compositores sufrió una doble condena: primero a manos de los nazis y ya en la posguerra, por las nuevas vanguardias musicales, que los estigmatizaron como reflejo de una época que había que dejar atrás cuanto antes. Los nuevos compositores, como Pierre Boulez o Stockhausen, marcaron un camino hecho de música cerebral, formalista, cuidadosamente expurgada de emociones. A la expresión de lo emocional, tan explotada por los nazis para su política irracional, opusieron la objetividad y el estricto control de los sonidos. Desecharon la música anterior como reaccionaria y condenaron al olvido a la mayoría de la

composición creada en Centroeuropa durante los años 20 y 30. Los compositores que consiguieron sobrevivir al Holocausto —el caso de Bertold Goldschmidt es el más sangrante— se hundieron en el silencio y sobrevivieron con trabajos acomodaticios, muy inferiores a sus capacidades. Hubo que esperar casi cincuenta años para que una nueva sensibilidad descubriera asombrada aquellas obras de una originalidad y audacia deslumbrantes, que pese a todas sus innovaciones no renunciaba a la belleza melódica y la intensidad del sentimiento.

Como resumió Alex Ross en la crítica de una interpretación orquestal de «música degenerada»:

Haas y Ullmann formaron, junto con otras víctimas del Holocausto como Erwin Schulhoff, Gideon Klein y Hans Krása, una generación que combinó con naturalidad las innovaciones modernistas de Schönberg y Stravinsky con las formas tradicionales del romanticismo del siglo anterior. Acaso con ellos se perdió mucho más que unos talentos individuales: la música posterior a la Segunda Guerra Mundial abandonó esos intentos de síntesis por proyectos sofisticados de experimentación. Muchos compositores de posguerra, cómodamente instalados en la corriente de moda, invocaron el horror del Holocausto como justificación de sus sombríos, descoloridos y áridos trabajos. Resulta de lo más irónico que la música de los genuinos compositores del Holocausto rebose en cambio de intensidad lírica y lucidez formal, y que encierre a menudo un destello de esperanza en sus cadencias finales[242].

---

[242] En http://isurvived.org/Frameset4References-2/-HoloMusic-Ghettos-Camps.html (traducción propia; última consulta: 05/09/2018).

Al decir de Ross, la música clásica no sólo sufrió durante el nazismo y la guerra pérdidas incalculables de compositores, instrumentistas, obras, etc..., sino que padeció además el cuestionamiento de su autoridad moral y artística. Compositores como Richard Strauss, Hans Pfitzner o Ziegler fueron relegados por las autoridades aliadas; los descendientes de Wagner fueron enjuiciados. Al mismo tiempo, durante el proceso de desnazificación de Alemania se pensó que la música ayudaría a volver a conducir al país por la senda democrática y occidental, tras la fallida experiencia de la República de Weimar. Con tal objetivo, se recuperó la música de compositores prohibidos por el régimen nazi y se recurrió a la de músicos extranjeros: **Benjamín Britten (1913-1976)**, por ejemplo, ofrecería incluso un concierto en Bergen-Belsen a los supervivientes del campo todavía en 1945, pero del mismo modo colaboraron en el empeño músicos de la calidad de Leonard Berstein o Pierre Boulez...

El Holocausto afectó a todos los campos de la vida y la música no fue ajena a ello. Durante los años de posguerra, la clásica adquirió resonancias siniestras en la cultura popular posterior, la banda sonora ideal que precede y anuncia a la catástrofe. Ross nos proporciona algunos ejemplos de su empleo convencional en las películas de Hollywood como preparación ambiental para las escenas de violencia[243]. Y no era para menos. Cuando las tropas aliadas entraron en una de las guaridas de Hitler, el Berchtesgaden, descubrieron una discoteca de cientos de grabaciones de clásica que reflejaban el amor a

---

[243] Alex Ross, op. cit., pp. 384-385.

la música del dictador. En sus reuniones privadas el Führer gustaba de «pinchar» personalmente la música a sus resignados invitados. ¿Existe un lado siniestro en este arte? ¿Sirve la música tanto para ensalzar la belleza más absoluta como la maldad más oscura?

En el campo de la composición, el recuerdo del Holocausto como fenómeno único en la historia se reflejó también en el esfuerzo por hacer una música que estuviera a la altura de la magnitud de la catástrofe (traducción literal de Shoá). Son incontables las obras que conmemoran el genocidio, bien ahondando en el corazón de las tinieblas o entonando por el contrario un canto de esperanza a la capacidad de la humanidad de aprender de la tragedia. Pero incluso en las músicas aparentemente más alejadas del acontecimiento, resuena de manera inconsciente, implícita, una nota de desazón y de inhumanidad desconocida en la música anterior a 1945. Lo que decía Imre Kertész de la literatura resulta perfectamente aplicable a la música de postguerra: «De hecho, ¿qué escritor de hoy en día no es un escritor del Holocausto? No se tiene que elegir necesariamente el tema directo del Holocausto para percibir la voz rota que domina el arte contemporáneo europeo desde hace décadas»[244].

Al igual que la literatura, también la música del Holocausto es tan desigual e inabarcable que, necesariamente, hay que ceñirse a unos cuantos hitos.

Schönberg, que retornó al judaísmo como consecuencia de la persecución nazi, dedicó desde su exilio californiano una vibrante cantata al levantamiento del gueto de Varsovia, Un superviviente de

[244] Imre Kertész, *La lengua exiliada*, Madrid, Taurus, 2006, p. 155.

Varsovia, en fecha tan temprana como 1947. La obra narra cómo durante un recuento en un campo de concentración los presos se lanzan a cantar de súbito el *Shemá Israel*, la oración más sagrada del judaísmo. Escrita para narrador, coro masculino y orquesta, la cantata está narrada por un superviviente del campo que, no se sabe cómo, acabó en las alcantarillas de Varsovia. Tras escucharla, resulta difícil entender a todos aquellos que aún acusan a Schönberg de frío e ininteligible.

En el otro extremo del gusto musical, **Erich Zeisl (1905-1959)** escribió en 1944 un *Requiem Ebraico* a la memoria de su padre, que pereció en Theresientadt. Zeisl, que trabajó para Hollywood, compuso una música muy conservadora, en las antípodas de la de Schönberg, con quien tenía poco trato, pese a ser paisanos, vecinos y a que sus respectivos hijos, en una reedición feliz de Montescos y Capuletos, los convirtieran en consuegros. La síntesis de esas dos dinastías tan opuestas no sería un músico, sino un abogado, el nieto E. Randolph Schoenberg, célebre por recuperar de manos del gobierno austriaco, para su legítima propietaria, un cuadro de Klimt esquilmado por los nazis (Retrato de Adele Bloch-Bauer I), un desafío que llegaría al gran público gracias al film *La dama de oro* (2015).

Otra de las grandes obras musicales sobre el Holocausto es la *Sinfonía número 13* de **Shostakovich (1906-1975)**, estrenada en 1962 y subtitulada *Babi Yar*, en recuerdo de la masacre del barranco del mismo nombre, en Ucrania, donde, en dos días de septiembre de 1941, los nazis y sus colaboradores ucranianos asesinaron a más de 30.000 judíos (sólo 29 sobrevivieron). Posteriores matanzas de judíos,

gitanos, ucranianos y prisioneros soviéticos elevaron la cifra de víctimas hasta 100.000 o 150.000, según algunos estudiosos. Escrita sobre poemas de Yevgueni Yevtushenko, la sinfonía coral dedica su primer movimiento a la matanza de Babi Yar. Para Shostakovich y Yevtushenko, que no eran judíos, no se trataba de un simple homenaje a las víctimas; al mismo tiempo era una voz de alarma contra el antisemitismo que no dejaba de infestar la Unión Soviética. Mediante recordatorios de las figuras de Dreyfus y Ana Frank o de los pogromos zaristas, el poema establecía una línea de continuidad en la persecución que culminaba en la matanza de Babi Yar, pero que se extendía hasta el presente. La estrofa final proclama desafiante:

> No hay sangre judía en mí,
> Pero siento el odio abominable
> de todos los antisemitas como si fuera judío
> y por ello puedo llamarme ruso.

La sinfonía se completa con otros cuatro movimientos, donde alternan la sátira y lo trágico: la impotencia de los tiranos frente al humor; el heroísmo callado de las mujeres rusas durante la segunda guerra mundial, la presunta desaparición de los terrores de la era estalinista y la reivindicación del hombre de genio frente a todas las burocracias represivas. La «trece» constituye uno de los más vibrantes gritos de protesta contra la tiranía y los prejuicios criminales, lanzado desde el corazón de la propia tiranía.

Babi Yar obtuvo una entusiasta acogida de público y crítica, pero no así de los dirigentes soviéticos que, como Krushev, no entendían

dedicar esta genial música a los judíos asesinados y no a los eslavos. Después de unas pocas interpretaciones, las autoridades terminaron prohibiéndola y Yevtushenko se vio obligado a modificar algunos versos, diluyendo la judeidad del poema *Babi Yar* y limando también el que daba lugar al cuarto movimiento, «Miedos», que comenzaba: «Se esfuman los miedos en Rusia / cual fantasmas de tiempos idos…». El citado poema se refiere presuntamente al terror estalinista como algo pasado, algo que parece desmentir la amenazadora música, que convierte el texto en pura ironía.

Mikis Theodorakis musicó en 1965 cuatro poemas del superviviente griego de Mauthausen Iakovos Kambanellis, un ciclo de emocionantes canciones, unánimemente alabado, titulado *Trilogía de Mauthausen* o también *La balada de Mauthausen*. Theodorakis, que participó en la resistencia contra los nazis y ayudó a escapar a judíos griegos, echó por la borda en su vejez un hermoso pasado de resistente y figura comprometida para recaer en el más tópico antisemitismo de izquierdas (ya saben, los judíos, en especial los americanos, tienen la culpa de todo… aunque esta vez se olvidó de los ciclistas).

En 1967 **Krzysztof Penderecki** (nacido en 1933 y considerado el más importante compositor polaco vivo) escribió *Dies Irae*, un escalofriante oratorio atonal (no es de extrañar la utilización de esta etapa experimental de Penderecki en bandas sonoras de terror) dedicado a las víctimas de Auschwitz, que incluye extractos de textos diversos (bíblicos, poemas polacos, *Las Euménides* de Esquilo, un poema de Louis Aragon). De ese mismo año es la ópera *El pasajero*, de

Mieczysław Weinberg (1919-1996) sobre textos de una superviviente polaca de Auschwitz, que, sin embargo, no pudo ser estrenada, debido a la censura soviética. La ópera narra el encuentro en un crucero entre una antigua guardiana de Auschwitz que escapa a su pasado y una misteriosa pasajera —no se sabe si real o encarnación espectral de su remordimiento—, que le recuerda a una de sus antiguas víctimas. Recobrada por fin con gran éxito en 2010, la obra ha entrado desde entonces en el repertorio operístico contemporáneo.

El propio Weinberg, de origen polaco-judío, perdió a sus padres y hermana en el Holocausto y, tras huir a Rusia en 1939, donde se hizo gran amigo de Shostakovich, estuvo a punto de perecer en las purgas estalinistas. En 1948 su suegro fue asesinado por la policía secreta de Beria y él mismo sería arrestado en 1953, acusado de «nacionalismo burgués judío». Aunque Shostakovich, su incansable protector, intercedió por él ante Stalin, sólo la oportuna muerte del dictador le libró de una muerte segura.

Tras un periodo de olvido, la música de Weinberg, muy cercana a la de su admirado Shostakovich («fue como si hubiera vuelto a nacer», dijo tras conocerlo), una música áspera y crispada pero siempre emotiva, vuelve a ser revalorizada, hasta el punto de ser incluido, junto con Shostakovich y Prokofiev, en el triunvirato de la música rusa del siglo XX. Víctima del antisemitismo nazi y estalinista —ya antes de nacer su abuelo y bisabuelo fueron asesinados en un pogromo zarista—, es difícil encontrar otro artista con tantas credenciales para hablar sobre el antisemitismo de cualquier signo. También su última sinfonía, la número 21 de 1991, subtitulada

Kaddish y dedicada a las víctimas del gueto de Varsovia, constituye otro magnífico ejemplo de música del Holocausto.

El compositor neoyorkino de origen judío **William Schuman (1910-1992)**, administrador de algunas entidades musicales punteras como la Juilliard School y el Lincoln Center, escribió en 1968 su sinfonía número 9, subtitulada *Le fosse Ardeatine* (*Las fosas Ardeatinas*), sobre el fusilamiento de 335 civiles italianos (judíos, prisioneros políticos, simples civiles) el 24 de marzo de 1944, en represalia por un atentado de la Resistencia en Roma. Es una obra de factura clásica, pero de potente dramatismo, muy influida por Stravinsky.

Otro músico que ha permanecido dentro de los cánones de la tradición es **Oskar Morawetz (1917-2007)**, compositor checo exiliado en Canadá para escapar al nazismo, que compuso en 1970 *From the Diary of Anne Frank* (*Del diario de Ana Frank*), una obra para soprano y orquesta con textos extraídos del citado diario. Como en tantos compositores checos, en su obra predominan la melodía y el dramatismo sobre la experimentación. El superviviente de Terezín Karel Ančerl, que dirigió su estreno en Nueva York, la calificó como «una de las más conmovedoras composiciones que he dirigido». No tiene nada que ver, desde luego, con otra obra más reciente que también utiliza el *Diario* de Ana Frank, el empalagoso *Annelies* de James Whitbourn.

Werner Henze (1926-2012), considerado por algunos el compositor alemán más importante de la segunda mitad del siglo XX, conoció también de cerca el nazismo. Adolescente obligado a enrolarse en las Juventudes Hitlerianas por un padre nazi que afortunadamente cayó

en la guerra, él mismo sirvió en el ejército a partir de 1944, aunque fue capturado por los británicos al poco. En 1953, renegando de la atmósfera irrespirable del «milagro alemán», en el que un homosexual de izquierdas como él tenía poca cabida, emigró a Italia, donde se estableció para el resto de su vida. La huella de la guerra y la oposición al fascismo recorren una abundante producción que recoge las influencias más dispares, de la atonalidad al neoclasicismo, pasando por el jazz. Es autor de decenas de obras instrumentales y vocales (óperas, sinfonías, música de cámara, ballets, bandas sonoras…). Entre las más conocidas están *La balsa de la medusa*, dedicada al Ché, *El joven lord*, *Elegía para jóvenes amantes* y *Las Basáridas*. La guerra y el fascismo reaparecen en una de sus óperas más intensas: *We Come To the River* (*Vamos al río*), de 1974, ambientada en un imaginario estado totalitario. Pero es ante todo en la *Novena Sinfonía* de1997 donde Henze se centra en la memoria de las víctimas de los campos de exterminio. Se trata de una obra coral, que lleva un explícito subtítulo: «Dedicada a los héroes y mártires del antifascismo alemán». Basada en la novela de Anna Seghers *La séptima cruz* (1942), narra la suerte de siete presos evadidos de un campo de concentración nazi, de los cuales sólo uno sobrevivirá. Tras la guerra, Werner Henze denunció el sentimiento antisemita que creía seguía existiendo en Alemania.

También desde la vanguardia musical y la música electrónica se intentó el acercamiento a la memoria del Holocausto mediante la fusión de lo acústico con toda clase de sonidos manipulados. En 1966 el italiano **Luigi Nono (1924-1990)** compone *Ricorda cosa ti hanno fatto*

ad Auschwitz [*Recuerda qué te hicieron en Auschwitz*], pensada como banda sonora de un documental realizado por Peter Weiss sobre Auschwitz; una inquietante obra de once minutos donde las voces (soprano y coro) se mezclan con los sonidos pregrabados.

Incluso el muy abstracto y alegórico pope de la vanguardia **Karlheinz Stockhausen (1928-2007)** incluye una alusión en su ópera *Donnerstag aus Licht* (*Jueves desde la luz*, de 1980) al desgraciado destino de su madre, internada en un psiquiátrico desde 1932 y víctima del programa de eutanasia nazi en 1943.

George Katzer, otro de los pioneros de la música electrónica, alemán nacido en 1935, escribió en 1983 *Aide Memoire* (un aide-mémoire es una especie de memorándum en el mundo diplomático), un *patchwork* musical realizado a partir de documentos sonoros originales del periodo nazi (discursos de Hitler y otros dirigentes nazis, fragmentos musicales —marchas, cabaret, jazz, clásica—, gritos de masas enfervorecidas, etc), mezclados y deformados electrónicamente para transmitir el caos y la extrañeza de un mundo de pesadilla.

En 1988 el norteamericano **Steve Reich** (nacido en 1936) presenta *Different Trains* (*Trenes diferentes*), una obsesiva obra de cámara para cuarteto de cuerdas con sonidos pregrabados, que incluía parlamentos de supervivientes del Holocausto, testimonios diversos, ruidos y silbatos de trenes... un equivalente musical de los crudos collages testimoniales que ponía en práctica por esos mismos años el cineasta Lanzmann en su documental *Shoah*.

Hasta en un músico de vanguardia tan despojado y poco programático como el judío neoyorkino **Morton Feldman (1926-1987)** se ha creído ver la huella del Holocausto. Si en alguna ocasión Feldman quiso negar cualquier deuda con el Holocausto en su obra, en otra, caminando por una calle de Alemania, le dijo a un amigo al tiempo que señalaba los adoquines: «¿Los oyes? ¡Están gritando! ¡Siguen gritando desde debajo de las piedras!». Tal vez sea forzar la interpretación, pero un crítico aseveraba a propósito de *Rothko Chapel*, la música compuesta en 1971 para sonar en el interior de la ecuménica y muy zen Capilla de Rothko en Houston: «Si hay una conmemoración del Holocausto en la obra de Feldmann, esa es *Rothko Chapel*»[245], una obra al final de la cual la viola toca una «música con aroma de sinagoga… el canto de millones en una sola voz». En cualquier caso, sería imposible concebir una música tan desnuda y poco indulgente con el sentimentalismo sin la experiencia de la Shoá de por medio. Como diría Kertész, no es necesario hacer explícitamente música del Holocausto para que percibamos las ondas y vibraciones del cataclismo.

En el mundo del disco y merced a la colección «Entartete Musik» de Decca, a mediados de los años noventa se inició una encomiable operación de rescate de los músicos «degenerados», sin duda uno de los grandes acontecimientos de las últimas décadas en el estancado universo de la clásica. Gracias a ella y al renovado interés de intérpretes y musicólogos, la música «degenerada» regresó a finales

---

[245] http://www.newyorker.com/magazine/2006/06/19/american-sublime (última consulta: 05/09/2018).

del siglo XX al circuito de conciertos. Son frecuentes los programas monográficos dedicados a compositores «degenerados». Una muestra puede ser el ciclo celebrado en abril de 2010 en la Fundación Juan March de Madrid, bajo el epígrafe «Componer bajo el Tercer Reich»[246], donde se incluía una amplia representación de la música europea de entreguerras (Ullmann, Schulhoff, Klein, Hartmann, Hindemith, pero también Orff, Pfitzner o Strauss, entre otros). Poco a poco, además, los conciertos recordatorios del Holocausto fueron proliferando, especialemente desde que en 2005 la ONU fijara el 27 de enero como Día Internacional de conmemoración. En la Biblioteca Musical Víctor Espinós de Madrid, que conserva numerosos programas de conciertos, podemos encontrar algunos ofrecidos en memoria del Holocausto y sus víctimas. Analizándolos destaca el gusto por las composiciones melancólicas y los instrumentos que quizás denotan mejor la tristeza y que al mismo tiempo se asimilan a la música judía: violines, violonchellos, piano. Un ejemplo lo constituye el concierto recordatorio realizado en el Auditorio Nacional en enero de 2011. A las palabras de diversos invitados, la lectura de un texto de Semprún y el encendido de velas por parte de supervivientes, siguió la música de Sergei Prokofiev (*Obertura sobre temas judíos*), Shostakovich (*Trío nº 2 en Mi menor*), Ravel (*Kaddish*) y Ernest Bloch (*Nigun*). Curiosamente, sólo el último era judío.

---

[246] http://www.march.es/buscar/buscador.aspx?b0=componer%20bajo%20el%20tercer%20reich&l=1 (última consulta: 05/09/2018).

Aparte de la música clásica, otros géneros fueron influenciados por el Holocausto, al igual que ocurría en cualquier campo del arte o la literatura. La música tradicional judía yiddish del Este de Europa (influida por el folklore de los países en que se asentaba, incluido, y no en último lugar, el gitano) no fue tampoco ajena a este hecho. Se trata de una música festiva y de baile para bodas y otras celebraciones, con un fuerte componente religioso, proveniente del canto de sinagoga, aunque después de la guerra se halla secularizado. En los cincuenta se recopilaron multitud de canciones folclóricas yiddish en una labor de recuperación de un repertorio en buena parte perdido, tras la muerte de tantos de sus músicos y compositores durante la Shoá; también con ello se rescataba una parte primordial de la memoria dispersa de un pueblo, junto con las canciones que se cantaban y bailaban en sus hogares y fiestas.

Más de una vez se ha hecho notar la profunda influencia de estas melodías judías en todo tipo de músicas contemporáneas, desde Mahler y Shostakovich al jazz (basta recordar el Bei Mir Bistu Shein de 1932), pasando por la música popular (de 1964 es el éxito en Broadway de *El violinista en el tejado*, llevado con no menor éxito al cine). Fue Shostakovich, un músico no judío, quien explicaba su fascinación por el folklore judío por su capacidad de reír y llorar al mismo tiempo: «El rasgo distintivo de la música judía es su habilidad para construir una melodía alegre con cadencias tristes… puede parecer feliz al tiempo que suena profundamente trágica».

La música yiddish quedó prácticamente extinta tras el genocidio nazi en sus regiones naturales (la Europa del Este, de Rumanía a

Ucrania y los países bálticos), pero revivió en cambio en el movimiento Klezmer (literalmente «instrumento musical», un término moderno para la música yiddish) de los años setenta en Estados Unidos, asociándose a todo tipo de influencias, desde el jazz al rock, sin que la vía tradicional lindante con lo ceremonial fuese abandonada del todo.

También la música más comercial, el mainstream, reservó su parcela para el Holocausto, al igual que hizo la literatura o el cine. Visible desde *La lista de Schindler* (1993), la música del Holocausto se ha trasladado a las bandas sonoras de las películas que lo tratan. Lanzmann, Kertész o, en nuestro país, Alejandro Baer han alertado sobre la proliferación de este arte *kitsch*, que transgrede los límites de la representación para recaer en la obscenidad sentimental más desvergonzada. Como ya ha argumentado entre nosotros el dramaturgo Juan Mayorga[247], precisamente en el caso del Holocausto la identificación, el ponerse en el lugar de la víctima, no funciona; la relación entre el acontecimiento histórico y su representación veraz resulta siempre inadecuada.

El cine es preso de la fidelidad de los hechos que representa, pero pertenece a una industria cultural y como consecuencia mercantiliza los hechos presentándolos de la manera más asequible para el espectador, pues a la postre de lo que se trata es de que el producto

---

247 Véase antes p. 258, y también: Juan Mayorga, «La representación teatral del Holocausto», en *Himmelweg*, Guadalajara, Ñaque, 2001, pp. 191-197.

guste y no inquiete[248]. El resultado es un arte destinado a proporcionar un tranquilizante de acción rápida al consumidor, a costa de aniquilar un poco más a las víctimas. El caso es que la música de estas películas (*El pianista, El niño del pijama de rayas,* etc…) utilizan la clásica en los momentos de las imágenes más emotivas o atroces, entroncando además la música judía con el Holocausto —cuando en principio aquella es mucho más antigua y estrictamente no tienen nada que ver—, y reduciendo con ello la rica cultura judía al papel de víctima propiciatoria. Suena la música melancólica o religiosa cuando aparecen imágenes impactantes que arrancan sentimientos de tristeza al espectador, de por sí ya concienciado para ello con la proyección que ve.

En el límite de este prurito por hacer «revivir» al público la experiencia, se llega a lo grotesco: Francis Schwarz, un músico de vanguardia tejano trasplantado a Puerto Rico desde los años sesenta, escribió en 1968 *Auschwitz, ein multisensorisches Musiktheaterstück* (*Auschwitz, un teatro musical multisensorial*), una obra de ocho minutos de música electrónica con sonidos pregrabados, concebida con la idea de «crear el ambiente de una cámara de gas». Como eso le pareció poco, al autor no se le ocurrió otra cosa, al estrenarla en el Ateneo de Puerto Rico, que quemar carne podrida y cabello humano, y aventar el humo en la sala con abanicos. Cuando el público del estreno, alarmado, trató de huir, se encontró bloqueadas las puertas de la sala

---

[248] Véase Alejandro Baer, *Holocausto, recuerdo y representación*, Madrid, Losada, 2006.

como parte del «efecto estético».[249] Después de eso, sólo falta gasear al público —temporalmente, por supuesto— para conseguir la veracidad total o, acaso sólo totalitaria.

Desde una estética mucho más rancia, otro ejemplo reciente de explotación del patetismo lo tenemos en *Annelies*, de 2004, del británico nacido en 1963 James Whitbourn, una obra coral con el preceptivo cello lacrimógeno, su trémolo agudo de violín y sus voces angelicales que gorgoritean textos de Ana Frank (pobre Ana, cuyo aciago destino se ha prolongado póstumamente con la explotación comercial más hortera).

Durante los años de posguerra, el recuerdo traumático del Holocausto continuó provocando el repudio de célebres directores, compositores e instrumentistas vinculados al régimen nazi y a sus ideas antisemitas o totalitarias (las batutas de Karajan y Furtwängler, el pianista Walter Gieseking o las composiciones de Richard Strauss o Carl Orff, fueron algunos de los objetivos). Las asociaciones dolorosas o incómodas, de las que es posible hacer abstracción en otras artes (podemos leer sin conflicto a autores abiertamente antisemitas como Quevedo, Lutero, Shakespeare, Eliot o Céline, e incluso en Israel se tradujo al hebreo en los años 80 el panfleto antisemita de Wagner), en el caso de la música, un arte que opera a un nivel más emocional e inconsciente, resultan casi imposible de ignorar. Lo demuestra el contencioso de la música de Wagner en Israel, donde, aunque legalmente nunca ha estado prohibido, no ha sido posible

---

[249] http://www.80grados.net/francis-schwartz-despues-de-seis-anos/ (última consulta: 05/09/2018).

interpretarlo más que esporádicamente y en medio de grandes escándalos. Con mayor frecuencia ha habido que renunciar a su interpretación ante las clamorosas protestas de supervivientes del Holocausto. Y aunque el veto se ha levantado en el caso de otros compositores colaboracionistas como Carl Orff o Richard Strauss (por no hablar de compositores antisemitas como Chopin o Mussorgsky, que nunca lo sufrieron), las resistencias ante Wagner permanecen incólumes como un tabú. La separación entre el autor y su obra, admitida en otros casos conflictivos, se revela imposible en el del compositor alemán, y no sólo en Israel.

¿Está la música de Wagner «contaminada» por sus ideas, como pretenden sus críticos? La profunda irracionalidad del tabú Wagner en Israel (pues, en efecto, nadie obliga a los críticos a escuchar a Wagner, mientras que ellos sí se lo prohíben a todos aquellos —judíos también y algunos sobrevivientes del Holocausto— que lo desean) esconde una cuestión más amplia, que atañe a las relaciones entre moral y arte, y que podría resumirse en el siguiente interrogante: ¿Puede haber un gran arte esencialmente perverso, un arte que exalte el crimen y la opresión? El crítico George Steiner se preguntaba de manera parecida: «La creatividad estética, aun de primer orden, ¿justifica acaso la presentación favorable de la inhumanidad, no digamos la sistemática incitación a ella? ¿Puede haber literatura digna de publicación, de estudio, de apreciación crítica, que sugiera el racismo, que haga atractivo o exhorte el uso sexual de niños?»[250].

---

[250] George Steiner, *George Steiner en The New Yorker*, Madrid, Siruela, 2009, p. 246.

A esta pregunta se atrevía a responder con firmeza Sartre: «nadie puede suponer que quepa escribir nunca una buena novela glorificadora del antisemitismo»; y se basaba para una afirmación tan apodíctica en que el escritor, o cualquier artista por extensión, «hombre libre que se dirige a hombres libres, no tiene más que un tema: la libertad»[251]. ¿Cómo podría el creador, cuya «libertad está indisolublemente ligada a la de otros hombres, [emplearla] en aprobar la opresión de algunos de ellos»?

Con todo, la dificultad de juzgar en tales circunstancias se pone de manifiesto por el hecho de que incluso un crítico tan perspicaz como Steiner incurre, al tratar el caso Céline, en la ceguera de confundir al autor con la obra y exigir un único dictamen válido para ambos. En su intento por «explicar la coexistencia de un talento literario de primer orden con una evidente bestialidad moral», Steiner llega a declarar: «Separar sus novelas de sus proféticos e incendiarios panfletos no es solamente deshonesto; es renunciar a toda posibilidad de comprender a este personaje único»[252]. Pero buscar la «innegable unidad de la obra» de un artista —como pretende Steiner—, resulta tan complicado y frustrante como buscar la unidad nada innegable en la personalidad del doctor Hyde y Mr. Jekyll, o en la de cualquier ser humano habitado de múltiples seres, a menudo contradictorios. Al hacerlo así incurrimos en la falacia de confundir a la persona jurídica con la persona real. Para la justicia, sólo puede haber un único responsable de las acciones: Louis Ferdinand Destouches, alias

[251] Jean-Paul Sartre, ¿Qué es la literatura?, Madrid, Alianza Editorial, 1985, p. 212.
[252] George Steiner, Extraterritorial, p. 56.

Céline, culpable de incitar al crimen racial, sin asomo de duda, sin ningún atenuante. Para la historia, la literatura y la moral, en cambio, la cuestión es muy diferente: no sólo es legítimo hacer una distinción entre lo salvable y lo condenable, sino absolutamente necesario.

Gracias a la psicología, la filosofía y la literatura, hoy ya sabemos que el individuo no es un bloque monolítico, sino un complejo de fuerzas e impulsos, de ángeles y demonios, en perpetua lucha por la hegemonía de la personalidad. ¿Acaso no consiste la cultura en el esfuerzo constante, interminable, no siempre exitoso, por separar al hombre de la bestia, la razón de la brutalidad, los impulsos sociales de los antisociales? ¿Qué sería de la historia del arte si juzgáramos en bloque a los creadores, si no diferenciáramos entre la parte sana y la despreciable? De Shakespeare a Balzac, de Quevedo a Eliot, por sólo hablar de la literatura, ¿cuántos genios no nos veríamos obligados a desterrar si nos negásemos a diferenciar entre sus opiniones racistas y antisemitas y sus obras?

A la pregunta de Steiner, podemos contestar: no, no hay ni una sola obra artística, digna de tal nombre, que exalte la podredumbre y la inhumanidad. El arte habla con frecuencia del horror y de la violencia, no para exaltarlos, sino para suscitar nuestro horror, nuestro asco a la violencia.

No se puede hacer arte con buenas intenciones, pero tampoco con las malas. Sartre tiene razón: no existe ni una sola obra salvable en toda el arte nazi, salvo quizá en el muy servil de la propaganda. No existe buen arte (musical, literario, plástico) que ensalce a los verdugos, ni una sola obra en toda su historia. Pero no porque los

buenos artistas sean buenas personas. No porque un antisemita no pueda escribir buenas novelas (aunque es raro); es que no puede escribir buenas novelas antisemitas, es que cuando escribe buenas novelas no es antisemita. *Viaje al fin de la noche* no es un libro antisemita. Y al contrario: el Céline que escribe virulentos panfletos antisemitas es, no sólo una basura moral, sino una basura literaria.

El problema entonces no es que la buena literatura sea compatible con la miseria moral; nunca lo ha sido. El problema es que el autor (o el lector) de buena literatura puede ser –cuando no escribe (o lee) buena literatura– un miserable y un criminal, y Céline es el mayor ejemplo de ello en nuestros días.

Por ello y en contra de lo que afirma Steiner en su ensayo, sí puede y deben separarse las novelas de los panfletos, al genio del infame, *Tristán e Isolda* —la música más hermosa jamás escrita según algunos— de su despreciable autor, el antisemita Wagner.

LAS LEYES DE NÚREMBERG[253]

---

[253] En 2015 se cumplieron ochenta años de la promulgación de las Leyes de Núremberg que sancionaba la segregación de los judíos alemanes. Con motivo de la efeméride se realizó este trabajo, que también trata el problema de la xenofobia en la actualidad. El proyecto Lecturas del Holocausto estuvo presente en el primer encuentro de la Red Cívica contra el Antisemitimo, allá a finales de 2012. Además, la guía se complementó con una exposición de paneles sobre Holocausto y gueto de Varsovia en la Biblioteca Pública Municipal Gerardo Diego (Villa de Vallecas).

Nuestra mala memoria nos convence de que somos diferentes de los nazis al ocultar los aspectos en que somos iguales... Es posible volver a ver a los judíos como una amenaza universal, tal y como efectivamente son vistos por formaciones políticas cada vez más importantes de Europa, Rusia y Oriente Próximo; lo mismo podría ocurrir con los musulmanes, los homosexuales u otros grupos.

(Timothy Snyder,
Tierra negra. El Holocausto como historia y advertencia)

En 2015 se cumplieron ochenta años de la promulgación de las Leyes de Núremberg por parte del gobierno nazi un 15 de septiembre de 1935, medidas que entrarían en vigor ese mismo noviembre con otra serie de decretos desarrolladores de las normas. Tales leyes constituyen el núcleo duro y al mismo tiempo el símbolo de lo más oscuro de la doctrina hitleriana. El militarismo, las ansias expansionistas, la persecución de la izquierda, el chauvinismo cerril..., todo ello no la hubiera hecho diferente a la de otros regímenes autoritarios de la época, pero al consagrar legalmente la expulsión de los judíos y otras minorías no sólo de la nación sino de la propia humanidad, por motivos biológicos que ninguna conversión podía remediar, los nazis cruzaron una línea que ningún estado moderno se había atrevido a atravesar hasta entonces: se renunciaba a la idea de la igualdad fundamental del ser humano, imperante desde el siglo IV en el occidente cristiano y se proclamaba abiertamente, sin ningún disimulo, el exterminio y el asesinato en masa como la principal arma de la política.

Las leyes de Núremberg y, por extensión, el racismo nazi no fueron acontecimientos excepcionales, sino la culminación de casi un siglo de doctrinas racistas y eugenesistas, que se apoderaron de buena parte de las élites políticas y científicas de los países más avanzados.

Hoy que la ingeniería genética brinda posibilidades insospechadas, vuelven a escucharse voces muy parecidas a aquellas que condujeron a las cámaras de gas. Y al mismo tiempo se sigue despreciando y discriminando a una parte de la población por su lugar de procedencia o, simplemente, porque el mercado laboral ya no los necesita.

De nuevo es urgente repetir algo elemental: que cualquier vida humana es valiosa al margen de su utilidad o de su origen. Según la Cábala, cada individuo revela un punto de vista inédito sobre la creación, un aspecto de lo que existe que se perdería irremediablemente con su extinción. Por eso dice la Mishná: «Quienquiera que destruya una vida es considerado por la Torá como si hubiese destruido el mundo entero y quienquiera salve una vida humana es considerado por la Torá como si hubiese salvado al mundo entero».

Pero no hace falta ningún texto sagrado, basta con un poco de decencia, para afirmar otra verdad elemental: que sólo uno mismo tiene derecho a decidir si su vida es una *Lebensunwertes Leben*, una «vida indigna de ser vivida», expresión que los nazis emplearon equivocadamente refiriéndola a los demás, en lugar de a sí mismos.

EL RACISMO LEGALIZADO

Al poco de llegar al poder, comienzan las medidas racistas de los nazis: ya el 7 de abril de 1933, apenas un par de meses después del ascenso de Hitler, se promulga la Ley para la Restauración de la Función Pública, que expulsa de sus puestos a todos los funcionarios no-arios, es decir, fundamentalmente judíos y enemigos políticos. ¿Qué es un no-ario? Un decreto del 11 de abril siguiente lo aclara: un no-ario es cualquiera que tenga al menos un padre o abuelo judío («Primera definición racial»).

Ese mismo mes, otra ley restringe el número de estudiantes judíos permitidos en escuelas y universidades. A esta, siguen nuevas restricciones legales que vetan el ejercicio de la profesión médica y la abogacía a los judíos.

El 14 julio de 1933 se aprueba la ley de esterilización, que provocará la esterilización forzosa de 400.000 enfermos y discapacitados.

Pero la discriminación definitiva llegará el 15 de septiembre de 1935, durante el congreso anual nazi en Núremberg, una de las principales plataformas propagandísticas del movimiento. Hitler, que ha trasladado hasta allí a su parlamento títere, con objeto de complacer al ala más extremista de su partido, representada por las SA, y también para evitar la mala imagen y los perjuicios económicos derivados de los disturbios antisemitas, manda redactar y aprobar en un tiempo récord dos leyes que consagran la separación definitiva de

los judíos del pueblo alemán y su conversión en ciudadanos de segunda, en meros súbditos sin apenas derechos.

Dichas leyes serán conocidas como las Leyes de Núremberg e incluyen dos textos legales diferentes: según el primero, la Ley de la Ciudadanía del Reich (*Reichsbürgergesetz*), el no-ario queda despojado de su ciudadanía y todos sus derechos civiles, incluido el del voto; de acuerdo con el segundo, la Ley para la Protección de la Sangre y el Honor Alemanes (*Gesetz zum Schutz des deutschen Blutes o Blutschutzgesetz*), se prohíbe el matrimonio y las relaciones sexuales fuera de él entre judíos y alemanes, y se crea el nuevo delito de *Rassenchande* o de corrupción racial (literalmente «vergüenza racial» o «vergüenza de sangre»), penado con la cárcel, para aquellos que incumplan la prohibición de sexo interracial. Se añade como ridícula apostilla la prohibición de emplear mujeres alemanas menores de 45 años en hogares judíos. La ley se ampliará enseguida para incluir todo tipo de contacto físico entre un judío y un ario, como simples besos y abrazos. Hacia 1940 ya serán 1.911 los convictos de delito racial, en algunos casos castigado con la muerte.

Las leyes de Núremberg se irían complementando, durante los meses siguientes, con toda una batería de decretos que le darían un contenido real. El 18 de octubre del mismo año se aprueba la Ley de Salud Matrimonial (*Gesetz zum Schutz der Erbgesundheit des deutschen Volkes*), que habilita a los organismos sanitarios estatales a impedir matrimonios considerados indeseables desde el punto de vista de la higiene racial.

Con el decreto del 14 de noviembre de 1935, que concreta la definición de judío, se marca la entrada en vigor de las leyes racistas. El 26 de ese mismo mes un nuevo decreto amplía las exclusiones a los gitanos y a los negros.

Otros muchos países europeos afines al régimen nazi (Italia, Francia, Hungría, Rumanía, Eslovaquia, Bulgaria, Croacia) adoptarán por aquellos años discriminaciones legales parecidas.

Al margen de sus creencias laicas o religiosas, el judío queda definido en estos textos legales por su pedigrí exclusivamente: judío —dictamina la ley— es todo aquel que tiene tres o cuatro abuelos judíos. Entre los dos extremos nítidos del judío a secas y el ario puro se da, no obstante, toda una casuística de grados intermedios y ambiguos, que resultaría risible si no estuviera en juego la vida de los que trata. La pretensión racista de trazar líneas tajantes de demarcación entre una raza y otra se ve siempre desmentida por el mestizaje, que interpone entre los presuntos tipos puros de dos razas cualesquiera una tal continuidad infinitesimal de gradaciones, que resulta arbitrario decidir donde se levanta la barrera entre una y otra.

El tema del *mischling* («mestizo») demuestra las aporías a que se ven abocados los racistas en su intento de ponerle puertas al campo. Entre el ario puro y el judío puro (tres o cuatro abuelos judíos), se levanta una complicada y absurda maraña para determinar quién es o no judío. Es un punto tan enrevesado, que hasta los nazis terminan por liarse e incurrir en contradicciones. Si para los racistas estrictos lo único que cuenta a la hora de clasificar a alguien en una raza es la sangre, sin importar sus creencias o cómo se considere, al llegar a las

normas sobre los *mischlinge*, la cosa cambia y dos mestizos con la misma proporción de sangre aria y judía podían ser adscritos tanto a uno como a otro grupo, dependiendo de su confesión religiosa o de su matrimonio, e incluso de la fecha de su nacimiento (para los hijos de matrimonios o relaciones mixtas).

La legislación no aclaraba todos los casos intermedios y los nazis debieron hilar muy fino a la hora de ponerla en práctica. Numerosas variantes podían aplicarse a los medio judíos (dos abuelos judíos), los cuarterones (un abuelo judío) o los judíos de matrimonios mixtos.

Los criterios sobre el *mischling* emanados de las SS por boca de Heydrich contemplaban numerosas excepciones y variables. Veamos algunas: un mestizo o *mischling* de primer grado (dos abuelos judíos) era judío a menos que estuviera casado con alguien no-judío (antes de la prohibición de tales matrimonios) y hubiera hijos de tal matrimonio. Y siempre, por descontado, que no practicara la religión judía. También podían ser eximidos de su condición judía por expreso deseo escrito de alguna alta autoridad. Es decir, al final el presunto racismo científico era muy poco científico y se reducía al capricho o al enchufe. O como decía Göring al interceder por uno de ellos: «yo decido quién es judío».

Otro caso: un *mischling* de segundo grado (sólo un abuelo judío) sería considerado alemán a menos que estuviera casado con otra persona judía o medio judía (*mischling* de primer grado) o «tuviera una apariencia racial especialmente indeseable que lo señalara de manera inconfundible como judío»; algo tan absurdo e inconsecuente

con el racismo científico como decir que un enfermo de cáncer sólo se considerará enfermo cuando su apariencia así lo delate.

Cuando se trataba de matrimonios mixtos, cada caso debía ser estudiado individualmente. A veces, la salvación dependía de si los hijos habían sido criados como alemanes o como judíos (o de si habían nacido antes o después de la promulgación de las leyes de Núremberg); otras veces (como en el caso de Victor Klemperer, autor de un estremecedor diario durante el nazismo y que estuvo a un paso de acabar mal) ni la propia víctima sabía de qué dependía.

En cualquier caso, estos distingos sólo se tenían con austriacos y alemanes; con los demás judíos de Europa, los nazis no perdieron el tiempo y metieron a todos en el mismo saco o en el mismo tren. En el mejor de los casos —que se librara de ser considerado judío—, el *mischling* quedaba convertido en un ciudadano de segunda, con los derechos mermados.

¿Cómo se determinaba la raza judía de un individuo? Había que comprobar la afiliación judía de los abuelos a partir de los registros de sinagogas u otras congregaciones. La mayoría de las veces bastaba con los apellidos, fácilmente distinguibles desde que en el XVIII y XIX los judíos alemanes y austríacos fueron obligados a adoptar apellidos nacionales: Goldblum, Levy, Löwe, Roth, Stein y tantos otros, excusaban cualquier ulterior examen genealógico. A contrario, si lo que uno quería demostrar era la pureza de su sangre aria, debía acudir a las partidas de bautismo y certificados de matrimonio de padres y abuelos. Según para qué se requiriese, la prueba podía ser más o menos estricta y remontarse desde dos generaciones (el

mínimo) hasta 1750 en el caso de los aspirantes a las SS, pero en cualquier circunstancia hacía falta un certificado ario para obtener un empleo público, para lograr un permiso de matrimonio y en numerosas empresas privadas.

Según el propio censo nazi de 1939, se calculaba en 72.000 los *mischlinge* alemanes de primer grado, y en 39.000 los de segundo. Algunos historiadores estiman que unos 160.000 soldados de sangre judía (entre cuarterones, medio judíos y judíos completos) lucharon en las filas del ejército de Hitler. Algunos de ellos en muy altos cargos, como el protegido de Göring y mariscal de campo Erhard Milch, de padre judío y uno de los capitostes de la Luftwaffe, convertido por Hitler en «ario honorario».

Entre los mestizos e incluso entre los judíos puros, existía una importante proporción de protestantes y católicos, y también de laicos, para quienes sus orígenes judíos les resultaban tan ajenos como la procedencia zamorana o cacereña de sus abuelos para alguien nacido en Madrid.

Muchos judíos y *mischlinge* emprendieron a la desesperada demandas judiciales de paternidad para lograr una recalificación de su estatuto racial y obtener otro más favorable, pasando de judío puro a mestizo, o incluso de mestizo a ario. El camino habitual era reconocer el adulterio (verdadero o falso) de la abuela aria con un gentil, bien mediante declaración jurada de la culpable o por el testimonio de parientes y vecinos. Los jueces solían dar por buena una autoinculpación tan humillante, pero que podía salvar la vida del descendiente o hacérsela menos difícil.

Para cuidar la imagen exterior, la aplicación de las leyes de Núremberg se mantuvo en sordina hasta después de la celebración de las Olimpiadas de Berlín de 1936. El hostigamiento legal se reanuda con fuerza en el 37 y 38, cuando alcanza su paroxismo en la Noche de los cristales rotos. Tras los reiterados boicots y prohibiciones, se llega a un nuevo grado de expolio con la arianización de los negocios, en que empresas, comercios y propiedades de los judíos son desvalorizados y vendidos a precios irrisorios a los alemanes.

Los judíos fueron finalmente expulsados de cualquier espacio público (la Administración, la enseñanza, las profesiones liberales, el comercio, parques, cines, teatros, instalaciones deportivas) y confinados prácticamente en sus guetos y casas, reducidos a la miseria o a trabajos de supervivencia. Pero las medidas de discriminación prosiguen implacables: en agosto de 1938 todos aquellos que tengan nombres arios deberán cambiárselos por los de Israel o Sara. En septiembre se formaliza la prohibición a los médicos judíos de tratar pacientes arios. Ese mismo otoño se inscribe la «J» en los pasaportes hebreos.

Tras la noche de los cristales rotos, la separación entre arios y judíos fue casi absoluta. La propaganda y el miedo habían abierto un abismo insalvable entre ambos colectivos, que los alemanes muy pocas veces se atrevieron a saltar (con mucha menos frecuencia en todo caso que franceses, italianos, escandinavos o búlgaros, que rescataron a muchos de sus judíos). Por si todo esto fuera poco, en septiembre de 1941 se anunció la obligatoriedad de portar la estrella amarilla, medida que se había empezado a utilizar en Polonia.

El aislamiento era total, el cerco se había completado. Ya sólo faltaba deportarlos y gasearlos, lo que sucedería muy pronto. Huir al extranjero, una opción al alcance sólo de los privilegiados antes de 1938 (había que pagar al Estado el 90% de bienes y riquezas y encontrar un país de acogida), se volvió casi imposible después de esa fecha (casi ningún país aceptaba ya judíos) y pronto, con la guerra, las fronteras se cerrarían a cal y canto. Para entonces unos 250.000 de los 437.000 judíos que había en Alemania habían conseguido escapar del cerco en dirección a Estados Unidos, Palestina, Francia, Gran Bretaña y otros países.

La minuciosidad del aparato legal y burocrático al separar el grano ario de la paja judía fue sólo la premisa de lo que vendría a continuación. De ella se deduciría como su conclusión inevitable toda una maquinaria de exterminio que, en breve plazo, se pondría en movimiento: primero (a partir de 1939), con el programa de eutanasia, en el que miles de niños y adultos con discapacidades físicas y mentales o enfermedades hereditarias serían «científicamente» seleccionados y asesinados. Una vez engrasada de este modo la maquinaria, el mismo equipo de verdugos la aplicaría a una tarea aún más descomunal: la Shoá o aniquilación sistemática de judíos, gitanos, homosexuales, prisioneros y otros seres considerados subhumanos y enemigos del régimen.

Pero el delirio racial de los nazis no fue, a su vez, sino la culminación de un largo proceso que comenzó con el antisemitismo medieval, pero que sólo adquirió su máxima eficacia criminal cuando, a partir de finales del XVIII, se disfrazó con el solemne ropaje

de la ciencia. Desde entonces y a lo largo de todo el siglo XIX y comienzos del XX, hasta llegar a Auschwitz, una legión de eminencias y sabios de toda Europa y Estados Unidos fueron perfilando las teorías que terminaron por convencer a amplias masas de Occidente (no sólo en Alemania) de que no había nada más lógico y sensato que criminalizar, discriminar, esterilizar, encerrar y finalmente fumigar como insectos a buena parte de sus vecinos, por el simple delito de no ser ejemplares aptos de la raza aria.

EL LARGO CAMINO A AUSCHWITZ: LAS AUTOPROCLAMAS DEL RACISMO O "PORQUE YO LO VALGO"

El racismo no es sino la aplicación de una justificación biológica y pseudocientífica a un mal endémico desde el origen del hombre: la hostilidad hacia el extraño y el diferente, hacia el que viene de fuera (el forastero), a quien se considera una amenaza y, por tanto, un ser despreciable. En su expresión más escueta, el racismo predica la división de la humanidad en compartimentos estancos, incomunicables (puesto que la separación proviene de la misma naturaleza) y mutuamente incompatibles (porque la mezcla —el mestizaje— sólo produce monstruos o degenerados). La presunta superioridad de una de las cepas (la blanca, sobre todo en su variedad nórdica o aria) se utiliza para justificar el dominio y explotación de las otras razas. Pero como argumenta el relativismo

cultural: ¿dónde está ese tribunal independiente, capaz de clasificar objetivamente a las razas en mejores y peores? ¿No son todos aquí juez y parte?

La reclamación de preeminencia proviene del propio afectado («porque yo lo valgo») y resulta, cuando menos, sospechosa. El principal argumento que el racista aduce en su favor es una civilización más desarrollada y compleja. Pero no siempre lo sofisticado significa lo mejor, como demuestran los constantes llamados a la simplicidad que hacen algunos individuos (y no de los menos lúcidos) de esa misma civilización, cuyo progreso identifican con decadencia. De modo que, al final, el único argumento que queda para justificar el dominio es el propio dominio físico: soy superior a ti porque te puedo. Una situación de hecho, sin embargo, es siempre contingente y no justifica nada, no crea otro derecho que el del más fuerte, es decir, reduce a la barbarie a aquellos que juzgaban bárbaros a los otros en nombre de su civilización.

Hasta aquí la refutación filosófica del supremacismo; pero la moderna ingeniería genética nos proporciona una crítica más directa e inapelable. Según el Proyecto Genoma, la diferencia genética entre las distintas poblaciones humanas es insignificante y, en todo caso, insuficiente para justificar su división en razas. Todos los científicos actuales están de acuerdo en afirmar que en el homo-sapiens sólo existe una única raza: la humana. Las diferencias en capacidades y habilidades observadas entre los diversos grupos étnicos provienen de su adaptación a distintos medios, no de ninguna maldición

biológica, y son por tanto reversibles y modificables, y no afectan a la esencial identidad genética de la humanidad.

Craig Venter, uno de los directores del proyecto Genoma, declaró recientemente que «la raza es un concepto social, no científico. Sólo el 0,01% de los genes están implicados en la apariencia de un individuo». Todos los humanos somos idénticos en un 99 % de nuestra carga genética y ese 1% depende de una variación genética espontánea y no tiene nada que ver con el grupo étnico al que pertenece cada cual. En otras palabras: no hay características genéticas que sean exclusiva de una raza.

Hoy día, por tanto, el empleo de la palabra «raza» aplicada a un grupo humano es la señal más evidente de que estamos ante un ignorante o un racista, y se prefiere emplear otros términos menos contaminados de historia: grupos étnicos o poblaciones, en especial.

HISTORIA DEL RACISMO

Todas las sociedades y civilizaciones antiguas fueron xenófobas y etnocéntricas, aunque tal vez no racistas en el sentido moderno del término. Griegos y romanos llamaban —y consideraban— bárbaros a los otros pueblos, a pesar de que muchos de ellos terminaran siendo adoptados por su cultura. Los judíos se decían elegidos por su dios, Yavé, pero no más que cualquier otro pueblo; todos ellos han creído tener a Dios de su lado, como en la canción de Dylan (*With God On*

Our Side), hasta hace bien poco. Los cristianos introducen por primera vez la idea de la igualdad universal de los seres humanos, condicionada siempre —como posteriormente harían los musulmanes— a la conversión: todos los individuos son iguales siempre que se conviertan. El infiel, en cambio, es demoníaco y el dilema bien sencillo: o conversión o sometimiento y aniquilación.

Al margen de su propia religión igualitaria (cristiana o musulmana), las diferentes élites desarrollaron un racismo de consumo interno: entre los árabes el racismo hacia las razas negras africanas justificaba un floreciente comercio de esclavos; entre los señores feudales cristianos, la ideología de la superior sangre azul del aristócrata está en el origen del supremacismo blanco. Las prohibiciones matrimoniales y sexuales nazis no fueron más que una popularización de las de las clases aristocráticas de Europa.

La primera extensión de este racismo exclusivo de la aristocracia al resto del pueblo fue el concepto de limpieza de sangre: el plebeyo, que no era nada comparado con el noble, de repente podía ufanarse de cierta superioridad frente al judío converso gracias a su «limpieza de sangre». Como siempre, el racismo ha tenido una función de consuelo de tontos, una especie de elitismo de marca blanca, al alcance de todos.

Con la era de los descubrimientos y el contacto con pueblos exóticos se iniciaría un nuevo debate sobre la naturaleza exacta del indígena. Frente a algunas voces aisladas, como la de Bartolomé de Las Casas (descendiente de conversos), que abogaban por la igualdad, el etnocentrismo fue la opinión mayoritaria de los poderes imperiales,

justificando una brutal colonización, donde el misionero no tenía más papel que terminar de someter a los supervivientes de las masacres.

En el siglo XVIII, el cuestionamiento de la idea de progreso y, correlativamente, la reivindicación de los pueblos primitivos (el buen salvaje) por parte de Rousseau marcó una inflexión en el pensamiento predominante, en el que por primera vez se cuestionó nuestra presunta superioridad como civilización. Este cuestionamiento tendría una profunda influencia en posteriores ideologías igualitarias y progresistas (anarquistas, socialistas utópicos).

Pero en general, el pensamiento ilustrado adoptó un esquema evolucionista en el que los blancos europeos aparecían invariablemente en lo más alto de la escala. Hume, Voltaire, Kant, Hegel y tantos otros, no tenían empacho en compatibilizar un pensamiento ilustrado con un racismo primario, donde los negros africanos y otros pueblos primitivos (los «salvajes») representaban el grado más bajo de desarrollo en el progreso de la Humanidad. Ya fuera debido al clima (como pensaban Montesquieu y Kant), al territorio o a la historia, había razas inferiores, según ellos, que siempre estarían fuera de la Historia, escrita con las mayúsculas de la época.

El propio concepto de raza y la afición a establecer clasificaciones raciales se inició durante la segunda mitad del siglo XVIII, al hilo de las exploraciones y del contacto de los europeos con otros pueblos; entre ellas, la influyente clasificación de Linneo (1767) que, acorde con la naturaleza infantil de estas ideas, clasificaba a los hombres por colores: razas amarilla, roja, negra y blanca, reservando un cajón de

sastre para Monstrosus, a los que no se sabía dónde alojar, es decir, los monstruos de feria: niños-lobo, el gigante patagónico, el enano de los Alpes, el hotentote monórquido… Las taxonomías variaban según los autores, pero terminó fraguándose una terminología donde figuraban los caucásicos (blancos), los mongoloides (orientales) y los negroides, como grupos principales, y en ninguna faltaba la correspondiente jerarquía, cuya primacía correspondía en todos los casos a la raza blanca.

También comenzaría en el XVIII la polémica entre el monogenismo (la teoría de un único origen de la humanidad) y el poligenismo (la hipótesis de orígenes separados de las diferentes razas). Monogenistas como Buffon, Blumenbach y Cuvier afirmaban que Adán y Eva eran caucásicos y que todas las otras razas procedían de ellos por degeneración, debido a diversos factores ambientales: el clima, la alimentación, el territorio… Lo que en un principio parecía garantizar cierta hermandad entre todos los hombres, quedaba rebajado en seguida: las otras razas eran parientes de los blancos, cierto, pero parientes tontos y pobres, que pedían a gritos ser tutelados.

El poligenismo, en cambio, no se conformó con este racismo light y desde muy pronto se convirtió en la teoría favorita de los esclavistas, puesto que negaba cualquier parentesco del blanco con otras razas, a las que se proponía expulsar de la misma humanidad. Por primera vez se rechazaba el relato adamita del Génesis. Según la Mishná judía «Una sola persona fue creada al principio para que nadie le diga a su prójimo, "Mi padre es superior al tuyo"». Los racistas comprendieron

muy bien las peligrosas implicaciones igualitarias de este mito y, con su teoría, hacían aún más radical (desde las propias raíces) la separación de razas. Blancos y negros no tenían nada en común, ni siquiera el origen, como afirmaba la Biblia. El naturalista Louis Agassiz (1807–1873), suizo trasplantado a Estados Unidos, fue el sistematizador de esta hipótesis, pero ya antes, el apóstol de la tolerancia Voltaire —feroz racista y antisemita— sustentó ideas muy parecidas.

El racismo científico de naturalistas y antropólogos americanos, que se apoyaba en la teoría poligenista para justificar la inferioridad de la raza negra, asimismo describía a esta última como sumisa y predispuesta a la esclavitud como su estado natural. El doctor sudista Samuel Cartwright (1793-1863) argumentaba con total seriedad que, puesto que la esclavitud es la condición innata del negro, cualquier intento de escapar a ella sólo puede deberse a enfermedad mental. Bautizó tal desorden como «drapetomanía» (del griego drapetes, «esclavo fugitivo»), caracterizado por unas ansias patológicas de libertad, y provocadas por un trato demasiado familiar por parte del amo, que no sabe mantener las distancias. El tratamiento preventivo más eficaz, según el eximio doctor, eran unos cuantos latigazos; pero si la enfermedad se había declarado ya, no había mejor remedio curativo que la amputación de los pulgares de los pies. Asimismo diagnosticó otra enfermedad inédita hasta entonces, la «Dysaesthesia aethiopica», que afectaba sobre todo a los negros libres (drapetómanos incurables anteriormente, suponemos), los cuales se veían invadidos por un torpor mental y una apatía física galopantes

ante la falta de un amo que se ocupase de ellos. El remedio científico, como era previsible, consistía en «untarlo todo con aceite, y hacer penetrar el aceite en la piel con golpes de una ancha cinta de cuero; luego poner al paciente a realizar algún tipo de trabajo pesado al sol».

En cualquier caso, el racismo bíblico de los sudistas americanos no necesitaba ningún poligenismo para buscar pretextos; les bastaba con remontarse hasta la historia de Noé y sus tres hijos (Sem, Cam y Jafet, que dieron lugar a las tres razas: semitas, camitas y jafetitas, es decir, judíos y árabes, razas oscuras, e indoeuropeos respectivamente) y la maldición que lanzó Noé sobre la descendencia de Cam, condenándola a la esclavitud.

Aunque tampoco en el otro bando el panorama era mucho más halagüeño. Benjamin Rush (1746-1813), abolicionista y uno de los padres fundadores de los Estados Unidos, afirmaba que los negros padecían una enfermedad hereditaria pero curable, el «negroidismo», una especie de lepra que oscurecía su piel. No debían, por tanto, ser esclavizados ni sometidos, puesto que no eran más que blancos enfermos, pero había de evitarse el matrimonio con ellos para no propagar la enfermedad. Anticipando a Michael Jackson, pronosticó que cuando el mal de la «negritud» fuera curado, serían de nuevo blancos y el matrimonio libre estará permitido. Con amigos así, la raza negra no necesitaba desde luego enemigos.

Las voces en contra del racismo predominante fueron muy escasas y meritorias: Friedrich Tiedemann (1781-1861), discípulo de Cuvier, y uno de los primeros que desmintió a los racistas, usó la craneometría para afirmar que el cerebro de los negros no era menor que el de los

blancos y que, por tanto, no había motivos para una inferioridad intelectual. Tales opiniones, decía, provenían de prejuicios. Pocos le hicieron caso.

EL RACISMO «CIENTÍFICO»

El moderno racismo, basado en la definición biológica de raza, surge en el siglo XIX de la mano del nacionalismo. El pueblo, sujeto de la nación, será entendido como un conjunto de individuos que comparten no sólo una cultura y una historia, sino un tipo físico, moral y caracteriológico inalterable, esto es, «suelo y sangre». La superioridad racial servirá de coartada al imperialismo de los países occidentales, que disfrazarán su explotación y sus atrocidades coloniales de misión civilizatoria.

Pseudociencias como la craneometría, la frenología, la fisiognómica… se emplearon desde el XVIII para extraer todo tipo de conclusiones acientíficas y confirmar los prejuicios habituales sobre las características morales, intelectuales y el comportamiento de las razas. La capacidad craneal, el índice cefálico o el ángulo facial dieron lugar a todo tipo de risibles especulaciones raciales, tomadas muy en serio por la comunidad científica de la época. Los inicios de la antropología física muestran cómo el científico, con sus escrupulosas medidas, puede servir de coartada al ideólogo racista. El americano Samuel G. Morton (1799-1851), defensor del poligenismo y uno de los

fundadores de la antropología física, lo fue también, y no por casualidad, del racismo científico. Consideraba que el tamaño del cerebro era directamente proporcional a la inteligencia. Tras coleccionar y medir durante años todo tipo de cráneos, afirmó que la raza blanca se llevaba la palma en cuanto a volumen e inteligencia, mientras que la raza negra se hallaba muy por detrás. El paleontólogo Stephen Jay Gould demostró recientemente que las medidas de Morton estaban guiadas por sus prejuicios raciales y fueron convenientemente manipuladas para confirmarlos. Como es sabido, no es el volumen, sino la superficie del cerebro (que depende de las circunvoluciones), lo que determina la inteligencia; un mismo volumen craneal puede albergar inteligencias muy dispares, como demuestran los neandertales, cuyos cerebros eran tan voluminosos o más que los nuestros; nuestro castizo término «cabezón» refleja muy acertadamente esta doble acepción: tanto puede referirse a una inteligencia privilegiada como a un bruto de pueblo.

Algunos científicos evolucionistas finiseculares, como Karl Vogt y Haeckel, llegaron a situar al negro como más cercano al mono que al hombre blanco, al que consideraban una especie diferente del negro, no sólo una raza.

Tales ideas, no obstante, predominaron entre la comunidad científica como verdad incontestable hasta el primer tercio del XX.

La publicación en 1859 de *El origen de las especies* de Charles Darwin trastocó de manera definitiva el estudio de la naturaleza al proporcionar un marco científico que describía a los seres vivos en términos puramente naturales y descartaba para siempre las

explicaciones religiosas. Aunque el propio Darwin creía en la unidad e igualdad fundamental del género humano, y criticó a fondo las teorías poligenistas en *El origen del hombre* (1871), el racismo científico pronto se apropió de las teorías evolucionistas para sus propósitos. La idea de selección natural por medio de la lucha por la vida y la supervivencia del más apto pasó a aplicarse a las sociedades y las razas. El darwinismo social, como se conocería a esta ideología pseudocientífica, alcanzó un enorme impacto entre pensadores y científicos de todo el mundo y proporcionaba una coartada perfecta para cualquier poder establecido. Consagraba en el interior de las sociedades el dominio de las clases dirigentes, y en la relación entre las naciones el de los imperios más poderosos, como resultado del triunfo natural —y, por tanto, inevitable— del más fuerte. En el último cuarto del siglo XIX, los escritos de darwinistas sociales como Herbert Spencer, Francis Galton o Ernst Haeckel conocerían una amplia difusión en círculos académicos y élites cultivadas, que los adoptaron como argumentario del capitalismo e imperialismo más salvajes.

La ciencia no dejó ya de suministrar justificaciones a las ideologías más reaccionarias. Como antes la craneometría, a comienzos del XX se empiezan a utilizar los test de inteligencia con similar propósito: demostrar la inferioridad intelectual de otras razas. Henry Herbert Goddard (1866-1957), psicólogo introductor de los test de Binet en Estados Unidos, los aplicó a partir de 1912 a los inmigrantes, para llegar a la conclusión de que en torno al 80% de ellos (rusos, judíos, húngaros, italianos…) eran retrasados, con una edad mental menor a

la de un niño de 12. No es difícil imaginar los resultados de un test realizado a un inmigrante pobre y recién desembarcado en una cultura extraña, cuyo idioma desconoce, y que se encuentra atemorizado ante un futuro incierto. Como señalan los críticos actuales, más que la inteligencia natural, los test de inteligencia miden la calidad de la educación recibida anteriormente, es decir, el nivel de adiestramiento en la resolución de problemas similares a los que plantean los propios test. Es evidente que los grupos más desfavorecidos y peor educados (las «razas inferiores») sacarán peores resultados y también que utilizar dichos datos —debido a factores ambientales subsanables— para concluir una supuesta inferioridad racial supone una falacia y la pura expresión de un prejuicio racista. Dichos test, sin embargo, influyeron en las leyes de inmigración americanas de 1924, que restringieron los cupos de inmigrantes procedentes de Europa del sur y del este, de acuerdo a los resultados inferiores sacados en las pruebas de inteligencia por los recién llegados.

EL RACISMO ARIO

Una de las variedades más extremistas del racismo europeo fue el racismo ario. A partir de una protolengua indoeuropea, estudiada por la lingüística histórica del XIX como antecedente remoto de las lenguas europeas, algunos autores como Friedrich Schlegel

extrapolaron sin ninguna base histórica la existencia de un supuesto pueblo indoeuropeo o ario, origen de los pueblos nórdicos.

El francés Arthur de Gobineau (1816-1882) fue uno de los pioneros de esta burda literatura. En 1855 publicó un estudio de explícito título, *Ensayo sobre la desigualdad de las razas humanas*, en el que exponía sus ideas simplistas: que la raza era el motor de la historia; que había tres principales: negra, amarilla (inferiores ambas) y blanca (superior); y que dentro de esta última, la cepa aria o germánica era la única pura, puesto que las demás (en especial la mediterránea, en la que estaba incluida España) estaban echadas a perder por siglos de mezclas con razas inferiores. Anatema era el mestizaje, que acababa con las jerarquías y uniformaba por abajo; y cuyo resultado final no podía ser otro que la decadencia de la raza blanca.

El racismo ario formó la base ideológica del furibundo antisemitismo que se desarrolló en Europa a finales de siglo XIX y al que contribuyeron mediocridades intelectuales como Georges Vacher de Lapouge (1854–1936), que en *El ario y su papel en la sociedad* (1899) hablaba de Homo europaeus, alpinus, mediterraneus, de arios braquicéfalos y judíos dolicocéfalos, y otra pomposa terminología pseudocientífica; o Houston Stewart Chamberlain (1855-1927), yerno de Richard Wagner —otro que tal—, que en *Los fundamentos del siglo XX* (1900), redujo la historia a la lucha entre los pueblos germánicos y la degenerada raza judía. Todos estos panfletarios hubieran caído en el olvido de no ser por la influencia decisiva que tuvieron en el movimiento Völkish —el nacionalismo alemán más salchichero— y

en la recuperación de la autoestima de un pintor y militar fracasado (no pasó de cabo) llamado Adolf Hitler.

La teoría ya estaba lista para justificar el genocidio; sólo faltaba implementar las medidas para llevarlo a la práctica y el movimiento eugenesista se encargaría de ello.

DE LA EUGENESIA A LA EUTANASIA

La mejora selectiva de animales domésticos mediante la reproducción de los más aptos es tan antigua como la propia ganadería. Su aplicación al hombre puede también rastrearse en las normas vigentes en cualquier cultura primitiva, que restringe la elección de pareja reproductora. Todas las oligarquías y aristocracias han contado con estrictas prohibiciones matrimoniales que vetaban las relaciones sexuales entre las élites y las clases inferiores. Se trataba en todos los casos de conservar y mejorar un tipo humano considerado como deseable, y, correlativamente, de dominar y explotar a los inferiores. Ya en la antigua Esparta, los recién nacidos débiles o con malformaciones eran despeñados por las laderas del monte. Lo escandaloso de los crímenes raciales nazis no es, por tanto, su novedad, sino todo lo contrario: la recuperación de algo tan primitivo y rancio como la ganadería humana.

En su formulación moderna, las técnicas ganaderas aplicadas al hombre recibieron el fino nombre de eugenesia (derivado del griego,

«buen origen»), término acuñado en 1883 por Francis Galton (1822-1911), primo de Darwin y naturalista, estadístico y psicólogo que sentó las bases de la nueva disciplina. El presupuesto fundamental de la eugenesia es reducir el hombre a su carga genética o hereditaria, como cualquier animal, desdeñando la influencia del aprendizaje y la cultura. Mejorar al hombre, según la eugenesia, significa ante todo acertar en la elección de los progenitores, puesto que una vez que nace, poco es lo que pueden hacer la enseñanza y el adiestramiento por desarrollar el material genético de partida. Galton proyectó su tosco evolucionismo a la sociedad: se trataba de fomentar mediante medidas sociales la reproducción de los más aptos, como haría la naturaleza dejada a su aire con la lucha por la supervivencia. Había por tanto que corregir las interferencias y distorsiones que introducía la propia sociedad en la selección natural por medio de la caridad, la beneficencia, el altruismo y otras prácticas compasivas, que ayudaban a conservarse y multiplicarse a los más débiles e inferiores, provocando de este modo la degeneración de la población. Sobra decir que, para Galton, la superioridad de la clase alta inglesa se debía a sus mejores genes —y, por tanto, era intocable— y no a la injusticia de un sistema ferozmente clasista, que reservaba todos los privilegios y oportunidades a los de arriba y casi ninguno a los de abajo, al margen de la respectiva calidad del material hereditario.

En cualquier caso, la ciencia de la ganadería humana tuvo desde su nacimiento un decisivo componente racista y clasista, toda vez que partía de la presunta superioridad genética de las razas nórdicas (y dentro de éstas, de sus clases altas), cuya proliferación había que

fomentar a expensas de las otras razas y clases sociales consideradas inferiores. En todas partes, los presuntos estudios científicos de los eugenesistas terminaban invariablemente identificando a los menos aptos con enfermos, inmorales, pobres y minorías raciales. Si el mundo antes era de los pijos por la gracia de Dios, ahora lo será por la gracia de los genes.

La eugenesia contempló desde el principio medidas tanto positivas como negativas; es decir, se trataba de animar a los más aptos a reproducirse como conejos y de disuadir de hacerlo a los considerados degenerados (discapacitados físicos y mentales, asociales, minorías raciales, pobres en general), bien por las buenas o recurriendo a la esterilización forzosa. La eugenesia pronto se convirtió en un influyente movimiento en todo Occidente entre intelectuales y universitarios, tanto conservadores como progresistas (Churchill era un convencido eugenesista, pero también Keynes, George Bernard Shaw o H.G. Wells). Se enseñaba en respetables instituciones académicas y en todos los países se formaron a comienzos del XX sociedades eugenesistas o de higiene racial compuestas por conspicuos personajes, que abogaban por implementar políticas estatales de mejora de la raza. La principal de tales medidas consistía en la esterilización forzosa de todos aquellos considerados no aptos para la reproducción (discapacitados, portadores de enfermedades hereditarias, enfermos mentales, asociales tales como delincuentes, prostitutas, homosexuales, alcohólicos, etc.). Numerosos países, con Estados Unidos a la cabeza, comenzaron a aplicar por aquellas primeras décadas del XX políticas

eugenésicas en sus legislaciones. «No había prácticamente un solo aspecto de la filosofía y la práctica eugenésicas —desde la "eutanasia" de los no aptos o la esterilización forzosa hasta las medidas positivas— que no se hubieran desarrollado durante el torbellino de años cruciales que van de 1918 a 1924»[254].

No sólo fueron medidas de esterilización forzosa; para preservar a la población autóctona americana (de origen anglosajón), la eugenesia determinó restricciones legales a la inmigración de ciertas poblaciones y leyes contra el mestizaje y a favor de la segregación racial, como la famosa «ley de una gota» (*one-drop rule*) o Ley de Integridad Racial, promulgada por el estado de Virginia en 1924, por la que bastaba un solo antepasado negro («una gota de sangre negra») para clasificar a un individuo como tal, al margen del color de su piel.

Uno de los autores más influyentes del movimiento eugenesista fue el norteamericano Madison Grant, amigo de varios presidentes, quien en 1916 publicó *La caída de la gran raza*, que Hitler llamaría «mi Biblia». En ella hablaba de la superioridad de la «raza nórdica» (versión yanqui de la aria) y abogaba por drásticas medidas estatales para defender su pureza, empezando por la esterilización forzosa y las restricciones matrimoniales a los indeseables. Su obra tuvo una repercusión decisiva en el movimiento de higiene racial alemán de los años 20 y en la promulgación de leyes de esterilización forzosa en numerosos estados de Norteamérica, en especial en California, que

---

[254] Robert Wald Sussman, *The Myth of Race*, Cambridge (Massachussets), Harvard University Press, 2016, p. 108 (traducción propia).

los nazis tomarían como modelo de su programa de esterilización. De hecho, Laughlin, el otro gran patriarca de la eugenesia americana, le confesó a Grant que «estaba entusiasmado ante el hecho de que los discursos de los líderes nazis sonaran exactamente igual que si los pronunciara el mejor eugenesista americano»[255].

Poderosas fundaciones como la Carnegie Institution o la Rockefeller Foundation proveyeron de abundantes fondos al movimiento eugenesista, no sólo en el propio país, sino también en la Alemania nazi hasta el estallido de la Segunda Guerra. En Estados Unidos, primer país que implantó programas de esterilización forzosa, el principal objetivo eran los enfermos mentales y discapacitados psíquicos, pero también sordos, ciegos, epilépticos y deformes; madres solteras o mujeres promiscuas (que podían ser clasificadas como débiles mentales), así como mujeres de minorías raciales —negras, indias—; todos ellos esterilizados sin su consentimiento mientras se encontraban en hospitales. Se calcula en unos 65.000 los individuos esterilizados en Norteamérica de manera forzosa, en un programa que comenzó en algunos estados —Indiana, California, Washington, nunca hubo ley federal— en la primera década del XX. El programa de California (20.000 esterilizaciones forzadas de 1909 a 1963, un tercio del total del país) fue uno de los más activos y sirvió de modelo a los nazis, que lo invocaron repetidamente como atenuante en los juicios de Núremberg. Con toda razón, por otra parte: la Fundación Rockefeller financiaba a insignes científicos que ya abogaban por medidas eliminacionistas de

---

[255] *Ibid.*, p. 109.

las bocas inútiles antes de los nazis, como nos recuerda Peter C. Gøtszche:

Algunos científicos de renombre sugirieron la posibilidad de matar a los locos, y en 1935 Alexis Carrel, ganador del Premio Nobel de Medicina y médico del Rockefeller Institute, que patrocinaba investigaciones sobre la eugenesia, escribió en su libro que los locos, o al menos los que hubieran cometido algún delito, «deberían ser desechados, humana y económicamente, en pequeños centros eutanásicos equipados con sistemas de gaseado». Hitler se inspiró en esta corriente estadounidense y la Alamenia nazi empezó a gasear mortalmente a los enfermos mentales cinco años más tarde[256].

El horror ante las consecuencias de la eugenesia nazi hizo caer en picado la popularidad de la doctrina después de la Segunda Guerra Mundial y llevó a la cancelación de la mayoría de los programas, pero no de todos. En muchos lugares continuaron aplicándose hasta la década de los 70. En Suecia hasta el año 1975, sumando en total unos 63.000 afectados. En Estados Unidos, la última esterilización forzosa se llevó a cabo en 1981, en el estado de Oregón. En Uzbekistán la esterilización forzosa aún se practica como medio de control de la población en mujeres que ya han tenido dos o tres niños.

La esterilización forzosa está considerada un crimen contra la Humanidad por el Estatuto de Roma (1998) de la Corte Penal Internacional.

---

[256] Peter C. Gøtszche, *Psicofármacos que matan y denegación organizada*, Barcelona, Los Libros del Lince, 2016, p. 182.

EUGENESIA NAZI

La eugenesia contempló desde el primer instante la esterilización de los seres considerados inferiores, ya fuese incentivada y voluntaria o bien forzada. La eliminación física no fue planteada en serio hasta la llegada de los nazis, pero de algún modo se encontraba ya implícita en sus premisas. Es evidente que, desde el momento en que se considera a un individuo como inferior y no semejante, la empatía hacia él disminuye a pasos agigantados, en la misma medida en que se acortan los que hay que dar para aceptar sin remordimiento su aniquilación.

El movimiento eugenesista alemán fue uno de los mejor implantados y más agresivos. La mayoría convergió de manera espontánea con el partido nazi, con cuyo ideario racista y antisemítico sintonizaba a la perfección, y sus miembros más conspicuos alcanzaron altos cargos en las instituciones sanitarias del nuevo régimen. Después de todo, el concepto de *Lebensunwertes Leben* («vida indigna de ser vivida») era suyo. Como señala Sussman en un estudio de referencia: «La Alemania nazi se puso a la cabeza del movimiento eugenésico en los años treinta. De hecho, se puede ver al nazismo como la lógica culminación de este siniestro movimiento»[257].

La purificación de la raza aria fue uno de los puntos clave del programa nazi y, desde la misma llegada al poder en 1933, el nuevo sistema no cejó en su empeño de llevarlo a la práctica mediante medidas legales y políticas de hechos consumados. Todo el aparato

---

[257] Robert Wald Sussman, op. cit., p. 108.

del Estado se volcó en un proyecto de eugenesia radical que contemplaba una escalada en tres etapas: separación estricta y aislamiento de los elementos indeseables (razas inferiores, arios degenerados, enemigos políticos); esterilización forzosa de enfermos y asociales; y por último, aniquilación sistemática de los enemigos de la raza. (Como corolario chusco de eugenesia positiva, se añadiría el sistema de las Lebensborne, criaderos de raza aria).

El primero de los tres objetivos se cumplió en tiempo récord: a los cinco años del ascenso de Hitler, los judíos habían perdido sus negocios y profesiones, tenían vetado el acceso a los servicios públicos (enseñanza, sanidad), estrictamente prohibida cualquier relación (en especial sexual) con arios, y, privados de derechos y recursos económicos, habían vuelto al gueto, como en los peores tiempos medievales.

El segundo objetivo se puso en marcha con la promulgación, en julio de 1933, de la Ley para la Prevención de la Descendencia Hereditariamente Enferma, pomposa etiqueta, típica de los eufemismos nazis, para lo que se conocería más simplemente como Ley de Esterilización. La ley se inspiraba en el modelo propuesto por el respetado eugenesista norteamericano Harry H. Laughlin y en el programa de esterilización forzosa de California, en funcionamiento desde 1909 (como no se cansaron de recordar, en su defensa, los jerarcas nazis durante los juicios de Nuremberg). Su mecanismo era sencillo: cualquier médico alemán de hospitales, maternidades, psiquiátricos, prisiones, asilos y escuelas especiales estaba obligado por ley, bajo amenaza de sanciones, a enviar los historiales médicos

de sus enfermos hereditarios a algunos de los 200 Tribunales de Salud Genética o Hereditaria. Estos estaban compuestos por dos médicos y un juez, y dictaminaban la conveniencia de esterilizar al paciente o, en el caso de embarazos indeseados (interraciales, por ejemplo), el aborto forzoso. En la práctica, el concepto de enfermedad hereditaria era muy elástico y, aparte de las discapacidades mentales y físicas más graves, podía englobar también desde un trastorno maníaco-depresivo (conocido hoy como bipolar), hasta la prostitución, el alcoholismo, la homosexualidad, la delincuencia o cualquier otra conducta considerada conflictiva y «asocial». Se calcula que, hacia el final de la guerra, más de 400.000 discapacitados y «asociales» habían sido esterilizados por los nazis.

La tercera fase de «higiene racial», la eutanasia, tampoco fue improvisada. Ya en 1935, Hitler confió al jefe médico del Reich (Reichsärzteführer), Gerhard Wagner, que planeaba eliminar a los enfermos incurables como muy tarde al comienzo de una futura guerra, lo que en efecto cumplió al pie de la letra: la autorización del führer a la «eliminación compasiva» de los enfermos incurables está fechada el primer día de la guerra (1 de septiembre de 1939). La intencionalidad era evidente: era una misma y sola la guerra que se emprendía contra los eslavos o contra los enfermos hereditarios e incurables; una lucha racial a muerte contra los enemigos, de fuera o de dentro, de la raza aria. La distracción de la guerra ofrecía, por otra parte, una útil pantalla para llevar a cabo la eutanasia.

Se lanzaron desde 1939 dos programas de eutanasia, uno dirigido específicamente a los niños y otro a los adultos. El procedimiento era

muy parecido al de la esterilización: cualquier hospital o centro médico (maternidades en el caso de los niños) estaba obligado a enviar los historiales de sus pacientes hereditariamente discapacitados para que un equipo de tres expertos dictaminara la conveniencia o no de mantenerlo con vida. El visto bueno para la eutanasia era una cruz en el historial; en el caso menos frecuente de ser absuelto, se escribía un signo menos.

El pretexto oficial para la eutanasia infantil fueron las supuestas peticiones de padres angustiados de hijos incurables, solicitando al führer una muerte misericordiosa. En un documento secreto del Ministerio del Interior del 18 de agosto de 1939 (anterior incluso a la orden firmada por Hitler), se especificaban los supuestos para la posible eutanasia: 1) Idiocia y mongolismo, 2) Microcefalia, 3) Hidrocefalia, 4) Malformaciones de toda clase (en especial, carencia de miembros, deficiencias cerebrales y vertebrales), 5) Parálisis.

El comité de tres médicos asesinos encargado de seleccionar a las pequeñas víctimas era concienzudo: de 100.000 historiales examinados hasta 1945, unos 80.000 fueron rechazados de principio y los restantes 20.000, cribados escrupulosamente hasta la cifra final de 5.000 niños asesinados. ¿Cómo no sentirse dioses benévolos cuando uno les perdona la vida a 95.000 niños?

Los desafortunados eran enviados a treinta y siete guarderías especiales —habilitadas en maternidades, hospitales infantiles y clínicas universitarias— para un tratamiento más «especializado», según hacían creer a los padres. No siempre se les asesinaba de inmediato; con frecuencia se aprovechaba a los niños durante meses

para experimentos brutales. En un principio el programa afectaba sólo a niños de hasta tres años, pero pronto se amplió hasta los dieciséis, al mismo tiempo que las causas de eutanasia, que terminarían incluyendo, además de discapacitados, a simples adolescentes problemáticos pero perfectamente sanos bajo nuestros parámetros actuales («inadaptados para la sociedad», delincuentes juveniles, jóvenes asociales y «raros»). El método empleado era una inyección letal de fenol; la neumonía aparecía como causa oficial de la muerte.

Se siguió asesinando niños hasta el último instante y aun más allá: el último de los asesinatos del programa de eutanasia infantil fue el de Richard Jenne, el 29 de mayo de 1945 (es decir, más de tres semanas después de la rendición de Alemania) en el hospital estatal de Kaufbeuren-Irsee, en Baviera.

Los cinco mil niños asesinados de esta forma son la cifra oficial, pero serían muchos más —hasta un millón, en su mayoría judíos— los que morirían después gaseados en los campos de exterminio.

El programa de eutanasia de adultos recibió el nombre en clave de T-4, proveniente de Tiergartenstrasse 4, la dirección de Berlín donde se encontraba el centro administrativo de la operación. Duró oficialmente de septiembre de 1939 hasta agosto de 1941. Un documento interno del organismo cita hasta 40 médicos involucrados en el programa, todos ellos voluntarios. Seis hospitales convertidos en centros de eutanasia (entre ellos, el siniestro castillo de Hartheim, cerca de Linz, Austria) y provistos con cámara de gas se encargarían

de ello. Durante este periodo serían asesinadas 70.000 «bocas inútiles», como eran llamadas.

A pesar de que todo fue llevado a cabo con gran discreción y secretismo (el centro de T-4 figuraba como una fundación caritativa, los traslados a los centros de eutanasia se justificaban por un tratamiento más especializado, los padres recibían falsos certificados de defunción por causas naturales), los rumores sobre el genocidio en marcha se extendieron rápidamente y los familiares comenzaron a protestar mediante cartas a las autoridades e incluso en protestas callejeras. Algunos empezaron a sacar a sus parientes de los psiquiátricos estatales y a alojarlos en casa o en psiquiátricos privados. Hubo médicos (los menos) que contribuyeron a salvar pacientes dándoles el alta o recalificando diagnósticos. Unas pocas autoridades religiosas —más católicas que protestantes— se unieron a la protesta. Una carta pastoral de obispos católicos condenando la eutanasia fue leída en las iglesias en julio de 1941. La más influyente de tales protestas fue la del obispo de Münster, Clemens August Graf von Galen, quien, en un sermón, denunció abiertamente y sin tapujos el programa de eutanasia.

Ante tan potentes enemigos (con la anexión de Austria, la población católica del Reich alcanzaba el 40%), Hitler no tuvo más remedio que rectificar y, oficialmente al menos, dio orden de detener los asesinatos eugenésicos. Visto el resultado de la intervención, cabe preguntarse cuántos otros crímenes no se hubiesen evitado si la Iglesia se hubiera mostrado igual de diligente ante las matanzas de judíos y otras minorías.

Pero el programa siguió funcionando bajo cuerda hasta el mismo final de la guerra en lo que se conocería como «eutanasia salvaje». Bajo propia iniciativa, aunque naturalmente alentados y amparados por las más altas autoridades, los centros de eutanasia siguieron dispensando «muertes piadosas», no sólo a discapacitados físicos y mentales —principales víctimas del programa— sino también a prisioneros inservibles de los abarrotados campos de concentración (Aktion 14f13), trabajadores forzados del Este incapaces de trabajar, niños sanos *mischlinge* (mestizos, hijos de matrimonio judío-ario), ancianos de geriátricos «arios» e incluso a sus propios soldados discapacitados por heridas de guerra.

En el caso de víctimas sensibles (niños y adultos arios) se extremaron los disimulos. Las muertes se hicieron pasar a partir de ahora por una mayor variedad de causas «naturales». Para ello se utilizaron diversos métodos: unas veces dejar morir de hambre o enfermedades, en ocasiones inoculadas; otras inyectar diversas drogas letales, barbitúricos, morfina o antiepilépticos en dosis mortales.

El total de las víctimas de las distintas operaciones de eutanasia se calcula, al menos, en unas 200.000.

Pero todo el Holocausto puede considerarse como un gigantesco programa de eutanasia, como demuestra el hecho de que el personal que preparase el exterminio sistemático de judíos a partir de septiembre 1941, fuera el mismo que llevó a cabo anteriormente la operación T4 de eutanasia. No sólo incluían a los judíos y gitanos, que, cierto, eran las víctimas principales; apenas un escalón por

encima de ellos, se encontraba la raza eslava (rusos, polacos, ucranianos, etc.), considerada también inferior. Estaba previsto diezmarla mediante el hambre y, una vez reducida a una proporción manejable, esclavizar al resto.

CRIMINALES DE BATA BLANCA: MEJORANDO EL GANADO HUMANO

Detrás de los grandes jerarcas nazis que impartían las órdenes genocidas y de los ejecutores que disparaban o accionaban la cámara de gas, se encontraba un ejército de batas blancas, prestigiosos universitarios casi todos (médicos, biólogos, antropólogos, enfermeras), sin los cuales el genocidio nunca hubiera sido posible. Cómplices necesarios, en la terminología penal. Son, pues, tanto o más culpables que los perpetradores. Pese a algunas condenas a muerte y a cadena perpetua, la gran mayoría de ellos, sin embargo, escapó con penas leves o ninguna, y casi todos pudieron seguir ejerciendo sus profesiones sin ser molestados durante largos años.

Un solo asesinato de un niño hoy nos produce pavor; ¿qué hemos de pensar de todos estos que enviaron a miles de niños a la muerte sin sentir el menor remordimiento?

Aquí están algunos de los principales; pero hubo muchos más, cientos de ellos.

Alfred Ploetz (1860-1940). Médico, biólogo y eugenesista, padre de la higiene racial (*Rassenhygiene*, término acuñado por él en 1895). Su obra *Grundlinien einer Rassenhygiene* (*Fundamentos de Higiene Racial*, 1895) sentó las bases de la política racial nazi y fue una de las influencias capitales en Hitler. Por su parte, Ploetz se convirtió en un ferviente nacionalsocialista de primera hora. En 1933, formó parte junto con otros expertos del comité que asesoró a los nazis para promulgar la ley de esterilización forzosa de 1934. En su libro *La eficiencia de nuestra raza y la protección de los débiles: un ensayo sobre higiene racial y su relación con los ideales humanos, en especial con el socialismo* (1895) diseñaba una sociedad regida por la eugenesia, con una completa potestad del Estado sobre todo el proceso reproductivo: desde la elección de pareja y el matrimonio (para decidir sobre la idoneidad de un matrimonio y conceder o denegar su permiso, o bien para esterilizar a los indeseables), pasando por el embarazo (forzar abortos de embarazos indeseados) hasta el propio nacimiento (eutanasia de los débiles, enfermos y deformes, «una muerte dulce… usando una pequeña dosis de morfina…») y el número de hijos permitido. Como tantos eugenesistas, pensaba que la única raza que merecía la pena cuidar era la suya, la nórdica. Pasó de considerar a los judíos una de las razas superiores, tras la nórdica, a asumir las posiciones nazis.

Ernst Rüdin (1874-1952). Psiquiatra; uno de los máximos inspiradores de la política racial nazi («pionero de las medidas de higiene racial del Terecer Reich», lo llamó Hitler al condecorarlo en 1939) y apodado el *Reichsfuhrer* de la esterilización, por su insistencia en los

programas de esterilización forzosa. Uno de los psiquiatras más prestigiosos de su tiempo, abundantemente financiado por la Fundación Rockefeller hasta 1939. Pensaba que la raza alemana estaba degenerando debido al aumento de enfermos mentales y otros tipos inferiores, que se reproducían con notable fecundidad. En cuanto estudioso de las causas genéticas y hereditarias de las enfermedades mentales, se le considera el padre de la psiquiatría genética. Muy influido por su cuñado Alfred Ploetz, padre de la higiene racial (término acuñado por Ploetz en 1895). Convencido eugenesista y darwinista social, abogó por la esterilización forzosa de pacientes psiquiátricos. Fue también un acérrimo defensor de la superioridad de la raza nórdica.

Formó parte en 1933, junto con Alfred Ploetz y otros, del comité de expertos que designó la política racial del Tercer Reich, empezando por la ley de esterilización forzosa («Ley para la Prevención de la Descendencia Hereditariamente Enferma») de 1934. En 1942 habló con gran asepsia de «la utilidad de eliminar niños de una calidad netamente inferior».

Tras un breve encarcelamiento al término de la guerra, en 1947 fue liberado, pese a que muchos lo considerasen uno de los más influyentes ideólogos del genocidio de los llamados «inferiores». Un periodista dijo de él: «Estoy seguro de que el profesor Rüdin no mató una mosca en los 74 años que vivió, pero también estoy convencido de que fue uno de los hombres más perversos de Alemania».

Eugen Fisher (1874-1967). Médico y antropólogo, inspirador de la eugenesia nazi. Su tratado sobre herencia humana e higiene racial, de 1921 (coescrito con Erwin Baur y Fritz Lenz), influyó decisivamente sobre Hitler, que lo leyó mientras estaba en prisión, e inspiraría la base científica del racismo nazi, basado en dos pilares criminales: esterilización forzosa y eutanasia no menos forzosa. En una conferencia de la época proclamó: «Cuando un pueblo desea preservar su propia naturaleza, debe rechazar los elementos raciales extraños, suprimirlos y eliminarlos. El judío es este elemento extraño. Rechazo a la judería por todos los medios a mi alcance y sin titubeos a fin de preservar el legado hereditario de mi pueblo»[258]. Rector de la universidad de Berlín durante la época nazi. Gran amigo de Heidegger. Nunca fue juzgado.

Erwin Baur (1875-1933). Prestigioso botánico e investigador de la genética, considerado el padre de la virología de las plantas. Obtuvo importantes descubrimientos en este campo. Al mismo tiempo fue coautor, junto con Eugen Fischer y Fritz Lenz, del tratado sobre herencia humana que formó la base de la política racial nazi, sustentada en ideas disparatadas sobre la necesidad de preservar la pureza racial.

Fritz Lenz (1887-1976). Especialista en genética, miembro del partido nazi; uno de los que implementó la política eugenesista nazi. Discípulo de Ploetz. Coautor de *Fundamentos de herencia humana e*

---

[258] Robert Wald Sussman, op. cit., p. 117.

higiene racial (1921 y 1936), junto con Eugen Fischer y Erwin Baur, la obra más influyente en la criminal política racial de los nazis. Su hincapié en la superioridad de la raza «nórdica» o aria, y en la necesidad de eliminar las formas de «vida indigna de ser vivida» (Lebensunwertes Leben) formaron la base del simplista y pseudocientífico credo nazi. Después de la guerra continuó trabajando sin problemas como profesor de genética de la universidad de Göttingen. No sólo eso, sino que siguió defendiendo sus ideas de pureza racial y hasta las leyes de Núremberg.

Emil Kraepelin (1856-1926). Considerado uno de los fundadores de la psiquiatría moderna, opinaba que todos los desarreglos mentales obedecían a causas biológicas y genéticas, no ambientales. Fue profesor de otro de los más influyentes teóricos racistas: Ernst Rüdin (véase antes). Alcanzó las más altas distinciones y posiciones académicas. En sus últimos años se convirtió en un fanático propagandista de la higiene racial. Sostenía las creencias más ortodoxas de la eugenesia, a saber: que la sociedad, al interferir en la lucha natural por la supervivencia protegiendo a débiles y degenerados, contribuía a la decadencia del pueblo alemán. Escribió que «el número de idiotas, epilépticos, psicópatas, criminales, prostitutas y mendigos que descienden de padres alcohólicos o sifilíticos y que transmiten su inferioridad a su descendencia, resulta incalculable». Esta pseudociencia tuvo enorme influencia en los proyectos de higiene racial nazis.

Alfred Hoche (1865-1943). Psiquiatra alemán, impulsor de la eugenesia y la eutanasia. Coautor del libro *Die Freigabe der Vernichtung Lebensunwerten Lebens* (*Permitiendo la destrucción de la vida indigna de ser vivida*, 1920), que tuvo gran influencia en la política de eutanasia nazi. Introdujo el concepto de *Lebensunwertes Leben* («vida indigna de ser vivida»), que se convirtió en idea clave del ideario racista nazi. Con ella abogaba por el asesinato de los enfermos mentales, cuya vida, según él, carecía de valor. Profesor de Karl Brandt, director del programa de eutanasia.

Karl Binding (1841-1920). Prestigioso jurista, coautor del libro *Die Freigabe der Vernichtung Lebensunwerten Lebens* (*Permitiendo la destrucción de la vida indigna de ser vivida*, 1920), que tuvo gran influencia en la política de eutanasia nazi. Enseñó en la universidad de Basilea al mismo tiempo que Nietzsche, del que fue amigo, y llegó a ser rector de la de Leipzig. En su obra con Hoche, Binding se encargaba de los aspectos legales, es decir, de discutir la legalidad de los diferentes casos de eutanasia. No sólo admitía la legalidad de la eutanasia voluntaria (y del suicidio), sino asimismo del asesinato de los enfermos mentales a petición de sus familias, previo consentimiento de un comité oficial.

Hans F. K. Gunther (1891-1968). Uno de los principales teóricos racistas de los nazis y un tipo que «afirmaba poder reconocer a un judío sólo por su postura»[259]. Su obra *Rassenkunde des deutschen Volkes*

---

[259] Robert Wald Sussman, *op. cit.*, p. 124.

(*Ciencia racial del pueblo alemán*, 1922), donde expone su ideología nordicista sobre la superioridad del pueblo germánico —siguiendo el patrón del norteamericano Madison Grant—, fue una de las más influyentes en las ideas racistas de Hitler. El tipo nórdico era no sólo física, sino también espiritualmente superior a los otros tipos: más noble, veraz, valiente e inteligente. Enseñó estas paparruchas en las principales universidades alemanas y fue reiteradamente galardonado por los nazis. Tras la guerra, estuvo internado tres años en un campo de prisioneros y fue liberado. Nunca abjuró de sus creencias racistas y a favor de la esterilización forzosa, y además negó la realidad del Holocausto.

Wiehlm Frick (1877-1946). Abogado y jurista, nazi de primera hora. Fue el primer ministro del interior de Hitler en 1933. Responsable de muchas de las leyes del régimen nazi, entre ellas las de Núremberg y la de Esterilización forzosa. Ahorcado tras los juicios de Núremberg.

Werner Heyde (1902-1964). Psiquiatra alemán; uno de los principales organizadores del programa T-4 de eutanasia nazi. Heyde llegó a SS-Obersturmbannführer (teniente coronel), y en la posguerra siguió trabajando como médico y como perito judicial bajo nombre falso. Descubierto en 1959 y encausado, se suicidó en la prisión de Butzbach en 1964.

Werner Villinger (1887-1961). Psiquiatra nazi; uno de los organizadores del programa T-4. Distinguido especialista en

delincuencia juvenil y terapia de grupo. En grupos desde luego envió a miles de enfermos a la muerte. Implicado en la experimentación con seres humanos. Continuó trabajando sin problemas tras la guerra y fue uno de los impulsores del ministerio de familia, juventud y salud, de Alemania federal, ironía tan sangrienta como nombrar a Barbazul ministro de la mujer. Recibió honores del gobierno alemán, al que representó en conferencias internacionales al más alto nivel sobre bienestar y salud. En 1961, en la cúspide de su prestigio, el gobierno alemán intentó encausarlo, lo que evitó despeñándose en una montaña.

Carl Schneider (1891-1946). Psiquiatra, una de las principales figuras en el exterminio de niños, dentro del programa de eutanasia T-4, y en el aprovechamiento de sus restos con fines de investigación científica. También experimentó con los niños destinados a la eutanasia antes de su asesinato. Decano de la universidad de Heidelberg. Se colgó en su celda mientras estaba en espera de juicio.

Hermann Pfannmüller (1886-1961). Psiquiatra y neurólogo nazi que participó en el programa T-4 de eutanasia. Fue director del centro Eglfing-Haar, donde se asesinaba a niños que padecían enfermedades hereditarias. Inventó un método de muerte lenta por hambre, por medio de raciones decrecientes, que le permitía ahorrar las drogas que se utilizaban antes para asesinarlos, al tiempo que le proporcionaba una oportunidad de investigar los efectos de la malnutrición. Tras la guerra, fue condenado tan sólo a cinco años.

Declaró: «Me resulta intolerable que la flor de nuestra juventud pierda su vida en el frente, mientras los débiles mentales y los elementos asociales llevan una existencia segura en los asilos».

Hans Heinze (1895-1993). Psiquiatra alemán que participó activamente en el programa T-4. Uno de los tres integrantes del comité de médicos que decidía, tras estudiar unos cuestionarios, qué niño debía ser asesinado. Puso en marcha el primer centro donde se aplicó la eutanasia a niños enfermos en Brandenburg-Görden, que serviría de modelo para los que vinieron. Al término de la guerra, fue encarcelado por los soviéticos hasta 1952, en que emigró a la Alemania occidental, donde trabajaría sin problemas hasta su retiro en el departamento de psiquiatría infantil de un hospital. Una investigación judicial de 1962 fue sobreseída por supuesta incapacidad mental del sujeto, pese a que Heinze prosiguió trabajando de psiquiatra toda su vida.

Werner Catel (1894-1981). Profesor de psiquiatría y neurología en la universidad de Leipzig. Uno de los tres participantes en el comité de médicos que decidía, tras estudiar unos cuestionarios, qué niño debía ser asesinado. Continuó trabajando como médico prestigioso tras la guerra en un hospital y en la universidad, sin sufrir ninguna consecuencia penal.

Otmar Freiherr von Verschuer (1896-1969). Eugenesista, director del instituto Kaiser Wilhelm de antropología, herencia humana y

eugenesia, el siniestro organismo académico oficial que alojó a buena parte de los mayores asesinos eugenesistas. Ya en 1928 escribió: «La lucha del pueblo alemán se dirige principalmente contra los judíos, porque la penetración judía extranjera constituye la principal amenaza para la raza alemana»[260]. Trabajó en Auschwitz, donde Mengele fue su asistente; su especialidad eran los niños gemelos, a los que inoculaba diversas enfermedades. Otro de sus intereses eran los individuos con un ojo de cada color. Los prisioneros que tenían la desgracia de poseer esta particularidad eran asesinados, pero no antes de que les arrancaran los globos oculares, que eran enviados al docto profesor. Nunca fue juzgado; pagó una multa de 600 marcos en el proceso de desnazificación y poco después, fue nombrado profesor de genética humana en la universidad de Münster. Allí estableció uno de los principales centros de investigación del país en genética, siguiendo la pauta de tantos otros eugenesistas e higienistas raciales, reconvertidos en respetables genetistas. Murió en un accidente de automóvil, con su prestigio intacto.

Karin Magnussen (1908-1997). Brillante bióloga e investigadora, y militante nazi. Su especialidad era la *heterochromia iridum*, los ojos de diferente color, de los que Mengele le surtía en abundancia, tras asesinar a sus portadores. Trabajó en la Oficina de Política Racial y escribió un libro sobre el tema, donde declaraba: «los judíos que disfrutan de la vida en nuestro país como huéspedes son nuestros enemigos». Fue nombrada asistente de Otmar Freiherr von Verschuer

---

[260] Robert Wald Sussman, op. cit., p. 126.

en el instituto Kaiser Wilhelm. Nunca fue juzgada, continuó utilizando tras la guerra los ojos bicromáticos de presos asesinados y jamás abjuró de sus creencias racistas. Murió a provecta edad, sin ser nunca molestada.

Philipp Bouhler (1899-1945). Jefe de la Cancillería del führer y designado por éste como uno de los máximos supervisores, junto con su médico personal, Karl Brandt, del programa de eutanasia T-4. Se aplicó a sí mismo la eutanasia tras ser capturado en 1945, por desgracia después de aplicársela a otros 200.000 más. Uno de los mayores *Schreibtischtäter*, «asesinos de sillón».

Karl Brandt (1904-1948). Médico personal de Hitler, afecto a su círculo más íntimo y máximo organizador del programa T4 y anteriormente de la eutanasia infantil. Ahorcado en 1948. Durante su juicio, continuó justificando sus «asesinatos compasivos».

Otto Reche (1879-1966). Antropólogo y miembro del partido nazi. Investigó la correlación entre grupos sanguíneos y razas. En realidad buscaba un criterio más seguro que el árbol genealógico para determinar la pureza de raza aria. Su ideal posiblemente fueran los concursos caninos. Tras un año detenido, fue liberado y trabajó como forense para tribunales alemanes.

Astel Karl (1898-1945). Médico y rector de la universidad de Jena durante el nazismo. Responsable de los Tribunales de Salud

Hereditaria, encargados de decidir qué individuos debían someterse a esterilización forzosa. Era un ardiente antitabaquista, un tipo sano. De hecho, murió en plena forma: se disparó un tiro.

Hans Bertha (1901-1964). Director del hospital psiquiátrico de Steinhof (Viena) en los años 1944/45; uno de los mayores responsables de la eutanasia en Viena. Puso gran empeño personal en acelerar las muertes por eutanasia en su centro. Nunca fue condenado por sus crímenes. En lugar de ello, en 1954 fue nombrado profesor de neurología y psiquiatría de la universidad de Graz. Murió en accidente de automóvil poco después de ser elegido decano de la facultad de medicina de su universidad. El boletín de los médicos austriacos publicó un sentido obituario.

Paul Nitsche (1876-1948). Psiquiatra y asesor del programa de eutanasia T-4, dirigió uno de sus departamentos. Guillotinado en 1948 por crímenes de guerra.

Werner Blankenburg (1905-1957). General de las SS, jefe de la sección Iia de la Cancillería del führer, uno de los máximos responsables administrativos del programa T-4 de eutanasia y, posteriormente, de la *Aktion Reinhard* (aniquilación de los judíos de Polonia) y de experimentos científicos con presos. Vivió bajo nombre falso tras la guerra y trabajó en un banco; nunca fue molestado, pese a mantenerse en contacto con sus padres y numerosos colegas SS. Un genuino asesino de despacho.

Viktor Brack (1904-1948). Otro asesino de despacho: alto cargo SS de la Cancillería del Reich y uno de los máximos organizadores burocráticos del programa de eutanasia y, una vez acabado éste, del exterminio de los judíos. Fue condenado a la horca en el llamado «juicio de los médicos».

Max de Grinis (1889-1945). Psiquiatra nazi (una pareja de conceptos tan chusca como la de bombero-pirómano), fue uno de los médicos más influyentes en el sistema nazi de salud mental. Suyo es el decreto de eutanasia firmado por Hitler en 1939. Ante la derrota, cometió suicidio en familia, aplicándose a sí mismo, por desgracia demasiado tarde, la eutanasia. Tenía fama de simpático.

Walter Gross (1904-1945). Médico y director de la Oficina de Política Racial durante el régimen nazi. La Oficina tenía labores de propaganda (publicó una revista y numerosos folletos), con el objeto de imbuir a los alemanes de los principios raciales nazis sobre la superioridad aria, la inferioridad judía y eslava, y la conveniencia de ahorrarse «bocas inútiles» de ejemplares degenerados. Para dar ejemplo de esto último, se suicidó en 1945.

Irmgard Huber (1901-1983). Enfermera. Trabajó en la clínica de Hadamar, uno de los 6 centros de eutanasia. Puede ser tomada como el modelo del abundante personal sanitario subalterno que colaboró activamente en el programa T-4, sin ser especialmente fanático ni

sádico. Simplemente «cumplía» con su cometido. La inmensa mayoría de ellos se libró de las consecuencias penales. Es muy posible que murieran con buena conciencia, pensando que no estaba en su mano el destino de los niños, enfermos mentales o discapacitados, que ayudaban a asesinar. 15.000 alemanes y varios cientos de trabajadores forzados polacos y rusos fueron asesinados en las cámaras de gas de Hadamar y también mediante inyecciones letales o dejándoles morir de hambre o de enfermedades, desde 1939 hasta el 29 de mayo de 1945, ya concluida la guerra. Según un testimonio, los niños de Limberg, la población vecina, se asustaban de broma diciéndose: «Eres tonto, vas a acabar en el horno de Hadamar».

Huber era enfermera jefe del centro y se encargaba de seleccionar a los pacientes que debían ser asesinados y posteriormente de falsificar los certificados de defunción. Esta asesina múltiple, condenada a 32 años en dos juicios, salió libre en 1952, tras cumplir sólo ocho, y vivió pacíficamente hasta su muerte en la misma ciudad donde asesinó a miles de niños y adultos.

En la conclusión de la más reciente y completa historia del racismo, su autor abunda en esta atmósfera de impunidad: «De manera que estos y otros investigadores en los campos de la biología y la medicina desempeñaron un papel crucial en la organización y el funcionamiento del Tercer Reich […] La mayor parte de las instituciones académicas, científicas y profesionales de Alemania sobrevivieron indemnes a la Segunda Guerra Mundial o bien fueron reconstruidas de tal modo que su posición social permaneció intacta. La mayoría de los profesores e investigadores en higiene racial, el

personal de los servicios públicos y destacados higienistas raciales habían vuelto al trabajo hacia mediados de los cincuenta»[261].

PRESENTE Y FUTURO

Combatida por las críticas de algunos antropólogos como Franz Boas, Malinowski, Levy-Strauss y otros, pero sobre todo por el horror ante sus consecuencias, la eugenesia quedó por completo desacreditada tras la Segunda Guerra Mundial. Sus premisas se revelaron pura superchería, sin base científica. Las técnicas ganaderas no mejoran al ser humano, el pedigrí no le sirve de nada a un individuo. Los genios no procrean genios, ni los campeones deportivos dan lugar a un linaje de campeones. Es imposible predecir las características de la descendencia a partir de los genes paternos.

La Declaración Universal de Derechos Humanos de 1948 afirma que «Los hombres y las mujeres, a partir de la edad núbil, tienen derecho, sin restricción alguna por motivos de raza, nacionalidad o religión, a casarse y fundar una familia». En la «Declaración sobre la raza y los prejuicios raciales» de 1978 de la UNESCO, se declara explícitamente que «Todos los seres humanos pertenecen a la misma especie y tienen el mismo origen»; que «Todos los pueblos del mundo están dotados de las mismas facultades que les permiten alcanzar la plenitud del desarrollo intelectual, técnico, social, económico, cultural y político»; y también que «Las diferencias entre las realizaciones de los

---

[261] Robert Wald Sussman, op. cit., p. 132.

diferentes pueblos se explican enteramente por factores geográficos, históricos, políticos, económicos, sociales y culturales» y en ningún caso pueden «servir de pretexto a cualquier clasificación jerarquizada de las naciones y los pueblos».

Sobre el papel, la humanidad parece haberse librado del mal endémico del racismo, que le ha asolado desde su origen. Pero la realidad es muy diferente: seguimos siendo racistas en una proporción alarmante. Lo demuestran las encuestas, nuestro lenguaje, nuestro comportamiento. «Judío», «moro», «sudaca», «gitano» son palabras cargadas de connotaciones negativas y a menudo se emplean directamente como insultos. No hace mucho que una simple derrota de un equipo de baloncesto español por parte de uno israelí desató una delirante descarga de miles de mensajes antisemitas, muchos de ellos reclamando la vuelta de las cámaras de gas. También es reciente la encuesta en que la mitad de los escolares españoles entrevistados declaraba que no le haría gracia tener por compañero de pupitre a un judío, un musulmán o un gitano. De los 14 millones de musulmanes de la Unión Europea (sólo un 3% de la población total), únicamente una exigua minoría está implicada en actos terroristas; lo suficiente, sin embargo, para que se criminalice a cualquier musulmán y se comience a hablar de invasión islámica, como demuestra la última novela del fascista de moda, Houellebecq. ¿Se estarían cerrando a cal y canto las fronteras de Europa a las olas de refugiados si en lugar de sirios fuesen alemanes, franceses, escandinavos, incluso españoles, los que huyeran? En unas declaraciones posteriores al atentado de Charlie Hebdo, el primer

ministro francés, Manuel Valls, tuvo la valentía de declarar que existe «un apartheid territorial, social y étnico» con la población musulmana y otras minorías de Francia, como demuestran de manera contundente las cifras: el doble de paro, tres veces más de pobreza, cuatro veces más de analfabetismo en los ZUS (Zonas Urbanas Sensibles donde se hacinan los musulmanes), que en el resto del país. Y un último dato devastador: se siguen asesinando judíos europeos por el mero hecho de ser judíos.

La civilizada Europa, que se conmueve con el diario de Ana Frank y deposita ofrendas florales en los memoriales del Holocausto, apesta otra vez a racismo y xenofobia; basta observar el ascenso galopante de los partidos de extrema derecha en Francia (donde ya son la segunda fuerza electoral), Holanda, Alemania, Hungría, Grecia, los países escandinavos y bálticos… Cada día nuevos estados levantan muros más altos e infranqueables, como preparación, quizás, a los que un día rodearán sus futuros campos de concentración.

La ciencia ha sido desde su inicio una fuerza histórica liberadora, pero con igual frecuencia ha servido también para apuntalar los peores prejuicios, cuando no para suministrar herramientas más eficaces de control, de explotación y de exterminio: las cámaras de gas fueron un prodigio técnico. Y no hay motivos para pensar que la ciencia actúe ahora de forma distinta.

De nuevo empieza a oírse hablar un lenguaje que no les hubiera desagradado a los nazis: el hombre como una máquina biológica programable, mejorable, manipulable, simple marioneta de sus genes. El determinismo biológico, tan querido a todos los racistas, vuelve a

estar de moda en ciertos ámbitos científicos. La ingeniería genética dispara la fantasía de muchos: ¿qué padres renunciarían no sólo a un hijo libre de taras y enfermedades hereditarias, sino más alto, bien parecido, mejor dotado física e intelectualmente y de carácter animoso y emprendedor?

Los riesgos son evidentes y algunos autores ya los advierten: como cualquier tecnología puntera, la aplicación de la mecánica genética sería inevitablemente selectiva, al alcance de unos pocos, igual que sucede hoy con ciertos tratamientos médicos. La desigualdad social y económica se doblaría con una desigualdad hereditaria. La distancia no sólo sería económica y social (mejor educación, mejores cuidados), sino también genética. ¿Se cumplirían los sueños de los racistas, habría, por fin, una raza superior y otra inferior, los Eloi y los Morlock del subsuelo, como imaginó Wells en La máquina del tiempo?

Incluso imaginando una democratización de las conquistas de la genética, los riesgos no disminuyen. Está en primer lugar el de la uniformidad genética, el mayor peligro que amenaza la supervivencia de cualquier especie. Pero aun peor es el riesgo de la uniformidad humana: un mundo habitado de kens y barbies (otra vez la «bestia rubia», el ario perfecto), siguiendo los espejismos que nos marcan la publicidad, el cine y la moda. El ideal ya no es tener más cosas, sino ser más cosa: un campeón en una feria ganadera.

Mientras tanto, las pastillas y la química parecen ser la única respuesta a cualquier desarreglo mental. Cada vez somos más incapaces de enfrentar el duelo, la tristeza, un fracaso sentimental o

profesional. Mientras más débiles nos volvemos, más confiamos en que la ciencia nos convierta un día en superhéroes míticos y casi inmortales. Al mismo tiempo, la biopsiquiatría o psiquiatría biológica, que atribuye a todos nuestros problemas mentales y afectivos un origen exclusivamente físico en lugar de causas humanas y sociales, y que nos deja tan impotentes, por tanto, como ante un ataque de ciática o un infarto, se está imponiendo en todo el mundo. Los psiquiatras nazis, que compartían idénticos presupuestos, deben revolverse de gozo en sus tumbas. En el informe demoledor sobre la actual psiquiatría ya citado, se aconseja simplemente esto:

Si padece usted algún trastorno mental, o tiene problemas con su vida, evite a toda costa ir al psiquiatra a menos que esté seguro de que hará todo lo posible para no recetarle fármacos y es un buen psicoterapeuta. Si acude a un psquiatra convencional, muy probablemente acabará sufriendo[262].

Queremos mecánicos que nos programen, no maestros que nos ayuden a valernos por nosotros mismos. Le pedimos a la ciencia de todo, menos lo único que la ciencia nunca podrá hacer por nosotros: enseñarnos a vivir, a enfrentarnos a nuestra vida como seres humanos, es decir, como tipos que piensan, sienten, eligen, se equivocan, son ridículos o sublimes, imperfectos, libres.

---

[262] Peter C. Gøtszche, op. cit., p. 402.

BUCHENWALD,

MONSTRUOS DE

PACOTILLA[263]

---

[263] Un 16 de abril de 1945 las tropas aliadas liberaron el campo de Buchenwald, donde estuvo preso, entre otros, Jorge Semprún. Para recordar los setenta años del evento elaboramos este trabajo, en 2015. Al mismo tiempo, desde finales de 2014 y 2015 se consiguió que en varios centros de las Bibliotecas Públicas Municipales de Madrid se expusiera la muestra *Leer y escribir con Ana Frank*, en colaboración con Casa Ana Frank, exposición dedicada al público infantil y juvenil, acompañada de diversas actividades didácticas.

Se cumplió —el 11 de abril de 2015— setenta años de la liberación de Buchenwald, uno de los primeros (de 1937) y mayores campos de concentración nazis, situado en pleno corazón de la Alemania culta y goethiana, a pocos kilómetros de la mismísima Weimar. Se trata, pues, del emblema de una cultura en la que no se sabe dónde acaba lo sublime y comienza lo monstruoso. Porque como hoy nadie ignora, los nazis no fueron una mutación extravagante, sino que surgieron, al igual que un alien, de las mismas entrañas de una orgullosa civilización, de la que se alimentaron a conciencia. Los soldados de la Wehrmacht llevaban el *Así habló Zaratustra* en sus mochilas, pero igualmente podían haber metido a Goethe, Fichte, Hegel o Hölderlin, a quienes los nazis leyeron a fondo.

Buchenwald guarda aún otra relación más forzada con la cultura: tras Auschwitz, se trata de uno de los campos que más literatura ha generado; nombres como Imre Kertész, Jorge Semprún, Elie Wiesel, Jean Améry o Robert Antelme, entre otros, pasaron por sus barracones y lo reflejaron en sus obras.

Así describía el premio Nobel Kertész, en el quinto capítulo de *Sin destino*, el sangrante contraste entre un entorno idílico y una instalación consagrada a la muerte:

En los alrededores había muchas zonas verdes, unas casas muy bonitas, chalets entre los árboles, parques y jardines, el paisaje en su conjunto, las proporciones, todo parecía armonioso y —puedo afirmarlo con tranquilidad— acogedor, por lo menos comparándolo con Auschwitz [...] Buchenwald se hallaba en medio de montes y valles, en la cima de una colina. El aire era puro y los ojos se deleitaban con la vista del paisaje

variado, lleno de bosques y casitas de techo rojo en el valle [...] Los presos eran simpáticos aunque diferentes de los de Auschwitz[264].

Alguien le cuenta al joven György, protagonista de la novela, que el propio Goethe plantó con sus manos un árbol hoy frondoso que se encontraba en el interior del campo, protegido por una valla, como ejemplo viviente de en qué había acabado la gloriosa cultura alemana; el árbol del genio olímpico daba sombra a las víctimas de la barbarie y a sus verdugos:

Según me dijeron, el autor [Goethe] también había plantado un árbol con sus propias manos, que pronto se hizo frondoso y que se encontraba en algún sitio de nuestro campo, junto al que había una placa conmemorativa y una valla para protegerlo de los presos. En resumen, no tardé en comprender la expresión de los rostros que nos habían despedido en Auschwitz; puedo decir que yo también me encariñé pronto con Buchenwald.

Aunque se trataba de un campo de trabajo y no de exterminio, como Auschwitz o Treblinka, era muy fácil morir en Buchenwald por cualquiera de los numerosos métodos que idearon lo verdugos: hambre, agotamiento, enfermedad, experimentos médicos, apaleado, fusilado, ahorcado, e incluso crucificado, como les sucedió a dos sacerdotes. Se calcula que del cuarto de millón de internos que pasó por sus barracones, una quinta parte (unos 56.000) pereció en su interior. La clasificación de los presos era de lo más variada: prisioneros políticos y de guerra, delincuentes comunes, judíos,

---

[264] Imre Kertész, *Sin* destino, Barcelona, Acantilado, 2002, pp. 126-128.

gitanos, homosexuales, testigos de Jehová y sacerdotes… También la procedencia: alemanes y austriacos, rusos y polacos, franceses e italianos, belgas y holandeses, y 638 republicanos españoles, entre los que se encontraba el escritor Jorge Semprún, que se ocupó de aquella experiencia en varios títulos: *La escritura o la vida*, *El largo viaje* (donde también recuerda al árbol de Goethe), *Viviré con su nombre, morirá con el mío*…

Como ya señalamos en el capítulo de Kertész, resulta de lo más revelador, si queremos comprender los distintos enfoques literarios del Holocausto, contraponer la escritura del escritor húngaro con la de alguien como Jorge Semprún, con quien compartió encierro en Buchenwald, pero que escribe desde presupuestos muy distintos. Semprún proviene del humanismo marxista, mientras que para Kertész que, por así decir, se ha criado en Auschwitz, cualquier utopía lleva inscrita la marca del crimen. Es la propia fe humanista en la racionalidad, que sustenta todas las utopías, lo que se ha quebrado de manera irreparable en el autor húngaro, para quien, después de Auschwitz, sólo cabe un programa de mínimos, basado casi exclusivamente en evitar el próximo y anunciado genocidio.

Sólo en este horizonte mental es posible comprender la famosa y chocante «naturalidad» del estilo de Kertész, es decir, el hecho de que nada, por atroz que sea, parece llamar la atención de su héroe, que encaja las cosas tal como vienen, sin extrañarse en exceso. Convivir con el horror, encontrar «hermoso» un campo de concentración o confesar provocadoramente que en él conoció la felicidad, es sólo otra forma de decir que el lager y la cámara de gas han venido para

quedarse, que ya forman parte permanente de nuestro paisaje, incluso después de la derrota nazi. «Nunca se sale de Auschwitz», y no sólo los supervivientes, como quería expressar Kertész; incluso los que hemos nacido después, seguimos de alguna manera dentro. Auschwitz es una posiblilidad con la que hay que contar, desde ahora, a cada momento.

Frente a los viejos humanistas, para quienes el Lager representa la simple ruptura de una civilización milenaria, Kertész insiste en que se trata de un nuevo orden, no importa que esté basado en el asesinato: «Se ha demostrado que la forma de vida del asesinato es una forma de vida vivible y posible y, por consiguiente, institucionalizable»[265]. Sólo desde el interior de este orden es posible entender que sus víctimas encuentren «hermoso» un campo de concentración, o que incluso sientan nostalgia de él, una vez liberados, y confiesen provocadoramente que allí fueron felices.

Respecto al otro, al mundo humanista anterior a Auschwitz, el autor de *Sin destino* se muestra terminante:

Auschwitz no se produjo en el vacío, sino en el marco de la cultura occidental, de la civilización occidental, y esta civilización es una superviviente de Auschwitz, igual que esas pocas decenas o centenares de miles de hombres y mujeres esparcidos por el mundo que aún vieron las llamas de los crematorios e inhalaron el olor de la carne humana que ardía. En ese fuego se destruyó todo cuanto hasta entonces respetábamos como valores europeos; y en este punto cero de la ética, en la oscuridad moral y

---

[265] Imre Kertész, *Diario de la galera*, Barcelona, El Acantilado, 2004, p. 236.

espiritual se presenta como único punto de partida aquello que creó tales tinieblas: el Holocausto[266]

Que contraponer Kertész a Semprún no es un vano ejercicio de lectura, lo demuestra la contundente crítica que el propio Kertész dirigió a su compañero de *Lager* en la novela *Fiasco* (1988), a propósito de la pintoresca figura de Ilse Koch.

La llamada «perra de Buchenwald», esposa del primer comandante del campo, conocida por su truculencia y sus colecciones de pieles tatuadas y cabezas jibarizadas de prisioneros, fue en realidad, pese a los amantes del morbo, una mujercilla bastante vulgar (hoy la tildaríamos de choni o poligonera), sin nada de ese aura demoniaco y sulfuroso que algunos se empeñan en atribuirle.

Kertész critica en *Fiasco* precisamente la actitud de ciertos escritores del Holocausto (no sólo de Semprún, al que cita) que aplican categorías anteriores a la Shoá para juzgar el acontecimiento. Paradójicamente, tal actitud lleva a la mitificación de una maldad que resulta imposible comprender desde las viejas categorías humanistas. Es esta incapacidad lo que impide ver la verdadera naturaleza del nazismo: no una mera dictadura al servicio de una burguesía acosada, ni tampoco una ruptura de la civilización judeocristiana, sino la culminación de ciertas tendencias de esta misma civilización. Lo que la visión humanista (y la marxista también lo era) no supo comprender es que el totalitarismo no fue un gobierno contra las masas, sino de las masas, que recogía los dos impulsos más

---

[266] *La lengua exiliada*, Madrid, Taurus, 2006, p. 100.

elementales de ellas (la pulsión del orden y la de la violencia) y las conciliaba en un sistema nuevo. Que el fascismo es de masas porque las masas son fascistas es algo que demuestra el parecido de todo régimen basado en ellas, no importa el signo ideológico de partida. Es bien sabido que Hitler y Stalin se admiraban más de lo que está escrito.

De ahí la tesis de Kertész: cualquier nazi, hasta el más sádico, no representa ninguna subversión del orden establecido, sino su encarnación más acabada. Pues es parte de ese nuevo orden totalitario un grado endémico de violencia y de crueldad, donde cualquier vulgar Ilse Koch es una mandada más, y no en absoluto una rebelde.

Por otro lado, los demonizadores del nazismo «adornan» la banalidad del mal totalitario con una riqueza intelectual que no se dio en la realidad. Los genocidas eran pequeños burgueses concienzudos y mediocres, no Mefistófeles ni personajes de Dostoievski. Demonizarlos o mitificarlos en exceso, convertirlos en monstruos de perversión, hace que perdamos de vista la característica fundamental del mal totalitario: su ramplonería y laboriosidad, su naturaleza humana, demasiado humana. «…La naturaleza del poder», advierte Kertész en *Kadish por un hijo no nacido*, «…no es ni satánico, ni de una complejidad turbia y fascinante, ni terriblemente cautivador, no, sino común y corriente, ruin, asesino, estúpido e hipócrita y que incluso en los tiempos de sus logros más grandes sólo está bien organizado»[267].

---

[267] Imre Kertész, *Kadish por el hijo no nacido*, Barcelona, El Acantilado, p. 52.

Pero es en *Fiasco*, dijimos, donde Kertész se encara directamente a Semprún. «Por aquellas fechas leí la novela titulada *El largo viaje…*», comienza Kertész su *excursus* sobre el autor franco-español[268]. A continuación, cita la larga descripción de Ilse Koch, la comandanta de Buchenwald, que hace Semprún en su novela, a la que convierte en un sofisticado monstruo de perversión y sadismo, dotándola de una grandeza casi satánica. Contra esta tendencia justamente, salta el autor húngaro:

Dejé de leer. He aquí la sangre, el placer y el demonio condensados en una sola figura e incluso en una sola frase. Mientras la leo, me ofrece una forma definitiva: puedo insertarla sin esfuerzo alguno en el instrumentario ya preparado de mi imaginación histórica. Una Lucrecia Borgia de Buchenwald; una criminal que ha ajustado las cuentas con Dios, digna de la pluma de Dostoievski; un ejemplar femenino de las magníficas bestias rubias de Nietzsche, ávidas de victoria y botín, que «retornan a la candidez de la conciencia de fiera…»

Sí, sí: nuestro pensamiento sigue atado por ilusiones intelectuales con conciencia de paloma, por cándidas visiones de la grandeza y osadía de la depravación que, sin embargo, nunca han indagado debidamente en los detalles. Hay allí una desproporción insuperable: de un lado las ebrias soflamas a la aurora, a la transvaloración de los valores y a la inmoralidad sublime, y, de otro, un convoy de ferrocarril con una carga humana que hay que hacer desaparecer cuanto antes, y de la manera más impecable posible, en las cámaras de gas cuya capacidad siempre resulta demasiado escasa. ¿Qué pintan allí los esfuerzos de un intelecto desgarrado y desprendido?

---

[268] *Idem, Fiasco*, Barcelona, El Acantilado, 2003, pp. 51-56.

Demasiado solitario, demasiado delicado, demasiado sufriente, demasiado poco común, demasiado desligado de cualquier tipo de banda o bando, demasiado poco corporativo y también demasiado inmoral, allí no se necesita; lo que se necesita es la moral, una moral de trabajo sencilla, comprensible y manejable. «¿Considera usted correcto, señor Globocnik —planteó el consejero ministerial doctor Linden esta pregunta sumamente práctica al Gruppenführer de las SS Globocnik—, enterrar los cadáveres en vez de quemarlos? ¡Después de nosotros puede venir una generación que no lo entienda!» A lo cual Globocnik le contestó: "Señores, si la generación que nos sucede fuese tan cobarde y blandengue que no entendiera nuestra grandiosa tarea, todo el nacionalsocialismo habría sido en vano. Yo opino que deberían encerrarse tablas de bronce para señalar que tuvimos el valor de realizar esta obra tan gigantesca como necesaria.

Sí —seguí hilando mis pensamientos—, tal vez acecha el demonio: no en que el ser humano asesine, sino en que extienda sus imprescindibles virtudes al orden mundial del crimen. Cogí un tomo documental de la estantería de libros y busqué la fotografía de Ilse Koch. Esa cara de cerdo, corriente y de piel pastosa, quizá dotada de cierto atractivo femenino en su día, pero hosca en aquel momento, no podía convencerme de ningún modo de que me hallaba ante una personalidad de gran formato incluso en sus excesos, ante una personalidad que se había colocado más allá del bien y del mal y cuya vida había transcurrido bajo el signo de un desafío constante e incorregible a la moralidad. De hecho, Ilse Koch no se oponía al orden moral: todo lo contrario, lo representaba; he ahí la gran diferencia […] Las manifestaciones de su inventiva se mantenían dentro de los cauces de las costumbres vigentes en el momento. Las cabezas reducidas y los objetos decorativos fabricados con piel humana curtida adornaban numerosos chalés de oficiales y también escritorios en los despachos de Buchenwald […] No es de suponer que le viniera a la cabeza la idea de que, si Dios no

existía, todo estaba permitido; al contrario, necesitaba sobre todo a Dios, concretamente, a un dios que plasmara en mandatos todo cuanto le permitía. Sin duda, el orden mundial moral que ofrecía Buchenwald era el asesinato; pero era un orden mundial, e Ilse Koch se sentía a gusto en él. Nunca transgredió su lógica: donde el asesinato es un lugar común, uno no se convierte en asesino por rebeldía, sino por celo profesional. Matar puede ser una virtud, como no matar […]

Una situación generó Buchenwald; Buchenwald generó —entre muchas otras situaciones— la situación de la esposa del comandante del campo; y esta situación generó a Ilse Koch, quien —por así decirlo— dio vida a esta situación y contribuyó, por consiguiente a generar Buchenwald, que sin ella ya no puede ser imaginado […]

Ilse Koch se halla en una media que puede establecerse entre ella misma y su situación, en una fórmula en la que ella tal vez ni siquiera esté presente. Sí: su figura sólo se torna comunicable abstrayendo de ella, prescindiendo de ella, por así decirlo. Cuanta más importancia le damos en nuestra imaginación, más rebajamos aquello que la rodea: la realidad de su mundo organizado para el asesinato; porque la esencia que le atribuimos sólo puede extraerse de esa realidad.

La tragedia quizá resida, pensaba, en esa insustancialidad. Sin embargo, toda comunicación que se aferre a figuras representativas naufraga precisamente por eso. Porque los personajes trágicos viven en el mundo del destino, y el horizonte de la tragedia es la eternidad; el mundo de los sistemas de violencia totalitarios, en cambio, es el mundo limitado e insuperable de las situaciones, su horizonte es tan sólo el tiempo histórico que duran. ¿Cómo puede ser comunicable una experiencia que, precisamente, no puede ni quiere sustanciarse en experiencia, ya que la esencia de sus situaciones —situaciones al mismo tiempo demasiado abstractas y demasiado concretas— es la personalidad insustancial, siempre

sustituible, que, respecto a la situación, no tiene ni comienzo ni continuidad ni ningún tipo de analogía y que resulta por tanto inverosímil para el intelecto?[269]

En la misma línea de Hannah Arendt, Kertész nos previene contra esta tendencia a mitificar el mal y a otorgarle al vulgar genocida contemporáneo el aura del malditismo. Como decía la propia Arendt (y aquí seguía a su maestro San Agustín, para quien el mal no era sino carencia o imperfección del ser), el mal es superficial, sólo el bien es profundo[270]. Ahí radica el gran error de cualquier maquineísmo: en

---

[269] «Kertész evoca a Semprún y un pasaje de *El largo viaje* y en su mención de Semprún se ve cómo su representación del personaje llamado Ilse Koch alcanza una dimensión alegórica mediante una estética de concentración: "He aquí la sangre, el placer y el diablo condensados en una sola figura". Esta imagen literaria también trae a la memoria —de acuerdo con las referencias culturales del lector— ciertos personajes históricos que la literatura ha glorificado por su perversidad y hace del horror un objeto estético. Sin embargo, la creación literaria en la que el personaje debe ser centro de atención es arriesgada, porque oscurece el ambiente en que se coloca a ese personaje, en un "mundo organizado para el asesinato". El personaje trágico, Ilse Koch —o Larrea en *La montaña blanca*, de Semprún—, a quienes el suicidio les confiere una especie de eternidad mística, representa, según Kertész, la propia esencia del asunto que está entre manos: el totalitarismo es un universo histórico y determinado por situaciones y el personaje es el resultado de todo ello. El que participa no hace sino corroborar la lógica del campo de concentración, sin convertirse ni en excepción, ni su acto en transgresión» (Mary Peguy, op. cit.).

[270] «Ahora, en efecto, opino que el mal no es nunca "radical", que sólo es extremo, y que carece de toda profundidad y de cualquier dimensión demoníaca. Puede

otorgarle la categoría de principio independiente, sustancial, a lo que no es sino algo derivado y accidental. El sadismo (la compulsión a coartar y mortificar la vida de los demás) es un comportamiento reactivo, es decir, se trata de una respuesta delirante a un trauma previo; sólo el bien es un principio creativo que no depende de otros para desarrollarse.

El sadismo de Ilse Koch no es el del genio luciferino y rebelde, tan querido a los románticos, sino la truculencia del medroso pequeño burgués, que se consuela fantaseando con venganzas imposibles y apocalíticas. En su caso, un régimen de pequeños burgueses resentidos, como fue el nazismo, le permitió llevar a la práctica fantasías que normalmente sólo tienen lugar en la mente.

Ilse Koch era alguien normal antes del régimen nazi (hija de un capataz de fábrica, trabajó de contable y fue nazi de primera hora) y lo siguió siendo dentro del régimen nazi y de su sistema de valores. De hecho, la propia SS, que juzgó con dureza a alguno de los suyos por excesos y corrupciones (económicas, sobre todo), terminó absolviéndola por falta de pruebas, mientras llevaba al paredón a su marido pocas semanas antes del fin de la guerra. Existe una filmación

---

crecer desmesuradamente y reducir todo el mundo a escombros precisamente porque se extiende como un hongo por la superficie. Es un "desafío al pensamiento", como dije, porque el pensamiento trata de alcanzar una cierta profundidad, ir a las raíces y, en el momento mismo en que se ocupa del mal, se siente decepcionado porque no encuentra nada. Eso es la "banalidad". Sólo el bien tiene profundidad y puede ser radical.» (Hanna Arendt, carta a Gershom Scholem, 24 de julio de 1963, en: Claves de Razón Práctica, nº 190)

del juicio ante un tribunal de guerra americano en la que puede verse a una vulgar ama de casa, de mirada alarmada, que parece a punto de dar un bote si la tocan en un hombro[271].

Buena parte de la culpa de esta mitificación del verdugo nazi la tiene la literatura y el cine, y resulta hasta cierto punto comprensible. La gente tiende a demonizar antes que a entender al malhechor. Prefiere pensar que quien delinque lo hace por puro gusto del mal (el demonio de la perversidad, del que hablaba Poe) que no por complejas causas sociales y psicológicas, siempre difíciles de dirimir. Y además aquí juega un factor de eficacia narrativa: según Hitchcock, la calidad de una intriga depende de la calidad de su «malo». Cuanto mejor —es decir, más perverso— el malo, mejor el suspense.

Sin embargo, los intentos artísticos de dotar de interés al malvado se topan siempre con un límite: cuando deja de hacer el mal, el malvado suele ser un tipo bastante insulso. Pese a Milton, el ángel caído no pasaba de ser un pobre diablo, impotente y resentido. El genio del mal, ese verdugo complejo, de cierta grandeza intelectual, que retratan Borges en «Deutches Requiem» (cuento incluido en *El aleph*), Jonathan Littell en *LasBenévolas*, o incluso Kertész en *Un relato policíaco* —provenientes todos de la estirpe de Sade y de Camus—, no tuvo correspondencia en la realidad. En una abrumadora mayoría, las filas del nazismo se nutrieron de pequeños burgueses arribistas, tan crueles como ridículos, y de un gusto irremediablemente hortera. El padre de Himmler era maestro; el de Rudolf Höss, pequeño

---

271 https://www.youtube.com/watch?v=I_zCP6J9OhY   (última   consulta: 05/09/2018).

comerciante; el de Eichmann, contable; el de Franz Stangl, vigilante nocturno; el de Martin Bormann, empleado de correos; el de Odilo Globocnik, un simple teniente; y el del propio Hitler, agente de aduanas —por sólo mencionar las extracciones sociales de algunos jerarcas nazis, todos tipos humanos de una mediocridad apabullante—. Individuos cultos y más o menos refinados como Walter Schellenberg, Albert Speer o Reinhard Heydrich, fueron la excepción, no la regla.

A esto alude precisamente el concepto, tan incomprendido, de Hanna Arendt sobre la banalidad del mal; a que, por lo general, los grandes malvados suelen ser grandes infelices en todo el sentido peyorativo de la palabra, no importa la cantidad de mal que hayan podido cometer, porque la magnitud del mal perpetrado no les confiere más grandeza. Funciona aquí, es decir, en las mentes de los verdugos, un trágico malentendido: el psicópata que mata a cincuenta en vez de a cinco sigue siendo el mismo tipo fracasado del principio, no ha ganado ni un ápice de calidad humana ni psicológica en su carrera asesina. Hitler continuó siendo hasta el último día el mismo pintor fracasado y resentido que malvivía por las calles de Viena. Como individuo, el psicópata es un sujeto que permanece bloqueado en la superficie de su carácter, incapaz de desarrollarse, atado a una fantasía delirante. De ahí, ese aspecto de incompleto, de tosco y poco desarrollado que ofrece la personalidad de tantos nazis. Hay algo de infantil, de desarrollo mental interrumpido, en la crueldad nazi; algo que recuerda a la del niño que ametralla con ruidos de boca a ejércitos enteros sin inmutarse.

En un estudio ya clásico sobre el carácter autoritario, *El miedo a la libertad*, Erich Fromm definió a los fascistas como gente fundamentalmente miedosa: miedo al cambio, a lo desconocido, a lo que está aún por nacer. Su análisis se aproxima mucho al que hizo Sartre del antisemita en las *Reflexiones sobre la cuestión judía*[272]. Son tipos que, debido a alguna temprana fijación, se han quedado atrapados para siempre en la superficie de su mente, sin llegar más lejos. Ni pozos sin fondo ni abismos humanos, como se nos quiere hacer creer, sino gente burda y psicológicamente primitiva. Al contrario de lo que tantos afirman, el nazismo no es incomprensible sino muy sencillo de explicar: se trata del producto de mentes muy pobres.

El mal es lo más fácil de explicar porque es lo más superficial. El nazismo fue un régimen sádico no porque estuviera compuesto por psicópatas, sino porque en el sadomasoquismo radica la esencia de las clases medias que lo impulsaron. El miedo a lo extraño y el respeto supersticioso de la autoridad, el resentimiento social y las correspondientes fantasías de compensación, llenas de crueldad y grandilocuencia, los complejos de inferioridad y su reversión paranoide en manías persecutorias, la conversión del sexo en algo turbio, sucio y perverso bajo la bota de la represión… todos estos

---

[272] «…podemos ya comprender al antisemita. Es un hombre que tiene miedo. No de los judíos, desde luego; de sí mismo, de su conciencia, de su libertad, de sus instintos, de sus responsabilidades, de la soledad, del cambio, de la sociedad y del mundo; de todo, salvo de los judíos» (Sartre, *Reflexiones sobre la cuestión judía*, Barcelona, Seix Barral, 2005).

rasgos definen, no a un tronado de manicomio, sino al pequeño burgués más corriente y moliente, el que nutre las filas de los totalitarismos. Dicho en corto: lo normal en las masas es el fascismo latente y cotidiano, el caldo de cultivo del que asciende como una marea ahora mismo el fascismo de los electorados de toda Europa.

Son aquellos autores que declaran el nazismo un fenómeno incomprensible (de los que el cineasta Claude Lanzmann es una buena muestra) quienes le otorgan una categoría casi sagrada e inefable, propia de los misterios ante los que sólo cabe inclinarse. Con ello, paradójicamente, revisten la doctrina nazi del prestigio y el atractivo de todo lo enigmático, con la misma aura maldita, por ejemplo, que poseía el maligno demiurgo para los maniqueístas gnósticos.

Nuevamente en *Kadish por el hijo no nacido*, una de sus mejores obras, Kertész se mostró tan beligerante contra esta tendencia a hacer del crimen un misterio ajeno a la razón, como con la de mitificar a los matarifes. El autor de *Sin destino*, que sin duda ha leído atentamente a Arendt, resume en un magistral párrafo la contraposición entre la naturaleza trivial, casi transparente, del mal y la profundidad insondable de todo lo creativo y generoso, de todo lo que actúa por sí mismo y que, a falta de mejor palabra, seguiremos llamando bien:

…dije que la frase era formalmente errónea, la frase de que «Auschwitz no tiene explicación», porque todo cuanto existe siempre tiene una explicación […] y la explicación de Auschwitz, dije con toda probabilidad, por cuanto era mi opinión y, es más, sigue siéndolo, la explicación se encuentra en las vidas individuales y en ningún otro sitio. Auschwitz es, a mi juicio, el acto y

la imagen de vidas individuales, visto bajo el signo de cierta organización […]

Y dejad de decir por fin, dije con toda probabilidad, que Auschwitz no tiene explicación, que Auschwitz es el producto de fuerzas irracionales, inconcebibles para la razón, porque el mal siempre tiene una explicación racional, es posible que el propio Satanás sea irracional, como lo es Yago, pero sus criaturas sí son racionales, todos sus actos se derivan de algo, igual que una fórmula matemática; se derivan de algún interés, del afán de lucro, de la pereza, del deseo de poder y de placer, de la cobardía, de la satisfacción de este o de aquel instinto, y si no, pues de alguna locura […] porque prestad atención, porque lo verdaderamente irracional y lo que en verdad no tiene explicación no es el mal, sino lo contrario: el bien […] y en vez de la vida de los dictadores hace tiempo que sólo me interesan las vidas de los santos, por cuanto las considero interesantes e inconcebibles y no les encuentro ninguna explicación racional[273].

---

[273] Imre Kertész, op. cit., p. 47.

III

SELECCIÓN

BIBLIOGRÁFICA

Ofrecemos una selección bibliográfica del catálogo de libros del Centro de Interés sobre el Holocausto de la Biblioteca Pública Municipal Gerardo Diego (Villa de Vallecas) y el fondo de la Biblioteca de la Deportación, conservado en la Biblioteca Centro de Documentación del Ministerio de Defensa, accesibles con una simple consulta en Internet. Las obras seleccionadas por los autores son las editadas hasta 2018.

Una bibliografía completa sobre el tema del Holocausto, sólo lo publicado en español, requeriría un volumen aún mayor, por ello hemos centrado la selección en base a dos criterios. El primero es incluir a autores y libros citados, protagonistas de los capítulos anteriores. En segundo lugar, creemos que esta bibliografía es la más importante para entender y acercarse al tema, de una forma rigurosa y no exento de auténticas obras maestras en el campo literario.

La ordenación de la bibliografía es la seguida en nuestros trabajos desde 2007. Los libros del club de lectura, despúes lo básico para sobre el Holocausto, testimonios, ensayos y narrativa, incluyendo poesía, teatro y cómic, del antes, durante y después de la Shoá. Somos conscientes de que la producción literaria sobre el Holocausto, como producto comercial, es casi inabarcable. Creemos sin embargo que no todo vale, hay que guardar un mínimo de calidad formal, contenido y un escrupuloso respeto por la memoria. Para no ser prolijos, no incluimos a otros colectivos represaliados, narrativa infantil ni documentos en otros formatos, como son películas y documentales. Quien desee más información al respecto, sólo tiene que visitar la página web www.lecturasdelholocausto.com.

1. LIBROS DEL CLUB DE LECTURA

- ✓ Amis, Martin: *La zona de interés,*
- ✓ Denemarková, Radka: *El dinero de Hitler,*
- ✓ Fink, Ida: *Huellas,*
- ✓ Haffner, Sebastian: *Historia de un alemán,*
- ✓ Joffo, Joseph: *Un saco de canicas,*
- ✓ Kerr, Philip: *Un hombre sin aliento,*
- ✓ Kertész, Imre: *Sin destino,*
- ✓ Levi, Primo: *Si esto es un hombre,*
- ✓ Littell, Jonathan: *Las Benévolas,*
- ✓ Loridan-Ivens, Marceline: *Y tú no regresaste,*
- ✓ Margolius-Kovaly, Heda: *Bajo una estrella cruel,*
- ✓ Mayorga, Juan: *Himmelweg,*
- ✓ Modiano, Patrick: *Dora Bruder,*
- ✓ Modiano, Patrick: *Trilogía de la ocupación,*
- ✓ Muñoz Molina, Antonio: *Sefarad,*
- ✓ Reck, Friedrich: *Diario de un desesperado,*
- ✓ Rezzori, Gregor von: *Memorias de un antisemita,*
- ✓ Schlesak, Dieter: *Capesius, el farmacéutico de Auschwitz,*
- ✓ Schrobsdorf, Angelika: *Tú no eres como otras madres,*
- ✓ Sebald, G.W.: *Austerlitz,*
- ✓ Semprún, Jorge: *El largo viaje,*
- ✓ Spiegelman, Art: *Maus,*
- ✓ Wiesel, Elie: *La noche.*

2. LAS OBRAS BÁSICAS.

- ✓ *Auschwitz, el álbum fotógrafo de la tragedia* (ed. Metáfora),
- ✓ Améry, Jean: *Más allá de la culpa y la expiación*,
- ✓ Arendt, Hannah: *Eichmann en Jerusalén*,
- ✓ Bauman, Zygmunt: *Modernidad y Holocausto*,
- ✓ *Enciclopedia del Holocausto* (Yad Vashem),
- ✓ Frank, Ana: *Diario*,
- ✓ Frankl, Viktor Emil: *El hombre en busca de sentido*,
- ✓ Friedlander, Saul: *El Tercer Reich y los judíos* (2 vols.),
- ✓ Grossman, Vasili: *El infierno de Treblinka*,
- ✓ Grossman, Vasili & Ilyà Ehrenburg: *El libro negro*,
- ✓ Hilberg, Raul: *La destrucción de los judíos europeos*,
- ✓ Klemperer, Victor: *Quiero dar testimonio hasta el final*,
- ✓ Lanzmann, Claude: *Shoah*,
- ✓ Poliakov, León: *Breviario del odio: el Tercer Reich y los judíos*,
- ✓ Rees, Laurence: *El Holocausto*,
- ✓ Rousset, David: *El universo concentracionario*,
- ✓ Snyder, Timothy: *Tierra negra. El Holocausto como historia y advertencia*,
- ✓ VV.AA.: *Crónica del Holocausto, las palabras e imágenes que hicieron historia* (ed. Libsa),
- ✓ VV.AA.: *Guía didáctica de la Shoá* (Centro Territorial de Innovación y Formación "Madrid Sur").

3.   TESTIMONIOS Y BIOGRAFÍAS.

Los que no sobrevivieron.
- ✓ Berr, Hélène: *Diario: 1942-1944,*
- ✓ Biscarat, Pierre-Jérome: *Los niños judíos de Izieu, 6 de abril de 1944: un crimen contra la humanidad,*
- ✓ Doerry, Martin: *Mi corazón herido: la vida de Lili Jahn, 1910-1944,*
- ✓ Frank, Ana: *Cuentos del escondite secreto y otros relatos,*
- ✓ Ginz, Petr: *Diario de Praga, 1941-1942,*
- ✓ Gradowski, Zalmen: *En el corazón del infierno,*
- ✓ Hillesum, Etty: *El corazón pensante de los barracones,*
- ✓ Hillesum, Etty: *Una vida conmocionada: diario 1941-1943,*
- ✓ Korczak, Janusz, *Diario del gueto,*
- ✓ Laskier, Rutka: *El cuaderno de Rutka,*
- ✓ Lee, Carol Ann: *Biografía de Ana Frank, 1929-1945,*
- ✓ Prochnik, George: *El exilio imposible:Stefan Zweig en el fin del mundo,*
- ✓ Rajchman, Chil: *Treblinka,* 2014,
- ✓ Ringelblum, Emanuel: *Crónica del gueto de Varsovia,*
- ✓ Sebastian, Mihail: *Diario (1935-1944),*
- ✓ VVAA: *Para comprender a Edith Stein.*

Los supervivientes.
- ✓ Antelme, Robert: *La especie humana,*
- ✓ Appelfeld, Aharon: *Historia de una vida,*

- ✓ Bau, Joseph: *El pintor de Cracovia,*

- ✓ Berg, Mary: *El gueto de Varsovia. Diario 1939-1944,*

- ✓ Bermejo, Benito: *El fotógrafo del horror,*

- ✓ Brzezinski, Matthew: *El ejército de Isaac,*

- ✓ Buergenthal, Thomas: *Un niño afortunado,*

- ✓ Delbo, Charlotte: *Auschwitz y después* (3 vols.),

- ✓ D'Eramo, Luce: *Desviación,*

- ✓ Edelman, Marek: *También hubo amor en el gueto,*

- ✓ Elina, Odette: *Sin flores ni coronas,*

- ✓ Federman, Raymond: *Chitón,*

- ✓ Fenelon, Fania: *Tregua para la orquesta,*

- ✓ Friedman, Violeta: *Mis memorias,*

- ✓ Frank, Otto: *Conversaciones,*

- ✓ Goldstein, Slavko: *1941, el año que retorna,*

- ✓ Grinspan, Ida: *Yo no lloré,*

- ✓ Grynberg, Henryk: *Drohovycz, Drohovycz,*

- ✓ Holzman, Helen: *Esta niña debe vivir: tres cuadernos, 1941-1944,*

- ✓ Klainman, Jorge: *El séptimo milagro,*

- ✓ Kofman, Sarah: *Calle Ordener, calle Labat,*

- ✓ Koeppen, Wolfgang: *Anotaciones de Jakob Littner desde un agujero bajo tierra,*

- ✓ Klüger, Ruth: *Seguir viviendo,*

- ✓ Levi, Primo: *Los hundidos y los salvados,*

- ✓ Levi, Primo: *La tregua,*

- ✓ Lauermann, Marek: *Estoy aquí por un error. La historia de*

Dagmar Lieblová,
- ✓ Manea, Norman: *El regreso del húligan,*
- ✓ Morgenstern, Soma: *En otro tiempo. Años de juventud en Galitzia oriental,*
- ✓ Müller, Filip: *Tres años en las cámaras de gas,*
- ✓ Perel, Sally: *Tú tienes que vivir,*
- ✓ Rosenberg, Otto: *Un gitano en Auschwitz,*
- ✓ Sassoon, Agnes: *He sobrevivido,*
- ✓ Schönhaus, Cioma: *El falsificador de pasaportes,*
- ✓ Semprún, Jorge: *Ejercicios de supervivencia,*
- ✓ Semprún, Jorge: *La escritura o la vida,*
- ✓ Seth, Vikram: *Dos vidas,*
- ✓ Sobolewicz, Tadeusz: *He sobrevivido para contarlo,*
- ✓ Szpilman, Wladyslaw: *El pianista del gueto de Varsovia,*
- ✓ Tuszynska, Agata: *La cantante del gueto de Varsovia,*
- ✓ Venezia, Shlomo: *Sonderkommando. El testimonio de un judío obligado a trabajar en las cámaras de gas,*
- ✓ Veil, Simone: *Una vida,*
- ✓ Weiss, Helga: *El diario de Helga,*
- ✓ Weiss, Peter: *Adiós a los padres,*
- ✓ Zsolt, Béla: *Nueve maletas.*

4. PENSAR EL HOLOCAUSTO: ENSAYOS.

Antecedentes: el triunfo del totalitarismo.
- ✓ Aly, Gotz: *Los alemanes. Cómo Hitler compró a los alemanes,*
- ✓ Arendt, Hanna: *Los orígenes del totalitarismo,*

- ✓ Benz, Wolfgang: *El Tercer Reich,*
- ✓ Burleigh, Michael: *El Tercer Reich,*
- ✓ Chaves Nogales, Manuel: *Bajo el signo de la esvástica,*
- ✓ Chesterton, G.K.: *Sobre el concepto de barbarie,*
- ✓ Chorover, Stephan L. *Del Génesis al genocidio,*
- ✓ Evans, Richard J.: *La llegada del Tercer Reich,*
- ✓ Evans, Richard J.: *El Tercer Reich en el poder,*
- ✓ Evans, Richard J.: *El Tercer Reich en guerra,*
- ✓ Fritzsche, Peter: *Vivir y morir en el Tercer Reich,*
- ✓ Gellatelly, Robert: *La Gestapo y la sociedad alemana: la política radical nazi (1933-1945),*
- ✓ Graffard, Sylvie & Tristan, Léo: *Los Bibelforscher y el nazismo,*
- ✓ Haffner, Sebastian: *Alemania: Jekyill y Hyde,*
- ✓ Haffner, Sebastian: *La revolución alemana de 1918-1919,*
- ✓ Hildebrand, Klaus: *El Tercer Reich,*
- ✓ Kershaw, Ian: *Descenso a las infiernos. Europa 1914-1949,*
- ✓ Kershaw, Ian (dir.): *El nazismo. Preguntas clave,*
- ✓ Klemperer, Viktor: *LTI: Lingua Tertii Imperi,*
- ✓ Krebs, Christopher: *El libro más peligroso: "Germania" de Tácito, del Imperio Romano al Tercer Reich,*
- ✓ Mann, Golo: *Una juventud alemana,*
- ✓ Mann, Michael: *Fascistas,*
- ✓ Möller, Horst: *La República de Weimar, una democracia inacabada,*
- ✓ Mosse, George L.: *La nacionalización de las masas,*
- ✓ Paxton, Robert O.: *Anatomía del fascismo,*

- ✓ Roth, Joseph: *Cartas (1911-1939)*,
- ✓ Roth, Joseph: *Crónicas berlinesas*,
- ✓ Roth, Joseph: *El Anticristo. Un alegato moral contra la barbarie*,
- ✓ Roth, Joseph: *El juicio de la historia*,
- ✓ Roth, Joseph: *La filial del infierno en la Tierra. Escritos desde la emigración*,
- ✓ Roth, Joseph & Zweig, Stefan: *Ser amigo mío es funesto. Correspondencia (1911-1939)*,
- ✓ Sala Rose, Rosa: *Mitos y símbolos del nazismo*,
- ✓ Schnitzler, Arthur: *Juventud en Viena*,
- ✓ Toller, Ernst: *Una juventud en Alemania*,
- ✓ Xammar, Eugeni: *Crónicas desde Berlín (1930-1936)*,
- ✓ Xammar, Eugeni: *El huevo de la serpiente*,
- ✓ Vuillard, Eric: *El orden del día*,
- ✓ Zweig, Stefan: *Correspondencia con Sigmund Freud, Rainer Maria Rilke y Arthur Schnitzler*,
- ✓ Zweig, Stefan: *El mundo de ayer*.

El antisemitismo.

- ✓ Ackerman, Nathan W. & Jahoda, Marie: *Psicoanálisis del antisemitismo*,
- ✓ Álvarez Chillida, Gonzalo: *El antisemitismo en España*,
- ✓ Ben-Itto, Hadassa, *La mentira que no ha querido morir. Cien años de los Protocolos de los Sabios de Sión*,
- ✓ Cohn, Norman: *El mito de la conspiración judía mundial: los protocolos de los sabios de Sión*,
- ✓ Enzensberger, Hans Magnus: *El perdedor radical. Ensayos sobre*

los hombres del terror,

- ✓ Finkielkraut, Alain: *En el nombre del otro,*
- ✓ Freud, Sigmund: *Escritos sobre judaísmo y antisemitismo,*
- ✓ Johnson, Paul: *La historia de los judíos,*
- ✓ Kadary, Victor: *Los judíos en la modernidad europea,*
- ✓ Le Rider, Jacques: *Los judíos vieneses en la Belle Époque,*
- ✓ Mann, Thomas: *Hermano Hitler y otros escritos sobre la cuestión judía,*
- ✓ Moradiellos, Enrique: *Antisemitismo y barbarie,*
- ✓ Perednik, Gustavo Daniel: *La judeofobia,*
- ✓ Pérez, Joseph: *Historia de una tragedia,*
- ✓ Perez, Joseph: *Los judíos en España,*
- ✓ Postone W.; Wajnsztejn J. & Schulze B.: *La crisis del Estado-Nación. Antisemitismo-Racismo- Xenofobia,*
- ✓ Romero, Elena & Macías, Uriel: *Los judíos de Europa,*
- ✓ Roth, Joseph: *Judíos errantes,*
- ✓ Rozenberg, Danielle: *La España contemporánea y la cuestión judía,*
- ✓ Sala Rose, Rosa: *El misterioso caso alemán,*
- ✓ Sartre, Jean-Paul: *Reflexiones sobre la cuestión judía,*
- ✓ Schama, Simon: *Historia de los judíos,*
- ✓ Shahak, Israel: *Historia judía,*
- ✓ Taguieff, Pierre-André: *La nueva judeofobia,*
- ✓ VV.AA.: *El estigma imborrable. Reflexiones sobre el nuevo antisemitismo* (ed. Ebraica Ediciones).

Verdugos y colaboradores.

- ✓ Albahari, David: *Goetz y Meyer,*
- ✓ Aly, Gotz: *Los que sobraban: una historia social de la eutanasia,*
- ✓ Aly, Gotz: *¿Por qué los alemanes? ¿Por qué los judíos?*
- ✓ Anders Gühnter: *Nosotros los hijos de Eichmann. Carta abierta a Klaus Eichmann.*
- ✓ Aster, Misha: *La Orquesta del Reich: la Filarmónica de Berlín y el nacionalsocialismo,*
- ✓ Borges, Jorge Luis: "Deutsche Requiem". En *El Aleph,*
- ✓ Browning, Christopher: *Aquellos hombres grises,*
- ✓ Carr, Jonathan: *El clan Wagner,*
- ✓ Cornwell, John: *El papa de Hitler,*
- ✓ Davidson, Martín: *El nazi perfecto,*
- ✓ D'Almeida, Fabrice: *Recursos inhumanos. Guardianes de campos de concentración,*
- ✓ Dumont, Jean: *Los médicos de la muerte* (3 vols.),
- ✓ Eberle, Henrik & Uhl, Matthias (eds.): *El informe Hitler,*
- ✓ Kellerhoff, Sven Felix: *Mi lucha. La historia del libro que marcó el siglo XX.*
- ✓ Fest, Joachim: *Conversaciones con Albert Speer. Preguntas sin respuesta,*
- ✓ Fest, Joachim: *El hundimiento,*
- ✓ Goebbels, Joseph: *Diario de 1945,*
- ✓ Goldensohn, Leon: *Las entrevistas de Núremberg,*
- ✓ Goldhagen, Daniel: *La Iglesia católica y el Holocausto,*
- ✓ Goldhahen, Daniel: *Los verdugos voluntarios de Hitler,*
- ✓ Grass, Günter: *Pelando la cebolla,*

✓ Guez, Olivier: *La desaparición de Josef Mengele,*

✓ Hamsun, Knut: *Textos de la infamia,*

✓ Harding, Thomas: *Hans y Rudolf,*

✓ Himmler, Katrin: *Los hermanos Himmler,*

✓ Ingrao, Christian: *Creer y destruir. Los intelectuales en la máquina de guerra de las SS,*

✓ Kain, Franz: *El camino al lago desierto,*

✓ Kershaw, Ian: *Hitler: 1898-1936,*

✓ Kershaw, Ian: *Hitler: 1936-1945,*

✓ Kershaw, Ian: *Hitler, la biografía definitiva,*

✓ Kersten, Arno: *Las confesiones de Himmler,*

✓ Lanzmann, Claude: *Alguien vivo pasa,*

✓ Longerich, Peter: *Heinrich Himmler,*

✓ Lumsden, Robin: *Historia secreta de las SS,*

✓ Misch, Rochus: *Yo fui guardaespaldas de Hitler, 1940-1945,*

✓ Moczarski, Kazimierz: *Conversaciones con un verdugo,*

✓ Murphy, Brendan: *El carnicero de Lyon. La vida de Klaus Barbie,*

✓ Overy, Richard: *Interrogatorios, el Tercer Reich en el banquillo,*

✓ Padfield, Peter: *Himmler,*

✓ Posner, Gerald L. & Ware, John: *Mengele. El médico de los experimentos de Hitler,*

✓ Reiman, Viktor: *Goebbels,*

✓ Rees, Laurence: *el oscuro carisma de Hitler,*

✓ Rees, Laurence: *Los verdugos y las víctimas,*

✓ Rhodes, Richard: *Amos de la muerte,*

✓ Rosenbaum, Ros: *Explicar a Hitler,*

✓ Rosenberg, Alfred: *Diarios, 1934-1944,*

✓ Sala Rose, Rosa: *El marqués y la esvástica,*

✓ Schneider, Helga: *Déjame ir, madre,*

✓ Schneider, Helga*: No hay cielo sobre Berlín,*

✓ Schneider, Helga: *Yo, la pequeña invitada del Fürher,*

✓ Schroeder, Christa: *Doce años junto a Hitler,*

✓ Sereny, Gitta: *Desde aquella oscuridad,*

✓ Sigmund, Anna Maria: *Las mujeres de los nazis,*

✓ Speer, Albert: *Diario de Spandau,*

✓ Toland, John: *Adolf Hitler: una biografía narrativa,*

✓ Wistrich, Robert S.: *Hitler y el Holocausto.*

Endlösung: la Solución Final.

✓ Armengou, Montse & Belis, Ricard: *Ravensbrück, el infierno de las mujeres,*

✓ Bauer, Yehuda: *El lugar del Holocausto en la historia contemporánea,*

✓ Bensoussan, Georges: *Historia de la Shoah,*

✓ Bernadac, Christian: *Campo de mujeres* (2 vols),

✓ Bernadac, Christian: *Los maniquíes desnudos,*

✓ Bruchfeld, Stéphane & Levine Paul A.: *De esto contaréis a vuestros hijos. Un libro sobre el Holocausto en Europa,*

✓ *El Holocausto en documentos* (ed. Yad Vashem),

✓ Friedländer, Saul: *¿Por qué el Holocausto? Historia de una psicosis colectiva,*

✓ Gilbert, Martin: *Noche de los cristales rotos. El preludio de la destrucción,*

- ✓ Gross, Jan T.: *Vecinos*,

- ✓ Grossman, Vasili: *Años de guerra*,

- ✓ Grossman, Vasili: *El infierno de Treblinka*,

- ✓ Grynberg, Michal: *Voces del gueto de Varsovia*,

- ✓ Jackson, Gabriel: *Civilización y barbarie en la Europa del siglo XX*,

- ✓ Karski, Jan: *Historia de un estado clandestino*,

- ✓ Kershaw, Ian: *Hitler, los alemanes y la Solución Final*,

- ✓ Lampert, Tom: *Una sola vida, ocho historias de la guerra*,

- ✓ Lem, Stanislaw: *Provocación*,

- ✓ Martínez de Murguía, Beatriz: *La vida a oscuras: el gueto de Varsovia*,

- ✓ Moreno Feliú, Paz: *En el corazón de la zona gris. Una lectura etnográfica de los campos de Auschwitz*,

- ✓ Rees, Laurence: *Auschwitz: los nazis y la Solución Final*,

- ✓ Rees, Laurence: *El Holocausto*,

- ✓ Roseman, Mark: *La villa, el lago, la reunión*,

- ✓ Sands, Philippe: *Calle Este-Oeste*,

- ✓ Sem-Sandberg, Steve:*El imperio de las mentiras*,

- ✓ Steinbacher, Sybille: *Auschwitz*,

- ✓ Szep, Erno: *El olor humano*,

- ✓ Traverso, Enzo: *La historia desgarrada. Ensayo sobre Auschwitz y los intelectuales*,

- ✓ VV.AA.: *Para entender el Holocausto* (ed. Confluencias),

- ✓ Wachsmann, Nikolaus: *Historia de los campos de concentración nazis*,

- ✓ Wieviorka, Annette: *1945, cómo el mundo descubrió el horror*,

- ✓ Wieviorka, Annette: *Auschwitz explicado a mi hija.*

El después.

- ✓ Agamben, Giorgio: *Homo sacer (Lo que queda de Auschwitz),*
- ✓ Amery, Carl: *Auschwitz, ¿comienza el siglo XXI?,*
- ✓ Arendt, Hanna: *Una revisión de la historia judía y otros ensayos,*
- ✓ Baer, Alejandro: *Holocausto. Recuerdo y representación,*
- ✓ Caspers, Karl: *El problema de la culpa,*
- ✓ Didi-Huberman, Georges: *Cortezas,*
- ✓ Duras, Marguerite: *El dolor,*
- ✓ Forges, Jean-François: *Educar contra Auschwitz,*
- ✓ Fernández Vítores, Raúl: *Séneca en Auschwitz, la escritura culpable,*
- ✓ Grass, Günter: *Escribir después de Auschwitz,*
- ✓ Grossman, David: *Escribir en la oscuridad,*
- ✓ Jankelevitch, Vladimir: *El perdón,*
- ✓ Judt, Tony: *Sobre el olvidado siglo XX,*
- ✓ Kertész, Imre: *Diario de la galera,*
- ✓ Kertész, Imre: *La última posada,*
- ✓ Kertész, Imre: *Un instante de silencio en el paredón,*
- ✓ Kertesz, Imre: *Yo, otro: crónica del cambio,*
- ✓ Lanzmann, Claude: *La tumba del sublime nadador,*
- ✓ Lebert, Norbert y Stephan: *Tú llevas mi nombre,*
- ✓ Lemkin, Raphaël: *Genocidio. Escritos,*
- ✓ Levi, Primo: *Deber de memoria,*
- ✓ Levi, Primo: *Vivir para contar,*

- ✓ Lozano, Álvaro: *El Holocausto y la cultura de masas*,
- ✓ Manea, Norman: *La quinta imposibilidad, judaísmo y escritura*,
- ✓ Mate, Reyes: *La herencia del olvido*,
- ✓ Mate, Reyes: *Memoria de Auschwitz. Actualidad moral y política*,
- ✓ Mate, Reyes: *Por los campos de exterminio*,
- ✓ MacDonogh, Giles: *Después del Reich. Crimen y castigo en la posguerra alemana*,
- ✓ Mulisch, Harry: *El juicio a Eichmann*,
- ✓ Nagorski, Andrew, *Cazadores de nazis*,
- ✓ Nissim, Gabriela: *El jardín de los justos*,
- ✓ Sansal, Boualem: *La aldea del alemán*,
- ✓ Sebald, W.G.: *Sobre la historia natural de la destrucción*,
- ✓ Sereny, Gitta: *El trauma alemán*,
- ✓ Steiner, George: *Lenguaje y silencio*,
- ✓ Todorov, Tzvetan: *Los abusos de la memoria*,
- ✓ Topòl, Jachym; *Por el país del frío*,
- ✓ Traverso, Enzo: *Los judíos y Alemania*,
- ✓ Trebolle, Julio: *Los judíos hoy*,
- ✓ VVAA: *Pensar después de Auschwitz* (ed. Ferrán Gallego),
- ✓ Wiesenthal, Simon: *Los límites del perdón*,
- ✓ Yerushalmi, Yosef Hayim: *Zajor*.

5. NARRATIVA.

El tiempo previo al Holocausto.

- ✓ Appelfeld, Aharon: *Badenheim 1939*,
- ✓ Appelfeld, Aharon: *Katerina*,

- ✓ Bassani, Giorgio: *El jardín de los Finzi-Contini,*
- ✓ Bettauer, Hugo: *La ciudad sin judíos,*
- ✓ Cook, Thomas H.: *Las orquídeas,*
- ✓ Döblin, Alfred: *Berlín Alexanderplatz,*
- ✓ Espmark, Kjell: *Béla Bartók contra el Tercer Reich,*
- ✓ Fallada, Hans: *Solo en Berlín,*
- ✓ Feuchtwanger, Lion: *El judío Süss,*
- ✓ Feuchtwanger, Lion: *Los hermanos Oppermann,*
- ✓ Haffner, Ernst: *Hermanos de sangre,*
- ✓ Halter, Marek: *La memoria de Abraham,*
- ✓ Horvath, Ödön von: *Un hijo de nuestro tiempo,*
- ✓ Horvath, Ödön von: *Juventud sin Dios,*
- ✓ Isherwood, Christopher: *Adiós a Berlín,*
- ✓ Jergovic, Miljenko: *Ruta Tannenbaum,*
- ✓ Kerr, Philip: *Si los muertos no resucitan,*
- ✓ Mailer, Norman: *El castillo en el bosque,*
- ✓ Mann, Erika: *Cuando las luces se apagan,*
- ✓ Némirovsky, Irène : *David Golder,*
- ✓ Némirovsky, Irène : *Jezabel,*
- ✓ Némirovsky, Irène: *Suite francesa,*
- ✓ Níster, Der : *La familia Máshber,*
- ✓ Padura, Leonardo: *Herejes,*
- ✓ Pap, Károly: *Azarel,*
- ✓ Roth, Philip: *La conjura contra América,*
- ✓ Sachs, Maurice: *EL Sabbat,*
- ✓ Schnitzler, Arthur: *Camino a campo abierto,*

- ✓ Schulz, Bruno: *El sanatorio de la clepsidra,*
- ✓ Seghers, Anna: *La séptima cruz,*
- ✓ Simenon, George: *El tren de Venecia,*
- ✓ Singer, Isaac Bashevis: *La familia Karnowsky,*
- ✓ Singer, Isaac Bashevis: *La familia Moskat,*
- ✓ Solmssen, Arthur R.G.: *Una princesa en Berlín,*
- ✓ Taylor, Kathrine Kressman: *Paradero desconocido,*
- ✓ Uhlman, Fred: *Reencuentro,*
- ✓ Weiss, Ernst: *El testigo ocular,*
- ✓ Zweig, Stefan: *Mendel el de los libros,*
- ✓ Zweig, Stefan: *Novela de ajedrez.*

Relatos sobre el Holocausto.

- ✓ Aichinger, Ilse: *La esperanza más grande,*
- ✓ Baram, Nir: *Las buenas personas,*
- ✓ Binet, Laurent: *HHhH,*
- ✓ Borowski, Tadeusz: *Nuestro hogar es Auschwitz,*
- ✓ Dogar, Sharon: *Encerrados en la casa de atrás,*
- ✓ Eger, Edith: *La bailarina de Auschwitz,*
- ✓ Fink, Ida: *El viaje,*
- ✓ Fink, Ida: *Un pedacito de tiempo y otros relatos,*
- ✓ Foenkinos, David: *Charlotte,*
- ✓ García Ortega, Adolfo: *El comprador de aniversarios,*
- ✓ Goby, Valentine: *La habitación de los niños,*
- ✓ Hayat, Philippe: *Momo y Marie,*
- ✓ Hyams, Joseph: *Un campo de estrellas,*
- ✓ Ka-Tzetnik 135633: *La casa de las muñecas,*

- ✓ Keilson, Hans: *Una comedia en tono menor,*
- ✓ Keneally, Thomas: *El arca de Schindler,*
- ✓ Kerr, Philip: *Praga mortal,*
- ✓ Kis, Danilo: *El reloj de arena,*
- ✓ Konrád, György: *Una fiesta en el jardín,*
- ✓ Laffitte, Jean: *El ahorcamiento,*
- ✓ Lem, Stanislaw: *El hospital de la transfiguración,*
- ✓ Levi, Primo: *Si ahora no, ¿cuándo?,*
- ✓ Lustig, Arnost : *Una oración por Katerina Horovitzová,*
- ✓ Malaparte, Curzio: *Kaputt,*
- ✓ Márai, Sándor: *Liberación,*
- ✓ Mazzetti, Lorenza: *El cielo se cae,*
- ✓ Minco, Marga: *La hierba amarga,*
- ✓ Millu, Liana: *El humo de Birkenau,*
- ✓ Morgenstern, Soma: *Huida en Francia,*
- ✓ Nister, Der: *Sobre una tierra ardiente,*
- ✓ Pastor, Ben, *Kaputt Mundi,*
- ✓ Rein, Heinz: *Final en Berlín,*
- ✓ Rovan, Joseph: *Cuentos de Dachau,*
- ✓ Soeteman, Gerard: *El libro negro,*
- ✓ Szel, Elisabeth: *Operación Noche y Niebla,*
- ✓ Surminski, Arno: *Los pájaros de Auschwitz,*
- ✓ Wagenstein, Angel: *El Pentateuco de Isaac,*
- ✓ Weil, Jiri: *Mendelsohn en el tejado,*
- ✓ Weil, Jiri: *Vida con estrella,*
- ✓ Winder, Ludwig, *El deber,*

- ✓ Witterick, J.L.: *El secreto de mi madre,*
- ✓ Wojdowski, Bogdan: *Pan para los muertos.*

Lo que dejó.

- ✓ Appelfeld, Aharon: *Vía férrea,*
- ✓ Canin, Ethan: *Al otro lado del mar,*
- ✓ Cusset, Catherine: *Las vidas de Lenush,*
- ✓ Forsyth, Frederick: *Odessa,*
- ✓ Goldstein, Jan: *Lo que de verdad importa,*
- ✓ Haddad, Hubert: *Vientos de primavera,*
- ✓ Halfon, Eduardo: *Oh gueto mi amor,*
- ✓ Huston, Nancy: *Marcas de nacimiento,*
- ✓ Kain, Franz: *Camino al lago desierto,*
- ✓ Kaniuk, Yoram: *El hombre perro,*
- ✓ Kanon, Joseph: *El buen alemán,*
- ✓ Kerr, Philip: *Réquiem alemán,*
- ✓ Kertész, Imre: *Fiasco,*
- ✓ Kertész, Imre: *Kadish por el hijo no nacido,*
- ✓ Kertész, Imre: *Liquidación,*
- ✓ King, Stephen: *Las cuatro estaciones, I* ("Verano de corrupción. Alumno aventajado"),
- ✓ Lebert, Hans: *El círculo de fuego,*
- ✓ Lebert, Hans: *La piel del lobo,*
- ✓ Menasse, Robert: *La expulsión del infierno,*
- ✓ Modiano, Patrick, *Calle de las tiendas oscuras,*
- ✓ Nalkowska, Zophia: *Medallones,*
- ✓ Navarro, Julia: *Dime quién soy,*

- ✓ Pacheco, José Emilio: *Morirás lejos,*
- ✓ Péju, Pierre: *La risa del ogro,*
- ✓ Safran Foer, Jonathan: *Todo está iluminado,*
- ✓ Sánchez, Clara: *Lo que esconde tu nombre,*
- ✓ Schirach, Ferdinand von: *El caso Collini,*
- ✓ Schlink, Bernhard: *El fin de Selb,*
- ✓ Schlink, Bernhard: *El lector,*
- ✓ Sebald, W.G.: *Los emigrados.*
- ✓ Styron, William: *La decisión de Sophie,*
- ✓ Tisma, Aleksandar: *A las que amamos,*
- ✓ Tisma, Aleksandar: *El kapo,*
- ✓ Volpi, Jorge: *En busca de Klingsor,*
- ✓ Wagenstein, Angel: *Lejos de Toledo,*
- ✓ Wallant, Edward Lewis: *El prestamista,*
- ✓ Zaidman, Boris: *Hemingway y la lluvia de pájaros muertos.*

Poesía.

- ✓ Celan, Paul: *Obras completas,*
- ✓ Celan, Paul: *Poemas póstumos,*
- ✓ Fernández-Vítores, Raúl: *Campos,*
- ✓ Fried, Erich: *Amor, duelo, contradicciones,*
- ✓ Katzenelson, Itsjok: *El canto del pueblo judío asesinado,*
- ✓ Kolmar, Gertrud: *Mundos,*
- ✓ Levi, Primo: *A una hora incierta,*
- ✓ Rózewicz, Tadeusz: *Poesía abierta,*
- ✓ Sachs, Nelly: *En las moradas de la muerte,*
- ✓ Szymborska, Wislawa: *Aquí.*

Teatro.

- ✓ Bernhard, Thomas: *Plaza de los héroes,*
- ✓ Brecht, Berthold: *La mujer judía,*
- ✓ *Brundibar* (adaptación de Tony Kushner),
- ✓ Llorente, Mariano & Ripoll, Laila : *El triángulo azul,*
- ✓ Miller, Arthur: *Cristales rotos,*
- ✓ Mayorga, Juan: *El cartógrafo,*
- ✓ Pinter, Harold: *Cenizas a las cenizas,*
- ✓ Weiss, Peter: *La indagación.*

Cómic.

- ✓ Claudet, Manu Larcenet: *El informe de Brodeck,*
- ✓ Croci, Pascal: *Auschwitz,*
- ✓ Eisner, Will: *Fagin, el judío,*
- ✓ Eisner, Will: *La conspiración. La historia secreta de los protocolos de los sabios de Sión,*
- ✓ Eisner, Will: *Viaje al corazón de la tormenta,*
- ✓ Galandon, Laurent: *Volando libre,*
- ✓ Heuvel, Eric: *La búsqueda,*
- ✓ Jacobson, Sid & Colón, Ernie: *Ana Frank, la novela gráfica,*
- ✓ Kleist, Reinhardt: *El boxeador,*
- ✓ Kubert, Joe: *Yossel,*
- ✓ Lutes, Jason: *Berlín. Ciudad de humo,*
- ✓ Mainka, Matz: *La sospecha,*
- ✓ Nury, Fabien & Vallée, Sylvain: *Érase una vez en Francia* (3 vols.).

- ✓ Rizzo, Marco: *Jan Karski. El hombre que descubrió el Holocausto,*
- ✓ Sfar, Joann: *El gato del rabino,*
- ✓ Tezuka, Osamu: *Adolf,*
- ✓ Toussaint, Kid & Beroy, José María: *El ultimo convoy,*
- ✓ Yakin, Boaz & Bertozzi, Nick: *Jerusalén,*
- ✓ Zapico, Alfonso: *Café Budapest.*
- ✓ Zentner, Jorge & Pellejero, Jorge: *El silencio de Malka.*

La cultura del abismo

ÍNDICE

III. SELECCIÓN BIBLIOGRÁFICA

YUTAKA TANIUCHI

VISADOS MILAGROSOS

El cónsul japonés que salvó a seis mil judíos

RIOPIEDRAS

EL CÓNSUL GENERAL
BERNARDO ROLLAND DE MIOTA
Y LOS SEFARDIES DE PARÍS
DURANTE LA SEGUNDA GUERRA MUNDIAL
Matilde Morcillo

Leah Klenicka

FUNDAMENTOS METAFÍSICOS
DEL ANTISEMITISMO
Según las obras de Jacob Taubes y otros

La cultura del abismo
-LECTURAS DEL HOLOCAUSTO-

Javier Fernández Aparicio
Javier Quevedo Arcos